HET IJZEREN HUIS

Van John Hart zijn verschenen:
De wet en de leugen
Gevaarlijke onderstroom
Onschuld
Het ijzeren huis ◈

◈ Ook als e-book verkrijgbaar

JOHN HART

HET IJZEREN HUIS

UITGEVERIJ LUITINGH

Uitgeverij Luitingh en Drukkerij Koninklijke Wöhrmann BV vinden het belangrijk om op milieuvriendelijke en duurzame wijze met natuurlijke bronnen om te gaan.

Oorspronkelijke titel: *Iron House*
Vertaling: Joost de Wit
Omslagontwerp: Edd Simons
Omslagfotografie: Maggie Brodie/Trevillion Images Ltd.

ISBN 978 90 245 4162 1
ISBN e-book 978 90 245 4175 1
NUR 305

www.boekenwereld.com
www.uitgeverijluitingh.nl
www.watleesjij.nu

Voor Pete Wolverton en Matthew Shear

Bomen omgewaaid in de stormwind, hun stammen hard en zwart en ruw als steen, hun grote takken gebogen onder het gewicht van de sneeuw. Het was donker buiten, nacht. Tussen de stammen door holde een jongen, en viel, en holde weer verder. Sneeuw smolt tegen de warmte van zijn lijf, doorweekte zijn kleding en bevroor dan stijf. Zijn wereld was zwart en wit, behalve waar hij rood was.

Op zijn handen en onder zijn nagels.

Vastgevroren tegen het lemmet van een mes dat niet voor kinderen was bedoeld.

Even weken de wolken uiteen, toen werd het weer aardedonker en een ijzerharde stam bezeerde de neus van de jongen tot bloedens toe toen hij tegen een boom liep en weer viel. Hij kwam overeind en holde door sneeuw die zo hoog kwam als zijn knieën, tot zijn middel. Takken sloegen tegen zijn haar, rukten zijn huid stuk. Ver achter hem straalde licht, en de geluiden van achtervolging welden op als een ademtocht in de keel van het bos.

Lange uithalen in de bittere wind...

Honden achter de bergkam...

1

Michael ontwaakte en tastte naar zijn wapen dat niet meer naast zijn bed lag. Zijn vingers gleden over het kale hout en hij schoot overeind, opeens klaarwakker, zijn huid nat van het zweet en de herinnering aan ijs. In de flat bewoog niets, en het enige geluid kwam van buiten, uit de stad. De vrouw naast hem bewoog zich met een ruisend geluid door de warme kluwen van hun lakens en haar hand vond de harde ronding van zijn schouders. 'Alles goed, schat?'

Bleek ochtendlicht filterde door de gordijnen, het open raam, en hij bleef met zijn rug naar haar toe zitten, zodat ze het jongetje niet kon zien dat in zijn ogen school, en de pijnplek, zo diep verzonken dat ze die nog niet had ontdekt. 'Akelig gedroomd, liefje.' Zijn vingers vonden de golving van haar heup. 'Ga maar gauw weer slapen.'

'Zeker weten?' Het kussen dempte haar stem.

'Ja, hoor.'

'Hou van je,' zei ze, en ze was weg.

Michael keek hoe ze insliep en zette toen zijn voeten op de vloer. Hij voelde aan oude littekens, door bevriezing ontstaan, aan de dode plekken in zijn handpalmen en aan de toppen van drie vingers. Hij wreef zijn handen en hield ze toen in het licht. De palmen waren breed, de vingers lang en ze liepen spits toe.

De vingers van een pianist, zei Elena vaak.

Breed en gehavend, reageerde hij dan hoofdschuddend.

De handen van een kunstenaar...

Ze zei zulke dingen graag, in de taal van de optimist en de dromer. Michael boog zijn vingers, hoorde in zijn hoofd de klank van haar woorden, met dat zangerige accent, en even schaamde hij zich. Zijn handen hadden veel gedaan, maar nooit iets creatiefs. Hij stond op en maakte een rolbeweging met zijn schouders, terwijl New York om hem heen vaste vorm aannam: Elena's appartement, de geur van pasgevallen regen op warm asfalt. Hij trok zijn spijkerbroek aan en keek naar het open raam. De nacht bedekte de stad als een donkere hand waarvan de huid nog niet met grijs was dooraderd. Hij keek naar Elena's gezicht dat bleekjes oplichtte in het halfduister, zacht en gekreukt van de slaap. Ze lag roerloos in het bed dat ze deelden; haar schouder was warm toen hij die met twee vingers beroerde. Buiten werd de stad zo donker en stil als maar kon, het geluidloze moment aan het einde van een ademtocht. Hij streek wat haar weg uit haar gezicht, en hij zag op haar slaap het kloppen van haar levensader, regelmatig en sterk. Hij zou die klop graag voelen, om zich te overtuigen van de kracht en de duurzaamheid daarvan. Een oude man lag op sterven, en als hij dood was kwamen ze achter Michael aan. En kwamen ze achter háár aan, om Michael te grazen te nemen. Elena wist niets van dit alles, of van de dingen waarbij hij betrokken was, of van de gevaren die haar daardoor bedreigden, maar Michael zou haar met vuur en vlam verdedigen.

Vuur en vlam.

Wie te dicht bij het vuur komt, verschroeit.

Zo was dat. Daar viel niets tegen in te brengen.

Hij bestudeerde haar gezicht in het schemerlicht, de gladde huid en volle, iets geopende lippen, het zwarte haar dat in golven naar haar schouders liep en dan uitwaaierde, als branding. Ze draaide zich om in haar slaap, en even voelde Michael een somber gevoel in zich opkomen dat hij maar al te goed kende: het zeker weten dat het eerst slechter zou gaan voor het beter werd. Geweld had zich al vanaf zijn jeugd aan hem gehecht als een geur. En was nu ook om haar heen komen te hangen. Opnieuw besefte hij dat hij bij haar weg moest gaan; zijn problemen oppakken en vertrekken. Dat had hij natuurlijk al eerder geprobeerd, niet één, maar wel honderd keer. Maar na elke mislukte poging was dat zeker weten alleen maar sterker geworden.

Hij kon niet leven zonder haar.

Hij zou zorgen dat het goed kwam.

Michael ging met zijn vingers door haar haar en vroeg zich opnieuw af hoe de narigheid hier was terechtgekomen. Hoe hadden dingen zo snel zo mis kunnen lopen?

Hij liep naar het raam en schoof het gordijn net ver genoeg opzij om in de steeg te kunnen kijken. De auto stond er nog, zwart en laag, in de schaduwen verderop. De voorruit weerkaatste de buitenlichtjes, waardoor hij niet naar binnen kon kijken, maar van de mannen in het voertuig kende hij er in elk geval één. Diens aanwezigheid daar was bedreigend en maakte Michael sprakeloos van woede. Hij had afspraken gemaakt met de oude heer en verwachtte dat die zich daar dan ook aan hield. Woorden waren voor Michael nog altijd belangrijk.

Beloftes.

Gedragsregels.

Hij keek nog één keer naar Elena en pakte toen twee pistolen kaliber .45 met geluiddemper uit de plaats waar hij die verborgen hield. Ze voelden koel aan en lagen vertrouwd in zijn handen. Hij controleerde de lading en er trok een frons over zijn gezicht toen hij zich afkeerde van de vrouw van wie hij hield. Dit had achter hem moeten liggen; hij had hiervan bevrijd moeten zijn. Hij moest weer aan de man in de zwarte auto denken.

Acht dagen terug waren ze broers geweest.

Michael was bij de deur en bijna buiten toen Elena zijn naam riep. Hij bleef even staan, legde toen de wapens neer en glipte terug de slaapkamer binnen. Ze lag op haar rug met een arm half in de lucht. 'Michael...'

De naam speelde als een lachje over haar lippen en hij dacht dat ze misschien droomde. Ze draaide zich om en een vleug van de geur van een warm bed kwam de kamer in – de geur van haar huid, van gewassen haar. Het was de geur van huiselijkheid en de toekomst, de belofte van een ander leven. Michael weifelde, maar pakte haar hand toen ze zei: 'Kom terug in bed.'

Hij keek naar de keuken waar hij de wapens naast een blik met gele verf had gelegd. Haar stem was overgegaan in een gefluister en hij wist dat als hij nu wegging, ze weer in slaap viel en alles zou vergeten. Hij kon dan naar buiten glippen en doen waar hij goed in was. Als hij dat stel daar doodschoot zou de zaak escaleren, er zouden andere mannen op hem af worden gestuurd; maar het kon zijn dat zijn boodschap afdoende was.

Het kon ook zijn van niet.

Zijn blik ging van Elena naar het raam. De nacht buiten was zwart, de huid strakgespannen. De auto stond er nog, net als gisternacht en de nacht ervoor. Tot de oude man stierf, zouden ze niets tegen hem ondernemen, maar ze wilden hem wel bang maken. Ze wilden hem provoceren, en Michael wilde hetzelfde doen bij hen. Hij ademde diep in en dacht aan de man die hij wilde zijn. Elena was hier, naast hem, en in de wereld die ze samen voor ogen hadden was geen plaats voor geweld. Maar hij was in de eerste plaats een realist, waardoor toen haar vingers zich om de zijne strengelden, zijn gedachten niet werden geleid door hoop, maar door vergelding en afschrikking. Er schoot hem een oud gedicht te binnen.

Twee wegen lagen gesplitst in een geelgoud woud...

Michael stond op een kruispunt, en hij moest nu een keuze maken. Ga terug naar bed, of pak de wapens. Elena of de steeg. De toekomst of het verleden.

Elena kneep hem weer in zijn hand. 'Hou van me, lief,' zei ze, en daar koos hij voor.

Leven boven de dood.

De minder bewandelde weg.

De dageraad in New York brak gloeiend heet aan. De wapens waren opgeborgen en Elena sliep nog. Michael zat met zijn voeten op de vensterbank en keek naar beneden, het lege achterstraatje in. Ze waren rond vijf uur weggereden, achteruit de steeg uit, met één enkele stoot op de claxon toen ze uit het zicht verdwenen. Als het de bedoeling was geweest hem wakker te maken of schrik aan te jagen, was dat jammerlijk mislukt. Hij was al sinds drie uur op en voelde zich prima. Michael bestudeerde zijn vingertoppen, die vol gele verfvlekken zaten.

'Wat zit jij daar te grinniken, knappe vent?' Hij schrok op van haar stem en draaide zich om. Elena zat rechtop in bed, zwoel, en streek lang, zwart haar uit haar gezicht. Het laken gleed weg tot haar middel en Michael zette zijn voeten op de grond, wat verlegen beland te zijn geraakt in dit moment van onversneden geluk.

'Moest ergens aan denken,' zei hij.

'Aan mij?'

'Natuurlijk.'

'Liegbeest.'

Ze lachte, haar huid nog vol vouwen. Haar rug stond hol toen ze zich uitrekte, de vuisten van haar kleine handen trokken wit weg. 'Wil je koffie?' vroeg Michael.

Ze viel achterover terug in de kussens, knorde tevreden, en zei: 'Jij bent een geschenk uit de hemel.'

'Een ogenblikje, dan.' In de keuken schonk Michael warme melk in een mok, en dan koffie. Half om half, zoals zij het lekker vond. *Café au lait.* Erg Frans. Toen hij terugkwam had ze een van zijn hemden aan, de mouwen losjes opgerold over haar slanke armen. Hij gaf haar de koffie. 'Leuk gedroomd?'

Ze knikte en haar ogen vonkten even. 'Er was één droom bij die heel echt leek.'

'O ja?'

Ze zakte terug in het bed en knorde weer even. 'Toch komt er nog eens een dag dat ik eerder op ben dan jij.'

Michael ging op de rand van het bed zitten en legde een hand op de wreef van haar voet. 'Reken maar, schat.' Elena was een langslaper en Michael haalde gewoonlijk niet meer dan vijf uur per nacht. Dat zij eerder uit bed zou komen dan hij was dan ook uiterst onwaarschijnlijk. Hij keek hoe ze haar koffie dronk en nam zich opnieuw voor de kleine dingen te onthouden die zo karakteristiek waren voor haar: de blanke lak die ze het liefst op haar nagels had, de lengte van haar benen, het littekentje op haar wang dat de enige ongerechtigheid in haar huid vormde. Ze had zwarte wenkbrauwen, ogen die bruin waren, maar honingkleurig konden zijn bij een bepaald licht. Ze was lenig en sterk, in elk opzicht een prachtige vrouw, maar dat was niet wat Michael het meest aan haar bewonderde. Elena kon zo genieten van de simpelste dingen: tussen koele lakens stappen, een nieuw gerecht proeven, met een gevoel van verwachting de voordeur opendoen om naar buiten gaan. Ze vertrouwde erop dat elk moment beter kon zijn dan het vorige. Ze ging ervan uit dat mensen goed waren, waardoor ze opgloeide als een vonk in een verder zo onverschillige wereld.

Ze dronk van haar koffie en Michael zag hoe ze ineens de verf op zijn handen opmerkte. Ze fronste licht. De mok ging bij haar lippen vandaan. 'Heb je hem nou al geschilderd?'

Ze probeerde boos te klinken, maar dat lukte niet, en toen hij probeerde de vraag te beantwoorden kon hij niet voorkomen dat zijn hele gezicht zich in een lach vertrok. Ze had zich voorgesteld hoe ze hem samen zouden schilderen – lachen, verf morsen – maar Michael had zich niet kunnen bedwingen. 'Kon me niet inhouden,' zei hij, en hij dacht aan de verse gele verf op de muren van het kleine kamertje aan het einde van de gang. Ze noemde het een tweede slaapkamer, maar het was in feite niet meer dan een grote inloopkast. Met een hoog, smal raam met ribbelglas. Waardoor het middaglicht de gele verf zou doen opgloeien als goud.

Ze zette de koffie neer en schoof naar achteren tegen de kale muur achter zich. Haar knieën maakten een tent van het laken en ze zei: 'Kom terug in bed, dan maak ik ontbijt voor je.'

'Te laat.' Michael stond op en liep terug naar de keuken. Hij had bloemen in een vaasje gezet. Het fruit was al gesneden en het sap ingeschonken. Daar legde hij verse lekkere broodjes bij en droeg daarna het blad naar binnen.

'Ontbijt op bed?'

Michaels stem stokte, hij moest even slikken. 'Een mooie Moederdag,' zei hij uiteindelijk.

'Het is geen...' Toen begreep ze hem.

Gisteren had ze hem verteld dat ze zwanger was.

Elf weken.

Ze bleven het grootste deel van de ochtend in bed – lezend, pratend – en daarna liep Michael mee met Elena naar haar werk, zodat ze op tijd binnen was voor het lunchuur losbarstte. Ze droeg een zwart jurkje dat haar bruine huid en donkere ogen goed deed uitkomen. Op hoge hakken kwam ze tot één meter achtenzestig en bewoog ze zich als een danseres – zo elegant dat Michael naast haar een ruige en hoekige indruk maakte, en uit de toon viel met zijn jeans, zware laarzen en versleten T-shirt. Maar zo kende Elena hem nu eenmaal: ruig en arm, een student die zijn studie had moeten afbreken en hoopte die nog eens te kunnen afmaken.

Dat was de leugen die alles in gang had gezet.

Ze hadden elkaar zeven maanden geleden leren kennen op een straathoek vlak bij New York University. Michael, onopvallend gekleed, had net zijn handen vol aan een klus. Hij was helemaal niet uit op een praatje met een mooie vrouw, maar toen de wind haar sjaal meenam, ving hij die instinctief op en gaf hij haar die terug met een buiging zo sierlijk dat hij er zelf van stond te kijken. Zelfs nu had hij nog steeds geen idee waar die vandaan was gekomen, die plotselinge lichtheid, maar ze reageerde lachend en gaf hem, toen hij daarom vroeg, haar naam.

Carmen Elena Del Portal.

Zeg maar Elena.

Ze zei het met een glimlach om haar lippen en met vuur in haar ogen. Hij herinnerde zich haar droge vingers en haar oprecht onderzoekende blik, en haar lichte Spaanse accent. Ze had een weerspannige haarlok weggestopt achter haar rechteroor, en met een onbekommerde glimlach had ze gewacht tot Michael had gezegd hoe híj heette. Hij was toen bijna doorgelopen, maar bleef toch staan. Het was de warmte in haar, het totaal ontbreken van angst of twijfel. En dus had Michael haar, anders dan hem altijd was geleerd, die dinsdagmiddag om kwart over twee gezegd hoe hij heette.

Hoe hij écht heette.

De sjaal was van zijde, en heel licht voor een ding dat met zoveel kracht op twee levens landde. Hij leidde tot koffie, en meer, tot de emoties kwamen in alle wildheid, iets waarop hij helemaal niet was voorbereid. En nu was hij verliefd op een vrouw die dacht dat ze hem kende – wat niet zo was. Michael probeerde te veranderen, maar moorden was makkelijk. En stoppen was moeilijk.

Halverwege hun wandeling naar het werk pakte ze zijn hand. 'Jongen of meisje?'

'Wat?' Dat was wat normale mensen wilden weten, en Michael wist niet wat hij hoorde. Hij bleef staan, waardoor de mensen achter hem overstag moesten om hen te passeren. Ze hield haar hoofd schuin.

'Hoop je op een jongen of op een meisje?'

Haar ogen glansden van het soort tevredenheid waarover hij alleen in boeken had gelezen, en toen hij naar haar keek was het zoals de eerste keer dat hij haar zag, alleen nog een beetje intenser. Er zat eenzelfde lichte geladenheid in de lucht, eenzelfde sfeer van licht en doelgerichtheid. Toen Michael sprak, kwamen de woorden uit het diepste van zijn binnenste. 'Wil je met me trouwen?'

Ze lachte. 'Zomaar gewoon trouwen?'

'Ja.'

Ze legde haar handpalm tegen Michaels wang en haar lach stierf weg. 'Nee, Michael. Ik wil niet met je trouwen.'

'Omdat?'

'Omdat je me vraagt om de verkeerde redenen. En omdat we de tijd hebben.' Ze kuste hem. 'Alle tijd.'

Ze had het bij het verkeerde eind.

Elena werkte als hostess bij een duur restaurant dat Chez Pascal heette. Ze was mooi, sprak drie talen, en de eigenaar had op haar voorspraak acht dagen geleden Michael aangenomen als bordenwasser. Michael had haar verteld dat hij zijn vorige baan was kwijtgeraakt, dat hij de dagen moest vullen tot hij een nieuwe baan vond, of tot zijn studielening eindelijk doorkwam, maar er was geen andere baan, er was geen studielening, dat waren alleen weer twee nieuwe leugens in een zee van duizenden. Maar Michael moest daar zijn, want hoewel niemand hem zou durven aanraken zolang de oude man nog ademhaalde, gold dat niet voor Elena. Haar zouden ze gewoon afmaken op het moment dat ze niets anders omhanden hadden.

Twee straten bij het restaurant vandaan zei Michael: 'Heb je het je familie verteld?'

'Dat ik zwanger ben?'

'Ja.'

'Nee.' Emotie kleurde haar stem – verdriet en iets geheimzinnigs. Michael wist dat Elena familie had in Spanje, maar daar zei ze haast nooit iets over. Ze had geen foto's, geen brieven. Er was ooit een keer voor haar gebeld, maar toen hij haar de telefoon gaf, verbrak Elena de verbinding. De dag erna nam ze een ander nummer. Michael drong nooit aan op antwoorden, niet over familie of het verleden.

Een paar minuten liepen ze zwijgend verder. Een straat verder pakte ze zijn hand. 'Kus me,' zei ze, en dat deed Michael – en daarna zei Elena: 'Jíj bent mijn familie.'

Bij de deur van het restaurant bood een blauw zonnescherm een streepje schaduw. Michael liep voorop, waardoor hij de schade aan de deur op tijd zag om zich te kunnen omdraaien en te voorkomen dat Elena die ook zag. Maar zelfs met zijn rug naar de deur bleef het beeld hem voor ogen staan: versplinterd hout, witte brokken die omhoogstaken uit het gebeitste mahoniehout. De kogels waren ingeslagen op ooghoogte en vlak bij elkaar, in een cirkel van nog geen vijf decimeter doorsnee. Michael zag voor zich hoe het moest zijn gegaan. Een zwarte auto langs de trottoirrand, een wapen met geluiddemper. Het was maximaal zes minuten rijden vanaf Elena's appartement, dus moest het vanochtend om iets over vijf zijn gebeurd. Lege straten. Niemand in de buurt. Klein kaliber, vermoedde Michael, iets lichts, een precisie-instrument. Een .22, of misschien een .25. Hij leunde tegen de deur en voelde splinters door zijn shirt prikken. Achter zijn ogen laaide een koude woede. Hij pakte Elena's hand en zei: 'Als ik je vroeg uit New York te verhuizen, zou je dat dan doen?'

'Mijn werk is hier. Onze levens...'

'Als ik hier weg moest,' probeerde hij weer, 'zou je dan met me meegaan?'

'We wonen hier. Hier wil ik ons kind opvoeden...' Ze zweeg en op haar gezicht verscheen een begrijpende uitdrukking. 'Veel mensen voeden hun kind in de stad op...'

Ze wist hoezeer hij de stad wantrouwde en hij keek van haar weg omdat het gewicht van de leugens te zwaar begon te drukken. Hij kon hier blijven en de oorlog die op til was proberen het hoofd te bieden, óf hij kon haar de waarheid zeggen en haar kwijtraken. 'Hoor eens,' zei hij, 'ik kom vandaag later. Wil je dat tegen Paul zeggen?' Paul was de restauranteigenaar. Die zette zijn auto altijd in de steeg opzij en had de deur vermoedelijk nog niet gezien.

'Kom je niet mee naar binnen?'
'Niet meteen, nee.'
'Ik heb deze baan voor je geregeld, Michael.' Ze zei het met een ongewoon vleugje boosheid.
Michael hield zijn hand op en zei: 'Mag ik je sleutels?'
Met tegenzin gaf ze hem de sleutelset die Paul haar liet gebruiken. Hij opende de deur van het restaurant en hield die voor haar open. 'Waar ga je naartoe?' vroeg ze.
Haar gezicht stond ontredderd en nog altijd boos. Michael wilde haar wang strelen en zeggen dat hij zou moorden of sterven om haar te beschermen. Dat hij als het moest de hele stad zou afbranden. 'Ik kom terug,' zei hij. 'Blijf in het restaurant.'
'Je doet wel erg geheimzinnig.'
'Ik moet iets doen,' antwoordde hij. 'Voor ons kind.'
'Echt?'
Hij hield zijn hand tegen haar buik en zag voor zich op hoeveel afschuwelijke manieren deze dag kon eindigen. 'Echt,' zei hij.
En dat was waar.

2

Er komt een tijd... Michael wist niet hoe lang die woorden er al waren, maar ze gingen door zijn hoofd terwijl hij liep, als een refrein dat was afgestemd op de klank van zijn schoenen op het asfalt. Hij had geprobeerd het goed te doen en met eerbied. Hij had geprobeerd aardig te zijn.
Maar er komt een tijd...
Michael hield een taxi aan en gaf de chauffeur een adres op in Alphabet City. Na aankomst duwde hij een biljet van vijftig dollar door het glas en vroeg de man te wachten.
Michael woonde op de tweede verdieping van een gebouw zonder lift. Zijn flat had twee slaapkamers, tralies voor de ramen en een met staal versterkte deur. Elena was daar nooit geweest, en zo wilde hij het ook houden. De kast in de tweede slaapkamer bevatte geweren en handwapens, een kogelwerend vest en stapels geld. Er was een groot schap met messen en projectielen met scherpe randen, en er lagen keurige rol-

len glanzend draad. Hij zou heel wat uit te leggen hebben als ze werden gevonden.

Michael zette het alarm af en liep de grote zitkamer door. De hoge ramen lieten het middaglicht binnen, maar hij keek niet naar de dingen die erdoor werden onthuld: de muur met boeken, het fraaie meubilair en de echte kunst. Hij zette koers naar het gangetje achterin, liep langs het vertrek met zijn uitrusting naar de slaapkamer erachter. Het bed was groot, maar spartaans en zonder tierelantijnen, en op de ladekast stond de enige foto die hij bezat. De verschoten en verweerde prent van twee jongens op een besneeuwd veld vol modderplekken zat tussen glas geklemd. Omdat hij niet wist of hij ooit nog zou terugkomen in zijn flat, schoof Michael de foto uit de lijst en nam hem mee naar de kast. Van al zijn bezittingen was deze foto het enige wat voor hem telde. Bij de kastdeur trok Michael al zijn kleren uit en legde die op een hoop. Van een lang cederhouten rek pakte hij een paar handgemaakte Engelse schoenen en vervolgens koos hij uit een rij van twintig een maatkostuum. Ook het pak was Engels, evenals de overhemden. Hij trok een crèmekleurig overhemd aan en strikte een das om die donker genoeg was om het doel van zijn bezoek te accentueren. De oude heer waardeerde het als iemand goed gekleed ging. Hij zag dat als een vorm van respect, en Michael vond dat ook. Hij stak de foto in de binnenzak van zijn jasje en ging toen terug naar de taxi, waar hij de chauffeur een ander adres opgaf. Ze reden naar het noorden en het oosten, waar de rivier langs de 'upper fifties' streek. Als je rijk was en rust wilde, was Sutton Place bij uitstek geschikt om als domicilie te kiezen. Er woonden beroemdheden en politici, en niemand keek daar op van limousines met getinte ruiten. De oude man bezat het hele gebouw waarin hij wilde sterven, en terwijl de FBI zonder twijfel wist wie er in dat herenhuis van vier verdiepingen met uitzicht over de rivier woonde, had geen van de buren ook maar enig idee. Dat laatste was het belangrijkste. Na een leven in het nieuws en in de rechtszalen, na drie gevangenisstraffen, na zevenenveertig jaren waarin hij was vervolgd en aan de schandpaal genageld, wilde de oude man nu in rust sterven.

Michael begreep dat.

Hij vroeg de taxichauffeur het huis voorbij te rijden, een heel blok verder naar het noorden, en pas te stoppen bij de voormalige heliport aan Sixtieth Street. Die ruimte daar diende nu om honden uit te laten, en Michael zag, toen hij uit de auto stapte, goed geklede vrouwen met elkaar staan praten terwijl hun hondjes aan het spelen waren. Een van de vrouwen zag hem en zei iets tegen haar vriendinnen, zodat ze zich toen Michael de chauffeur betaalde alle drie omdraaiden. Michael knikte, keerde hun daarna de rug toe en liep twee keer langs het huis, één keer in zuidelijke richting en één keer terug naar het noorden. Een overdekte oprit leidde naar de privéparkeerplaats aan de achterzijde. Eenmaal bij de voordeur aangekomen stak hij zijn handen met de handpalmen naar voren in de lucht, en zijn blik bewoog zich heen en weer tussen de beveiligingscamera's in de hoeken en boven de voordeur. Iemand bewoog zich achter het raam van de tweede verdieping. De gordijnen op de begane grond bewogen ook.

Uiteindelijk klopte Michael aan en na geruime tijd zwaaide de deur open en kwamen vier mannen in beeld. Twee daarvan waren ondergeschikten; ze behoorden tot het voetvolk van wie Michael niet eens de namen onthield. Beiden droegen een donkere broek en een overhemd dat glom als zijde onder hun colbertje. Ze waren midden twintig. Een van hen kauwde kauwgum en beiden hielden hun vingers onder hun jasje, alsof Michael nog moest worden duidelijk gemaakt dat ze gewapend waren. Hun magere gezichten onder hun plakhaar stonden bang. Ze kenden de verhalen over Michael en over de dingen die hij had gedaan. Hij was een vechter en een moordenaar, een prins van de straat, zo algemeen gevreesd dat hij het moorden haast wel kon laten. Zijn aanwezigheid op zich was al voldoende. Zijn naam. De dreiging die uitging van zijn naam.

De derde man – jong en kalm en slank – was nieuw, maar de vierde kende Michael goed.

'Hallo, Jimmy.'

Jimmy stak een paar centimeter boven Michael uit, maar woog bijna vijftien kilo minder; had smalle schouders en was mager op het uitgedroogde af. Hij droeg een keurige flessengroene broek en een geborsteld fluwelen jasje, had op zijn achtenveertigste een kruin die kaalde en was ijdel genoeg om dat niet prettig te vinden. Michael kende hem lang genoeg om te weten dat zijn armen en borst bedekt waren met minstens tien littekens. Steekwonden. Beten. Kogelgaten. Achttien jaar geleden had hij Michael dingen laten zien waarbij een volwassen man onderuit zou gaan. Michael was toen vijftien, hard, maar niet wreed. En Jimmy was zo wreed als maar kon. Hij was iemand van dreigementen en intimidatie, een bikkelharde, brute sadist die zelfs nu nog de gevaarlijkste man was die Michael ooit had gekend.

'Kan ik binnenkomen?'

'Daar sta ik nog over na te denken.'

'Schiet dan op met nadenken.'

Jimmy was een gecompliceerd mens, iemand die bestond uit gelijke delen begerigheid, ego en zelfbehoud. Hij respecteerde Michael, maar mocht hem niet. Jimmy was een slager, Michael een chirurg. Dat verschil maakte dingen moeilijker. Het had iets met ego van doen. Met principes en zo.

Ze keken elkaar een hele tijd aan. Toen zei Jimmy: 'Je doet maar.'

Hij zette een stap achteruit en Michael stapte het schemerdonkere interieur binnen. De hal was indrukwekkend, met zwart-witte marmeren vloeren en een met rode stof beklede trap die aan beide zijden van het vertrek omhoogliep voordat de uiteinden samenkwamen op een drieënhalf meter hoger gelegen overloop. De ruimte rechts van Michael was een biljartkamer en daarachter zag hij de officiële salon, met aansluitend een kleine werkkamer. Hij meende achter in het huis geluiden te horen, zag voedsel op een lange tafel, meer mannen, meer wapens, en Michael wist toen dat ze aan het aftellen waren, dat ze in stilte wachtten op de dood van de oude man.

'Ik wil hem spreken, Jimmy.'

'Hij kan je niet redden.'

'Dat vraag ik ook niet.'

Jimmy schudde zijn hoofd. 'Je valt me bar tegen, Michael. Al die jaren, alle dingen die je hebt gekregen. Kansen. Vakkennis. Respect. Je was geen knip voor de neus waard toen we je vonden.'

'Je bemoeit je met dingen die je niet aangaan, Jimmy.'

'Daar heb ik het volste recht toe.'

Hij was kwaad en deed weinig moeite om dat te verbergen. Michael draaide zijn hoofd een beetje, keek naar de mannen achter hem, en toen weer naar Jimmy. 'Die kansen werden me geboden door de oude heer, niet door jou. Het respect heb ik zelf verdiend. Sommige kneepjes van het vak heb jij me dan misschien bijgebracht, maar meer dan dat was het ook niet. Een beginnetje. Daarna ben ik mijn eigen weg gegaan.'

'En toch heb ik jou helpen uitpikken.'

'En terecht.'

'Ben jij werkelijk zo arrogant?'

'Jij niet dan?'

Het bleef stil tot Jimmy met zijn ogen knipperde. Michael zei: 'Ik wil hem spreken.'

'Denk je daar nog altijd recht op te hebben?'

'Laat me erlangs, Jimmy.'

Jimmy haalde vaag lachend zijn schouders op en stapte achteruit om de weg voor Michael vrij te maken. In het licht van de kroonluchter zag Michael hoe opgefokt Jimmy was, hoe gespannen. Zijn donkere ogen zogen het licht op en vertoonden een zekere leegte, diezelfde vacuüm-achter-glas-blik die Michael zo vaak had gezien. Het was de blik die hij kreeg voordat er mensen stierven.

'De oude man heeft me losgelaten, Jimmy. Zijn algemene opdracht was om me met rust te laten. Dus vind ik dat ik nog wel het recht heb om hem te willen spreken.'

Jimmy knipperde met zijn ogen en de blik verdween. 'Zeg dat dan maar tegen Stevan.'

Stevan was zesendertig en was opgeleid aan de universiteiten van Columbia en Harvard, niet omdat hij een goede opleiding zo belangrijk vond, maar omdat hij behoefte had aan het aanzien dat zo'n opleiding genoot in een stad waar iedereen maar al te goed wist wie hij was. Hij was de enige zoon van de oude man, en hij was goede vrienden geweest met Michael – als broers waren ze – maar die tijd behoorde tot een grijs verleden. Er waren acht dagen – een week en een dag – verstreken sinds Michael uit het leven was gestapt, een heel andere wereld in.

'Hoe is het met mijn broer?' Michael verborg zijn woede achter sarcasme. Stevan reed in een zwarte Audi en Michael wist dat hij een .25 in het handschoenenkastje had liggen.

'Hoe het met Stevan is?' Jimmy bauwde de vraag na en liet de woorden een voor een over zijn tong rollen. 'Zijn broer is een verrader en zijn vader ligt op sterven. Hoe denk je dat het met hem is?'

'Ik denk dat hij fouten maakt.'

'Dat laat ik niet toe.'

'Waar was hij vanochtend om vijf uur?'

Jimmy rolde met zijn schouders en kneep zijn mond dicht. 'Stevan heeft gezegd dat hij je wil vergeven, Michael – hoeveel keer inmiddels? Drie keer? Vier? Het enige wat je moet doen is berouw tonen. Kom bij ons terug.'

'Er zijn dingen veranderd. Ik wil niet meer.'

'Dan kan hij niet anders.'

Michael dacht aan de kogelgaten in de deur van Chez Pascal. Twee rijtjes van twee. Op ooghoogte. 'Niks persoonlijks, toch?'

'Precies,' zei Jimmy.

'En de wensen van zijn vader?' vroeg Michael. 'De man die dit alles uit het niets heeft opgebouwd? Die jóú uit het niets heeft opgebouwd? Hoe zit het daarmee?'

'De zoon is de vader niet,' zei Jimmy. Er trok even een vleugje ironie over zijn gezicht. De oude man had Michael op zijn vijftiende bij Jimmy in de leer gedaan, wat Jimmy's ijdelheid streelde omdat hij nu iemand had naar wie hij kon verwijzen met de opmerking: 'Kijk eens wat een handig instrument ik heb gecreëerd.' De zaken van de oude man liepen met deze twee mannen op straat op rolletjes, want de doelmatigheid die Jimmy voorheen had werd vele keren overtroffen door wat ze samen deden. Zij moordden hun weg van de ene rivier naar de andere, van noord naar zuid en ook New Jersey in. De Russische maffia. De Serviërs. De Italianen. Het maakte niets uit. Als iemand de oude man voor de voeten liep, ging hij voor de bijl. Maar na al die jaren was dat nog altijd alles wat Michael voor Jimmy betekende: een wapen.

En een wapen kan je vervangen.

Michael keek van Jimmy naar de man die hij niet kende. Hij stond een meter achter Jimmy's rechterschouder, een slanke man met een linnen broek en een golfshirt dat strak genoeg zat om de soepele, stevige spierbundels te laten uitkomen. 'Wie is dat?' vroeg Michael.

'Je opvolger.'

Michael voelde iets knappen, niet door een gevoel van verlies of van pijn, maar omdat er voor de zoveelste keer een band verbroken werd. Hij bekeek de man van top tot teen en zag een paar dingen die hem eerst niet waren opgevallen. Kleine witte littekens in beide onderarmen, een vinger zonder nagel. De man was zeker één meter tachtig en had iets Slavisch over zich, met ogen die ver uit elkaar stonden en brede, platte jukbeenderen. Michael haalde zijn schouders op en negeerde de man verder. 'Ik zou me nooit keren tegen mensen die me vertrouwen,' zei hij tegen Jimmy.

'O nee? Hoe lang ben je nu al met die vrouw van jou? Drie maanden? Een jaar?'

'Wat maakt dat uit? Dat is privé.'

'Het maakt wat uit, omdat je ons pas acht dagen geleden over haar hebt verteld. Je hebt haar geheim gehouden, en dingen geheim houden voor ons is maar één stap verwijderd van het verraden van onze geheimen. Geheimen en gebrek aan vertrouwen: het zijn twee kanten van dezelfde munt. Je hebt verkeerde prioriteiten.'

'Ik zei dat ik me nooit tegen een vertrouwd iemand zou keren.'

'En nu heb je toch gekozen.'

'Net als de oude man. Toen hij me liet gaan.'

'Misschien had de oude man ze niet allemaal meer op een rijtje.'

Een krakende stem met een licht accent – dat was Michaels vervanger. Michael kon zijn oren haast niet geloven: zo'n respectloze opmerking in het eigen huis van de grote baas. Hij keek de man even strak aan, en daarna keek hij lang genoeg naar Jimmy om hem te dwingen zijn blik te beantwoorden. 'Ik heb je wel mensen zien afmaken voor minder,' zei Michael.

Jimmy plukte vol toewijding aan de nagel van zijn pink en zei: 'Misschien ben ik het wel met hem eens.'

'Ik wil hem spreken,' zei Michael met een raspende stem. Alle mensen hier dankten hun leven aan de oude heer. Wat ze hadden. Wie ze waren. Respecteer de oude heer en de oude heer respecteert jou. Zo ging het hier, ouderwets en zoals het hoorde.

'Niemand stapt op, Michael. Zo is het altijd geweest. De oude heer zat fout toen hij zei dat jij kon vertrekken.'

'Hij is de baas.'

'Nog wel.'

Michaels hart sloeg over toen hij zich dat realiseerde. 'Jij zat in die auto, gisteravond. Met Stevan.'

'Het was een mooie avond om een ritje te maken.'

'Klootzak.'

Jimmy zag hoe kwaad hij was en verplaatste zijn gewicht naar zijn andere voet. De vraag wie de sterkste zou zijn van de twee hing al langer tussen hen in. Michael zag de fonkeling in Jimmy's ogen komen, het kille lachje op zijn strakke mond. Hij wilde best, kon niet wachten, en Michael besefte dat hij hier nog niet mee klaar was. Dat hij niet op een elegante manier uit dit leven, waar hij genoeg van had, zou kunnen stappen. De zaak lag voor te veel mensen te persoonlijk.

Vingers spanden zich strakker om de wapens in hun holsters en de seconden tikten langzaam voorbij. Maar voor het tot een uitbarsting kwam, bewoog er iets op de trap. Op de overloop verscheen een verpleegster. Ze was in de veertig en leek op een kleinere versie van Jimmy, maar dan min of meer vrouwelijk. Toen Jimmy zich omdraaide en naar boven keek, zei ze: 'Hij wil weten wie er is.'

'Ik kom eraan,' zei Jimmy, en hij keek met een ijzige trek op zijn gezicht naar Michael. 'Hier blijven.' Hij gebaarde naar de jonge Slavische man. 'Hou hem in de smiezen.'

'Waar is Stevan?' vroeg Michael op dringende toon.

Jimmy vertrok zijn lippen opnieuw, maar ging niet op de vraag in. Hij liep in hoog tempo de trap op en toen hij weer naar beneden kwam, zei hij: 'Hij wil je spreken.' Michael liep naar de trap, maar Jimmy hield hem tegen. 'Nog niet.' Hij draaide een vinger rond alsof hij zijn thee omroerde, en Michael stak zijn armen omhoog om zich door de man te kunnen laten fouilleren. Die klopte langs Michaels benen tot aan zijn kruis, en langs zijn armen tot aan zijn polsen. Hij streek de stof glad over zijn borst en rug en voelde toen aan de boorden van zijn jasje en overhemd.

'Dit is overbodig,' zei Michael.

Jimmy's blik bewoog zich langzaam omhoog, en de blik bleef hangen. 'Ik ken jou niet meer.'

'Heb je misschien wel nooit gedaan.'

Een hand tikte op zijn pols. 'Klaar. Naar boven.'

Op de eerste verdieping zag Michael een verpleegsterspost vol monitors met groene schermen. Kabels liepen langs de trap naar beneden en onder de tafel waar de apparatuur stond. De verpleegster zat met haar voeten plat op de vloer, haar ogen gefixeerd op de monitors. In een kleine ruimte achter haar zat een zilverharige priester in een gemakkelijke stoel, ogen half dicht, vingers gekruist in zijn schoot. Hij droeg goed gepoetste schoenen en zwarte kleren met een witte kraag om zijn nek. Toen de verpleegster opkeek, vroeg Michael: 'Is hij zo ver heen?'

Ze keek naar Jimmy, die instemmend knikte. 'We hebben hem twee keer moeten reanimeren,' zei ze.

'Wat?' Michael voelde een grote woede in zich opkomen. De oude heer wílde juist sterven. Reanimatie was voor hem een marteling. 'Waarom,' vroeg Michael op hoge toon. 'Waarom doet u hem dat aan?'

Ze keek naar Jimmy. 'De zoon...'

'De zoon bepaalt dat niet! Hij heeft zelf gezegd wat hij wilde. Hij is zover.'

De verpleegster stak haar handen in de lucht en keek dodelijk verschrikt. 'Ik moet wat...'

Michael onderbrak haar. 'Hoe erg is de pijn?'

'De morfine werkt nauwelijks nog.'

'Kunt u hem geen hogere dosis geven?'

'Meer kan hij niet aan.'

'Is hij aanspreekbaar?'

'Soms wel, soms niet.'

Michael keek naar de priester, die angstig terugkeek. 'Hoe lang heeft hij nog?'

'Uren. Of weken. Vader Williams zit hier al vijf dagen.'

'Ik wil hem zien.' Zonder op antwoord te wachten liep Michael door naar de volgende overloop en bleef staan naast brede, dubbele deuren. Jimmy leunde met een schouder tegen de deurpost en tikte een pluisje van zijn fluwelen jasje. Michael zei: 'Dit is niet goed, Jimmy. Hij wil dood.'

'Stevan heeft het zo beslist. Leg je er nou maar bij neer.'

'En als ik dat niet kan?'

Jimmy haalde zijn schouders op.

'Ik heb niks tegen jou,' zei Michael. 'Ik wil alleen maar weg.'

Jimmy bekeek zijn andere mouw. 'Je kunt hier maar op één manier weg, dat weet je. Als de oude man doodgaat, ga jij ook dood. Tenzij je ons zover krijgt dat we je weer vertrouwen.'

'En hoe krijg ik jullie dan zover?'

Jimmy's ogen knipperden als die van een hagedis. 'Door de vrouw te vermoorden.'

'Elena is zwanger.'

Jimmy leunde naar voren. 'Nou moet je eens goed luisteren. Ik begrijp dat je dat misplaatste gevoel van verantwoordelijkheid hebt, maar de oude heer leeft niet zo lang meer.' Hij maakte een gebaar dat het huis omvatte, met de mannen beneden, en begon toen te fluisteren. 'Stevan kan dit alles hier niet aan. Hij is zwak, sentimenteel. Hij heeft niet wat wij hebben.' Hij liet dat even bezinken en zei toen: 'Jij kan mijn nummer twee worden. Ik geef je een percentage en de vrije hand op straat.'

Michael schudde zijn hoofd, maar Jimmy ging verder.

'Als ik alleen ben, gaan mensen misschien tegen me in, maar als we met zijn tweeën zijn, zal niemand ons durven dwarsbomen...'

'Ik wil het niet.'

'We weten allemaal wat de oude heer voor je voelt. De buitenwacht zal dat accepteren. De mannen. We kunnen dit samen doen.'

'Ze is zwanger, Jimmy.'

Jimmy sloeg zijn ogen neer. 'Dat is mijn probleem niet.'

'Ik wil alleen maar weg.'

'Weggaan is geen optie.'

'Ik wil je niet vermoorden.'

Jimmy legde zijn hand op de deurknop. 'Jij *míj* vermoorden?' Hij duwde de deur wijd open en grijnsde.

En Michael liep naar binnen om de oude heer te zien.

3

Michael liep naar binnen en Jimmy liet hem alleen met de stervende man die hem het leven had gered. Een Perzisch tapijt liep van raam tot raam en de grote kamer werd overhuifd door een vijf meter hoog cassetteplafond. Er brandde geen licht en alle gordijnen waren op één na dicht, zodat het schaarse licht dat binnendruppelde slechts een stoel en het bed met de uitgetelde man erin onthulde. De ruimte was lang en smal en leek door het halfduister hol. Michael had talloze uren in deze kamer doorgebracht – lange maanden toen het bergafwaarts begon te gaan met de man – maar het was nu acht dagen geleden dat hij hier voor het laatst was geweest, en de sfeer was merkbaar veranderd. Het was benauwd in het vertrek, en veel te warm, en het rook er naar kanker en pijn, en naar een oude man die op sterven lag.

Hij liep de kamer door; zijn stappen klonken luid op het hout en daarna gedempt toen hij het tapijt bereikte. Er leek verder niets veranderd, behalve dat er nu een kruis van twee meter lang aan de muur hing. Het was gemaakt van glad donker hout en leek erg oud. Michael had het nooit eerder gezien, maar zette het uit zijn hoofd toen hij bij het smalle bed aankwam en neerkeek op de enige man van wie hij ooit had gehouden. Vloeistoffen liepen in de aderen van de oude man door naalden die onder zijn huid waren geschoven. De kamerjas die hij aanhad was er een die Michael hem acht jaar geleden had gegeven, en hij zag er zo broos en zwak uit als een verhongerend kind. Zijn hoofd was een doodshoofd, met botten die te ver uitstaken en aderen die zichtbaar waren als draden in een wassen pop. Zijn ogen lagen ingebed in een blauwzwarte huid. Zijn lippen waren teruggeweken over zijn tanden en Michael vroeg zich af of de niet-aflatende pijn nu ook geniepig genoeg was geworden om hem zelfs te vinden als hij sliep. De man had totaal niets met godsdienst, maar de zoon pretendeerde gelovig te zijn. Stevan, een man in gewetensnood, had zich verstrikt in een net van zelfbedrog, en ondanks al zijn zonden, en dat waren er heel wat, ging hij elke zondag naar de kerk. Hij vreesde God, maar was te zwak om zich de dingen te ontzeggen die door geweld werden verkregen: het geld en de macht, de genoegens van de modellen met hun bleke gezichten, en die van de weduwen uit hogere kringen die zijn naam en zijn leuke kop te innemend vonden om te weerstaan. Stevan genoot van de naam die hij had opgebouwd, maar had grote problemen met zijn vaders gebrek aan boetvaardigheid, en Michael vermoedde dat de man daarom twee keer was gereanimeerd. Stevan was bang dat zijn vader, zonder berouw te hebben getoond, naar de hel zou gaan. Michael vroeg zich af tot hoe ver deze hypocrisie zou kunnen leiden. Daden hadden gevolgen, besluiten bleven niet ongestraft. De oude man wist precies wie hij was, en Michael wist dat ook.

Hij pakte een ingelijste foto van de tafel naast het bed. Daarop was hij te zien met de oude man, zo'n vijftien jaar terug. Michael was zestien, breedgeschouderd maar mager, met een pak aan dat dat niet verhulde. Hij leunde lachend tegen de motorkap van een auto, met de arm van de oude man om zijn nek. Die lachte ook. De auto waartegen ze leunden was een cadeau voor zijn verjaardag: een Ford GTO van 1965, een klassieker.

Michael zette de foto neer onder handbereik van de oude man, rechtte zijn rug en liep naar de muur met boeken aan de noordkant. De kasten besloegen de hele lengte van de kamer en bevatten een collectie waaraan de man dertig jaar had gewerkt. Het betrof een uitgelezen selectie klassieken waarvan veel eerste drukken, met diverse werken van onder meer Hemingway, Faulkner en Scott Fitzgerald. Michael pakte *The Old Man And The Sea* en ging toen zitten.

Door het raam zag hij de rivier en erachter de woonwijk Queens. De oude man was daar geboren, als kind van een prostituee die alleen geïnteresseerd was in het opstrijken van geld en in de volgende fles die ervan kon worden gekocht. Na jarenlange opsluiting in een kamer in een souterrain, waar hij geregeld dagen achtereen alleen werd gelaten, vaak uitgehongerd en ongewassen, werd hij op zijn zevende jaar wees. Hij had wel eens tegen Michael gezegd dat hij, voor zij elkaar leerden kennen, nog nooit iemand had ontmoet die een nog slechtere jeugd had gehad dan hijzelf. Het was iets wat hen verbond alsof ze familie waren, zei hij. Omdat niemand anders de eenzaamheid kon kennen zoals zij die hadden gevoeld, noch de angst. Hij zei dat dat hun zuiverheid gaf, hen sterk maakte. En Stevan kon het niet uitstaan, die band die Michael met zijn vader had.

Maar Michael was die band juist erg dierbaar, niet alleen omdat hij anders helemaal alleen zou staan in de wereld, maar ook omdat hun overeenkomsten inderdaad het verschil maakten. Stevan had geen flauw benul van de ontberingen die zijn vader als kind had moeten doorstaan. Hij wist niet dat de littekens op de voeten van de oude man het gevolg waren van rattenbeten in de wieg, en dat zijn ontbrekende vingers waren afgevroren in de dagen voor zijn moeder stierf. De oude man sprak alleen met Michael over deze dingen, omdat alleen Michael hem begreep. Michael was de enige die het complete verhaal kende, de enige persoon die begreep dat de oude man deze kamer had verkozen voor het uitzicht, zodat het laatste wat hij op aarde zou zien de plaats was waarvandaan hij zich indertijd op een barre dag had losgemaakt. Michael vond daar een onmiskenbaar element van schoonheid in zitten. De kelderverdieping waar de man bijna het leven had gelaten, was de breedte van een rivier bij hem vandaan, met de lengte van een leven ertussen.

De zon klom langzaam en het licht gleed weg van het gezicht van de man. Zijn ogen lagen zo diep weggezonken dat Michael niet eens had gemerkt dat ze openstonden. Op het ene moment waren ze verscholen en op het andere waren ze er opeens gewoon, samengeknepen, diep en roodgeaderd.

'Stevan?'

'Ik ben het. Michael.'

De tengere borst ging op en neer met korte, radeloze stootjes. Michael zag hoe de pijn nog harder toesloeg. De huid trok samen aan de hoeken van de ogen van de oude man en zijn wenkbrauwen vormden boogjes in het midden. 'Michael...' Zijn mond werkte. Er glinsterde iets in de zon die nog altijd over zijn hals speelde, en Michael besefte opeens dat hij huilde. 'Alsjeblieft...'

Michael keek weg van wat hem was gevraagd te doen. De oude man had nu al maandenlang gesmeekt om te kunnen sterven, zo hevig was de pijn. Maar Stevan had geweigerd. Stevan. Zijn zoon. Dus had de oude man moeten lijden terwijl Michael moest toezien hoe zijn ziekte hem sloopte. Weken werden maanden en de oude man bleef smeken.

God, wat had hij gesmeekt.

Toen, acht dagen geleden, had Michael hem verteld over Elena. Hij legde uit dat het leven meer was geworden dan alleen werk, dat hij weg wilde, dat hij een normaal bestaan wilde. En de oude man had gespannen geluisterd, met aandachtige ogen boordevol pijn, en hij had geknikt, zo verwoed als een ziek mens maar kon. Hij zei dat hij heel goed begreep hoe kostbaar het leven moest zijn. *Kostbaar!* Vingers klauwden in Michaels arm. *Kort!* En met die woorden nog in de lucht, boven zijn lippen, had hij Michael gezegd dat hij van hem hield.

Als van een zoon.

Zijn vingers hadden zich gekromd toen hij Michael naar zich toe trok.

Begrijp je wel?

Hij barstte toen uit in een hoestbui, en toen hij weer praten kon, gaf hij Michael toestemming met zijn leven te doen wat hij wilde. En hij vroeg hem daarna hém het te leven te benemen. Als wederdienst. Er school geen ironie in zijn verzoek, alleen pijn. En nu vroeg hij het weer.

'Ik kan het niet.'

Michael boog het hoofd, omdat woorden alleen niet voldoende waren. Hij had zo vaak gedood, dat dit hem geen enkele moeite zou hoeven kosten. Even zacht drukken. Een paar seconden. Maar hij herinnerde zich de dag dat de oude man hem gevonden had, doorzeefd met messteken en vechtend voor zijn leven, onder een brug in Spanish Harlem. Hij zei dat hij had gehoord over die woeste knaap die woonde bij de daklozen en zijn eigen boontjes had leren doppen. En dat hij wilde weten of al die verhalen waar waren.

Er ontsnapte een geluid aan de lippen van de oude man, maar van achter al die pijn kwamen geen woorden. Michael was gekomen om Stevan duidelijk te maken dat hij geen bedreiging vormde. Nu dat niet gelukt was, hoopte hij genoeg kracht in de oude man te vinden om zich ervan te kunnen verzekeren dat diens orders zouden worden opgevolgd, ook na zijn dood. Maar nu hij de martelende kwelling achter zijn opgejaagde ogen zag, schaamde Michael zich. Hij stelde zijn eigenbelang voorop, en de oude man verdiende beter. Michael pakte zijn hand en keek naar de foto waar ze tegen de neus van de auto leunden. Zijn arm lag om Michaels nek en zijn hoofd leunde achterover.

Ze lachten.

Het was de enige foto waar ze samen op stonden. Daar was de oude man zeer uitgesproken over geweest. *Meer kan niet*, had hij gezegd. *Te riskant.* En in al die zeventien jaren was deze foto nooit de kamer uit geweest. Het was een gestold moment in de tijd, pure vreugde, en Stevan kon niet uitstaan wat daarin tot uitdrukking werd gebracht over de gevoelens van zijn vader. Toch had de oude man daar verder nooit iets over gezegd. Actie en gevolg, kiezen en slikken.

Michael keek naar het gezicht van de oude man. Hij zag hoe dat was geweest en hoe het nu was: het leven dat hij had gehad en dat waar hij uit wilde stappen. Zijn gelaat was vertrokken van smart, maar door de pijn en angst heen zag Michael de ziel van de oude man, en die was onveranderd gebleven.

'Wees niet bang,' fluisterde de stervende man.

Michael hoorde hem haast niet, en vroeg nog eens: 'Echt niet?'

De oude man knikte woordeloos en Michaels vingers knepen in zijn hand. 'Ze komen straks achter me aan,' zei Michael. 'Stevan. Jimmy. Ze willen me afmaken.'

De oude man moest weten wat er zou gaan gebeuren, als Michael deed wat er van hem werd gevraagd. Als Stevan kwam, zou Michael hem vermoorden. Het besef daarvan bracht de oude man tot tranen, maar pas toen hij zei: 'Geniet van je leven,' begreep Michael dat de oude man wist waarom het ging. Er school een groot verdriet in zijn ogen en dat had niets van doen met zijn eigen dood. Stevan kwam in elk geval, of de oude man nu leefde of stierf.

En Michael zou hem vermoorden.

'Ik wist dat...' Zijn stem haperde en Michael boog zich nog verder naar hem over. 'Ik wist dat toen ik je liet gaan...'

Michael probeerde wat minder ontdaan te kijken. Hij had zoveel mensen gedood en zo weinig bemind. 'Mag ik deze hebben?' Hij hield de foto die naast het bed stond omhoog. De oude man antwoordde niet, maar zijn vingers op het bed bewogen. Michael schoof de foto uit de lijst en stopte hem in zijn zak, bij de andere. 'Elena is zwanger,' zei hij, maar hij wist niet of de oude man hem had gehoord. Tranen vulden zijn ogen en hij knikte alsof hij Michael aanspoorde op te schieten. Michael kuste hem op het voorhoofd en legde toen de ene hand op zijn borst en de andere over zijn mond en neus. 'Vergeef me,' zei hij. Toen hij de ademtoevoer van de oude man afsloot, bleven ze elkaar in de ogen kijken. Michael maakte een sussend geluid, maar de oude man verzette zich niet, zelfs niet aan het eind. Zijn hart stokte, sloeg toen nog één keer, en Michael voelde onder zijn handen ineens zo'n immense stroom van rust, dat dit niet anders dan verbeelding kon zijn. Toen de lijnen op de monitors strepen gingen trekken en de alarmbellen een verdieping lager begonnen te rinkelen, ging hij rechtop zitten. Hij sloot de ogen van de dode man en hoorde luide stemmen en voetstappen op de trap.

De oude man was niet meer.

En zij waren onderweg.

Michael liep naar de boekenkast, zijn ogen gericht op de zwarte rechthoek waar een paar minuten geleden nog de klassieke roman van Hemingway had gestaan. In de ruimte erachter vond hij de twee 9mm's die hij daar drie maanden geleden had neergelegd. Elk wapen had vijftien kogels in de *clip* en één in de kamer.

Visie.

Anticipatie.

Twee eigenschappen waaraan het Michaels plaatsvervanger ontbrak. Die kwam via de rechterzijdeur binnen met het begin van een glimlach op zijn gezicht en zijn eigen wapen op buikhoogte. Michael gunde hem drie stappen en genoeg tijd om te zien wat er ging gebeuren.

Toen schoot hij hem in het hart.

Tegen die tijd stonden er twee andere mannen in het vertrek, beiden gewapend. Michael herkende het voetvolk uit de hal. 'Hé daar,' brulde een van hen, en beiden brachten hun wapens omhoog, één met een lange en één met een korte loop. Michael zette een stap naar voren en schoot ze binnen een seconde allebei neer. Ze vielen en hij hoorde geschreeuw op de trap. Drie mannen, misschien, met angst in hun stem. Michael zei niets maar liep de kamer door en ging op iets meer dan een meter van de linkerdeur af staan, die dicht bleef. Angst werkte fnuikend voor mensen die niet aan dit soort omstandigheden gewend waren, en leverde hem dus wat tijdwinst op. Maar niet veel. Hij wachtte tot hij voetstappen op de vloerbedekking hoorde en toen hij door de spleet onder de deur door schoenen zag, vuurde hij twee keer dwars door het hout.

Er viel een lichaam op de grond en Michael vloog de overloop op, waar hij drie andere mannen aantrof: twee die zich hadden teruggetrokken onder aan de trap en één die een wapen op hem gericht hield. Maar er is meer nodig dan een gekromde vinger om iemand neer te schieten. Als diegene terugschiet, moet je koeler zijn dan de coolste popster.

Michael had die koelbloedigheid, en Jimmy ook. Verder was er niemand in het pand die aan hen kon tippen.

Twee kogels vlogen ruim over Michaels schouder heen en hij raakte de schutter in het voorhoofd; hij was de man al voorbij voordat die op de grond was gevallen. De andere mannen kwamen dichter bij; de ene schoot in het wilde weg, de andere stak zijn lege handen omhoog. Michael schoot de eerste neer en hield beide wapens gericht op de andere: een man van achter in de zestig, een straatboef van de oude stempel die om sentimentele redenen was aangehouden. Hij was nu een soort manusje-van-alles, deed boodschappen en kookte. Zijn handen bleven boven zijn hoofd, zijn gezicht stond berustend. Michael bleef één traptrede boven hem staan en hield de loop van zijn pistool zo dicht bij zijn gezicht dat de man de hitte van het metaal kon voelen. 'Waar is Jimmy?'

'Weg. Gevlucht.'

'Hoe lang al?'

'Nu net.'

Michael keek naar beneden, naar de open deur, waarachter zich een vermoeden van de stad bevond.

Hij duwde het hete metaal tegen de wang van de man. 'Als je liegt, maak ik je af. En ik doe het langzaam.'

'Ik lieg niet.'

'En de verpleegster? En de priester?'

'Zelfde verhaal.'

'Staan die op de loonlijst?'

De man knikte. Mooi, dan zouden die hun mond houden.

Michael keek opnieuw naar de open deur. 'Heb jij autosleutels?'

De man trok een ring uit zijn broekzak. 'De Navigator,' zei hij. 'Achterom.'

'Is er verder nog iemand in huis?'

Hij schudde zijn hoofd. Overal hing de geur van verbrand kruit, onder de kroonluchter hing wat blauwe damp. Michael bestudeerde het gezicht van de oudere man en herinnerde zich dat ze een paar keer hadden gepraat. Hij heette Donovan. Hij had kleinkinderen.

'Zeg Stevan maar dat ik ermee gekapt ben.'

Donovan knikte, maar Michael wist dat wat hij zei niet waar was, en dat Donovan dat even goed besefte als hijzelf. De oude man was dood door Michaels hand. Het bloed liep langs de muren en over de trap. Van kappen was geen sprake. Natuurlijk niet. Niet na dit alles. Michael gebaarde met zijn wapen. 'Wegwezen.'

Donovan nam de benen en Michael liep weer naar boven. Hij ging bij het bed staan en keek naar het stoffelijk omhulsel van de man die hij had gedood. Het was een hard mens geweest, maar een en al goedheid voor de mensen van wie hij hield. Michael dacht terug aan een gesprek dat ze hadden gehad op de ochtend van zijn veertiende verjaardag. Er was na die dag onder de brug een jaar verstreken en de oude man wilde weten waarom.

Wat ik op straat deed?

Ja. De oude man onderdrukte een lachje en hield zijn hoofd schuin. *Handige jongen. Leuk om te zien. Je had je kunnen melden bij de sociale dienst. Of waar dan ook. Waarom gekozen voor de weg met de meeste weerstand? Waarom de straat?*

Daar had ik zo mijn redenen voor.

En daar moet ik het dan maar mee doen?

De ogen van de oude man twinkelden en hij leek bijna een beetje trots.

Ja, meneer.

Dat waarvoor jij op de loop was, Michael, kan je nu geen kwaad meer doen. Dat weet je toch, hè? Niet hier. Niet bij mij.

Ja, dat weet ik.

Maar je wilt nog steeds niets zeggen?

Daar heb ik ook zo mijn redenen voor.

Hij had de jongen door zijn haar gewoeld en lachend gezegd: *Een man heeft recht op zijn eigen redenen.*

En in al die tijd had Michael hem nooit verteld waarom hij voor de weg van de meeste weerstand had gekozen. Omdat de oude man gelijk had. Een man heeft recht op zijn eigen redenen.

En op zijn geheimen.

Michael legde de armen van de oude man recht en trok de deken over zijn borst glad. Hij kuste de ene wang, die nog warm was, en daarna de andere. Daarna ging hij rechtop staan, met ogen vol hete tranen. Hij pakte Hemingways boek van de tafel naast het bed en bleef nog even staan kijken. 'Je bent goed voor me geweest,' zei hij, en nam het boek mee, toen hij vertrok.

Daar had hij ook zo zijn redenen voor.

4

Er waren mensen in de wereld die beter konden doden dan Michael. Het schieten met een geweer over een afstand van zo'n duizend meter was niet zijn sterke punt, evenmin als springstoffen, vergif of massamoord van enigerlei aard dat waren. Hij had zich het vak eigen gemaakt door te vechten voor zijn leven, en dat gevecht was steeds van nabij geweest, een persoonlijke confrontatie. Het ging dan altijd om eten en onderdak, en om het redden van zijn eigen hachje. Dat vak leerde je snel als je op straat woonde, en Michael wist als kind al dat je beter gemeen kon zijn dan soft, beter snel dan langzaam. Hij leerde hoe je moest stelen en hoe je een misdrijf moest beramen; hij kon pijn doen, en dat was zijn gave: een volledig gebrek aan inlevingsvermogen. Jimmy had gewoon ingehaakt op die gave en die verder ontwikkeld. Hij had Michaels natuurlijke aanleg voor gewelddadigheid aangescherpt en hem vervolgens bepaalde codes en gedragsvormen aangeleerd die hij nog altijd graag toepaste.

Michael dacht aan Donovan. Oud en grijs. Witte stoppels op zijn gezicht. Jimmy zou ervan versteld hebben gestaan dat Michael hem had laten leven, maar Michael had niet alleen van Jimmy les gehad. Er was ook nog de oude man, en het was zijn dood die Michael had geleerd hoe hij wilde leven. Tijdens die hele langdurige periode van aftakeling was de oude man niet één keer begonnen over geld of macht of reputatie. Hij had getreurd over het feit dat zijn zoon zo oppervlakkig was. Hij had naar de vrouwen verlangd die hij was kwijtgeraakt en naar de dochter die hij nooit had gehad. Een wereld die hem te na had gestaan.

Geniet van je leven.

De kans was nooit erg groot geweest dat Stevan zou toestaan dat Michael zonder problemen ermee kapte, niet als tegemoetkoming aan de wensen van zijn vader, en ook niet om de narigheden die Michael hem zou kunnen aandoen te voorkomen. Maar die kans, hoe klein ook, was nu hoe dan ook verkeken. Michael had zijn vader gedood, wat hijzelf nooit zou hebben gedaan, en zes van zijn mensen overhoopgeschoten. Dat maakte Stevan zo lang als Michael leefde een zwakkeling – meer dan voldoende reden om Michael uit de weg te ruimen. Maar het was ook persoonlijk, en *persoonlijk* maakt dingen altijd onvoorspelbaar.

Michael ging voortvarend aan de slag. In de beveiligingsruimte schakelde hij de camera's voor en achter uit, en verwijderde toen de zipdrives. Stevan zou natuurlijk weten wie dit had gedaan, maar beeldmateriaal dat als bewijs kon dienen paste niet in Michaels plannen. Hij wilde met dit leven kappen, en hij wilde dat met schone handen doen.

Michael bekeek zichzelf en zag rode spatten op de pijpen van zijn broek, zijn overhemd, de rug van zijn handen. Normaal gesproken zou hij zich nooit in het openbaar vertonen als er ook maar iets op zijn uiterlijk aan te merken viel. Hij zou zijn kleren in een zak doen, de wapens uit elkaar halen en zich zo gauw en zo efficiënt mogelijk van alles ontdoen. In rioolputten. Afvalcontainers. De East River. Maar de omstandigheden waren niet normaal. Er was niets gepland, het had niet in de bedoeling gelegen om de oude man te doden, of om een oorlog te ontketenen. De hele geschiedenis was binnen anderhalve minuut voorbij geweest, en Michael werkte op de automatische piloot, zo haastig als hij kon.

Jimmy leefde nog.

En Elena was daar. Onbeschermd.

Buiten startte Michael de Lincoln Navigator en haastte zich met grote snelheid zuidwaarts. Hij moest de stad uit zien te komen, en Elena moest mee. Michael voelde zich wel wat schuldig toen de leugens die hij zou gaan vertellen als een reeks beelden aan zijn ogen voorbijtrokken, maar de waarheid moest nog maar even wachten tot de tijd zich daar beter voor leende. Nu ging het erom dat hij lang genoeg bleef leven om die waarheid ooit te kunnen vertellen.

Halverwege Tribeca raakte hij verstrikt in het verkeer. Hij belde het restaurant met zijn mobiele telefoon en vroeg naar Elena. 'Alles goed daar?' vroeg hij.

'Paul is boos.'

'Lig ik eruit?'

'Alsof jou dat wat kan schelen.'

'Jíj kan me schelen.' Michael probeerde het een beetje luchtig te houden, maar ze reageerde niet op de stilte die volgde. Ze was nijdig, en Michael begreep dat wel. 'Moet je horen, ik ben er zo. Ga niet de deur uit.'

'Waar zou ik heen moeten?'

'Blijf nou maar gewoon in het restaurant.'

Michael verbrak de verbinding en probeerde zich door de dikke stroom verkeer te boren. Hij schoot van de ene lege ruimte naar de andere; claxons loeiden, auto's maakten zwiepers. Twee keer pakte hij een stuk trottoir mee, en twee keer schoot hij daar niets mee op. Het verkeer was een warboel van ongeduldig metaal. Toen hij aankwam in Tribeca waren er tweeënzestig minuten verstreken nadat hij de oude man had gedood. Michael parkeerde de grote SUV dubbel aan de overkant van het restaurant. Hij controleerde de geparkeerde auto's en ramen in de nauwe straat. De trottoirs waren bezaaid met mensen. Michael stopte één pistool in het handschoenenkastje en stak het andere onder zijn jasje. Hij dacht twee minuten nodig te hebben om Elena naar een rustig hoekje te dirigeren en nog eens drie om haar het restaurant uit te krijgen. Michael had geld. Ze zouden de stad in verdwijnen en daarna nam hij haar mee. Naar een plek met bergen, dacht hij. Met veel groen. Hij voelde de toekomst alsof die er al was, maar de toekomst kon je soms lelijk parten spelen. Toen hij de motor afzette, ging zijn telefoon. Hij keek naar het scherm en liet hem nog vier keer overgaan voor hij opnam.

Hij kende het nummer.

Stevans nummer.

Hij antwoordde met een onbehaaglijk gevoel van berouw en medelijden. Stevan, met al zijn onvolkomenheden, had wel altijd veel van zijn vader gehouden. 'Hallo, broer.'

In eerste instantie hoorde Michael alleen maar ademhalen, en hij zag Stevan aan de andere kant van de lijn voor zich: zijn gemanicuurde nagels en magere gezicht, zijn donkere ogen, vol trots en pijn. Stevan deed wel flink, maar maakte zich eigenlijk afhankelijk van hoe andere mensen hem zagen. Hij putte kracht uit hun angst en afgunst, en liet zijn houding meer bepalen door hun reacties dan dat die vanuit hemzelf kwam. Maar zijn vader had hem door en verkoos daarom het gezelschap van Michael. Zij beiden, de oude man en Michael, waren ontmanteld, vrij van illusies en schijnbehoeftes. Macht was voor hen een middel voor het verwerven van voedsel, onderdak en zekerheid. Dat is wat ze in hun jeugd hadden geleerd.

Uiterlijkheden, daar koop je niets voor.

Stevan had het verschil nooit gezien, had nooit begrepen waarom Michael zulke hoge ogen gooide bij zijn vader, en toen zijn stem doorkwam via de telefoon wist Michael dat al die jaren van jaloezie en wantrouwen nu waren verduisterd tot iets wat nog dieper lag.

'Hij heeft je de familie binnengehaald, Michael. Je had niets. Je was niemand.'

'Je vader leed heel erg.'

'De keuze was niet aan jou.'

'Ik hield van hem. Hij smeekte erom.'

'Dacht je dat hij het alleen aan jou had gevraagd? Wie denk je eigenlijk wel dat je bent? Hij zou het de werkster hebben gevraagd, of een bezoeker, of wie dan ook.'

'Ik deed alleen maar wat jij allang had moeten doen, maanden geleden.'

'Hij komt nu in de hel, dankzij jou.'

'Hij is gestorven zoals hij wilde sterven.'

'Jij hebt hem van me afgenomen.'

'Zo ligt dat helemaal niet...'

'Jij bent dood, Michael. En je vriendin ook.'

'Doe nou niet zo vijandig, broer. We lossen dit samen wel op.'

'Dood ben je, schoft. Dood ben je, klerelijer.'

Er was geen weg terug, zag Michael nu wel. Geen vreedzame oplossing. 'Adieu, Stevan.'

'Zie je het restaurant?'

De vraag was zo direct dat Michael een steek van angst in zijn hart voelde. Weer keek hij om zich heen door de straat. 'Waar ben je, Stevan?'

'Dacht je nou heus dat we hier niet op hadden gerekend? Dacht je nou echt dat je dit allemaal zomaar kon achterlaten? Maar broertje, toch...'

Hij sprak dat laatste zinnetje extra langzaam uit, vol spot.

'Stevan...'

'Dit was eigenlijk voor jullie allebei bedoeld, maar ik heb liever dat je ziet wat er gebeurt.'

'Niet doen...'

'Ik hoor dat ze zwanger is.'

Michael gooide de telefoon neer en zwiepte het autoportier open. Zijn voeten raakten het asfalt en hij wist in vliegende vaart zeven stappen te verzetten voordat het restaurant de lucht in vloog. De vlammen sloegen door de ramen en de klap tilde hem van de grond, smeet hem tegen de Navigator. In de naschok rolde zwarte rook naar buiten. Even bleef het stil. Toen volgde een tweede explosie. Het dak vloog in stukken, Michaels oren sprongen open, hij hoorde geschreeuw. Vlammen gulpten naar buiten in bundels van hitte en rook. Auto's op straat botsten en de mensen op de trottoirs waren dood of lagen op sterven. Michael zag een man met brandende kleren in het wilde weg rondhollen voor hij op de grond viel. En de vlammen loeiden alsmaar hoger op. Ze lekten aan naburige panden.

Michael sprong op.

Elena...

Hij liep verder naar voren, met een waas voor zijn ogen en met een uitgestoken hand om de hitte te voelen. Die werd vanaf een afstand van ongeveer vijftien meter van de bron ondraaglijk, en een deel van zijn geest klapte dicht. Hij bracht het niet op haar gezicht te moeten zien, verbrand, vol blaren, kapot. Hij liet de hitte over zich heen rollen, voelde de grote commotie op straat, de opgewonden drukte – en de stille, roerloze dood. Glas rinkelde in een auto die te dicht bij de vlammen stond. Een zwarte Escalade gleed de hoek om en stopte. Michael registreerde alles: de mensen, de gezichten om hem heen, de schok en de angst, het geluid van verre sirenes. En zelfs met de dood van Elena die zijn gedachten beheerste, realiseerde hij zich wat er was gebeurd, twee seconden voordat dit allemaal gebeurde.

Hij draaide zich om naar de Escalade waarvan de raampjes naar beneden gingen. Voorin zat Stevan; zijn gezicht was scherp als glas onder zijn bruine, met grijs doorschoten haar. Hij maakte een schietgebaar met de vinger en de duim van zijn rechterhand, en van de achterbank opende een automatisch wapen het vuur. Michael dook ineen en rolde over de grond terwijl kogels insloegen in de auto achter hem. Mensen schreeuwden en er brak paniek uit. Sommigen werden geraakt, vielen neer en werden onder de voet gelopen. Kogels misten doel, ze raakten metaal of vlogen alle kanten op. Michael kwam overeind uit zijn dekking, met zijn pistool in de hand. Hij vuurde negen schoten af in drie seconden. Ze maakten gaten in het metaal van de Escalade, vernielden het glas en over het gezicht van Stevan trok plotseling angst. Hij beukte op het dashboard, riep iets tegen de chauffeur en rubber krijste toen de grote wagen scherp naar rechts draaide en over het trottoir reed.

Michael holde erachteraan, weg van de hitte en het geschreeuw. Hij klauterde over de stilstaande auto's, voelde het harde asfalt door zijn schenen slaan. Hij holde als een uitzinnige en hield ze honderden meters bij; daarna kwam er meer ruimte op de weg en gaf de grote auto gas. Michael kwam naderbij en schoot zijn wapen leeg door de achterruit. Hij dacht niet dat het iets uithaalde – te ver, te veel beweging – maar hij kon het toch niet laten. Je wist immers maar nooit.

Stevan was hoe dan ook dood.

Nu, of later.

Michael zag de auto verdwijnen en besefte toen dat hij midden op straat stond, met een getrokken wapen in zijn hand en bloed op zijn kleren. Mensen keken. Mannen in pakken. Taxichauffeurs. Een vrouw met een zwart jurkje.

Ze staarden naar hem, met open mond.

Michael liet het pistool zakken. 'Elena?'

Ze stond tussen de rommel, geschokt en in de war. In haar rechterhand bungelde een papieren zak. Wit, en vanboven verfrommeld. Ze keek van het pistool naar Michaels gezicht. Haar gezicht was bleek; een windvlaag deed haar haren opwapperen. Om haar heen begonnen mensen zich terug te trekken. Sommigen draaiden zich om en holden weg. Minstens één persoon ging mobiel staan bellen.

'Michael?'

Op dit moment zou hij niets liever doen dan haar vastpakken en nooit meer laten gaan. Haar behoeden voor de naschok van wat er zojuist was gebeurd. De fall-out. Voor alles waarvan hij wist hoe het haar leven zou gaan veranderen. Maar bovenal wilde hij haar omarmen, zijn gevoelens van opluchting en liefde over haar uitstorten. Maar hij greep haar bij de pols; zijn vingers waren hard en onverzoenlijk.

'We moeten weg,' zei hij.

'Je schoot op die auto...'

'We moeten nú weg.'

Hij trok haar de straat door en stopte het wapen weg omdat diverse omstanders weer wat bij hun positieven kwamen en om hulp begonnen te roepen. Een tengere vrouw op het trottoir aan de overkant wees naar hen en riep: 'Hou die man tegen!'

'Michael, wat is er in godsnaam aan de hand?'

'We moeten weg.'

'Dat zei je al.' Elena trok haar arm terug, maar Michael liet niet los. Hij zette het op een drafje en sleurde haar met zich mee. 'Je doet me pijn,' zei ze, maar ook daar trok hij zich niets van aan. Sirenes kwamen dichterbij. Rook trok boven de daken voor hen uit en de straten krioelden van doodsbange mensen. 'Waar gaan we heen, Michael?'

Toen ze de hoek om gingen, stokte haar stem. Voor hun ogen brandde het restaurant nog heviger dan voorheen. 'Is dat...'

'Ja.'

Mensen lagen bloedend op de grond, verwond door scherven en rondvliegende glassplinters. Verbrand. Neergeschoten. Veel mensen stonden zwijgend, zonder zich te bewegen. Anderen spitten rond in de puinhopen en probeerden de gewonden te helpen. Elena begon te huilen.

'Maar Paul...'

'Die is dood.'

'En de anderen?'

'Ook.'

'O mijn god!' Elena struikelde toen ze het eerste verkoolde lijk zag, waarvan de romp rookte op plekken waar de kleren nog brandden. Ze kwamen langs een vrouw van wie een onderbeen was versplinterd door een kogel. Michael trok Elena door het puin heen. Ze struikelde opnieuw, en viel bijna voor Michael haar opving.

'Wat is er allemaal aan de hand?' Ze verkeerde in een shocktoestand, probeerde te duiden wat ze zag. 'Hoe kom je aan dat pak?'

'We zijn er bijna.'

Twee straten verderop kwam een politieauto de hoek om gieren. Een brandweerauto volgde. Michael trok het portier van de Navigator open en duwde Elena naar binnen.

'Raak me niet aan.' Haar ogen waren wijd open maar stonden glazig. Het licht van de dansende vlammen werd erin weerspiegeld. Michael klikte de gordel om haar middel.

'Ik ben het,' zei hij. 'Maak je geen zorgen.'

'Raak me niet aan.'

Michael liep om de auto heen en klom achter het stuur. Hij startte de motor en reed weg. De banden knarsten over glas en vergruisde bakstenen. Naast hem keek Elena naar de verwoeste straat, naar de lege ogen en de rondlopende gewonden. Michael hield intussen de naderde politieauto in de gaten. Hij reed een paar honderd meter langzaam en gaf gas toen de weg eindelijk meer ruimte bood.

Overal was het een chaos.

Niemand lette op hen.

Hij reed twee straten verder en alles werd weer normaal. De branden verdwenen achter de gebouwen en de zwarte rook loste op in de lucht. Bij Hudson Street koerste Michael naar het zuiden, en bij Chambers ging hij westwaarts. Elena zei niets. Ze keek naar alles, behalve naar Michael. 'Elena,' zei hij.

'Niet nu.' Ze schudde haar hoofd.

Hij reed verder naar het zuiden, langs Ground Zero en de North Cove-jachthaven. In Battery Park City reed hij naar de kant en bleef een tijdlang zitten. Hij zei haar naam, maar ze reageerde niet. Michael keek naar het verkeer om hem heen, haalde toen het ene pistool uit het handschoenenkastje en het andere van onder zijn jasje vandaan. Zwijgend ontmantelde hij de wapens en veegde ze schoon. Toen haalde hij twee zipdrives uit zijn zak en stapte uit. Hij voelde Elena's ogen in zijn rug toen hij naar de waterkant liep en de voorwerpen ver in de rivier gooide. Toen hij weer was ingestapt, zei hij: 'Gaat het wel?'

'Gooide je net een pistool in de rivier?'

'Twee, eigenlijk.'

'Twee pistolen?'

'Ja.'

Elena knikte een keer en haar vingers verfrommelden de witte papieren zak op haar schoot. Die was klein, en toen ze de kreukels gladstreek zag Michael dat hij van een apotheek kwam, twee straten bij het restaurant vandaan. Ze hield de zak omhoog en legde hem toen op haar schoot. 'Ik was niet lekker,' zei ze, en streek de zak weer glad. 'Zwangerschapsmisselijkheid.' Ze veegde met twee vingers vocht uit haar ogen en Michael wist dat ze in een shocktoestand verkeerde. 'Anders was ik in het restaurant geweest.'

Met trillende vingers streek ze over haar buik. Michael zag haar gedachten alsof die tussen hen in hingen.

Zonder die baby op komst...

Haar handen kwamen omhoog en de leegheid ervan sprak boekdelen. De auto. De brand. De wapens. 'Wat is er aan de hand, Michael?'

Ze moest de waarheid weten, dat wist hij. Voor haar veiligheid, om allerlei redenen. Maar hoe kon hij haar vertellen dat het kind dat ze droeg van een leugenaar kwam? Dat haar collega's waren omgekomen bij een aanslag die voor haar was bedoeld? Dat zij een doelwit bleef? Hoe kon Michael de vrouw die hij liefhad vertellen dat hij vanochtend zeven mensen had vermoord? Ze keek hem vragend aan, bang, en toen hij niet meteen reageerde, gingen haar ogen naar zijn overhemd.

'Elena...'

Ze raakte een donkere vlek aan op de witte stof, voelde eraan met haar vinger. 'Is dat...'

'Luister naar me...'

'Is dat bloed?'

Ze keek weer naar hem, keek nu echt. Ze zag gelijksoortige vlekken op zijn broek, op de rug van zijn handen. 'Ik moet zo overgeven.' Ze kromp ineen, haar huid nam een vaalgrijze kleur aan. Michael stak een hand uit, maar ze deinsde terug. Ze maakte met de ene hand haar gordel los en greep met de andere naar de deur. Die zwaaide open en ze tuimelde naar buiten, de straat op, naar het door de zon verbrande gras dat langs de rivier groeide. Ze zette wankelend een tiental stappen en zonk toen op haar knieën. Toen Michael naar haar toe wilde komen, zei ze: 'Ga weg.'

Hij zag haar overgeven op het bruine gras en was zo radeloos dat hij niet eens meteen hoorde dat zijn telefoon ging. Hij rukte het ding uit zijn zak en toen hij het nummer zag, stond de wereld even stil. Eerst wilde hij niet opnemen, toen deed hij het toch. Hij draaide zijn rug naar Elena en zei toen met alle zelfbeheersing die hij kon opbrengen: 'Jouw dagen zijn geteld, Stevan.'

'De volgende is je broer.'

Michael voelde hitte in zijn nek en rook de rivier. Hij keek naar Elena en de tijd leek even stil te staan. 'Ik heb geen broer,' zei hij.

'Jawel.'

Er werd opgehangen. Michael knipperde met zijn ogen en er verscheen een beeld voor zijn geestesoog.

Zijn broer.

Als een schim.

5

In de bergen van North Carolina, drieëntwintig jaar eerder

Koude lucht vulde de leegstaande zaal. Grijs licht. Stof en puin. De jongen die daar holde was negen jaar oud en mager, een vogelverschrikker in slecht zittende kleren. Tranen vormden halvemaantjes in het vuil onder zijn ogen en trokken daarna wit weg naar zijn kin, zijn hals en de holtes achter zijn oren. Hij holde; ramen flitsten voorbij, maar hij schonk geen aandacht aan de sneeuw buiten, of aan de bergen, of aan de andere kinderen. Hij zag het allemaal amper. Hij holde, snakte naar adem en schaamde zich dat hij liep te janken als de een of andere griet.

Hollen, Julian...

De adem sneed als glas door zijn keel.

Hollen...

Hij kwam bij een kruising en hij strompelde naar links, over een donkerder stuk dat rook naar verrotting en schimmel en bevroren aarde. Glasscherven knarsten onder zijn voeten en zijn lippen bewogen weer.

Stokken en stenen...

Hij wist niet dat hij hardop sprak. Hij voelde zijn bloed stuwen, hoorde het uitgedroogde linoleum knappen onder zijn voeten. Hij riskeerde het achterom te kijken; zijn schoen bleef haken achter een gebroken tegel en zijn enkel sloeg dubbel als een omgevouwen stuk karton. Hij struikelde en viel tegen een vensterbank die het vel van zijn arm schaafde.

Stokken...

Julian snikte van de pijn.

Stenen...

Achter hem kletterde metaal, klonken verre stemmen. Hij bleef staan onder aan een weggerot trappenhuis. Van de tweede verdieping viel wat licht naar binnen, een vleugje sneeuw kwam door gebroken vensterglas.

Hij wilde klimmen, maar was te zwak; de gewonde enkel joeg pijnscheuten door zijn been.

Maak me als Michael, bad hij.

Voetstappen achter hem. Zijn ogen rolden weg, werden wit.

Geef me kracht.

Een nieuwe snik ontsnapte aan zijn keel en hij vluchtte weg van hun voetstappen, van de geluiden die ze maakten bij het klappen met de deuren en het slaan met metalen pijpen tegen de harde, betonnen muren.

Alsjeblieft, God...

Julian gooide een deur open. De slechte enkel zwikte en hij sloeg weer tegen de grond, waarbij de pijn ontplofte achter zijn ogen. Hij veegde met zijn mouw over zijn gezicht omdat het allemaal nog erger zou zijn als ze hem op huilen zouden betrappen.

Tien keer erger.

Duizend keer.

Hij klauterde moeizaam overeind en kamers buitelden voorbij: flitsen van naakte bedstijlen en kapotte stoelen, kasten met oude kleerhangers en vergane kleding. Hij tolde een andere ruimte in; de adem sneed hem nog steeds in de keel, omdat hij niet genoeg lucht binnenkreeg. Achter hem klonk een triomfkreet op, en daarna nog een. Hij zocht naar een plek waar hij zich kon verstoppen, maar in de zaal achter hem klonk de kreet: 'Daaristie!'

Julian keek achterom en zag hoge ramen, verlicht door vallende sneeuw, toen vuile gezichten en handen, lijven die verloren gingen in donkere, grove kleren. Ze stormden uit de schaduwen tevoorschijn, vijf jongens in volle vaart. Hij schreeuwde dit keer, en ze kwamen sneller nu, oudere jongens, grote jongens, die al talloze keren op talloze vreselijke manieren hun wreedheid hadden bewezen. Hun voeten maakten knallende geluiden in de zaal en Julian huilde tijdens het hollen, halfblind en snikkend en beschaamd.

Ze kregen hem te pakken waar het gebouw ophield. Julian kwam in een holle ruimte met koude, zware lucht terecht, met metalen deuren en een zware ketting. Toen hij zich omdraaide, handen omhoog en open, smakten ze hem tegen de deur en duwden hem tegen de grond. Hij schudde een keer aan de ketting voor ze zijn vingers lospelden en hem op zijn rug draaiden. Er werd gelachen en op hem gespuugd, er was de geur van rubber toen een schoen zijn neus kraakte en er helder, heet bloed uit gutste.

'Geen zichtbare sporen achterlaten, dit keer,' zei een stem zonder gezicht boven smerige jeans. 'Niet op zijn gezicht.'

Julian schreeuwde. 'Michael!'

'Dit keer is je broer er niet om je te redden, rare griezel.'

Julian kende die stem. 'Hennessey. Wacht nou even...'

Maar Hennessey wachtte niet. Hij boog zich voorover, zijn roestkleurige haar was dof in het kille licht, zijn ogen waren donker en tot spleetjes vertrokken toen hij zijn vingers in Julians haar vastdraaide en hem naar beneden duwde, de schedel van de kleinere jongen tegen het beton wreef, het hoofd zo draaide dat het daarna de beurt was aan zijn linkerwang, platgedrukt tegen de smerige vloer. 'Zeg het.'

Zijn mond blies warme lucht in Julians gehoorgang. Julian draaide met zijn ogen, zag de gloed op Hennesseys huid, de plukjes wit haar op zijn lip, de waanzinnige, meedogenloze ogen.

'Nee.'

Hennessey kwam nog dichterbij, met zijn lippen tegen Julians oor; zijn snorharen waren zo licht en fijn als het zijden weefsel van een spin. 'Zeg het.'

'Alsjeblieft...'

'Hennessey is de koning van het IJzeren Huis.' Julian begon te huilen, maar Hennessey duwde alleen nog maar harder. Hij ging door tot de huid losliet van Julians wang. 'Hennessey is de koning. Niet Michael. Zeg het. Hennessey is de koning van het IJzeren Huis. Michael is een watje...'

'Nee.'

'Michael is een watje. Zeg het.'

'Alsjeblieft...'

'Wat?' Hennessey beukte Julians hoofd tegen de vloer en stond toen op. 'Alsjeblieft, wat?' Ze schaarden zich dreigend om Julian heen, alle vijf. Er verscheen een lachje op Hennesseys lippen, de ondertoon van waanzin vulde weer zijn ogen. 'Alsjeblieft wat, gore klootzak?'

'Wacht, alsjeblieft.'

Ze trokken zich er niets van aan. Hennessey lachte even, en zei: 'Jongens.' En die gingen aan het werk met hun voeten. Ze trapten tot Julian zich niet meer bewoog en bogen zich toen over hem heen om te zeggen wat ze met hem gingen doen. Julian rolde zich op, maar dat had geen zin. Handen vonden zijn benen, zijn haar. Ze trokken tot koude lucht in zijn vel sneed en gooiden hem toen naakt door het raam. Hij kwam terecht in een hoop opgewaaide sneeuw, op zijn rug, onder een metalen plaat die tegen een stenen muur zat bevestigd. Sneeuw bedekte de letters op de plaat, maar hij wist wat er stond.

TREED BINNEN KIND EN KEN GEEN VREES,
ANDERS DAN DIE VOOR GOD

Achter het raam klonk gelach, bleke gezichten drukten zich tegen het glas en verdwenen toen. Julian voelde aan zijn bloedende neus en zag vingerverfsneeuw op zijn nagels. Hij spuugde bloed in de witte massa onder hem en toen hij probeerde overeind te komen, raakte zijn hand iets scherps en hards. Een oud mes, bedolven onder de sneeuw. Hij pakte het op en zag een houten heft, half verrot, en twintig centimeter verroest metaal. Hij hield de platte kant tegen zijn wang, kneep toen in het heft tot zijn vingers pijn deden. 'Michael,' huilde hij.

Maar zijn broer kwam niet.

Julian keek naar de lucht, naar de speldenprikken van wit.

Sneeuw als tranen...

zo koud...

... die bleef vallen.

De limousine kroop de bergweg op met links en rechts sneeuwbrij en kapot asfalt. De modder van het wegdek trok strepen over de autolak, een vieze laag, omhooggeworpen door autobanden die niets te zoeken hadden op een beijzelde weg twaalfhonderd meter hoog in de bergen van North Carolina. De lucht buiten was koud, het licht flets. Verder bewoog er niets op de berg – geen verkeer of opwaaiende bladeren, alleen een zwaar, nat poeder dat vanuit de laaghangende lucht werd uitgestrooid. De vrouw op de achterbank keek niet naar de grote open stukken waar de aarde ineens verdween. Ze sloot haar ogen tot de auto terugdook onder de bomen, haar duizeligheid minder werd, en staarde vervolgens naar het bos om haar heen en de sneeuw die tussen de naakte boomstammen lag. Ze stak een sigaret op en de ogen van de chauffeur verschenen in het spiegeltje.

'Ik ben niet weer gaan roken, hoor,' zei ze.

Hij richtte zijn blik weer op de weg. 'Natuurlijk niet.'

'Alleen vandaag.'

'Ja, hoor.' Hij droeg zijn haar militaristisch kort, maar ze zag toch dat hij grijs begon te worden. Hij had plooien in zijn nek, en tegen zijn zwarte jasje stak de kraag van zijn witte overhemd witter af dan sneeuw.

Ze draaide aan haar trouwring en zoog rook in longen die brandden. Een uur nadat ze waren weggereden uit Charlotte was de eerst vlok gevallen. De chauffeur had twee keer voorgesteld om terug te gaan, maar ze had beide keren geweigerd. Vandaag is de dag, had ze gezegd. En daar waren ze dan, alleen aan het einde van de wereld.

De chauffeur nam zijn passagier nog eens goed in zich op. Ze had een transparante huid en groene ogen, en gouden haar dat tot over haar schouders krulde. Ze was hoogstens een jaar of vijfentwintig. Jong voor zoveel geld en macht.

'We komen te laat,' zei ze.

'Ze wachten wel op u.'

'Ja.' Ze stak weer een sigaret op. 'Vast wel.'

De auto manoeuvreerde over en langs richels van zwijgende rotssteen en het ging harder sneeuwen. Sigaretten werden tevoorschijn gehaald en gingen over tot as, terwijl zij nadacht over waarom zij hier was, hoog in de bevroren bergen. Ze bedacht waarom ze was gekomen. 'Stoppen.' Ze wiegde naar voren, met haar hand tegen haar buik duwend. De chauffeur aarzelde. 'Stoppen!'

De chauffeur minderde vaart en stopte. Ze zwaaide het zware portier open in de vallende sneeuw en stapte uit, haar dure schoenen ruïnerend door de kledder en het zout. Drie stappen brachten haar naar de rand van het bos, waar ze zich vooroverboog.

'Gaat het nog, mevrouw?'

Sneeuw nestelde zich in haar haar en viel op haar fraaie zijden blouse. Toen ze uiteindelijk weer overeind kwam, wreef ze met de rug van een hand over haar wang. De koude lucht op haar huid werkte verfrissend en de misselijkheid verdween. Ze draaide zich om en zag haar chauffeur bij de neus van de auto staan, met een hand op het warme metaal. Hij knikte. 'Het is een belangrijke dag,' zei hij, alsof hij het begreep.

'Ja.'

'Ik zou ook zenuwachtig zijn.'

Ze liet hem in de waan.

'Kunnen we weer?' vroeg hij.

Ze keek naar de lucht van natte lappen en de boomskeletten met kromme armen en duizenden vervlochten vingers. 'Het is allemaal zo stil,' zei ze.

'Ik houd uw portier wel open.'

'En zo koud.'

Het was over vieren toen de limousine langzaam aan haar afdaling begon. De weg kronkelde een smalle vallei binnen, waar het middenin gelegen stadje uit een groepje laaggelegen gebouwen bestond. Abigail Vane pretendeerde niet dat ze het plaatsje kende, maar ze wist hoe het eruit zou zien: panden in verval, cafés met krukken van skai en mensen met verweerde gezichten. Er zou aan beide uiteinden van Main Street een tankstation zijn en een drogisterij ergens halverwege. Het was een kleine plaats, een lichtpuntje aan de rand van de donkere bergen, en ze wist dat er in een straal van een halve dag rijden talloze soortgelijke plekken waren. North Carolina. Tennessee. Georgia. Kleine stadjes en mensen die droomden van andere stadjes. De auto reed Main Street in en ze zag de gevels van de cafés en de ruige mannen met hun gekromde nekken. 'Bijna?' vroeg ze.

'Ja.'

Aan het andere einde van de plaats werd de weg smaller en sloeg de chauffeur rechts af, een slecht onderhouden strook oud asfalt op. In de sneeuw stonden afgebrokkelde pilaren en aan het andere einde van een groot veld snelde een riviertje zwart en gejaagd voort. 'Hier is het,' zei de chauffeur, en ze boog zich naar voren.

Op het laagst gelegen terrein langs de weg rees het soort gebouw op waarin een instituut is ondergebracht. Het was van steen en baksteen en drie verdiepingen hoog en had lange vleugels die zich aan weerszijden van het hoofdgebouw uitstrekten. Eén vleugel was helemaal in het donker gehuld, met rijen ramen waarachter niets te zien viel en waarvan sommige waren dichtgetimmerd. Vanuit de rest van het bouwwerk scheen licht, waardoor ook andere, kleinere gebouwen en een fantasieloze tuin zichtbaar werden. Gebogen gestalten liepen heen en weer tussen de gebouwen. Kleine figuren. Kinderen. Een jongen hield stil en draaide zich om; zijn uiterlijk ging schuil achter de vallende sneeuw. Ze boog zich verder naar voren, maar de chauffeur schudde zijn hoofd. 'Te jong,' zei hij.

De oprit liep rond de tuin en ze stopten op de plek waar een brede trap naar een overdekt portaal leidde. De deur ging open en er stapte een man naar buiten. Op het beton boven hem prijkte de volgende tekst:

IRON MOUNTAIN TEHUIS VOOR JONGENS
HUISVESTING EN TUCHT SEDERT 1895

Ze bleef naar die woorden kijken tot de chauffeur zich naar haar omdraaide. Lijnen tekenden zijn gezicht, en de blik onder zijn grijzende haar was strak. 'Bent u zover?'

'Even nog.'

Haar hart sloeg te snel, haar handen trilden een beetje. De chauffeur, die dacht dat hij het wel begreep, stapte uit de auto en ging bij haar portier staan. Hij knikte naar de man op het hoge portaal, maar geen van beiden zeiden ze iets. Na een paar minuten tikte Abigail Vane met haar ring tegen het raam. De deur zwaaide open en de chauffeur pakte haar hand.

'Mevrouw.'

'Dank je, Jessup.' Ze stapte uit en hij liet haar vingers los. Ze keek naar de beschadigde betonnen trap, de roest onder de ijzeren leuning. Haar blik ging naar de hoge, hellende daklijn, daarna naar het deel van het gebouw dat in puin lag. Ramen liepen bij haar vandaan in rijen van drie. Ze zag gebarsten ruiten en ontbrekende kozijnen, en door het weer uitgebeten planken onder platgeslagen spijkers.

'Mevrouw Vane.' Een man met ronde schouders haastte zich de trap af. Hij had mooie lichte ogen en een grote adamsappel. Zijn dunne haar lag netjes gekamd tussen zijn bescheiden oren en zijn tanden waren, als hij lachte, klein en wit. 'We zijn zo blij dat u heeft willen komen. Mijn naam is Andrew Flint. Misschien heeft uw assistente mijn naam genoemd? Na alle correspondentie en telefoontjes heb ik het gevoel dat ik haar al een beetje ken.'

Ze accepteerde zijn hand, die smal en koel was. 'Meneer Flint.' Haar stem bleef neutraal. Het was de stem waarmee ze talloze geldinzamelingen, talloze plechtigheden had ingeleid. Ze had dezelfde toon gebruikt bij haar ontmoeting met de laatste twee gouverneurs, de president en honderden bestuursvoorzitters. Ze drukte zijn hand stevig, ontspande haar vingers toen en wachtte tot hij zich realiseerde dat hij dat ook moest doen.

Flint keek naar de lege limousine. 'Uw man?'

Ze voelde aan een knoop van haar blouse. 'De senator had verplichtingen elders.'

'Maar we hadden gehoopt...' Flint dwong zichzelf tot een glimlach. 'Geen probleem. U bent hier en dat is ook heel bijzonder.' Hij maakte met gespreide handen een nerveus gebaar dat de sneeuw en de vallende duisternis omvatte. 'Zullen we naar binnen gaan?'

Halverwege de trap draaide ze zich om. Boven de tuin was het schemerig geworden, en de kinderen die er nog liepen waren daardoor niet zo goed meer te zien. De aanblik deprimeerde haar: zoveel verloren kinderen. Maar vandaag zou het anders zijn. Voor twee broers, dacht ze, zou vandaag het begin zijn van iets groots. 'Heeft u onze donatie ontvangen?'

'Ja mevrouw Vane. Natuurlijk.' Flint maakte opnieuw een buiging en wreef in zijn handen. 'Zoals u ziet, kunnen we die heel goed gebruiken. Hij gebaarde weer, en zij volgde zijn blik. Uitgestrekt in de sneeuwbui leek de verlaten vleugel van het weeshuis op een kolossaal en beschadigd schip dat op de een of andere meedogenloze kust was geworpen. Ze zag iets bewegen achter een van de ramen, iets wits, dat twee keer opflikkerde voor het weer verdween.

'Is die vleugel eigenlijk nog in gebruik?' vroeg ze.

'Lieve hemel, nee. Het gebouw verkeert in een deplorabele toestand.'

'Ik dacht dat ik iemand zag.'

Hij schudde zijn hoofd. 'Een vogel misschien. Of een zwerfkat. Die weten wel hoe ze binnen moeten komen. Het is daar erg gevaarlijk. De jongens mogen daar onder geen beding...'

Ze hield op de bovenste trede stil. 'Ik wil ze graag zien.'

Flint kneep zijn handen samen en zijn woorden kwamen haperend naar buiten. 'Ik vrees dat dat niet kan.'

'De donatie bedroeg vijf miljoen dollar. Dat zou toch een hoop dingen mogelijk moeten maken.'

'Ja, dat besef ik natuurlijk heel goed. Maar...' Weer aarzelde hij even, en strekte zijn nek om naar het gebouw achter hen te kijken. Hij aarzelde alsof hij wachtte tot iemand hem kwam redden. 'De waarheid is dat we ze niet kunnen vinden.'

'Bent u twee jongens kwijt?'

'Eh... alleen nu even.'

'Komt dat vaker voor?'

'Nee, nee. Natuurlijk niet.'

'Ik had ze zo graag meteen willen zien.'

'Ze duiken zo direct vast wel weer op. Jongens, u weet hoe ze zijn. Ergens heen, waarschijnlijk...'

'Ergens heen?' Haar ogen vernauwden zich.

'U weet wel...'

Een nerveus lachje.

'... om te spelen.'

Michael holde door de verlaten zaal. Zijn ogen schoten van links naar rechts, zijn vingers waren tot vuisten gebald. Ramen rezen boven hem uit, zo groot als deuren, maar hij keek niet naar de sneeuw buiten, of naar zijn weerspiegeling tijdens het hollen. Julian was nu al een uur weg, en zoiets deed Julian nooit. Hij bleef in hun kamer op de tweede verdieping, bleef in hun zaal of waar Michael dan ook was. En als Michael weg was, wat wel eens voorkwam, bleef Julian bij de paar vrienden die hij had. Omdat Julian niet gek was. Hij wist dat hij zwak was. En dat zwakte leidde tot pesterij. Molesteren. Julian was een van Hennesseys favoriete spelletjes, voornamelijk omdat hij en zijn vrienden te laf waren om Michael rechtstreeks te grazen te nemen. Ze hadden het één keer geprobeerd, en waren afgedropen met gebroken vingers en loszittende tanden. Vijf tegen een, en Michael had de vloer met hen aangeveegd, alsof het hem niet deerde hoe vaak hij werd geslagen of hoe erg hij bloedde. Michael vocht met een geluid achter in zijn keel, als een dier in een kooi. Hij vocht zoals Tarzan zou vechten. De jongere jongens keken tegen hem op en de oudere jongens meden hem, omdat Michael, als hij in een hoek gedreven werd, zo wild en kwaadaardig werd dat sommigen van de oudere jongens dachten dat hij misschien wel eens gestoord zou kunnen zijn. Maar zo zat dat niet. Er was een overvloed aan tijd in het IJzeren Huis. Tijd die gevuld moest worden, tijd waarmee iets moest worden gedaan. Het was er verschrikkelijk, en zijn broer was een dankbaar slachtoffer. Dus wat moest Michael dan?

'Julian?'

Hij riep de naam van zijn broer, die echode door de bevroren ruimte. Michael was teruggekomen van keukendienst, en een jongen in de zaal had hem gezegd dat Julian weg was, uit de groep geplukt en meegesleept naar de lege vleugel. Hij zei dat Hennessey had lopen lachen toen hij de planken van de dichtgespijkerde deur trok en Julian hard schopte om hem aan het hollen te krijgen. Ze waren met zijn vijven, had de jongen gezegd. Ze gaven hem een voorsprong van twee minuten, en gingen toen achter hem aan.

Dat was een uur geleden.

Dus zette Michael het op een hollen. Hij riep de naam van zijn broer, en als het geluid in zijn eentje terugkwam, riep hij opnieuw.

Koude woorden.

Damp van zijn lippen.

Flint bracht Abigail naar een kleine slaapkamer op de eerste verdieping. 'Dit is het enige wat we bezoekers kunnen bieden,' zei hij verontschuldigend. 'Hier kunt u zich wat opfrissen. Even uitrusten. De jongens komen zo wel boven water.'

'Dank u, meneer Flint.'

Hij wilde zich omdraaien, maar aarzelde. 'Mag ik u iets vragen?'

'Als u wilt.'

'Waarom juist deze jongens?'

'Vraagt u dat vanwege hun leeftijd?'

'En omdat een van hen zo ziekelijk is.' Flints ogen stonden vriendelijk, maar verwonderd. 'Het is nogal ongewoon.'

'En u vraagt zich af of ik een speciale reden heb?'

'Dat is toch niet zo vreemd?'

Abigail liep naar het raam en keek naar de sneeuw. 'Ze zijn tien en negen, is het niet? Vondelingen?'

'Ze zijn gevonden in de bedding van een beek, net over de grens met Tennessee, niet ver hiervandaan, eigenlijk. Vijfenzestig kilometer in vogelvlucht, twee keer die afstand over de bochtige wegen hier. Het was achter in november, erg koud, en twee jagers hoorden huilen aan het einde van een doodlopende uitholling. De beek was zestig centimeter breed, maar stroomde snel. Julian lag deels onder water en ze waren allebei halfbevroren. Het is een wonder dat ze het hebben overleefd, vooral Julian. Het is een zwak kind – "een schriebel", zou mijn moeder hebben gezegd. De jagers hebben ze meegenomen, in hun shirts gewikkeld. Anders zouden ze zeker gestorven zijn. Als het nog langer had geduurd. Zonder behulpzame voorbijgangers.'

'Hoe oud waren ze toen?'

'Dat weten we niet precies. Julian was nog maar net geboren, hij was vermoedelijk een paar weken oud. Michael was ouder. De dokter schatte hem op een maand of tien, maar het had ook wat minder kunnen zijn. Julian was duidelijk te vroeg geboren. We gaan ervan uit dat ze dezelfde moeder hebben, dus...'

'Te vroeg?'

'Zeker een maand.'

'Een maand.' Abigail kreeg een wazige blik in haar ogen en het bleef zo lang stil dat Flint er wat onrustig van werd.

'Mevrouw Vane?'

'Ik ben zelf opgegroeid in een weeshuis, meneer Flint. Het was maar een kleine instelling, die nog armer was dan dit huis hier. Koud was het er, en hard en meedogenloos.' Ze draaide weg van het raam en hield een hand omhoog om het licht in het vertrek op te vangen. 'U kunt zich voorstellen dat ik bepaalde gevoelens...'

'Ja, ja. natuurlijk.'

'Ik werd geadopteerd toen ik tien was, en mijn negenjarige zusje niet.' Ze keek Flint aan met een vaste blik in haar ogen. 'Zij was ook ziekelijk, net als Julian, en werd om die reden achtergelaten. Ik kwam in een erg lief gezin terecht en vier maanden later kreeg mijn zusje longontsteking. Ze is alleen gestorven, op die afschuwelijke plek.'

'Juist ja, nu begrijp ik het.'

'O ja?'

'Nou, ik denk wel dat...'

'Ik ben dankzij mijn huwelijk nu financieel goed af, meneer Flint, en verkeer in een positie waarin ik een soortgelijke tragedie kan voorkomen. Ik heb gezocht naar kinderen die zijn zoals deze jongens. Al wat ouder. Ongewenst. Daar krijg ik mijn zus niet mee terug, maar ik hoop zo toch wat goed te kunnen maken. Een nieuw leven voor deze jongens, en misschien ook voor mezelf. Weet u nu wat u weten wilt?'

'Ik wilde me niet bemoeien met wat me niet aangaat.'

'Ik wil ze zien, meneer Flint.'

'Dat spreekt vanzelf.'

'Ga ze dan zoeken.'

Julian had schuilplaatsen voor als dingen uit de hand liepen. Een leegstaand pomphuis in het bos, de kruipruimte onder de kapel. Hij had eens een barst in het graniet ontdekt, waardoor het rivierwater uitliep op het lagergelegen veld. De weg naar binnen was een gevaarlijke duik voorover door een nauwe spleet, maar een meter lager werd de grotachtige ruimte groter en kon hij zich uitstrekken, met de rots nat en zwart op dertig centimeter van zijn neus. De grot was koud en donker, en hij had wel eens vol bloedzuigers gezeten toen hij weer naar buiten kwam, maar hoe erger dingen werden voor Julian, hoe dieper hij erin wegkroop. Diep in de wereld. Diep in zijn geest.

Michael vond hem in de kelderverdieping onder het souterrain.

Het was daar een doolhof van donkere en stoffige ruimtes – tientallen, misschien zelfs wel honderd – maar Michael was door de jaren heen in elk vertrek geweest en had achter alle deuren gekeken. Hij had rijen dossierkasten ontdekt met archieven van soms meer dan tachtig jaar oud; een kamer volgepakt met tot stapels gebonden kranten die tot pulp waren vergaan; een oude ziekenzaal; beschimmelde kasten afgeladen met boeken, zwachtels en gasmaskers. Hij vond dozen met glazen injectiespuiten, stoelen met leren riemen en dwangbuizen met bruine vlekken. Sommige kamers hadden stalen deuren, andere hadden kluisters die aan de betonnen muren zaten bevestigd. Hij was één keer een ruimte binnengegaan aan de zuidkant van het gebouw en tegen de vloer gedrukt door een zwerm vleermuizen die binnen hadden kunnen komen via een rotte plek bij de fundering. De plafonds hingen zwaar en laag in deze kelderverdieping. Licht was schaars.

De eerste keer dat Julian wegliep, vond Michael hem in het stookhok, opgerold in de kleine ruimte achter het hete metaal, met zijn knieën opgetrokken tegen zijn borst en zijn rug stijf tegen de harde bakstenen muur erachter geduwd.

Hij was zes jaar oud en tot bloedens toe geslagen.

Dat was drie jaar geleden.

Michael dook onder wat pijpen door en schoof verder door de duisternis naar de plek waar een blauw licht en de hitte van de verwarmingsketel onder een kromgetrokken deur door stroomden. Hij hoorde een gedempte stem: het zingen van zijn broertje. Toen hij de deur opentrok, joeg de hitte langs hem heen. De ketel, met blauwe vlammen in zijn binnenste, vulde de ruimte en joeg vochtige hitte naar buiten. Julian zat weggekropen in de kleine ruimte achter de boiler, zijn rug gekromd, zijn armen om zijn knieën. Zonder schoenen aan zijn voeten zat hij wiegend in die kleine ruimte, zijn bovenlichaam ontbloot en rood en smerig, terwijl de stoom van zijn natte haren sloeg.

Hij keek niet op.

'Julian?' Michael wrong zich achter de boiler. 'Gaat het?' Julian knikte, en Michael zag nieuwe blauw plekken en verse schaafwonden. Hij legde een hand op de schouder van zijn broertje en ging toen zitten. Een tijdlang zei Julian niets. En toen hij sprak, was dat met een schorre stem.

'Weet je nog, toen we klein waren? De ouwe Dredge?'

Michael moest even nadenken. 'Bedoel je die klusjesman?'

'Hij sliep in dat kamertje aan het eind van de gang.'

Julian hield zijn hoofd scheef en Michael wist het weer. Dredge had een klein kamertje met een veldbed en een koelkast. Hij had meidenposters aan de wand en in de koelkast had hij drank. Hij was oud en krom, en merkwaardig genoeg was Julian nooit bang voor hem geweest. 'Waarom vraag je dat?'

'Ik kwam hier wel meer, weet je,' zei Julian op een manier alsof Michael dat niet wist. 'Hij hielp me vaak als dat nodig was. Dan verstopte ik me hier en ging hij gevaarlijk lopen doen, als de oudere jongens kwamen kijken. Hij zwaaide dan met die stok die hij had en sloeg allerlei rare taal uit, net zolang tot de meeste jongens te bang waren om het zelfs maar in hun hoofd te halen hiernaartoe te komen. Hij was helemaal niet gevaarlijk. Maar hij wilde helpen. Hij was mijn vriend. Als het misging, vertelde hij me verhalen. Hij zei dat daarbeneden verborgen deuren zaten, magische deuren. Hij begon altijd te loensen als hij erover vertelde, maar hij hield vol dat ze er echt waren. Zoek de goeie muur, zei hij dan. Als het misgaat, zoek de goeie muur, klop ertegen zoals het moet, en dan gaat hij open.'

'Zonlicht en zilveren treden...'

'Had ik je dat al verteld?'

'Een deur naar een betere plek. Ik was het vergeten, maar ja. Je had het me al eens verteld.' Michael dacht aan de oude man, met zijn doorgroefde gezicht, bloeddoorlopen ogen, en zijn luchtje van drank en sigaretten om zich heen. Hij verdween twee jaar geleden. Ontslagen, veronderstelde Michael. Ontslagen omdat hij gek was, of smerig, of allebei. 'Het was maar een verhaal, Julian. Van een gekke oude man.'

'Ja. Een gek, hè?' Julian lachte, maar niet bepaald van harte. Toen hij zijn handen vouwde, zag Michael de schaafplekken op zijn knokkels, de bloedvegen en de gespleten huid.

Zijn broertje had hierbeneden op de muren lopen kloppen.

'Wat is er gebeurd, Julian?'

Hij haalde zijn schouders op. 'Ze probeerden me naakt naar buiten te gooien. Ze probeerden me naar buiten te gooien, maar ik heb me verzet.' Hij glimlachte slapjes. 'Ze hebben mijn schoenen.'

Michael bekeek zijn broer en realiseerde zich dat de huid van de jongen niet rood was van de hitte, maar van de kou, en dat het geen zweet was in zijn haar, maar gesmolten sneeuw. Toen viel hem nog iets op. 'Dat is jouw broek niet.'

Julian ging daar niet op in. 'Ze sloten alle deuren af, behalve de toegangsdeur. Ze wilden me dwingen om door de voordeur binnen te komen, langs alle mensen. Ze dachten dat dat leuk was, maar ik was ze te slim af. Ik kwam binnen waar de vleermuizen binnenkomen. Weet je wel, Michael? De vleermuizenkamer.'

Michael zag het nu voor zich. Hij zag zijn broer door de sneeuw hollen, naakt en koud, zich dan naar binnen wurmen door een gat tussen het rottende hout en de vergane betonnen vloer, halsoverkop naar voren, tussen al die vleermuizen, al die stront. 'Dat is jouw broek niet, Julian.'

De broek stond stijf van het vuil en zat veel te ruim om zijn smalle middel. Hij kwam zo te zien uit een van die beschimmelde dozen die op de vloer van het souterrain stonden: een herenbroek, oud en gevlekt en met rafels aan de zomen. Julians vingers kromden zich op zijn stijve knieën en zijn ogen lagen diep in een gezicht dat plotseling alle spanning verloren had. 'Waarom zou ik de broek van iemand anders aanhebben?'

De gelaatsuitdrukking was zo vertrouwd: de doffe ogen die niet wilden focussen, de open mond en een ondertoon van hysterie.

De weg kwijt.

Michael verafschuwde die gelaatsuitdrukking, maar begreep heel goed waarom die zo vaak bezit nam van zijn broer. Julian, die constant op zijn nek werd gezeten, prikkelbaar en bleek, met holle ogen, was al maandenlang stukje bij beetje aan het instorten. Hij at of sliep amper nog. En als de slaap kwam, dan was die even martelend als zijn dagen, en waren zijn dromen meedogenloos. Het ergste moment was twee nachten geleden, toen Julian zacht jammerend zijn bed uit rolde, terwijl er wit schuim op zijn lippen stond. Hij dook ver weg in een hoekje en maakte zich zo klein mogelijk, met diezelfde weggezakte mond en diezelfde ogen vol nachtmerries. Het duurde even voor hij tot zijn positieven kwam, en toen Michael hem eindelijk weer in bed gekregen had, bleef Julian schrikachtig, en bleef de wezenloze blik in zijn ogen. Zijn woorden kwamen er haperend uit toen hij het probeerde uit te leggen.

In het donker zijn dingen anders. Ze maken me bang.

Wat is dan anders?

Je denkt vast dat ik gek ben.

Nee, dat denk ik niet.

Zweer je dat?

Allemachtig, Julian.

Je weet hoe een kaars eerst is, heel glad en mooi en gaaf? Hoe het allemaal klopt, als je ernaar kijkt? Hoe hij eruitziet zoals het hoort?

Ja, dat weet ik.

Maar dan steek je hem aan, en smelt hij en gaat hij druipen en zakt hij in en wordt lelijk. Nou, zo voelt het soms als de lichten uitgaan. Alsof alles verkeerd is.

Dat begrijp ik niet.

Het lijkt net of alles versmelt in het donker. Alsof de duisternis de vlam is en de wereld van was.

De wereld is geen kaars, Julian.

Maar hoe weet je dat, als je dat niet kan zien?
Waarom huil je?
Hoe weet iemand dat?

De gedachte alleen al maakte Michael kwaad. Wat maakte het uit of zijn broer onnozel was? 'Wie heeft dit gedaan, Julian? Hennessey?'

'En Billy Walker.' Julian begon weer te huilen, grote vettige tranen. Hij snoof luid, veegde snot weg met zijn onderarm.

'Wie nog meer?'

'Georgie-boy Nichols. Chase Johnson. En die klotekop van de jeugdgevangenis.'

'Die uit Noord-Georgia? Die grote?'

'Ronnie Saints.' Julian knikte.

'Vijf stuks?'

'Ja.'

Michael werd nog bozer en stond op. Hij was bezweet door de hitte van de stookketel. 'Je moet voor jezelf opkomen, Julian. Als je dat één keer doet, laten ze je daarna wel met rust.'

'Maar ik ben niet zoals jij.'

'Je moet ze alleen maar laten zien dat je niet bang voor ze bent.'

'Het spijt me, Michael.'

'Er is niets wat je hoeft te spijten...'

'Wees niet boos, alsjeblieft.'

'Ik ben niet boos.'

'Het spijt me, Michael.'

Julian bedekte zijn ogen met zijn onderarm, en Michael staarde een tijdje zwijgend voor zich uit. 'Je moet nu eens ophouden, Julian.'

'Ophouden met wat?' Hij zette grote ogen op en slikte moeilijk.

'Ophouden met zielig zijn.' Michael zei het niet graag. 'Ophouden met in jezelf te lopen zingen en te doen of je je laatste oortje hebt versnoept. Ophouden met weglopen als ze achter je aan komen. Ophouden met weg te duiken...'

'Michael...'

'Jij moet ophouden zo'n watje te zijn.'

Julian keek een andere kant op. 'Dat wil ik ook helemaal niet, een watje zijn. Zeg dat nou niet, Michael.'

Maar Michael had genoeg van al het zorgen maken, van de vechtpartijen. 'Ga nou maar naar je kamer, Julian. Ik zie je straks wel.'

'Waar ga je heen?'

'Ik ga dit zelf oplossen.' Hij duwde de scheve deur met zijn schouder open en vertrok zo snel dat hij de gepijnigde blik op het gezicht van zijn broer miste, de glinsterende tranen en de vastberadenheid. Hij zag niet hoe Julians armen beefden toen hij opstond, hoe hij het mes achter zijn rug vandaan haalde en erin kneep tot zijn hand pijn deed.

'Oké, Michael.'

Zijn broer was weg.

'Oké.'

Julian staarde naar het mes en toen naar zijn magere armen en zijn uitstekende ribbenkast. Hij had geen spieren, zoals Michael, of brede schouders, of zichtbare sterke blauwe aderen in zijn armen. Hij miste de scherpe ogen, gelijkmatige tanden en standvastigheid van zijn broer. Hij had een uitzonderlijk bleke huid, en longen die schroeiden als hij hardliep; maar zijn zwakte was ingrijpender dan dat. Achter de botten in zijn borst zat een onregelmatigheid, en een deel van hem haatte Michael omdat die niet diezelfde zachte plek in zijn binnenste had. Soms was die haat heel erg, zo sterk dat hij bijna op zijn gezicht af te lezen viel, en soms verdween hij helemaal, of werd hij zo door liefde verdund dat Julian hem zich alleen nog maar herinnerde, als een soort droom.

Julian bleef lange tijd staan, vernederd en beschaamd, met kletsnatte ogen. Zijn hoofd tolde van de herinneringen aan talloze kleine momenten van pijn: de spot en de hoon, Hennesseys spuug op zijn gezicht, de broek van de oude man en de smaak van vleermuizenpoep in zijn mond. En hij dacht ook aan de grote momenten van verdriet: de pijn, de angst, de walging van zichzelf. De teleurstelling in de ogen van zijn broer. Vooral dat. Julian smeerde snot uit over zijn gezicht en vroeg zich af hoe hij van zijn broer kon houden en hem tegelijkertijd kon haten. Twee zulke grote dingen tegelijk.

Liefde.

Haat.

Julian wilde steviger in zijn schoenen staan. Hij wilde dat mensen in het gebouw hem zouden groeten en hem geen kwaad zouden doen, zomaar, omdat ze daar zin in hadden. Als hij net zo was als Michael kon ook hij al die dingen krijgen, en dat moest gebeuren, besloot Julian. Hij ging net zo worden als zijn broer. Maar toen hij een stap in de richting van de deur zette, zwikte hij door zijn beschadigde enkel en sloeg hij snel en hard met zijn gezicht tegen de betonnen vloer, met een geluid als van krakend hout. Het mes viel kletterend op de grond en hij rolde zich op in het vuil, eenzaam en gekwetst en vol verlangen om te zijn als zijn broer.

Michael...

De pijn in Julians hoofd was alsof het bot boven zijn ogen gespleten was, alsof er iets scherps en heets door de kier naar binnen was geramd. Hij sloeg zijn handen voor zijn gezicht en huilde, en toen hij zijn ogen weer opendeed, zag hij het met roestvlekken bezaaide mes op de grond. Zijn vingers vonden het heft en het metaal raspte toen hij op handen en voeten ging zitten, met een hoofd dat slap knikte op zijn nek, met een waas voor zijn ogen. Hij hoorde een vreemd geluid in zijn keel, en zijn gezicht vertrok toen er iets in zijn hoofd met een glasachtig geluid knapte. Hij voelde zich anders toen hij opstond, duizelig en alsof hij zichzelf op een afstand zag; zijn ledematen waren zwaar. Toen de wereld geleidelijk vorm aannam, wankelde hij, en toen zijn blik scherper werd, hoorde hij het geluid van knokkels die tegen de muur sloegen, harde, benige klappen, terwijl in zijn achterhoofd werd gezegd: *Dat doet pijn...*

Maar de pijn was voor een andere jongen.

Hou nou eens op zo'n watje te zijn, zei de jongen, en Julians voeten schraapten over de zwartachtige vloer. Zijn hand vond de leuning boven, waar een trap liep naar de keuken van de kelderverdieping, waar de lucht doortrokken was van de geuren van zoete thee en vettig vlees, witbrood en nepboter. Julian klom nog een verdieping hoger, sloeg toen links af naar de eetzaal waar de jongens zich al aan het verzamelen waren. Hij strompelde langs de deur, klom met moeite nog een lege trap op en liep een lange gang door, met het mes tegen zijn been gedrukt. Hij liep langs een paar andere jongens, en een deel van Julian wist hoe beroerd hij eruitzag, smerig en hinkend en gewond. Jongens staarden naar zijn kneuzingen en vergane broek, naar de grote bult boven zijn dolgedraaide ogen. Ze stapten opzij toen ze het mes zagen, drukten hun rug tegen de gepleisterde muren aan. Maar Julian reageerde niet op de manier waarop ze naar hem keken, op het medeleven en de schimpscheuten, of op die enkele vriendelijke vraag.

Nee, zei de jongen met Julians stem. *We kunnen het alleen wel af.*

Hij vond Hennessey in de toiletten op de begane grond aan het einde van de noordkant van het gebouw. Hij was alleen, stond bij het pissoir en draaide zich om toen de deur dichtviel. De uitdrukking van ongeloof op zijn gezicht ging over in een wrede grijns. De toiletten roken naar gemorste pis en ontsmettingsmiddel, de lichten waren wit en koud achter metalen kooien tegen het plafond. Julian hield het mes achter zijn rug. Hennessey spuugde een keer op de grond en kwam een stap zijn kant op; zijn sproeten waren als moddervlekken uitgestrooid over de rug van zijn neus.

'Ik ben niet bang voor je,' zei Julian.

Hennessey was groot en breed, en had troebele bruine ogen onder rood haar. Op de rug van zijn handen groeide vlassig pluishaar en de rechterkant van zijn grijns werd ontsierd door een slechte kies. Hij bekeek Julian even en lachte nog eens schor. 'Moet je dat zien. De kleine meid wil klappen geven. En nog een boos toetje ook.' Hij wapperde met zijn vingers, rondde zijn mond, en zei: 'Ooo.'

Julian hield zijn hoofd schuin, zijn ogen donker en dof. 'Ik ben geen watje.'

'Dat ben je wel.' Hennessey gaf hem een flinke duw en wrong zich langs hem heen.

'Dat neem je terug.'

'En anders?'

Hennessey had zich niet eens omgedraaid. Hij had een hand op de deurknop toen het mes de zijkant van zijn hals binnendrong. Het schoof naar binnen met een knars, en Julian stapte achteruit toen de grote jongen zwaaiend tegen de grond sloeg, met beide handen aan de keel, en het wit van zijn rollende ogen naar boven draaide. Een hand kwam omhoog, nat en bevlekt, met gespreide vingers. Hij zag bloed en de verbazing maakte plaats voor ontzetting. 'Julian.'

Op dat moment welde er een ongelooflijke genoegdoening in Julian op de plek waar anders de angst zou hebben geregeerd, maar ergens diep in zijn binnenste riep een stem dat dit verkeerd was. Roep er een volwassene bij, riep de stem. Haal hulp.

Hou je bek, stom watje.

Die woorden spookten rond in Julians hoofd, zo sterk dat ze hem terugduwden op zijn ene goede voet.

Zo'n haat.

Zo luid.

Julian viel tegen een van de toiletdeurtjes, tuimelde naar binnen, met het porselein koud en hard tegen zijn rug. Hij hield zijn hoofd in zijn handen toen Hennesseys benen twee keer bonkten en daarna stil bleven liggen. Hij voelde een pijn achter zijn ogen alsof er iets was gescheurd. Hij duwde nog wat harder en het vertrek wentelde naar iets ongewoons, met hoeken die allemaal verkeerd stonden, met zwaartekracht die naar opzij trok. Julian liet zijn hoofd los en werkte zich het toilethokje uit, ellendig, en gewond, en in de war.

'Michael.'

Zijn stem dit keer, klein in zijn eigen keel. Hennessey lag onderuitgezakt op de tegelvloer; het mes stak als een vreemd en oneigenlijk ding tussen zijn vingers door uit zijn keel. De plas rode vloeistof om hem heen werd groter, net als de leegte in Julians hoofd. Hij duwde zijn bebloede handpalmen tegen elkaar en knipperde met zijn ogen toen die een beetje bleven plakken en bij het uit elkaar halen een geluid maakten als plastic dat van vlees wordt getrokken. Hij keek naar de hoge, witte lampen, naar de spiegels die even licht waren als die lampen. De tegelvloer was zwart en wit, kleine rechthoeken met een rode stroom die zijn weg zocht via de voegen.

'Michael?'

Stilte.

'Michael?'

En het leek wel of drie keer scheepsrecht was. De deur ging open en daar was hij, zijn broer, die voor Julian al zijn hele leven lang alles goed had gemaakt. Hij hijgde en zweette en Julian wist dat hij had gehold. Julian probeerde te praten, maar zijn hoofd zat vol watten en zijn mond vol stopverf. Hij stak zijn rode handen op, met knipperende ogen, en Michael bleef even stokstijf staan. Zijn blik ging afwisselend van zijn broer naar Hennessey, van zijn broer naar de gang, heen en weer, en weer terug naar binnen. Hij sloot de deur, zette een stap opzij bij het lijk vandaan, en Julian huilde haast van opluchting om hem te zien. Hij maakte het wel in orde. Hij zorgde wel dat het goed kwam.

Michaels handen vonden Julians schouders. Zijn mond bewoog en er waren woorden, maar Julian begreep het allemaal niet zo goed. Hij knipperde en knikte, zijn blik ging van Michaels mond naar de verwrongen benen op de vloer. Alles was mis, er was geloei in zijn oren en de smaak van braaksel in zijn mond. Michael, die nog altijd praatte, duwde hem naar een wastafel en hielp Julian zijn handen te wassen, en zijn armen. Hij maakte een papieren handdoek nat en veegde zorgzaam als een moeder de bloederige spetters van het gezicht van zijn broer. En intussen bleef zijn blik onafgebroken op Julian gericht. Zijn mond bewoog, en toen Julian niet reageerde, zei hij het weer, duidelijker, langzamer: 'Begrijp je dat?'

Geluid uit een lange tunnel. Julian voelde zijn hoofd bewegen, en Michael zei dat het goed was, en zei toen weer iets. Het sloeg nergens op, maar Julian hoorde de woorden: 'Dit heb ik gedaan.' Michaels gezicht was vlak bij dat van Julian en hij klopte zich op de borst. 'Dit heb *ík* gedaan. Begrijp je dat?'

Julian leunde naar voren, met zijn mond open. Michael wierp een snelle blik op de deur, bukte zich toen en trok het mes uit Hennesseys hals. Het mes kwam los met een nat, zuigend geluid en Michael hield het zo dat Julian het kon zien. 'Dit heb ik gedaan. Hennessey was jou aan het molesteren en toen deed ik dit. Als ze het vragen, moet je dat zeggen. Oké?' Julian keek voor zich uit. 'Jij kan de gevolgen van wat hier is gebeurd niet aan,' zei Michael. 'Julian? Begrijp je dat? Hij deed jou kwaad. Ik kwam binnen. Ik deed dit.'

'Jij deed dit.' Gezwollen woorden. De weg kwijt. Julian voelde zijn hoofd kantelen en zijn oogleden zakten omlaag.

'Ja. Ik.' Michael keek naar de gesloten deur. 'Iemand heeft je met dat mes gezien. Er komen zo mensen. Ik moet weg. Ik heb dit gedaan. Zeg het.'

'Hennessey deed me kwaad.' Een pauze. 'Jij hebt dit gedaan.'

'Goed, Julian. Goed.'

Toen omhelsde hij zijn broer, opende de deur en was verdwenen, met bloed aan zijn vingers, met het mes in zijn hand.

Julian keek naar Hennessey en zag ogen zo dof als gemorste melk. Hij wendde zich af, knipperde met zijn ogen, en de mensen kwamen. Die schreeuwden veel en liepen constant heen en weer. Grote handen op Hennesseys keel, op zijn ogen. Een oor bij zijn mond. Julian zag Flint en andere volwassenen. Hij knipperde met zijn ogen toen ze vragen stelden, en knipperde nog eens.

Hij keek naar de open deur.

En deed wat Michael had gezegd.

Abigail Vane stond bij het raam van de smalle kamer. De lucht buiten was donker, de sneeuw joeg nog steeds voort. De randen langs de ruiten waren bevroren en alles was vochtig en koud: de meubels, haar kleren, haar huid. Ze zag iets bewegen op de oprijlaan, een jongen, en kon de gedachte aan kinderen op deze grimmige en bittere plek niet langer verdragen. De jas van de jongen flapperde tijdens het hollen en ze vroeg zich af waarom hij buiten was met dit slechte weer, waar hij naartoe holde. Ze sloot haar ogen en vroeg God om over deze kinderen te waken, ze te beschermen, en toen ze haar ogen weer opendeed, zag ze dat de nacht nu compleet was geworden, zwart en ondoordringbaar en onrustig van de wind.

Ze keek of ze de jongen nog zag, maar die was weg.

Koude wind waaide en het begon harder te sneeuwen. Ze sloeg haar handen voor haar keel, toen ze daar achter het glas een eenzaam huilen hoorde.

Sirenes in de verte.
Kleine hartjes die rood sloegen.

6

Michael had dit moment zo vaak gezien: in zijn dromen en waandenkbeelden, in die zweterige uren als hij niet kon slapen en de lucht in Elena's appartement te stroperig leek om te kunnen inademen. Hij had geprobeerd een elegante manier te bedenken om haar te vertellen over de dingen die hij had gedaan, een manier die hem in de gelegenheid zou stellen te spreken van spijt en hoop en idealen, maar er was geen raam naar zijn ziel dat niet gebroken was, of zwart geverfd. Hij was een moordenaar, en kon daar niets aan veranderen. Wat maakte de rest dan nog uit? Dat hij zijn redenen had gehad? Dat hij nooit een gewone burger had kwaad gedaan?

Dat zou haar niet kunnen schelen, en dat kon hij haar niet kwalijk nemen.

Hij liep dichter naar haar toe en wist alleen zeker dat dit moment van de waarheid er in zijn verbeelding nooit zo had uitgezien als nu: bloed aan zijn handen en Elena op haar knieën in het bruine, borstelige gras. Ze leek zo klein en ongelukkig, met haar ene hand plat op de grond onder haar, en de andere wrijvend over haar buik. Michael kon niet weten welke gedachten er op dit ogenblik door haar hoofd woelden; hij wist alleen dat ze glibberig en nat en koud moesten zijn. Gedachten aan bedrog, stelde hij zich voor, gedachten aan leugens en aan de gewelddaden die hij had gepleegd.

Hij stak de telefoon in zijn zak en liep het gras op. Ze was anderhalve meter bij hem vandaan, maar het hadden er honderden kunnen zijn.

'Gaat het wel?' Haar rug was warm in de zon, en mager onder een jurk die aanvoelde als zijde. Ze schudde haar hoofd; er streek een vlaagje wind langs dat de geur van de rivier met zich meevoerde. Het verkeer reed voorbij en Michael hoorde sirenes in de verte, de geluiden van de stad. In het noorden trok een lelijke rookwolk omhoog.

'Ik weet niet wie je bent.' Ze klonk emotieloos, maar haar woorden smaakten naar as en kapotgemaakte dingen. Ze duwde zichzelf overeind, ging op haar knieën zitten en schudde Michaels hand van zich

af. 'Ik weet helemaal niets van je.'
'Je weet alles van me wat ertoe doet.'
'Je schóót op die mensen. Je gooide net wapens in de rivier. Jezus, ik kan dat zelfs niet eens zeggen zonder dat het belachelijk klinkt.'
Ze hield haar hoofd stil, maar Michael zag dat ze op instorten stond. Haar vrienden waren dood, en beiden wisten ze dat Michaels antwoord een leugen was. Hij tikte op zijn borst en zei: 'Wat hierin zit, is niet veranderd. Dat is waar, ik zweer het je.' Ze reageerde niet en in Michaels binnenste ontstond een begin van paniek. 'Jij bent voor mij het enige wat telt. Alles wat we hebben beleefd, alles wat we hebben gedeeld.'
'Nee.'
'Dat zweer ik je op ons ongeboren kind.'
'Niet doen.'
'Wat?'
Ze zocht zijn blik, en Michael zag dat het vertrouwen uit de hare verdwenen was. 'Zweer niet op mijn kind,' zei ze, en ze begrepen beiden de kracht van de woorden die ze gekozen had.
Michael keek omhoog naar de lucht, en weer naar beneden, naar de straat, en zag de politieauto die langzaam voorbijreed. Achter het glas draaide een agent zijn gezicht naar de geparkeerde auto en het grasveldje waar zij zaten. 'We moeten weg.' Elena volgde zijn blik, en een deel van haar begreep het. 'Nu,' zei Michael.
Ze keek naar zijn gezicht, en toen naar de politieauto die honderd meter bij hen vandaan was gestopt. Als ze zou gaan schreeuwen of het op een lopen zette, kon Michael niets doen om haar tegen te houden. 'Ik wil precies te horen krijgen wat er aan de hand is,' zei ze.
'Beloofd.'
'De waarheid.'
'Dat zweer ik.'
Michael tikte weer tegen zijn borst, en de lucht tussen hen in knetterde statisch. Liefde versus angst. Duistere energie. Het lemmet van het mes eronder voelde heel echt aan, en Michael wist dat de scherpe rand ervan hen op elk moment definitief kon scheiden. Maar uiteindelijk knikte ze. Ze volgde hem naar de auto, en geen van beiden twijfelden ze eraan dat het pure liefde was die haar benen de kracht gaf. Op het trottoir keek ze naar de politieauto en de zwarte rook in de verte. In de verte gierde een sirene op de plek waar mensen stierven en de stad in brand stond. Elena keek een keer naar de vader van haar kind en stapte toen in de auto, met een strak gezicht en haar kleine roze handen ge-

vouwen in de plooi van haar schoot.

Michael startte de Navigator en voegde zich in het verkeer. De politieauto stond er nog, maar de weg maakte een bocht en toen was hij verdwenen. Michael reed naar het oosten, weg van de rivier. 'We moeten de stad uit,' zei hij.

'Waarom?'

Een klein woordje maar.

'Ik heb vijanden.'

Ze zakte wat onderuit op haar stoel en Michael keek in het spiegeltje. Hij had de pest in dat de waarheid zo bruusk was. Elena sloeg haar armen om haar knieën. Bij zijn appartement aangekomen reed hij eerst een rondje om het blok voor hij stopte. Elena boog zich naar voren en keek door de autoruit naar boven. 'Wat is dit hier?'

'Mijn appartement.'

'Maar jij hebt geen...' De woorden stierven weg. 'Ik wil naar huis,' zei ze.

'Dat kan niet.'

'Waarom niet?'

'Vertrouw me nou maar.' Michael opende het portier.

'Waarom zijn we hier?'

'We moeten geld hebben.' Hij keek de straat door, speurde de omliggende ramen af. 'Kom mee naar boven.'

Hij liep om de auto heen en opende haar portier. Er liep een dame met een klein hondje voorbij. Verderop in de straat zongen vogels in de bomen, en Michael zag hoe Elena de stof van haar jurk gladstreek, hem strak over haar dijen trok, en losse plooien met haar handen samenkneep. Toen ze uit de auto was gestapt, leidde hij haar naar een opstapje, en toen naar binnen en naar de tweede verdieping. Michael keek of alles veilig was en vroeg Elena toen binnen te komen.

Ze deed een paar stappen. Toen bleef ze staan en keek schichtig rond in dit huis waar Michael had gewoond.

'Gewoon, een plek,' zei hij.

Ze voelde aan een schilderij aan de wand, en aan een boek in de kast. 'Je hebt dit al die tijd gehad?'

'Ik kom hier haast nooit.'

'Hoe lang al?'

Woede flitste in haar ogen, de eerste echte woede die hij bij haar zag. 'Vijf jaar,' zei hij. 'Misschien zes. Het maakt niet uit.'

'Hoe kan je dat nou zeggen?'

Daar had Michael geen antwoord op. 'Ik ben zo klaar. Wacht maar gewoon even hier.' Hij liep de gang door naar de kleine slaapkamer. In de bergruimte trok hij zijn met bloed bevlekte kleren uit en deed een ander pak aan, en nieuwe schoenen. Hij selecteerde twee handwapens uit de voorraad in het rek, haalde een plunjezak van de plank en legde die open op de vloer. Een van de twee wapens, een 9mm-Kimber, ging in een draagholster en aan zijn riem, onder zijn jasje; de andere, een Smith & Wesson .45, ging in de zak, samen met vijf extra magazijnen. Toen kwam het geld. Op de onderste plank, naast de dozen met munitie, lag 290.000 dollar in biljetten van honderd dollar met bandjes erom. Toen hij die ook in de plunjezak gooide, verscheen Elena in de deur achter hem. Ze aarzelde even en Michael deed niets, zodat ze een en ander in zich kon opnemen – de aanblik van staal; de geur van wapenolie, geld en Engels leer. 'Er is meer,' zei Michael.

'Meer wat?' Haar ogen rustten op de rijen wapens.

'Meer geld.'

'Denk je dan dat jouw geld me iets kan schelen?' Dezelfde woede, een felle blos op haar wangen.

'Nee, ik...'

'Denk je dat ik blijf voor het geld?'

'Dat bedoelde ik helemaal niet.'

Elena voelde aan haar buik. 'Ik voel me niet lekker.'

'Het komt goed.' Michaels stem was killer dan hij wilde, maar Elena's beschuldiging deed pijn. Hij had het geld alleen maar genoemd om haar te laten zien dat hij voor haar kon zorgen. Haar verbergen. Haar beschermen. Hij liep naar de deur en ze volgde.

'Hoevéél meer?' vroeg ze.

'Genoeg.'

'Zeg me alsjeblieft dat er een verklaring is voor dit alles.' Ze pakte zijn arm. 'Ik heb iets nodig waaraan ik me vast kan houden.'

Ze stonden in de lege gang. Elena stond op de ballen van haar voeten – een vogel die op het punt stond om weg te vliegen.

'Ik heb een verhaal,' zei hij.

'Over?'

'Hoe het begon. Oorzaken. Alles.'

'En dat ga je me vertellen?'

'Ja, maar niet nu. Oké?'

'Als je me het belooft.'

'Ik beloof het.' Hij maakte rechtsomkeert en ze liepen de trap af. Michael controleerde het trottoir, dook terug naar binnen en omhelsde haar innig. Haar haar lag warm tegen de onderkant van zijn kin en hij wilde haar nog één leugen vertellen: dat alles in orde kwam, dat het leven weer zijn gewone loop zou nemen. 'We moeten vlug zijn. Hoofd naar beneden. Recht op de auto af.' Hij trok haar over het hete plaveisel de auto in. Ze zakte onderuit in haar stoel. Vanaf de locatie waar ze zich bevonden had Michael twee mogelijkheden om snel de stad uit te komen: noordwaarts naar de Holland Tunnel, of in oostelijke richting, naar de Brooklyn Bridge. Hij liep om de auto heen naar de bestuurdersplaats, stapte in en startte. Naast hem zat Elena met haar ogen dicht. Ze mompelde onverstaanbare woorden en het duurde even voor Michael begreep wat ze niet hardop wilde zeggen.

Alstublieft, God...

Ze kneep haar handen hard samen.

Maak dat het een goed verhaal is...

Michael reed noordwaarts door de stad, toen door de Holland Tunnel en vervolgens in zuidelijke richting naar de snelweg. Naast hem keek Elena hoe de stad in de verte verdween. 'Ik ben nog nooit buiten New York geweest,' zei ze.

'Misschien is dit dan wel goed. Zie je eens wat van het land.'

'Moet dat een grap voorstellen?' vroeg ze.

'Erg goed was hij niet, vrees ik.'

Op de teller tikten de kilometers weg, en het was pijnlijk stil. 'Je zei dat je een verhaal had.'

De hemel buiten was een zomerse hemel, een hemel voor de liefhebber. Ze waren in New Jersey, en haar stem had die van een vreemde kunnen zijn.

'Het gaat over twee jongens.'

'Jou en...'

'En mijn broer.'

'Je hebt geen broer.' Michael wachtte, en ze knikte. 'Ah. Dat was ook weer een leugen.'

'Ik heb hem sinds mijn tiende niet meer gezien.' De zon scheen warm door de ruiten. Michael liet haar een foto zien. Hij was verschoten en beschadigd, en er stonden twee jongens op, op een veld vol sneeuw en modder. Hun broeken waren te kort, hun jasjes versteld. 'Dat ben ik, daar rechts.'

Ze pakte de foto aan en haar ogen werden zachter. 'Zo jong nog.'

'Ja.'
'Hoe heet hij?'
'Julian.'
Ze volgde Julians gezicht met haar vinger en voelde toen aan dat van Michael. Haar invoelingsvermogen, een van haar beste eigenschappen, bracht weer wat kleur op haar gezicht. Haar Spaanse accent werd wat zwaarder, wat altijd gebeurde als ze emotioneel werd. 'Mis je hem erg?'
Michael knikte. Hij wist nu dat ze zou luisteren, zag dat aan haar gezicht, aan de manier waarop dat verzachtte. 'Ze zeggen dat je je niet veel kan herinneren van voor je tweede levensjaar, maar dat is niet waar. Ik was tien maanden oud toen Julian naakt werd achtergelaten op de oever van een half bevroren beek. Hij was net geboren. Het sneeuwde. Ik was bij hem.'
'Tien maanden oud?'
'Ja.'
'En dat weet je nog?'
'Een paar flarden.'
'Zoals wat?'
'Zwarte bomen en sneeuw op mijn gezicht.'
Elena streek over de foto.
'En de stilte toen Julian ophield met schreeuwen.'

Elena luisterde met neergeslagen ogen toen Michael vertelde over twee jongens die als oud vuil in de bossen waren gedumpt, over koud water en de jagers die hen hadden meegenomen, over de lange jaren in het weeshuis en over de verslechterende toestand van zijn broertje. Hij vertelde over overvolle kamers en ziektes, over onenigheid en verveling en verwaarlozing door ondervoeding. Hij legde uit hoe sterke jongens leerden te stelen en hoe zwakke jongens leerden te hollen; hoe de oudere kinderen de macht hadden kwaad te doen. 'Je hebt geen idee.'
Elena luisterde zorgvuldig toen hij sprak. Ze was alert op leugens en halve waarheden, op de woorden die dat zouden verraden. Ze deed dat omdat ze slim was en behoedzaam, en omdat ze een kind droeg dat meer voor haar betekende dan haar eigen leven. Maar hij was eerlijk, dat klonk door in wat hij zei: flitsen van woede en van spijt, een vuur dat lang in zijn hart had liggen smeulen. 'Hennessey stierf op de vloer van de wc's. Ik heb het mes gepakt en ben gevlucht.'
'Om je broer te verdedigen?'
'Omdat ik de oudste was.'

'Je bent weggerend en hebt de schuld met je meegenomen?' Michael zei niets, maar Elena zag aan zijn gezicht dat haar veronderstelling juist was. 'Wat gebeurde er toen?'

Michael haalde zijn schouders op. 'Julian werd geadopteerd.'

'En jij niet?'

Hij schudde zijn hoofd.

'Ik weet niet wat ik moet zeggen.'

'Het is zoals het is.'

'En eenmaal in New York?'

Michael haalde zijn schouders op. 'De stad is geen goede plek voor een jongen alleen.'

'Hoe bedoel je?'

Michael ging naar de linkerrijstrook en haalde een langzaam rijdende auto in. Zijn stem veranderde niet, toen hij zei: 'Negen dagen nadat ik uit de bus was gestapt, heb ik een man gedood.'

'Waarom?'

'Omdat ik klein was, en hij sterk. Omdat de wereld wreed is. Omdat hij dronken was en gek, en me voor de lol in brand wilde steken.'

'O, mijn god.'

'Hij trof me slapend aan bij de haven en overgoot me met benzine voor ik overeind kon komen. Hij had een voet op mijn borst en probeerde een lucifer aan te steken. Ik zie zijn schoenen nog voor me, zwart met witte veters. Een broek met zo'n dikke laag vuil dat hij knarste onder mijn vingers. De eerste lucifer deed het niet. Die was nat, denk ik. Of hij had de zwavelkop eraf gestreken. Ik weet het niet. Misschien weet God het. Hij had al een tweede lucifer in zijn hand toen ik het mes in zijn been stak. Recht in de zijkant, net boven de knie. Hij raakte het bot en ik bleef draaien tot hij viel. Toen heb ik het mes in zijn buik gestoken en ben ik hem gesmeerd.'

Elena schudde haar hoofd. Ze zei niets.

Tien jaar oud.

Michael schraapte zijn keel. 'Dat kwam veel voor op straat,' zei hij. 'Gekte. Zinloos geweld. Dat waren de dingen die niet waren te voorzien. Verder was het wel duidelijk waar men op uit was. Mensen proberen je in hun macht te krijgen. Ze proberen de baas over je te spelen, je aan het werk te zetten, te gebruiken, te naaien – letterlijk en figuurlijk. Noem maar op. Als een jongen op straat niet naar de politie kan, is hij praktisch vogelvrij. Ik mag nog van geluk spreken, denk ik.'

'Hoezo?'

'Ik was sterk, snel, wist hoe ik moest vechten. Dankzij het IJzeren Huis. Dat had me alert en onverzoenlijk gemaakt. Wat ik niet wist, voor ik op straat belandde, was dat ik nog pienter was ook. Dat mensen dat zouden opmerken, en dat ik dat kon gebruiken.'

'Dat begrijp ik niet.'

'Eén kind op straat is kwetsbaar. Met z'n tweeën samen is beter, maar nog altijd niet veilig. Maar tien of twintig, dan heb je een leger. Tien maanden na mijn aankomst in New York had ik zes kinderen die voor me werkten. Zes maanden later nog eens tien. Sommigen waren jonger dan ik, sommigen waren al zeventien, of zelfs achttien. We sliepen samen, aten samen. En we deden klussen. Inbreken. Klappen geven en jatten. Toeristen waren altijd een makkelijke prooi. Uiteindelijk begonnen we op te vallen.'

'Politie?'

Michael schudde zijn hoofd. 'Bendes, voornamelijk. Bepaalde kleine criminelen. We werden er niet rijk van, maar er was toch van alles te halen. Elektronica, sieraden, contant geld. Sommigen van die lieden dachten dat ze zomaar konden gaan meedoen en dan inpikken wat ik had opgebouwd. Jongelui, dachten ze, die maak je makkelijk bang en lijf je dan makkelijk in. Het was een relatief nieuwe markt, een onderneming met weinig risico. Maar het werd steeds gewelddadiger.'

Hij voelde aan de witte streep aan de zijkant van zijn nek, en Elena vroeg: 'Geen glazen deur?'

'Ook een leugen. Sorry.'

Ze kende zijn littekens: twee op zijn buik, drie over zijn ribben, het lange in zijn nek. Ze waren licht van kleur, iets gerezen en ze wist hoe ze aanvoelden, koel onder haar lippen.

'We leefden onder een brug in Spanish Harlem, met zijn zevenen of zoiets, in die tijd. Daar waren we al een paar weken. We bleven in beweging, begrijp je? Een week op de ene plek, een maand op een andere. Ik denk dat we daar een dag langer waren gebleven dan de bedoeling was, omdat er op een middag een knokploeg uit de buurt opdook. Hun enige doel was om ons verrot te slaan. Ze waren maar met zijn vieren, maar alle anderen namen de benen.'

'De andere kinderen?'

'Ja.'

'Wat gebeurde er toen?'

'Ik bleef.'

'En?'

Michael haalde zijn schouders op. 'Ze staken op me in, en ik stak terug, maar het was uiteindelijk alleen nog maar een kwestie van tijd. Op een gegeven moment hadden ze me tegen de grond. Een van hen trapte zo hard op mijn pols dat het bot brak. Ze duwden me plat. Ik moest dood.'

'En toen?'

'Toen kwam er iemand.'

Iets in de manier waarop hij dat zei deed Elena vermoeden dat het hier allemaal om draaide. Een kleine kilometer industrieterrein gleed voorbij en ze reden over vette, grote metalen platen op zwart asfalt, langs harmonicagaas en natriumlampen op hoge palen. Elena zei: 'Michael?'

'Ik had over hem gehoord, maar ik had hem nooit gezien. Hij was alleen maar een naam voor me, in die tijd. Iemand van wie je moest weten dat hij bestond. Iemand om bij uit de buurt te blijven. Hij was genadeloos, zeiden de mensen. Een misdadiger. Een moordenaar.'

'Maffia?'

'Nee, hij was geen Italiaan. Niemand wist precies wat hij was, hoewel sommigen zeiden dat hij een Pool was; anderen hielden het op een Roemeen. In werkelijkheid was hij een Amerikaan, geboren in Queens, als kind van een Servische prostituee. Een wees, hoorde ik later. Hij was daar toen het gevecht begon, in een limousine aan de andere kant van de straat. Met zijn raampje naar beneden gedraaid. En hij keek.'

'Terwijl jij vocht.'

'Ze drukten me tegen de grond. Hier hielden ze een mes.' Hij betastte de lijn in zijn hals. Die was bijna twintig centimeter lang, met een rafelige draai in het midden. 'Ik dacht dat ze me gingen afmaken. Ik bloedde. Ze stonden elkaar op te fokken. Ik zag het aan hun gezichten. Ze stonden op het punt het te gaan doen. Toen stond hij daar opeens.'

Michael knipperde met zijn ogen en zag het weer voor zich. Kromme benen in een marineblauw pak. Donker haar met witte strepen.

'Hij maakte een verloren indruk,' zei Michael. 'Dat was mijn eerste gedachte. Deze man is de weg kwijt, en hij is ook nog zo stom dat hij erom moet lachen. Toen zag ik hoe bang de mannen werden die me aan het mollen waren. Ze stapten achteruit, met hun handen omhoog. Een van hen liet zijn mes vallen...'

Weten jullie wie ik ben?

Michael hoorde nog altijd de metalen ondertoon in de stem van de oude man, maar kon die niet weergeven. Niemand anders kon overbrengen wat die stem die dag voor hem betekende, wat die stem nu nog steeds betekende.

Jullie moeten gaan.

'Ze bleven niet staan praten.' Michael schraapte zijn keel. 'Ze smeerden hem meteen.'

'Michael, je zit te zweten.'

Michael veegde zweet van zijn voorhoofd. Hij zag het gezicht van de oude man nog voor zich: smalle kaken en dunne wenkbrauwen, ogen zo donker en dof als steen. Twee mannen waren met hem meegekomen. Zij bleven staan, terwijl de oude man naast Michael hurkte. Hij was in de veertig, mager, met een stadsbleke huid en smalle, verminkte handen. Zijn witte ondertanden stonden scheef.

De anderen zijn gevlucht. Waarom jij niet?

Dat weet ik niet. Ik kon het gewoon niet.

Hoe oud ben je?

Twaalf.

En je heet Michael?

Ja.

Ik heb over je gehoord.

Maar Michael begon weg te zakken. Het blauwe pak ruiste toen de oude man overeind kwam. *Wat denk jij ervan, Jimmy?*

Ik denk dat het taaie donder is.

Schoenen schraapten over het beton. Michael lag te bloeden. Lichten dimden en woorden klonken op als damp boven de rivier.

Was mijn zoon maar zo'n jongen als deze hier...

Michael zat flink te zweten, vond het opeens warm in de auto. Hij voelde het gezicht van de oude man, papierachtig en warm onder zijn hand. Hij voelde broze ribben en een ademloze borst, het einde van de oude man, die naar lucht snakte. 'Hij heeft me alles geleerd wat ik weet,' zei Michael. 'Hij maakte me wat ik ben.'

'Je ziet bleek. Jezus, Michael. Je ziet zo wit als een doek.'

'Hij gaf me een thuis.' Michaels stem stierf weg en de auto trok naar links. 'Hij gaf me een thuis en ik heb hem gedood.'

In de drie uur die volgden werd er weinig gezegd. Elena stelde vragen, maar Michael schudde zijn hoofd, vertelde alleen af en toe iets, fragmentarisch. 'Hij was stervende. Ik hield van hem.'

'En hiervoor willen ze je vermoorden?'

'En omdat ik met jou ben. Ze denken dat ik hen zal verlinken. Dat ik naar de politie ga.'

'Voor mij?'

'Voor een normaal leven.'

'Zou je dat doen?'

'Nee.'

Michael kreeg een beeld voor ogen van de oude man, negen dagen geleden. Die lag, sterk vermagerd en met een geel geworden huid, rechtop in zijn kussens en keek uit over de rivier. Michael had zijn hand gepakt en hem voor het eerst verteld over Elena, had verteld hoe hij zich voelde en dat hij met dit leven wilde stoppen. Hij verontschuldigde zich dat hij haar tot dan verzwegen had.

Ze is bijzonder. Ik wil niet dat ze hiermee te maken krijgt.

Met dit leven?

Ja.

De oude man begreep het. *Houdt ze van je?*

Ik geloof van wel.

De oude man knikte. Gele tranen. *Ze is een geschenk, Michael, en heel bijzonder voor mannen als wij.*

Mannen als wij?

Mannen die erg weinig van het leven cadeau krijgen.

Maar hoe moet ik het haar zeggen?

De waarheid? Die moet je niet zeggen.

Nooit?

Niet als je haar wilt houden...

'Michael?' Elena's stem klonk bezorgd.

'Laat me maar even.' Maar het duurde langer dan dat. Er was zoveel te vertellen en zo weinig wat ze begrijpen zou. Hij had op zijn tiende een man vermoord om zijn leven te redden, en de volgende moord had hij gepleegd om indruk te maken op de oude man. 'Niemand is onschuldig,' zei hij. Het waren woorden die hij zich herinnerde uit zijn jeugd.

'Wat bedoel je daarmee?'

Michael voelde aan de huid boven zijn oog. 'Iemand heeft dat ooit eens tegen me gezegd. Het maakt niet uit.'

'Ik moet meer weten. Je zei dat je van hem hield en dat je hem hebt gedood. Daar kan je het niet bij laten. Je kan me niet alleen met die mededeling het bos insturen.'

'Laat me nou maar even.'

Maar het kwam er niet meer van.

Ten noorden van Baltimore kwamen ze in druk verkeer terecht. Een uur verstreek, toen nog een. De motor zoemde en op een gegeven moment viel Elena in slaap. Ze zakte diep weg, kreeg het warm; ze droomde over baby's en brand en werd wakker met een schreeuw die gevangenzat achter haar tanden.

'Je droomde,' zei hij.

'Hoe lang ben ik weg geweest?'

'Een paar uur.'

De auto bewoog amper. Blauwe lichten flitsten door het glas en ze zag politieauto's voor hen, ambulances en opengereten auto's. Glasscherven vormden sterren op de weg en even had ze de neiging om uit de auto te springen, zich over te geven aan de politie en er een punt achter te zetten. Ze duwde haar hand tegen haar buik, hoorde een laatste verre schreeuw als van de baby's die brandden in haar droom.

Michael raakte haar haren aan.

'Het was maar een droom,' zei hij.

'Hoef ik me niet druk te maken?' Ze wist niet precies wat ze bedoelde.

'Alles kits, liefje.'

Dat was een typische opmerking van hem, woorden die ze al duizend keer had gehoord. 's Avonds laat, na een zware werkdag. Als ze lopend op weg waren naar huis in het donker, of als ze naar gedroomd had. Op dagen dat ze ziek was of zich eenzaam voelde. Hij streelde haar haar en de angst verdween als sneeuw voor de zon. De nachtmerrie verbleekte, en zijn stem viel als een deken over haar heen.

Zwaar...

'Alles kits, liefje.'

Warm...

Ze schrok weer wakker bij Washington, nog altijd wazig en bang en onzeker. Vijfentwintig kilometer later zei Michael: 'Je hebt me niet gevraagd waar we heen gaan.'

Ze schudde haar hoofd. 'Het maakt niet uit.'

'Waarom niet?'

'Omdat de dingen morgen pas echt worden.' Haar ogen glansden en ze verschoof in haar stoel. 'Vandaag is te groot.'

Ze reden een stukje verder. Koplampen verlichtten één kant van Michaels gezicht en lieten de andere kant donker. 'Ik heb dingen gedaan...'

'Niet doen.'

'Dit is belangrijk.'

'Niet doen, alsjeblieft.'

Haar greep op zijn hand was stevig, maar toen Michael naar rechts keek zag hij dat ze het moeilijk had. Eén oog blonk helder als een ster in de felle stroom van geel licht.

Ten noorden van Richmond vond Michael een motel dat contant geld aannam en niet om hun papieren vroeg. Het was goedkoop en schoon en vijftig meter bij de snelweg vandaan. Hij bracht Elena naar de kamer en keek hoe ze zich uitkleedde en onder de lakens kroop. Het was halfdonker in de kamer; alleen door een kiertje tussen de dichtgetrokken gordijnen viel wat licht naar binnen. Haar hoofd vond een kussen en ze rolde op haar rug, met een arm omhoog. 'Kom naar bed.' Ze sloeg de lakens terug en zei niets toen Michael het pistool uit de holster aan zijn riem haalde en op het nachtkastje legde. Hij trok zijn kleren uit, gleed naast haar in bed en ging plat op zijn rug liggen. Elena rolde tegen hem aan, drukte haar warme huid tegen de zijne. Ze duwde haar hoofd in de holte van zijn schouder, legde een hand op zijn borst, en Michael wist dat ze zijn hart kon voelen slaan.

'Elena,' zei hij.

'Sst. Eerst slapen.'

Ze kroop dichter tegen hem aan, duwde een been tussen de zijne. Haar buik lag tegen zijn heup geperst, haar borsten lagen zwaar op zijn ribben. Haar adem spoelde warm tegen de zijkant van Michaels keel en hij wist dat ze deed of er niets was veranderd. Haar man was gewoon haar man. Alles in de wereld was in orde. Hij gunde haar dat, die waan voor een nacht, en toen ze sliep stond Michael op. Hij trok zijn broek en overhemd aan, pakte het pistool en checkte dat zoals hij altijd deed. Hij maakte de clip los en trok het magazijn eruit. Koperen hulzen glommen op in het halfduister. Koperen hulzen. Geolied staal. Hij zette het wapen weer in elkaar, duwde een patroon in de kamer en duwde de veiligheidspal los. Op het parkeerterrein buiten was alles stil. Michael bekeek de auto's en gezichtslijnen en uitritten. Stevan had vijftig bewapende mannen op de loonlijst en onbeperkte middelen. En hij had Jimmy.

Jimmy zou het probleem kunnen zijn.

Michael schoof een stoel naar het raam, ging zitten en legde het pistool in de vensterbank. Hij keek, en wachtte. Een uur voor zonsopgang begon de telefoon in zijn zak te trillen. Michael keek naar het nummer en was niet verbaasd. Zijn pleegbroer was altijd al een prater geweest. 'Hallo, Stevan.'

'Weet je waar ik ben?' De telefoon was warm aan Michaels oor. Stevan klonk down en moe en kwaad.

'Hoe zou ik dat moeten weten?' Michael probeerde te fluisteren, maar toen hij naar Elena keek, zag hij haar woelen. Hij opende de deur en stapte naar buiten. De lucht was fluweelzacht, de snelweg vreemd stil. De lucht in het oosten begon al wat op te lichten.

'Ik sta geparkeerd voor het stedelijk mortuarium. Weet je waarom? Omdat ze het lichaam van mijn vader hebben meegenomen. De politie nam hem mee en nu zijn ze hem aan het opensnijden. Dat hebben we aan jou te danken, Michael, die heiligschennis.'

'Dat spijt me, Stevan. Dat heb ik nooit gewild. Ik wil alleen maar kappen.'

'Als ik je laat gaan, sta ik in mijn hemd. En dan is er nog mijn vader. Jij hebt hem in zijn eigen bed vermoord.'

'En jij hebt Elena vermoord. We staan quitte.'

'Dat staat in de verste verte niet in verhouding tot elkaar. Zijn dood, en die van de een of andere vrouw. Trouwens, ik weet dat ze nog leeft.'

'Jij weet helemaal niks.'

'Hoe lang denk je dat je haar nog beschermen kan?'

'Als jij Elena kwaad doet, maak ik je af. Zo simpel is dat.'

'Moet ik nou bang zijn?'

'Je vindt me nooit.'

'Ik hoef je ook niet te zoeken.'

'Waarom niet?'

'Doe de groeten aan je broer.'

'Ik zei je al dat ik geen...'

Het gesprek werd afgebroken. Michael klapte de telefoon dicht en toen hij zich omdraaide, zag hij Elena in de deuropening staan. Ze had zich in een laken gewikkeld. 'Was hij dat?' vroeg ze.

'Stevan? Ja.' Michael nam haar mee terug de kamer in en deed de deur dicht.

'Wil hij me echt dood hebben?'

Ze was bang. Hij pakte haar bij haar kin en kuste haar op de lippen. 'Dat zal ik nooit toelaten.'

'Dat weet je toch nooit?'

'Je zei dat morgen pas alles echt zou zijn. Het is nog geen morgen.' Dat was een leugen die ze beiden besloten te accepteren; alsof de vingers van de dageraad niet al rood vanuit de hemelboog klauwden, alsof het ook maar iets zou kunnen uitmaken. Ze knikte, met haar ogen dicht, en Michael zei: 'Kom, we gaan weer naar bed.'

Michael pakte het laken en spreidde het uit over het bed. Ze klommen erin en ze kwam weer tegen hem aan liggen, zoals eerst. 'Vrij met me,' zei ze.

'Meen je dat?'

De lucht om hen heen was zwart, de deur zat op slot. Ze knikte weer, met haar lippen zacht op de zijne, en Michael draaide haar op haar rug. Zijn vingers vonden haar fluweelzachte huid, haar warmte en haar geheimen. Ze kuste zijn hals, zijn borst. Ze vrijden alsof deze nacht hun laatste was, en in zekere zin was dat ook zo, want beiden voelden de ochtendzon komen, voelden de harde waarheden van de dag die op hen af kwam stormen.

7

Michael sliep diep en werd wakker van het geluid van de televisie. Toen hij zijn ogen opendeed zag hij Elena met een deken om zich heen geslagen op de rand van het bed zitten. De klok vertelde dat het bijna twaalf uur was. Ze keek naar CNN. 'Ze hebben het over ons.' Ze draaide zich niet om en Michael gooide de lakens van zich af, wreef met twee handen over zijn gezicht en kwam naast haar zitten. De beelden op tv waren van de vorige dag: het brandende restaurant. Hij zag hoe brandweerlieden de vlammenzee te lijf gingen. Daarna draaide de camera weg en sprak de verslaggever met een man en een vrouw. Beiden waren ze van middelbare leeftijd en blank, beiden waren ze nerveus. Ze beschreven een man die op Michael leek. Ze spraken over automatische wapens en schreeuwende mensen, over dode mensen. Ze beschreven Elena, en het was een heel goed signalement.

'Zwarte jurk en lange benen... heel mooi...'

De vrouw trok aan het shirt van haar man, onderbrak hem.

'Ze hield hem bij de hand toen ze wegholden. Ze stapten in dezelfde auto.'

Onder aan het scherm verscheen een korrelig camerabeeld van een donkere Navigator met het onderschrift POLITIE ZOEKT DEZE AUTO. Onder de foto stond het kenteken vermeld.

Michael stond op om naar de parkeerplaats te kijken. Toen hij terugkwam, was het stel verdwenen. Ze hadden plaatsgemaakt voor beelden van met zwarte vlekken besmeurde brandweerlieden en ambulancepersoneel dat zich over lichamen boog. Ze toonden een rij lijkzakken en gewonde mensen in shocktoestand, met starende ogen. Toen de verslaggever weer met de opsomming van de feiten begon, hoorde Michael bij drie gelegenheden de woorden 'mogelijke aanval van terroristen'.

Elena stond op en keek niet naar Michael. 'De politie denkt dat ik erbij betrokken ben, of niet?'

'Ik weet niet...'

'Ze zoeken me.'

Michael knikte somber. 'Ja.'

'Ze denken dat ik mijn vrienden heb vermoord.'

'Ze weten niet wat ze moeten denken,' zei Michael. 'Ze hebben een beschrijving van jouw uiterlijk en van het mijne. Ze hebben de auto en een boel vragen. Dat is het. Dat is alles. Ze weten niet hoe we heten, ze weten verder niets over ons.'

'De politie wil me arresteren en je vrienden willen me vermoorden.'

'Ik zorg ervoor dat dat allemaal niet gebeurt.'

'Ik ga douchen.' Ze gebaarde naar het televisiescherm. 'Er is meer. Ik zou maar even blijven kijken als ik jou was.' Ze stond even stil bij de badkamerdeur en keek nog steeds niet naar hem. 'Ik ben voorlopig wel even bezig. Kom niet binnen, alsjeblieft.'

Ze deed de deur dicht en op slot, en Michael keek naar de televisie. 'Bronnen die nauw bij het onderzoek zijn betrokken geven aan dat de georganiseerde misdaad hiermee te maken kan hebben...'

De televisie toonde een beeld van het herenhuis van de oude man aan Sutton Place. De hele straat stond vol politieauto's. Overal was gele tape. Er waren barricades. Agenten die de voordeur in en uit liepen. Lijkzakken op brancards op wieltjes die in ambulances met donkere zwaailichten werden geschoven.

'... de Navigator die gesignaleerd was bij het wegrijden van de plek van de ontploffing is getraceerd naar dit adres. Eerste rapporten geven aan dat hier slechts enkele minuten voor de ontploffing in Tribeca zeven lijken werden aangetroffen...'

Michael keek naar de badkamerdeur. Zijn naam werd niet genoemd, maar die van Stevan wel. De politie wilde met hem praten. Ze lieten zijn foto zien.

En die van Jimmy.

Michael deed de televisie uit en ging weer naar het parkeerterrein kijken. De dag was blauw en smetteloos. Hij belde de balie en kreeg een oudere man met een rokersstem aan de lijn. 'Waar kan je hier het beste wat kleren kopen?' De man legde uit waar het dichtstbijzijnde winkelcentrum was. Michael schreef dat op en deed toen dezelfde kleren aan als die van gisteren. Hij knoopte zijn schoenen dicht, haalde zijn vingers door zijn haar en schreef toen een briefje: *Ben even kleren etc. kopen. Zo terug. Niet weggaan s.v.p.* Dat zou ze niet, wist hij. Niet na gisteravond. Er waren te veel vragen, er was te veel te zeggen.

De lucht buiten was warm en rook naar verkeer. Michael reed tien minuten Richmond in, ging toen de snelweg af, zoals hem was uitgelegd, en vond het grote winkelcentrum. Hij parkeerde de auto en liep via het eetgedeelte de mall binnen. Hij werkte zo vlug als hij kon en kocht drie sets kleren voor zichzelf en voor Elena. Hij hield het simpel wat zijn eigen behoeftes betrof: spijkerbroeken, vrijetijdsshirts, goede schoenen. Een licht jack met een rits om het pistool te verbergen.

Michael wist welke maten Elena had, en van welke schoenen ze hield. Hij gaf kwistig geld uit en betaalde alles contant. Terug op de parkeerplaats haalde hij de nummerborden van de Navigator en verwisselde ze met die van een donkerblauwe pick-up die helemaal aan de andere kant van het terrein stond. De laatste winkel waar hij heen ging was een drogisterij twee straten bij het motel vandaan. Hij kocht tandenborstels, scheerattributen en allerlei andere spullen die ze nodig zouden kunnen hebben. Bij het motel aangekomen reed hij langzaam een rondje over het parkeerterrein en zag niets dat hem verontrustte. Het was er zoals op duizenden andere parkeerplaatsen.

Hij parkeerde en ging naar binnen.

Elena zat met een handdoek om zich heen op een van de stoelen. 'Ik kon het niet opbrengen om dezelfde kleren aan te trekken als gisteren,' zei ze. 'Die zijn besmet.'

Hij zette de tassen op de vloer. 'Jij hebt niets verkeerd gedaan.'

Elena zei: 'Je moet douchen.'

Michael zette de douche zo heet als hij verdragen kon. Hij boende zich af en schoor zich, zodat hij, tegen de tijd dat hij weer tevoorschijn kwam, in nieuwe jeans en een nieuw blauw shirt, zo fris was als hij maar dacht te kunnen zijn.

Elena taxeerde hem. 'Je ziet er beter uit.' Zelf droeg ze een dure spijkerbroek en bruine leren laarzen met lage hakken en gespen halverwege de kuit. Ze ging staan, niet erg op haar gemak. 'Kunnen we een stukje lopen?'

'Er is buiten niet veel bijzonders te zien.'
'Ik moet me gewoon even bewegen.'
Michael deed zijn jack aan en klikte de 9mm terug aan zijn riem. Ze glipten de kamer uit, Elena voorop. Er stonden weinig auto's op het parkeerterrein. Op een lichte glooiing verderop stonden grote metalen loodsen. Opslag. Een handelaar in boten. Tweedehandsauto's. Een tweede motel, dicht bij de ventweg gelegen die parallel met de snelweg liep. Lege ramen in lange rijen, uitkijkend op hetzelfde parkeerterrein. Naast het motel stond een klein wegrestaurant met buitenmuren van geruwd metaal en boxen achter het glas. Het had een uithangbord met een reuzenkoffiekop. Elena stopte haar handen in de zakken van haar jeans. 'Ik heb het gevoel dat ik weg moet.'
'Waarheen?'
'Maakt niet uit.'
Ze begon te lopen, zette koers naar de achterkant van het terrein en vervolgde haar wandeling langs de rand, waar struikgewas en harmonicahekken op elkaar aansloten. Ze liepen in stilte tot er wat meer open plekken kwamen en ze achter een brede greppel daken van huizen zagen opdoemen. Elena sloot haar ogen en stak haar kin in de lucht alsof ze met haar neus de lichte, scherpe bries testte. Toen ze haar ogen weer opendeed, zat er een vastberaden trekje rond haar mond. Ze maakte een besliste indruk.
Hij was haar aan het kwijtraken.
'Hoeveel mensen heb je vermoord?'
De vraag overrompelde Michael. De woorden klonken heel prozaïsch, maar haar gezicht vertrok en alles om hen heen stond opeens in het teken van de angst – angst die het rammelen en schrapen van de takken dramatiseerde, die een stem gaf aan de auto's die over de snelweg gierden, en diepte aan de weerspiegelingen in de ruiten van het motel. Het was angst voor de volgende stap, voor het oversteken van een nog niet eerder overgestoken grens, de angst om daarna te moeten constateren dat je aan de andere kant in de val zat. Michael maakte zich zorgen over Elena's reactie op wat hij zou zeggen, en hij wist ook waar zij bang voor was. 'Eentje of honderd,' zei Michael. 'Maakt dat iets uit?
'Natuurlijk maakt dat uit. Wat is dat nou voor een stomme vraag.' Ze stak haar handen in haar zakken en ze keken naar een hond bij de snelweg. Hij draafde langs de rand, neus aan de grond, tong bengelend over bruine, kapotte tanden. Hij keek een keer op, omhoog langs de heuvel, en snoof toen aan een luier die in de berm lag.

'Met uitzondering van de man die me heeft opgevoed,' zei Michael, 'is die hond beter dan alle mensen die ik ooit heb gedood.'

Elena huiverde van de stelligheid in zijn stem, van de dingen die hij beweerde. 'Een mens is geen hond.'

'Een hond is gewoonlijk beter.'

'Niet altijd.'

'Ik weet waarover ik het heb.'

De hond trok zijn snuit uit de luier en Elena zou wel willen schreeuwen. Ze zou willen weghollen en kotsen en grote stukken wegsnijden van haar hart. 'En wat gaan we nu doen?'

'Nu neem ik je mee uit lunchen.'

Ze schudde haar hoofd. 'Ik heb geen honger.'

Michael legde drie vingers op haar arm en zei: 'Het gaat niet om het eten.'

Het restaurant was een Italiaanse bistro met witte tafelkleden en diepe boxen. Zacht leer zuchtte toen ze gingen zitten. Een kelner bracht de menu's en vulde hun glazen met water. 'Wilt u nog iets anders drinken terwijl u de kaart bekijkt?'

'Elena?' vroeg Michael.

'Dit is te normaal.' Ze legde haar handen plat op het witte tafelkleed en duwde zichzelf de box uit. 'Neem me niet kwalijk.' Ze liep langs de kelner en verdween in het damestoilet.

Het gezicht van de kelner toonde verbazing.

'Een pilsje graag,' zei Michael.

Toen Elena terug was, lunchten ze, maar het was niet makkelijk. Er was een terughoudendheid in haar die verderging dan verwacht.

Terug in het motel sloot Elena zich op in de badkamer. Toen ze weer naar buiten kwam, was haar haar vochtig aan de randen en was de huid van haar gezicht roze van koud water en een ruwe handdoek. 'Ik heb een besluit genomen.' Ze klonk resoluut. 'Ik ga naar huis.'

'Dat kan niet.'

'Ik hou van je, Michael, moge God me bijstaan, maar het is toch zo. En ik snap het allemaal, oké? Die hele toestand met je kinderjaren, wat je overkomen is en hoe dat je tot de man heeft gemaakt die je nu bent. Het breekt mijn hart, heus, en ik kan wel een hele dag lang huilen om die zielige, kleine jongens op die foto die je bij je hebt. Maar de baby komt eerst. Deze baby. De mijne.' Beide handen bedekten haar buik.

'Dat betekent dat ik niet met jou kan zijn. Het spijt me.'

'Je bent in New York niet veilig. Je bent hier niet veilig, niet zonder mij.'

Ze stak haar kin in de lucht. Ik heb Marietta gebeld.'

'Marietta die naast je woont?'

'Zij heeft een sleutel. Ze stuurt me mijn paspoort, per expresse. Morgen ga ik terug naar Spanje.'

'Heb je Marietta dit adres gegeven?'

'Natuurlijk.'

'Wanneer heb je haar gebeld?'

'Wat maakt dat uit? Ik heb haar gebeld. Zij stuurt me mijn pas en ik vertrek.'

Michael pakte haar arm. 'Wanneer?'

'Vanochtend. Toen je sliep.'

'Hoe laat?'

'Halfacht, acht uur misschien. Au Michael, je doet me pijn.'

'Bel haar.' Michael liet haar arm los en duwde zijn mobieltje in haar hand. 'Nu.'

Elena belde. 'Ze neemt niet op.'

'Probeer haar mobiele nummer.'

Elena belde opnieuw en werd meteen doorverbonden met de voicemail. 'Ze heeft die telefoon altijd bij zich. En ze heeft hem altijd aanstaan.'

Michael wist dat dat klopte. Marietta zat in public relations. Haar telefoon was haar levensader. 'Vertel me wat jullie hebben gezegd.'

'Ze zat vol verhalen over het een of andere bedrijfsfeest – van Mercedes, geloof ik. Ik zei haar waar ze het paspoort kon vinden, in het kastje boven het fornuis. Ze zei dat ze hem meteen op de post zou doen.'

'Wat nog meer?'

'Ik hoorde stemmen. Mensen op de trap, misschien. Ze zei dat ze moest ophangen.'

'Pak je spullen. We moeten weg.'

'Waarom?'

'Marietta is dood.'

'Wat?'

'We moeten weg.'

Michael keek door het raam. Buiten stapten drie mannen uit een donkergroen busje. Het waren ruige jongens om te zien, een latino en twee blanken. De latino droeg een plunjezak, en die was zwaar. Michael herkende ze geen van allen, maar zag in één oogopslag wat ze kwamen doen. Hij keek naar het nummerbord van het busje, zag hoe hun ogen bewogen en hoe ze zich gedroegen. 'Te laat.' Hij schoof de gordijnen dicht, liep de badkamer in en zette de douche aan. Toen hij weer naar buiten kwam, liet hij de badkamerdeur op een kier.

'Wat is er aan de hand? Wat gebeurt er?'

Tussen hun kamer en de kamer ernaast zat een verbindingsdeur. Er zat een koperen nachtslot op, maar het hout was goedkoop en dun. Michael duwde de deur met zijn schouder open, waarbij het hout kraakte in zijn sponningen en aluminium opkrulde. 'Daarheen.' Michael knikte met zijn hoofd naar de deur. Elena ging de kamer ernaast binnen, met Michael achter haar aan. Bij het raam hield hij het gordijn opzij. De mannen stonden aan de andere kant van het terrein, op vier meter bij hen vandaan. Ze liepen op een rij. De middelste man lette op de moteldeur, de anderen hielden de flanken in de gaten. 'Elena.'

Ze kwam bij hem staan. Hij wilde dat zij dit zag, dat ze het begreep. Een van de mannen stak een hand onder zijn shirt en Elena zag de zwakke glans van zwart staal. 'Jezus.'

Ze sloeg een kruisje.

Michael knikte naar de deur tussen de twee kamers. 'Over tien seconden zijn ze in die kamer daar. Kan je dit ding hanteren?' Hij haalde de 9mm uit de holster op zijn heup.

'Nee.'

Ze was nu echt doodsbang – een ander soort angst. 'Het is niet moeilijk,' zei Michael. 'Vijftien schoten. Halfautomatisch. Gewoon richten en de trekker overhalen. De veiligheidspal is los.'

'En jij dan?'

Hij duwde haar achteruit, tegen de muur. Ze had een directe vuurlijn op de aangrenzende deur. 'Meteen schieten,' zei Michael. Hij trok de .45 en liep terug naar het raam. De mannen groepten samen op het trottoir. Het terrein achter hen was leeg. Ze controleerden alles grondig, legden toen de plunjezak neer, ritsten die open en haalden er een moker van een kilo of vijftien uit. Een laatste spiedende blik en de wapens kwamen tevoorschijn. Ze hielden die laag tegen hun benen, en toen de moker van de grond kwam, stapten ze achteruit om ruimte te maken voor de zwaai. De man was groot. Hij zette zijn volle gewicht in, en toen de moker de deur raakte, maakte die geen schijn van kans en klapte met een gepijnigd krijsgeluid open. Hij liet de moker vallen en de andere twee gingen als eersten naar binnen, met de derde pal achter hen aan.

Michael gaf hun precies twee seconden, deed toen de deur open en stapte naar buiten. De temperatuur was niet veranderd, maar het voelde nu toch kil aan. Wind likte aan zijn gezicht en een deel van hem voelde spijt. Hij liep vijf voetstappen over het trottoir, draaide zich om en ging achter de mannen aan de kamer binnen. Zijn voetstappen waren licht en geluidloos, zijn hartslag was onveranderd. Alle drie de mannen hielden hun wapens op en waren gefocust op de badkamerdeur en de doucheruimte daarachter. Niemand keek achter zich. Niemand hoorde hem. Het kostte Michael twee seconden hen alle drie te doden.

Twee seconden.

Drie kogels.

De schoten kwamen zo vlug dat ze klonken als voetzoekers. Met zijn wapen gericht sloot Michael de deur en controleerde hij de lichamen. Ze waren dood, dat was duidelijk: twee waren in hun achterhoofd geraakte en een in de slaap, op het moment dat hij zich omdraaide. Twee van hen hadden portefeuilles in hun achterzak. Michael checkte hun identiteitskaarten en gooide ze toen in een van de boodschappentassen. Hij wierp een blik op hun wapens om te zien of hij gelijk had gehad; toen zocht hij de lege patroonhulzen en de tassen met kleren bij elkaar. Hij controleerde de kamer nog een laatste keer en liep weer naar buiten.

De mannen liet hij op de grond liggen.

Hij klopte op de voordeur van de aangrenzende kamer. 'Ik ben het.'

'Kom binnen.' Haar stem trilde.

Michael trof haar gehurkt op de vloer aan. Ze hield haar wapen op de deur gericht. 'Ik hoorde...' Ze begon te beven en Michael nam het wapen uit haar handen. Ze bedekte haar gezicht. 'Ik dacht... O, god.' Ze wreef over haar gezicht, maar er waren nog geen tranen.

'We gaan,' zei Michael.

'Wat is er gebeurd?'

'Het waren amateurs.'

'Hoe weet je dat?'

'Ze waren er meteen geweest.' Michael was druk in de weer. Hij stopte de 9mm terug in de holster en duwde de boodschappentassen in Elena's armen. 'Iemand moet de schoten hebben gehoord.'

'Zijn ze echt dood? Jij...'

'Ik had het meteen moeten zien.' Michael schudde zijn hoofd. 'Ik heb me laten misleiden door de nummerborden.'

'Hoe bedoel je?'

'Het busje stond hier al toen we terugkwamen. Ik zag het wel, maar het had nummerborden uit Maryland. En ik was alleen gespitst op New York.' Michael keek uit het raam. 'Het zijn huurtroepen, vermoedelijk uit Baltimore. Dat had ik niet verwacht. Daar was ik niet naar op zoek. Amateurs, zoals ik al zei. Het busje staat zo geparkeerd dat het makkelijk klem te zetten was. Niemand hield de wacht. Hun wapens waren van inferieure kwaliteit en slecht onderhouden. Twee van hen hadden een identiteitskaart bij zich.' Hij schudde zijn hoofd. 'Wat een amateurs. Ben je zover?'

'Waar gaan we naartoe?'

'North Carolina.'

'Waarom?'

'Mijn broer zoeken.'

Ze knipperde even met haar ogen, nog steeds verbijsterd. 'Je hebt ze vermoord.'

Michael opende de deur en pakte haar bij de hand. 'Ik wil ermee kappen. Ik wil ophouden met moorden.'

Ze stapten in de auto en reden de parkeerplaats af. Michael draaide wat rondjes en hield zijn achteruitkijkspiegel in de gaten. 'We moeten een andere auto hebben.'

'Ik moet kotsen.'

'Nee, dat moet je niet.'

'Straks kots ik jou onder.'

Michael reed terug naar het winkelcentrum, waar het erg druk was. Er stonden duizenden auto's. Hij reed langs een rij auto's en terug langs een volgende. 'Dit is wel een goeie.'

'Wat?'

Hij wees met zijn hoofd naar een redelijk nieuwe sedan. 'Onopvallend. Geen zichtbare schade.' Hij parkeerde vier vakken verderop.

'En die stelen we?'

Michael grinnikte. 'Het raampje staat open. Hij vraagt erom. Kom je mee?'

'Nee.'

'Oké. Ik ben zo terug.'

'Michael...' Haar gezicht ving de middagzon. 'Die mannen die je hebt vermoord...'

'Die kwamen ons vermoorden.'

'Bedoelde je dat met "niemand is onschuldig"?'

'Min of meer.'
'Marietta was onschuldig.'
'Marietta heb ik niet vermoord.'
'Maar zou je dat wel hebben gedaan? Als alles andersom was geweest, en jij het was in New York? Zou jij haar hebben vermoord om te krijgen wat je wilde?'
Hij moest wel antwoorden op deze rechtstreekse vraag.
'Dat hangt ervan af, denk ik.'
'Waarvan?'
'Van hoe graag ik iets wilde.' Michael glipte de auto uit en was drie minuten later weer terug. 'We gaan. Hou je hoofd omhoog. Doe normaal.'
Ze haalden hun spullen uit de ene auto en droegen die naar de andere. Elena struikelde twee keer, maar niemand leek het te merken. Niemand zei iets. In de andere auto zei Elena tijdens het rijden: 'Je antwoord bevredigt me niet. Ik kan hier niet zomaar zitten aannemen wat je net zei.'
Michael reed zwijgend verder. Elena zat gespannen en met een lang gezicht naast hem. Op de snelweg zei hij: 'Sommige mensen verdienen het om te sterven, als het niet om de ene reden is, dan wel om de andere. Maar als het mensen als Marietta overkomt, dan is dat betreurenswaardig.'
'Betreurenswaardig?'
'Ja. En dat woord weegt voor mij zwaarder dan je denkt.'
'Ze was mijn vriendin. Ze had ouders, plannen, en ambities. En een vriend. Jezus, Michael, ze dacht dat hij haar ten huwelijk ging vragen.'
'Ik heb nog nooit een gewone burger gedood.' Michael wachtte tot ze naar hem keek. 'Als je weet wat je doet in die wereld, hoeft dat ook niet.'
'En jij weet wat je doet in die wereld?' Ze was kwaad nu, de angst trok weg. Ze wilde tekeergaan, en Michael begreep dat wel. Hij had dat zelf ook gevoeld: het schuldgevoel als je degene was die overleefde, als je voor het eerst had ondervonden hoe snel er iets ellendigs kon gebeuren.
'Ja,' zei hij.
'En wat houdt dat in?'
'Het houdt in dat ik erop toezie dat de onschuldigen onschuldig blijven. Het houdt in dat ik dingen plan.'
Elena lachte vertwijfeld, met witte plekken in het midden van elke

wang. 'Plannen? Wat plan je dan? Hoe? Waar?'

Michael zuchtte diep en reikte toen in de binnenzak van zijn jack. Toen de hand weer tevoorschijn kwam, had die Elena's paspoort vast. De randen ervan voelden ruw aan tegen zijn vingertoppen. Hij voelde haar verstarren en zag haar mond openvallen. 'Er gaat een directe vlucht vanaf Washington. Als je echt wilt gaan, breng ik je daar naartoe.'

Ze pakte haar paspoort aan en hield dat stevig vast, terwijl er een langzaam begrijpen over haar gezicht trok. 'Marietta...'

Haar stem brak, en Michael keek haar vol medeleven aan. Hij zou haar willen zeggen dat Marietta niet geleden had, dat ze meteen dood was geweest, maar dat zou niet eerlijk zijn. Jimmy zou zich zeker hebben uitgeleefd. En anders Stevan wel. 'Ik vind het heel erg van je vriendin,' zei hij.

Maar Elena hoorde hem niet.

Zij werd verpletterd door schuldgevoel.

Toen ze in de buurt van Washington kwamen, werd het steeds drukker op de weg. Michael passeerde een stationcar met een gezin met kleine kinderen. Met verbeten gezichten zwaaiden ze naar elkaar met glanzende speelgoedpistooltjes. 'Vertel me de rest.' Elena's blik bleef op de kinderen gericht. Een van hen wuifde en trok een gezicht. Elena voelde aan haar wang en keek toen een andere kant op. Maar ze zag het kind nog steeds: scheel, bolle wangen, een wit tegen de vieze ruit gedrukt neusje, terwijl zijn zusje op zijn rug richtte en de trekker overhaalde.

'De rest waarvan?' Michael haalde de auto in.

'De dingen die je nog niet hebt verteld.' Elena's ogen waren rood van het wrijven. Uit een sneetje van een gescheurde nagel welde een druppeltje bloed. 'Vertel me alles.'

'Dat zal je niet bevallen.'

'Ik houd mezelf wel voor dat het alleen maar woorden zijn.'

'Liefje...'

'Alsjeblieft.'

Dus vertelde Michael over de dingen die hij had gedaan. Hij beschreef het leven dat hij had geleid. Het leven op straat, en daarna als sterke rechterhand van de oude man. Wat het inhield om dat werk te kunnen doen en zich te handhaven. Hij vertelde ook over andere dingen, over de enige man op wie hij kon bouwen, die voor hem zorgde, en over de keren dat hijzelf, Michael, bijna was gestorven. Hij sprak over zijn liefde voor de oude man én hij sprak over haar, Elena. Hoe hij meer wilde, met haar. 'Een normaal leven,' zei hij. 'Betere redenen, voor een echt bestaan.'

Tegen de tijd dat hij klaar was, stonden ze geparkeerd op Dulles International Airport. De hemel boven hen was helder. Vliegtuigen spleten de lucht, onmogelijk groot, en Elena schudde haar hoofd. 'Het is te veel.'

'Je wilde het horen...'

'En dat was fout.' Ze keek naar de terminal. Het trottoir was vol mensen. Bagage werd uitgeladen. Ze schudde haar hoofd. 'Ik kan je niet redden.'

'Dat vraag ik ook niet. Ik vraag alleen om begrip, om een kans.'

Ze betastte haar paspoort, schraapte haar keel. 'Ik moet geld hebben.'

'Ik ben meer dan alleen de dingen die ik heb gedaan.'

'Moet ik erom smeken?'

Ze stond op instorten en Michael voelde zich ijskoud worden vanbinnen. Zo had het niet moeten gaan, zo had hij het nooit gewild. Hij gaf haar geld zonder te letten op de hoogte van het bedrag. Het was een flinke stapel. Ettelijke duizenden dollars. Hij haalde diep adem en dwong zichzelf realistisch met haar te praten. 'Het is maar helemaal de vraag of je in Spanje wél veilig bent. Stevan heeft geld, en connecties. Als hij wil, zal hij je vinden.'

'En zou hij dat willen?'

Een vonkje hoop gloeide op in haar ogen, heel even, toen doofde het weer. Ze wroette met haar nagels in de rauwe plek op haar duim. Het bloeddruppeltje was intussen een korstje geworden. 'Of je nou wel of niet van me houdt,' zei Michael, 'de veiligste plek is toch echt bij mij.'

'De veiligste, maar niet veilig.'

'Nee. Niet helemaal.'

Elena knikte. Dat gegeven was niet nieuw voor haar. Ze stopte haar handen tussen haar dijen, en zei: 'Zie ik er bang uit?'

'Je ziet er mooi uit.'

'Ik ben doodsbang.'

Het was in haar ogen te zien: een stille, maar onmiskenbare panische angst. Ze opende het portier en Michael zei: 'Laat me niet alleen.'

'Het spijt me, Michael.'

'Ik kan je beschermen. Ik kan zorgen dat alles weer goed komt.'

'Hoe?'

'Dat weet ik niet, maar ik kan het. Alsjeblieft, Elena. Als jou iets overkomt, vergeef ik mezelf dat nooit.'

'En denk je dat dat gebeurt?'

'Stevan is een wraakzuchtig mens. Het is nu iets persoonlijks, tussen ons. Hij zal me kwaad willen doen. En het beste kan hij me treffen via jou.' Michael sprak nu heel nadrukkelijk, smekend bijna. 'De veiligste plek is bij mij.'

'Kom dan mee naar Spanje. Dan duiken we daar onder en...'

Zijn stem onderbrak haar. 'Julian is mijn broer.'

Ze keek hem strak aan, en ze begrepen elkaar. 'Dus je zou een keus maken tussen ons?'

'Zo ligt het niet.'

'O nee?'

'Ik kan jullie allebei beschermen.'

'Het spijt me, Michael.'

'Hij is mijn broer.'

'En dit is mijn baby.'

Ze voelde aan haar buik en stapte uit. Michael zag haar gezicht niet, maar hij wist dat ze huilde. Dat zag hij aan haar afhangende schouders, aan de manier waarop ze haar hoofd hield. Ze stopte het geld in een jaszak, stapte het trottoir op en aarzelde nog even. Mensen verdrongen zich om haar heen. Het trottoir was vol vrouwen met kinderen, vol mannen in pakken en spijkerbroeken en met zonnebrillen. Mensen lieten een moment hun blik over haar glijden en vervolgden hun weg. Mensen stonden alleen en in groepjes; waar het verkeer voorbij raasde werd geclaxonneerd. Elena zette een stap en bleef toen weer een tijdje staan. Haar schouders rolden, haar hoofd ging eerst naar links, toen naar rechts. Een man botste tegen haar op, ze sprong schichtig opzij, liet haar pas vallen en bukte zich om die weer op te rapen. Voor haar ontstond wat ruimte, maar ze bewoog zich niet. Michael stapte uit de auto, wrong zich door het verkeer heen naar een plek vlak achter haar, en daar aangekomen zag hij dat ze de pas dubbelgevouwen in haar hand hield. Hij ging naast haar staan en toen ze opschrok, zei hij: 'Ik ben het maar.'

Haar blik bleef op de mensen om haar heen gericht. Een zwaargebouwde man schoof voorbij. Een punk met een donkere bril stond naast een betonnen pilaar naar haar te kijken. 'Ik ben nog nooit eerder bang geweest voor mensen.'

Michael keek om zich heen. 'Er is hier niemand om bang voor te zijn.'

'Hoe weet jij dat nou?'

'Dat weet ik.'

'Ik wil niet dood,' zei ze.
'Kom met me mee.'
'Ik ben bang.'
'Alles kits, liefje.'
'Zeg dat nog eens.'
'Kom je met me mee?'
Ze zei een hele tijd niets. 'Als je het nog eens zegt.'
Michael legde zijn arm om haar schouders. Hij kuste een warm plekje boven op haar hoofd.
'Alles kits!'

8

Een flets zonnetje vertoonde zich in de lucht boven Chatham County en kreeg zo weinig kans van de zwarte wolken daar dat Abigail Vane er nauwelijks erg in had. Het was een timide verschijning in een zware lucht, een vermoeden van oranje in een roerloze hemel, van kleur die tussen de bomen hing. De regen viel recht naar beneden, een ruisen in het hoge gras dat luid genoeg was om de meeste andere geluiden te overstemmen; hij viel hard genoeg voor Abigail om hem te voelen op de rug van haar handen, op de kruin van haar hoofd. De regen striemde haar tijdens de draf op haar paard in het gezicht en bleef de hele ochtend aanwezig, zwart en luid en onophoudelijk. Na twee uur was ze helemaal verkleumd en waren haar vingers zo verkrampt dat ze die amper nog bewegen kon. Haar rug deed pijn en haar benen brandden, maar dat kon haar niet schelen, ze voelde het niet. Ze wilde voort. Ze wilde draven en de schreeuw uit haar keel laten afsnijden door de wind van een snel paard.

Aan het einde van het veld haalde ze de teugels aan. Het paard snoof, danste zijwaarts en trok aan het bit in zijn mond. Haar broek zat onder de modder en het paardenzweet, haar voeten hingen zwaar in de beugels. Een muur van hardhout doemde op in de regen: eiken en beuken en esdoorn, bomen zo hoog en breed dat het eronder compleet donker was. Ze veegde het haar weg uit haar gezicht en draaide daarna haar paard terug in de richting waar ze vandaan kwamen. Van het ene eind van het veld tot het andere hadden ze een spoor getrokken van geplet gras en omgewoelde modder, een fikse snee in de grond van het dal. En het paard was kennelijk nog niet uitgedraafd. Het zwaaide met zijn hoofd en rolde met zijn ogen, en Abigail voelde een wildheid in het dier die goed bij haar stemming paste. Het was een gevaarlijk beest, met een schofthoogte van 173 centimeter hoog, en met een neiging tot valsheid die ze nog nooit eerder bij een paard had aangetroffen.

Maar hij was snel.

Goeie god, wat was dat beest snel.

Ze gaf een ruk aan de teugels, duwde haar hielen in zijn flanken en liet hem gaan. Zijn neusgaten sperden zich open en zijn hoeven geselden de modder. Ze bereikten het eind, maakten rechtsomkeert en deden het hele veld nog een keer. Haar longen stonden in brand toen de landrover onder de bomen vandaan kwam. Het was een oude bak, met krassen tot op het metaal, en Abigail wist zelfs voor hij tot stilstand kwam wie er achter het stuur zat. Ze draaide het paard en haar hand gleed goedkeurend langs de hete, dampende hals. Het dier trok met zijn hoofd, maar ze gaf hem nog een paar laatste klopjes en reed toen naar de auto, waar ze een magere man met brede schouders bij de motorkap zag staan. Hij was zestig jaar oud, maar strak van lijf en leden, met grote knokige handen en het soort glimlachje dat je alleen zag als je heel goed keek. Maar dit keer was er geen zweem van een glimlach te bespeuren. Hij had een kakiuniform aan en leren laarzen, en droeg een bordeauxrode das onder mosgroene regenkleding. Zijn gezicht stond zo misprijzend dat Abigail zich vanuit haar zadel naar hem toe boog, en zei: 'Ik wil het niet horen, Jessup.'

'Wat wil je niet horen?'

'Een preek over veiligheid, of fatsoen, of over hoe een vrouw van mijn leeftijd zich dient te gedragen.'

'Dat paard. Bij dit zicht,' zei Jessup Falls met zijn krakende stem, en hij wees op het paard. 'Je breekt op die manier nog eens je nek, godverdomme.'

'Nou nou, wat een taal.' Haar ogen tintelden, maar Jessup gaf geen krimp.

'Jij breekt je nek en dan kan ik je hier weghalen.'

'Doe niet zo mal.'

'Ik doe niet mal. Ik ben kwaad. Jezus, Abigail, dat paard heeft twee trainers verwond. De laatste was bijna dood.'

Ze wuifde zijn bezorgdheid weg en gleed van het paard. Regen kletterde door de bladeren en spatte van de landrover. 'Waarom ben je hier, Jessup?'

Jessups huid was roodachtig verkleurd in de loop der jaren, en zijn haar was dunner en wit geworden, maar verder was het dezelfde man gebleven die ze al zo lang kende: haar chauffeur, en haar lijfwacht. Abigail liep om het paard heen, met laarzen die sopten in de vochtige grond. Zij was ook ouder geworden, maar de tijd was haar vriendelijk gezind geweest. Er waren wat rimpeltjes, maar haar huid leek eerder op die van een zevenendertigjarige dan op die van de zevenenveertigjarige die ze was. Haar haar had zijn natuurlijke kleur behouden. Ze was nog altijd een heel aantrekkelijke vrouw.

'Je man is op,' zei Jessup. 'Hij vraagt naar je.'

Ze stopte even en keek in de richting van een verafgelegen heuvel, waar delen van het grote huis waren te zien: een leien dak, vensters met spitse bogen, en een van de zeven hoge schoorstenen.

'Alles in orde met je?' Jessups stem klonk zachter nu, zijn boosheid verdwenen.

'Waarom zou er iets niet met me in orde zijn?'

Jessup schraapte zijn keel, voelde er niet veel voor om te zeggen wat voor de hand lag: de doorweekte kleren en de modder, het paard met de gelige schuimlaag om zijn hals. Abigail was een prima amazone, maar dit was gekkenwerk. 'Julian, om maar iets te noemen,' zei Jessup.

'Hoe is het vandaag met hem?' Haar stem klonk onbezorgd genoeg om ieder ander dan Jessup voor de mal te houden. Ze boog zich naar het paard toe en legde een hand op het brede platte vlak van zijn wang. Ze wou dat ze een appel had of een wortel, maar haar besluit om te gaan rijden was spontaan bij haar opgekomen. Vijf uur in de morgen. Gordijnen van regen.

'Dat weet ik niet.'

'Heeft hij een slechte dag?'

'Ik weet het echt niet. Niemand wist waar je was, je man niet en het huispersoneel evenmin. Niemand. Ik ben meteen in de stal gaan kijken.'

'Heeft hij iets gezegd?'

'Niet dat ik weet.'

Ze aaide het paard en het water droop van haar gezicht. Het was kouder nu, nu ze van het paard af was. Haar huid leek blauw in het sombere licht. 'Hoe laat is het?'

'Even over zevenen.'

Abigail draaide zich naar hem toe om beter naar hem te kunnen kijken. Ze zag dat hij zich niet had geschoren en dat de huid onder zijn ogen donker genoeg was om gekneusd te lijken. Er verscheen een beeld voor haar geestesoog: Jessup, die het grootste deel van de nacht opzat, somber in een stoel zittend, met een onaangeraakt glas whisky naast zich, of urenlang ijsberend in de kleine ruimte waarin hij woonde. Zijn bezorgdheid over Julian was oprecht, net als die over haar, en even welde er een diepe genegenheid in haar op voor de man die zijn eigen emoties zo slecht kon verbergen. 'Ik moet gaan,' zei ze.

Hij schudde zijn hoofd. 'Niet zo.'

'Hoe bedoel je?' Ze wreef een veeg modder uit haar gezicht.

'Zo ongeveer in je blootje.' Jessup glimlachte onbeholpen. 'Je shirt is door de regen nogal doorzichtig geworden.'

Abigail keek naar beneden en zag dat hij gelijk had. Jessup haalde een lange waterdichte jas tevoorschijn, deed een stap naar voren en drapeerde hem over haar schouders. Hij rook naar zeildoek, jachthonden en kruitdamp. Abigail stak een arm uit om de jas dichter om zich heen te trekken en Jessup pakte haar behendig bij de hand. Zijn blik viel op de geelgroene plekken op haar pols. Die waren groot en hadden de vorm van vingers. Het bleef even stil, en toen zei hij: 'Wanneer?'

'Wanneer wat?' Haar kin ging de lucht in.

'Belazer me niet, Abigail.'

Ze trok haar hand los. 'Ik weet niet wat je denkt, maar er is niets gebeurd.'

'Heeft hij je geslagen?'

'God, nee. Natuurlijk niet. Dat zou ik nooit toelaten.'

'Hij heeft zich bezopen en je daarna kwaad willen doen. Daarom ben je nu hier.'

'Nee.'

'Waarom dan wel?' Zijn gezicht vertrok van woede.

'Ik had wat ruimte nodig.' Ze aaide het paard weer. 'Een beetje frisse lucht.'

'Verdomme, Abigail.'

Ze overhandigde hem de teugels en gaf te kennen dat het onderwerp was afgehandeld. 'Loop met hem terug naar de stal, als je wilt. Laat hem afkoelen.'

'Zeg nou wat, Abigail.'

'Ik ben meer een doener dan een prater.'

Jessup keek misprijzend. 'En dat is het dan?'

Ze keek op en liet de regen in haar gezicht slaan. 'Ik ben nog altijd je baas.'

'En de auto?' Hij verstarde en in zijn ogen verscheen een gewonde uitdrukking.

'Ik neem de auto wel.'

Ze liep naar de landrover zonder achterom te kijken, maar voelde hoe hij daar stond, ongelukkig en met een strakke blik.

'Dit is niet goed,' zei hij.

'Loop maar een flink stuk met hem om, Jessup.' Ze opende het portier en glipte naar binnen. 'Hij heeft hard gewerkt, vanochtend.'

De Land Rover Defender was oud en in het prille begin van haar huwelijk aangeschaft als bedrijfsauto. Ze herinnerde zich de dag nog toen hij werd afgeleverd: zij was tweeëntwintig en nog vol ontzag voor haar echtgenoot. Hij was twintig jaar ouder, stond op de nominatie voor de Senaat en was puissant rijk. Hij had elke vrouw in de wereld kunnen hebben, maar hij verkoos haar boven alle andere vrouwen – niet alleen vanwege haar schoonheid, had hij gezegd, maar vanwege haar bevalligheid en verfijning, vanwege de waardigheid die ze uitstraalde als een tweede natuur. Na een lang vrijgezellenbestaan had hij nu iemand nodig die paste bij zijn politieke leven, en zij was daarvoor de perfecte persoon. Toen de Defender was afgeleverd, reden ze ermee naar het hoogste punt op het landgoed, een lange smalle bergkam die uitkeek op het huis en de grond. Hij had haar rok opgetild, haar op de motorkap gelegd, en zij dacht toen dat zijn zweterige handen de voorlopers waren van het geluk. Maar hij keek haar niet aan toen hij haar neukte. Hij keek naar het huis en dacht aan zijn succes: ruim 1600 hectare grond en een stel prijstieten. Twee maanden later behaalde hij een verpletterende overwinning en veroverde hij de zetel in de Senaat. Een jaar daarna had hij zijn eerste nieuwe vriendin.

Ze liet het paard verder over aan Jessup en reed naar dezelfde plek op dezelfde bergkam, een plak graniet die daar waarschijnlijk al een miljoen jaar lag. Ze zette de auto neer en keek naar de prachtig verzorgde gazons, de stallen en de twee identieke meertjes die leken op met grijs doorschoten zwart glas. Het gras was kleurloos in de regen, het bladerdak van het bos erachter was een donkere massa. De regen maakte alles vlak, maar het huis dat daar verderop verrees was nog altijd zo groot en massief als die dag toen, zoveel jaren geleden. Abigail zou nu best even in de tijd hebben terug gewild, naar de jonge vrouw die ze toen was, de vastbesloten vrouw met die mooie gladde huid. En ze zou die meid een pets in haar gezicht willen geven, haar willen zeggen dat ze haar rok naar beneden moest trekken en het op een lopen moest zetten alsof de duivel haar op de hielen zat. Ze pakte de revolver, die in het handschoenenkastje lag. Het koele, blauw glanzende metaal lag zwaar in haar hand. Ze keek in de grove loop, en daarna naar de kogels die als eieren in de kamers lagen genesteld. Ze strekte haar arm, richtte op het huis en gaf zich even over aan duistere gedachten. Toen legde ze het wapen terug waar het hoorde: in het handschoenenkastje, weggesloten.

Bonkend en schokkend reed ze terug over het ongebaande pad. Keien sloegen tegen de onderkant van de auto. Toen het bos ophield, stak ze een laatste veld over en nam daarna de hoofdweg van het landgoed, die naar de stallen en de achterkant van het huis liep. Ze zag Jessup bij de stallen, reed toen naar de garage en ving een glimp op van de lange, onmogelijk rechte oprijlaan. Aan het andere eind vormde het hek een smeedijzeren poststempel.

Abigail reed naar de achterdeur en zette de motor af. Binnen negeerde ze de blikken en de gehaaste bewegingen van het huishoudelijk personeel. Ze liep een nauwe gang door, en vervolgens via de kamer voor het eetgerei de keuken in, waar de twee koks opkeken, te geschrokken om iets te kunnen zeggen toen ze de lange, slecht zittende jas, de modder aan haar voeten en haar verwarde haar zagen. 'Waar is meneer Vane?' vroeg Abigail.

'Mevrouw?'

'Meneer Vane? Waar is hij?'

'Die is in zijn werkkamer.'

'Heeft Julian gegeten?'

De koks trokken een bezorgd gezicht. 'Meneer Vane zegt dat niemand dat deel van het huis in mag.'

'Dat is belachelijk.'

'Meneer de senator zegt...'

'Het kan me niet schelen wat *meneer de senator* zegt.' Haar stem was te luid nu, en ze hield zich in. Het had geen zin mensen bang te maken. 'Maak iets te eten klaar,' zei ze. 'Ik stuur wel iemand om het op te halen.'

'Ja, mevrouw.'

Abigail liep de vertrekken van het huis die door het personeel werden gebruikt uit en betrad het hoofddeel van het gebouw, waar het plafond zich hoog boven haar verhief. Ze passeerde de zes meter lange raamgordijnen en de eetkamertafel voor dertig personen. Ze liep de hal in en voelde de koelte in de lucht op de plaats waar het plafond een hoogte bereikte van twaalf meter en de trap de grote ruimte omcirkelde, naar de tweede verdieping en de bogen van het koepelgewelf erachter. Ze liep naar boven, kwam langs de metalen kandelaber ter grootte van haar bed en langs de portretten van lang geleden gestorven mannen die niet eens voorvaderen waren van haar man. Op de eerste overloop zette ze koers naar de gastenvleugel, die groot en breed en luxueus was. Een gang met zes kamers, drie aan elke kant. Muren met schilderijen. Glanzende antieke dressoirs. In een stoel halverwege de gang zat een man. Hij was van middelbare leeftijd en in goede conditie, had zwart haar en schoenen waarin het licht weerspiegelde als hij stond. Hij behoorde niet tot het huispersoneel en voor zover zij wist ook niet tot de kantoorstaf van haar man. Grote handen, dikke polsen, sneeuwwitte manchetten.

'Goedemorgen, mevrouw Vane.'

Zijn das was van hetzelfde marineblauw als het tapijt, zijn blik zo vlak als de vloer eronder. Maar zijn ogen bewogen nu: op en neer, lichtblauw en kalm. Ze liet zich rustig bekijken. Ze wist dat er verhalen over haar de ronde deden en dat haar voorkomen van deze ochtend zeker stof zou opleveren voor een nieuw hoofdstuk.

Wat haar niets kon schelen.

'Waar is mevrouw Hamilton?'

'Die slaapt, neem ik aan. De senator achtte haar niet in staat om over zijn zoon te waken.'

'*De senator achtte haar niet in staat om over zijn zoon te waken?*'

'Hij heeft haar drie uur geleden weggestuurd.'

Ze hield haar hoofd schuin; haar eigen gezicht was net zo hard als het zijne, haar ogen stonden even taxerend. 'Ken ik u?'

'Richard Gale. Ik werk voor uw man.'

'Dat vroeg ik niet.'

'We hebben nooit kennisgemaakt.'

'Maar u weet wie ik ben?'

'Natuurlijk.'

Ze nam hem nog eens goed op. Brede schouders en een slanke taille, wat eerste vouwen in de huid van zijn nek. Hij stond doodstil, licht op zijn voeten en leek een beetje geamuseerd. Abigail herkende de arrogantie die je vaak aantrof bij mannen die fysiek weerbaar waren. Ze had die arrogantie vaak gezien bij legerofficieren en bij agenten die actief waren in de geheime dienst en hun sporen hadden verdiend. Jaren geleden vond ze zulke mannen heel interessant, maar ze was in haar jeugd nooit zo wijs geweest als ze zelf dacht dat ze was. 'Gaan wij moeilijkheden krijgen?' vroeg ze.

'Nee, mevrouw. U heeft toestemming om naar binnen te gaan.'

'Toestemming?'

'U staat op de lijst van de senator.'

Ze fronste. 'Wat doet u eigenlijk voor mijn man?'

'Alles wat nodig is.'

'Bent u van de FBI?' De man knipperde een keer met zijn ogen, maar hield zijn mond dicht. 'Nee dus. U bent in dienst van een privéonderneming,' concludeerde Abigail.

'Ik werk voor uw man. Meer hoef ik u niet te zeggen.'

'Staat mijn zoon onder bewaking?'

'Hij heeft niet geprobeerd weg te gaan. Hij is...'

'Wat?'

Gale haalde zijn schouders op.

'Laten we even een en ander afspreken, meneer Gale. Mijn zoon is geen gevangene. Dit is zijn huis. Dus als hij zijn kamer uit wil, kunt u mij of zijn vader roepen, u kunt hem volgen als u dat beslist nodig vindt, maar als u hem tegenhoudt of hem op welke andere manier dan ook dwarsboomt, zult u daar ontzettend veel spijt van krijgen.'

'Senator Vane heeft strikte instructies gegeven.'

'Senator Vane is niet degene van wie u iets te vrezen heeft.'

De geamuseerdheid verdween uit zijn ogen.

Ze stapte op hem toe.

'De senator heeft belangen die ik niet heb: zijn uitstraling naar de buitenwereld, om maar eens wat te noemen. Rechtszaken, verslaggevers, zijn kiezers. Zijn zorgen zijn voor hem belangrijker dan zijn zoon, dus doet hij mallotige dingen, zoals iemand als u hier in de gang neerzetten, met een verantwoordelijkheid waarmee u niets aan kunt. Maar dat is mijn probleem niet. Ik ben de moeder van één zoon. Begrijpt u mij?'

'Ik denk het wel, ja.'

'Nee, meneer Gale. Want als u mij wél begreep, was u nu al in hoog tempo onderweg naar buiten, in de hoop dat ik intussen vergeten ben hoe u heet.'

'Maar de senator...'

'Jij blijft met je poten van mijn zoon af.'

'Ja, mevrouw.'

'En je gaat nú bij die deur vandaan.'

Abigail schoot langs hem heen en deed de deur open die haar zoon drie dagen lang had buitengesloten van de rest van de wereld.

Drie dagen van twijfel en onzekerheid.

Drie dagen hel.

Ze stapte over de drempel en sloot de deur. De donkerte binnen schokte haar; de duisternis was vrijwel compleet. Zware gordijnen hingen voor ramen die uitkeken over de meren eronder. Er brandde geen licht. Toen ze met haar rug tegen de deur ging staan, stroomde de warme lucht op haar toe, en ze moest diep graven om de kracht te vinden voor een glimlach op haar gezicht voor ze het licht aandeed. Haar moedergevoelens gingen voor alles, en ze kon het eenvoudigweg niet aan om Julian te zien instorten. Gewond en onzeker als hij was, was hij van meet af aan een kwetsbaar kind geweest, een jongen die was overgeleverd aan nachtelijke doodsangsten en twijfels. Maar ze had haar uiterste best gedaan om hem zo goed mogelijk te helen, maandenlang, jarenlang, tot het herstel van Julians gemartelde ziel een levensdoel en een erezaak voor haar was geworden. Ze had alles gegeven wat ze had: scholing en activiteiten, liefde en geduld en kracht, en dat had in veel opzichten geholpen, want Julian had, hoe zwak en geknauwd en getroffen hij ook mocht zijn, altijd de wil gehad om zich te handhaven. Hij was het trauma van zijn jeugd – het verlies van zijn broer en de gevolgen van zijn lange jaren in het IJzeren Huis – te boven gekomen. Hij was een kunstenaar geworden, een dichter, een schrijver van kinderboeken, had daarmee naam gemaakt. Voor de buitenwereld was hij een man van diepe gevoelens met een oog voor het detail, maar in zijn hart, wist Abigail, was Julian niet veel meer dan een ontredderde jongen, beschadigd door de neerslag van de dingen die hij had moeten doorstaan. Het was een geheim tussen hen, dat diep begraven bleef.

'Julian?'

Haar ogen begonnen aan het donker te wennen. Rechts van haar was het bed, donker en plat en leeg. Meubels vormden vage, welvende schaduwen in de kamer waar, ergens verder weg, een dof bonkend geluid te horen was.

'Julian?'

Er klonken nog twee bonken, en toen hield het geluid op. In de andere hoek van het vertrek bewoog iets.

'Ik doe zo het licht aan. Misschien wil je je ogen bedekken?'

Ze liep voorzichtig naar het nachtkastje en klikte een lichtje aan, een tiffanylampje dat zacht licht wierp over een lichtgeel kleed en crèmekleurige plinten onder muren met behang in Frans blauw met gouden fleurs de lis. De schaduwen troffen elkaar onder het meubilair en ze zag Julian gehurkt zitten in een hoek achter het bed. Zijn haar was ongewassen, en hij hield zijn gezicht verborgen tussen zijn opgetrokken knieën. Zijn shirt, waarvan de kraag vet was, hing uit zijn broek, die vol modder- en grasvlekken zat. Er lagen nette stapeltjes schone kleren klaar, maar die had hij niet aangeraakt. Hij had niets willen eten, niets willen drinken.

'Goeiemorgen, lieverd.' Abigail liep in zijn richting en Julian trok zich nog verder terug. Hij klemde zijn armen nog vaster om zich heen en in het schaarse licht zag ze dat hij verband om zijn handen had. De stof liep van zijn polsen tot aan zijn vingertoppen, stevig aangetrokken, behalve aan de randen, waar het was beginnen te scheuren en rafelen. Bij de knokkels was het doorweekt van het bloed, rode vlekken op wit, en ook het fraaie blauwe behangselpapier op de muren om hem heen zat rondom vol bloedvlekken. Waar Julian gehurkt zat, was het bloed vers en nat, maar verder weg was het opgedroogd tot smalle vegen van roestkleurige inkt.

Abigail verstijfde toen ze zag hoe nat het verband was, hoe bevlekt de muren. Dit was nieuw en afschuwelijk: kapotte handen en muren vol bloed. Ze vroeg waarom, maar vond geen antwoord; ze zocht naar een reden, en zag alleen waanzin. Ze probeerde iets te bedenken, maar de angst klauwde zich vast in haar borst, omdat haar wilskracht onderuit was gehaald. De plekken reikten van de vloer tot aan het plafond. De muren waren bezaaid met rood en roest, en met vragen waar ze niets mee kon.

Ze zonk op haar knieën en legde haar handen op die van haar zoon. 'Julian.'

Het verband was warm en vochtig.

Mijn kind...

Tien minuten later trof Abigail haar man aan in zijn werkkamer, bezig met het lezen van de *Washington Post*, brilletje met halve glazen op zijn neus, mond een stukje open. Achter hem waren door de openslaande deuren de geometrisch aangelegde tuinen met het daarachter gelegen zwembad te zien.

Randall Vane zag er goed uit met zijn zilvergrijze haar. Hij was negenenzestig, had brede schouders en was lang genoeg om zich een volslank figuur te kunnen veroorloven. Hij had een krachtige neus en groene ogen die goed pasten bij het zilveren haar. 'Leonisch' had iemand hem eens genoemd; het was een woord dat hem beviel. Leonisch. Leeuwachtig.

Abigail kwam binnen zonder kloppen. Ze voelde niets fysieks bij het lopen, noch haar voeten, noch de vegen bloed die de zwachtels van haar zoon hadden achtergelaten op haar gezicht. Ze voelde alleen de pijn in Julians ogen en het restje warmte van zijn gewonde handen. Ze bleef staan bij de rand van het bureau; haar vingers klemden zich zo hard om de rand van het hout dat ze wit werden. 'Julian heeft een dokter nodig.' Haar stem beefde en ze was even bang dat de emotie haar te veel zou worden.

Randall liet zijn krant zakken en zette zijn bril af. Hij nam haar op: de slanke neus met de fraai gevormde witte neusvleugels, de grote ogen en de strakke lippen die eens vol waren geweest. Zijn blik gleed over de herenjas die ze droeg en de modderige broek eronder.

'Het wordt erger,' zei ze.

'Van wie is die jas die je daar aanhebt?'

'Het wordt erger.'

Haar toon liet er geen twijfel over bestaan dat er iets gebeuren moest. Senator Randall Vane hoorde dat, leunde achterover in zijn stoel, vouwde de krant op en gooide die op zijn bureau. Zijn overhemd trok strak over zijn brede borst en de zwelling van zijn buik. Zijn gezicht was rood getint, zijn tanden waren onwaarschijnlijk wit. Op manchetten van zijn overhemd waren lichtblauwe monogrammen geborduurd. 'Hoe bedoel je?'

'Julian verwondt zichzelf.'

De senator vouwde zijn stevige dikke vingers in elkaar en legde zijn handen op zijn buik. Zijn stem klonk kalm. 'Dat is gisteravond begonnen. Ik weet niet hoe laat.'

'Waar is mevrouw Hamilton? Julian moet met iemand zijn die hij kent, iemand van wie hij houdt.'

'Ik trof mevrouw Hamilton slapend in de gang aan.'

'Ze heeft hem helpen opvoeden, Randall. Als ik er niet ben, is zij er. Dat was de afspraak. Hoe kon je haar wegsturen zonder eerst mij erbij te hebben gehaald?'

'Zij zat te slapen op haar werk, terwijl Julian intussen zijn handen stuksloeg. Ik heb haar naar bed gestuurd en er iemand bij gehaald die ik vertrouwen kan.'

'Wat is er met mijn zoon gebeurd, Randall?'

De senator wipte naar voren in zijn stoel, waarbij zijn grote ellebogen op zijn bureau belandden. 'Hij begon tegen de muren te slaan. Meer valt er niet te zeggen. Waarom weten we niet. Hij deed het gewoon. Toen ik bij hem ging kijken, bloedde hij al. Het kan best zijn dat hij al uren bezig was.'

'En je bent mij niet komen halen?'

'Jou komen halen? Waar?' De vuurpijl in zijn ogen trof doel en Abigail keek een andere kant op, boos en beschaamd. 'Jij liep midden in onze discussie de deur uit.'

'Onze ruzie.'

'Ruzie. Discussie. Maakt niet uit. Jij was niet te vinden en ik kreeg te maken met Julian. We hebben zijn handen verbonden en hem iets kalmerends gegeven. De verwondingen zijn onbetekenend. We houden hem in de gaten.'

'Hij heeft een dokter nodig.'

'Dat vind ik niet.'

'Hij heeft nog geen woord gezegd na zijn thuiskomst. We weten niet waar hij is geweest, wat hem overkomen is...'

'Het is nog maar een paar dagen. We hadden afgesproken...'

'Niet waar.'

'We hadden afgesproken hem de tijd te geven om hier op eigen kracht uit te komen. Hij is door iets van zijn stuk gebracht. Best. Dat overkomt ons allemaal wel eens. Er is geen reden dit tot buiten zijn proporties op te blazen. Het gaat waarschijnlijk om een meisje, een leuk jong ding dat zijn hart heeft gestolen.'

'Hij brengt zichzelf verwondingen toe.'

'Dokters houden gegevens bij, Abigail. En gegevens kunnen uitlekken.'

'Hou dit nou eens buiten je eigen zaken.'

'Hij is een politieke risicofactor.'

'Hij is je zoon.'

Het was een oude discussie, een scheidslijn die al was ontstaan toen Julian nog een kind was. Hij keek mensen niet graag aan, gaf maar zelden iemand een hand en wilde niet dat men hem aanraakte. Zelfs nu nog was hij angstvallig schuw, en zo teruggetrokken dat mensen die hij niet goed kende veel moeite met hem hadden. Om alles nog wat moeilijker te maken, waren de boeken die hij schreef, ook al waren ze voor kinderen bedoeld, zo duister als maar kon. Ze gingen over zware onderwerpen als dood, verraad, angst, pijn – allemaal vanuit het kind gezien. Critici zeiden vaak dat zijn verhalen werden gekenmerkt door een zekere goddeloosheid, waardoor sommige conservatieve groepen zijn boeken in de ban deden en ze zelfs verbrandden. De kracht van zijn artisticiteit en verhaalkunst was echter onmiskenbaar, en in feite zo sterk aanwezig dat menig lezer van zijn werk zich emotioneel zinvol voelde uitgedaagd. En zo kwam het dat hij, verguisd als hij was in sommige kringen, in andere werd geloofd als een kunstenaar van de eerste orde. Zijn eigen uitleg was heel simpel: *de wereld is wreed en kinderen kunnen sterker zijn dan ze zelf weten.* Ja, zijn boeken liepen, net zoals in het gewone leven, niet altijd goed af. Kinderen gingen dood. Ouders faalden. *Kinderen dom houden*, zei hij vaak, *is ook een vorm van wreedheid.*

'Het is een verkiezingsjaar.' De senator fronste. 'Het komt wel goed met hem.'

'Je bent blind, Randall.'

'Blind? Ik dácht het niet.'

'Blind en arrogant.'

De senator leunde achterover in zijn stoel, de handen gevouwen boven zijn broekriem. 'Van wie is die jas?'

'Daar gaat het nu niet om.'

'Als je hier voor lunchtijd een dokter wilt hebben, moet je me eerst vertellen van wie die jas is die je aanhebt.'

Ze slaakte een diepe zucht. 'Waarom kan je dat nou toch wat schelen?'

'Omdat je zei dat ik blind was.'

'Oké. Je bent niet blind.'

'Ik wil het je horen zeggen.'

'Hij is van Jessup. Ben je nou tevreden?'

'Jessup is een goeie vent.' Hij pauzeerde even. 'Een beetje simpel voor jouw smaak.'

'De man heeft me zijn jas geleend.'

'Natuurlijk.'

Abigail schoof de telefoon over zijn bureau. 'Bel jij?'

'Natuurlijk.' Het lachje was veelbetekenend.

'Ik word doodmoe van jou, Randall.'

'Ik beschouw dat als mijn taak. Ik ben je echtgenoot.'

'Een dokter,' zei ze. 'Meteen.'

Terug in Julians kamer zag Abigail dat hij met een stompje potlood de vorm van een deur op de muur had getekend. Die deur was klein en kinderlijk en had niets weg van de kunst waartoe hij in staat was. Als Julian normaal gesproken een deur tekende, leek die zo echt en solide dat je de neiging kreeg hem te willen openen om erdoorheen te kunnen lopen. Of hij kon hem zo verbeeldingsvol maken dat het wel een deur leek naar een ander universum, de doorgang naar een wereld van magie en blijdschap, of een zwarte poort die wijd open gaapte om een sleep beschadigde zielen binnen te halen. Maar dat was niet wat Abigail nu zag. De lijnen van deze deur wankelden en zwalkten en vormden een onregelmatig geheel van nog geen anderhalve meter hoog. De deurknop was een krabbel, de scharnieren waren dikke gitzwarte plekken. Julian, nog altijd in elkaar gedoken, knielde voor de deur. Hij beukte met zijn knokkels op de tekening. De zwachtels waren nu niet alleen nat, maar ook gescheurd.

'Liefje.' Ze knielde naast hem, dicht genoeg bij hem om zijn warmte te voelen. De huid onder zijn ogen was blauw, zijn gezicht zo mager dat zijn wangen hol stonden. Hij negeerde haar; zijn ogen waren koortsig en leeg, zijn lippen stukgebeten en droog als kalk. Hij sloeg tegen een deel van de deur en toen tegen een ander deel, en ging daar zo in op dat hij niet reageerde toen ze een hand op zijn arm legde. 'Liefje, alsjeblieft.'

Zijn ogen waren zo diep teruggetrokken in hun kassen dat ze zwart leken. Zijn mond ging open en de punt van zijn tong duwde tegen de achterkant van zijn tanden. Toen Abigail hem weer wilde aanraken, ging haar arm voor de lamp langs, zodat er een bewegende schaduw over de muur viel. Julian deinsde terug toen hij dat zag en Abigail kromp ineen van de plotselinge panische angst op zijn gezicht. Toen, net zo snel, verdween de emotie en trok zijn gezicht glad. Ze zag dat zijn lippen mechanisch een ritme prevelden, en haar hand bleef hangen op een paar centimeter van zijn huid. 'Liefje. Asjeblieft.'

'Zonlicht...'

Zijn fluisterende stem was haast niet te horen.

'Zilveren trap...'

9

De dokter was zoals veel andere dokters, rustig en zelfverzekerd en gereserveerd. Hij arriveerde in het gezelschap van een onbekende verpleegkundige en toen de deur in het slot viel, verstijfde Julian. Er was ineens een nieuwe opmerkzaamheid in zijn houding, een instelling die leek te ontspruiten aan een speciaal stil hoekje van zijn ziel.

'Julian, mijn naam is dokter Cloverdale. Ik ben een vriend van je vader. Ik zal je geen pijn doen. Ik kom je alleen maar onderzoeken en je handen verzorgen. Is dat goed?' Julian gaf geen antwoord, en de dokter zei: 'We zijn hier allemaal als vrienden onder elkaar.'

Met rustige gebaren luisterde de dokter naar Julians hart en longen. Hij scheen met een lampje in Julians ogen, en Abigail stelde zich het gezicht van haar zoon voor, opkijkend in het donker, als een klein lichtje dat zichtbaar was vanaf de bodem van een diepe put.

'Alles gaat prima zo, Julian. Heel goed.'

De dokter zette zijn onderzoek voort, en toen de zwachtels van Julians handen kwamen onderdrukte Abigail een zachte kreet. 'Het valt wel mee,' zei de dokter, maar dat was niet waar. De knokkels waren geschraapt en gescheurd en er lekte lymfe uit. Het vlees was wit, en Abigail meende dat ze een natte, grijze glimp opving van bot. De dokter verbond de handen en gaf Julian toen een kalmerend middel. Toen de naald zijn arm in ging reageerde Julian niet. Abigail sloeg de lakens open en samen legden ze Julian in bed. Bij de deur fluisterde de dokter: 'De zuster zal hem verschonen.'

In de gang ging Abigail met haar rug tegen de muur staan. 'Die arme handen van hem...'

'Er is geen blijvende schade.'

'Weet u dat zeker?'

'Mits hij zich in de toekomst niet opnieuw verwondt, ja.' Het gezicht van de dokter was vriendelijk, maar ernstig. 'Is dit recent?'

'Wat precies?' Abigail hoorde een spoor van paniek in haar eigen stem.

'Wanneer is dit begonnen? Dan bespreken we het vanaf dat punt.'

'Drie dagen geleden. Hij ging weg – we weten niet waarheen – en toen hij terugkwam, was hij zoals nu. Ik vond hem in de garage, op blote voeten en smerig. Hij wilde niets zeggen, wilde niet naar zijn eigen kamer. Hij kwam hier en deed de deur op slot. Hij gaf geen antwoord en als we probeerden met hem te praten, kwam hij niet naar buiten. Na een dag hebben we de slotenmaker laten komen.'

'Verdwijnt hij wel vaker op die manier?'

Abigail schudde haar hoofd. 'Nee. Nooit. Ik bedoel, hij gaat natuurlijk wel eens op pad. Maar niet zo vaak, en nooit zonder iemand iets te zeggen.'

'Waar gaat hij heen, als hij weggaat? Vrienden? Met vakantie?'

'Nee. Niet bepaald. Ik bedoel, hij heeft wel vrienden natuurlijk, maar geen intieme. Mensen van school, voornamelijk. Niet iemand in het bijzonder. Hij gaat naar New York, om met zijn uitgever te praten. Hij woont wel eens een conferentie bij, gaat naar lezingen en dat soort dingen. Maar meestal blijft hij gewoon thuis. Wandelt in de bossen. Schrijft zijn boeken. Hij is erg op zichzelf.'

'Dus hij zit lekker in zijn vel.'

'Dat is misschien wat sterk uitgedrukt.'

'Hij is wel een beetje oud om thuis te wonen...'

'Hij heeft zijn sterke kanten, dokter Cloverdale, hij zit alleen wat gecompliceerd in elkaar.'

'De senator heeft me over zijn achtergrond verteld. Ik begrijp dat hij als kind nogal gemolesteerd is?'

'Ja.'

'Was het erg?'

'Ja.' Ze voelde haar eigen razernij opgloeien. 'Het was erg.'

Cloverdale fronste zijn wenkbrauwen. 'Is hij in therapie geweest?'

'Met heel weinig resultaat. Hij deed alles wat hij moest doen, maar wordt nog altijd schreeuwend wakker.'

'Schreeuwend?'

'Om zijn broer. Daar had hij een heel hechte band mee.'

'Heeft u dit soort zelfverminking ooit eerder bij hem gezien?'

'Nee. Die is pas gisteravond begonnen.'

Cloverdale schudde zijn hoofd. 'Dit is mijn terrein niet. Hij moet naar een psychiater, vermoed ik. Misschien moet hij klinisch behandeld worden, in Duke of in Chapel Hill. Door iemand die gespecialiseerd is in psychische trauma's...'

'Bedoelt u dat hij moet worden opgenomen?'

'Laten we niet meteen allerlei conclusies trekken,' zei Cloverdale. 'Als we hem laten opnemen, blijft hij eerst een paar dagen in observatie. Dat kunnen we ook hier doen, geen probleem. Uw man heeft me voor een periode van een week ingehuurd, dus ik ben hier ter plaatse. Waarom kijken we het eerst niet een dag of wat aan? Ik houd Julian kalm en op zijn gemak. En intussen houd ik hem in de gaten. Soms lossen dit soort dingen zich vanzelf op.'

'Echt?'

'Zeker.' Hij toonde zijn kalme dokterslachje. 'Waarom niet?'

Ze keek hem onderzoekend aan. 'Goed, een paar dagen dan.'

'Mooi.' De dokter sloeg zijn handen ineen. 'En laten we het dan nu eens over u hebben.'

Hij zette zijn vriendelijke gezicht weer op en pas toen besefte Abigail hoe warrig ze moest overkomen, onder de modder en met wilde ogen. Ze had twee nachten niet geslapen en amper gegeten. Ze was bleek en bekaf, en het bloed van haar zoon zat in korsten op haar gezicht. Haar haar zat in een kluwen op haar hoofd en ze voelde, toen ze de dokter aankeek, opeens de bezieling uit haar ogen wegzakken. 'Met mij is alles prima,' zei ze.

'Als u zich zorgen maakt, bespreek ik het wel met uw man...'

'Met mij is alles prima.' Ze bleef hem te strak aanstaren, dat wist ze, maar ze kon er niets aan doen. Het was haar oude gevoel van ontkenning.

'We hebben allemaal wel eens hulp nodig, mevrouw Vane. Dat is niets om u voor te schamen.'

'Dank u, dokter. Nee.' Ze voelde haar kin omhooggaan en overwoog even om hem de waarheid te vertellen, maar hij zou haar bewering dat hij nog nooit zo'n krachtige persoonlijkheid had ontmoet als zij van de hand wijzen als misplaatste groothouderij. Hij zou beleefde geluidjes maken en zou, als hij de senator zag, zijn hoofd schudden en doen alsof hij nog steeds alle vertrouwen had in de zaak. Maar ze zouden elkaar aankijken met een lichtelijk geamuseerde blik: tja, vrouwen hè, waar die zich niet allemaal druk over maakten. Dus hield ze de waarheid maar voor zich. Ze vertelde de dokter niet dat ze dingen had gezien die zijn hart zouden vermorzelen, dat ze dingen had gedaan die hem op de knieën zouden brengen.

'Met mij is alles prima,' zei ze.

En toen hij zijn mond opende om haar tegen te spreken, draaide ze zich om en liep ze weg.

10

Hoe groot en voornaam het huis ook was, technisch gezien was het niet Abigails domicilie. Ze woonden eigenlijk in Charlotte, in Myers Park, op een landgoed met achtduizend vierkante meter grond. Dit hier was eigenlijk hun zomerhuis, maar Abigail verafschuwde Charlotte. Het was te groot en de mensen daar waren te veel bezig met het doen en laten van de senator en zijn vrouw. Naarmate haar leven verstreek, voelde ze zich steeds meer aangetrokken tot de ruimte en de stilte van Chatham County. Door de jaren heen bracht ze er steeds meer tijd door. Ze leefde daar het grootste deel van de tijd met haar paarden en haar privacy en haar zoon.

Het was bijna ideaal.

Ze liep de lange gang door naar de reeks vertrekken die ze voor zichzelf had bestemd, waar ze douchte, andere kleren aantrok en haar gezicht terugbracht tot de normale staat van bijna-perfectie. In de drie meter hoge spiegel zag ze een elegante vrouw in een optimale fysieke conditie. Ze draaide een keer rond, vond zichzelf acceptabel, en ging toen naar Julians kamer op de tweede verdieping. Die besloeg de bovenhoek van de noordelijke vleugel, een buitensporig grote ruimte met ramen die uitkeken op een heuvel die afliep naar het bladerdak van het bos. In het voorjaar was het uitzicht golvend groen, een binnenzee die in het najaar rood en geel en oranje werd, een oceaan van vuur, die uitdoofde in bruin en dan wegviel.

Ze bleef staan in de deuropening en aarzelde. De kamer had boekenkasten van de grond tot het plafond, vol ingelijste foto's en boeken van de afgelopen twintig jaar. Tegen de muur aan de andere kant stond een zestal ezels met grote opengeslagen schetsboeken met de tekeningen waar Julian mee bezig was: een bosgezicht, een meer bij maanlicht, personages voor een nieuw boek waaraan hij bezig was. Buksen en jachtgeweren stonden, ongebruikt, in met fluweel beklede foedralen. Dat waren cadeaus van zijn vader en van bewonderaars van zijn vader: duur staal bedekt met fijn stof. Julian had nog nooit iets gedood in zijn leven. Hij was een zachtaardige man, maar toch een man, en de kamer straalde die dubbelheid uit: donkere kleden en kostbare kunst, kinderboeken en zwijgzame wapens. Het was een mannenkamer, maar ook die van een jongen, en Abigail zag daar, in die deuropening, met tranen die in haar ogen prikten, nog de dag voor zich waarop ze Julian mee naar huis had gebracht. Hij was zo klein geweest, zo bang, zo verloren zonder zijn broer.

Hoeveel jongens wonen hier, had hij gevraagd.

Alleen jij.

Hij had een hele tijd om zich heen lopen kijken in de kamer; zijn donkere ogen waren rusteloos toen hij uit het raam keek naar het grote bos, naar al die kilometers diep en geheimzinnig groen. Zijn vingers waren klein op de vensterbank, zijn kin stak in de lucht toen hij op zijn tenen stond om naar buiten te kunnen kijken.

Hij is zo groot.

Vind je hem mooi?

Hij dacht lang na, en zei toen: *Hoe moet Michael me hier vinden?*

Dat was de vraag die haar aan het huilen had gemaakt.

Abigail stapte over de drempel. Ze ging met een vinger langs de ruggen van de boeken, pakte een foto op en zette hem weer terug. Ze was ongedurig, ongerust op een ongewone manier, waardoor ze opschrok toen ze zich omdraaide en haar man in de deuropening zag staan. Ze had hem niet horen aankomen, wat haar, gezien zijn grote postuur, verbaasde.

'Om nog even terug te komen op wat ik daarstraks zei.' Zijn stem klonk nu berouwvol. 'Julian komt ook bij mij natuurlijk altijd op de eerste plaats. Ik hoop dat je dat weet.' Hij liet zijn blik door de kamer gaan en kon zijn aversie nauwelijks verbergen. Als politicus was hij conservatief, in alles. Als man geloofde hij in een mannelijke levenshouding. Mensen als Julian lagen hem niet, en Abigail verdacht de senator er dan ook van dat die diep in zijn hart blij was dat zijn zoon Julian slechts geadopteerd was.

Op die manier was hij minder een complicatie.

Minder een risicofactor.

De waarheid was dat de senator het Abigail nooit vergeven had dat zij niet zwanger kon worden. Hij had van allebei eentje gewild, een jongen en een meisje, beiden goed gemanierd en begenadigd met de fotogenieke kwaliteiten van hun moeder. Adoptie was een moeizaam bevochten compromis, en Julian was een reusachtige teleurstelling. Ze had het pleit uiteindelijk gewonnen op basis van één argument: adoptie – en dan nog van oudere, moeilijk plaatsbare kinderen – zou aantonen wat een man van hart en geweten hij was. Zijn verkiezingskansen in de bergen waren de laagste van allemaal. Hij had erover nagedacht en toen geknikt. En dat was dat.

De senator stapte naar de dichtstbijzijnde ezel en bladerde door het schetsboek. Hij keek eerst naar de ene tekening, en daarna naar een andere. 'En wat Julian betreft,' zei hij, 'ben ik over de schreef gegaan. Dat spijt me.' Hij sloeg nog een paar bladen om, tot hij bij de laatste tekening kwam. Een half ontkleed meisje met bladeren in haar haar en ogen als zwarte rook. Hij bekeek de tekening een poosje en zei toen: 'Zoiets als deze had ik niet verwacht.'

Abigail keek naar de tekening: een mooi meisje, prikkelend afgebeeld. 'Waarom niet?'

Hij haalde zijn schouders op. 'Het is zo seksueel.'

'Hij is een kinderboekenschrijver, geen kind. Hij heeft vriendinnen gehad.'

'O ja?'

'Waarom doe je toch zo laatdunkend?'

De senator sloeg het schetsboek weer dicht. Hij bestudeerde Abigails gezicht; op zijn eigen gezicht lag een overtuigende uitdrukking van verdriet. 'Geef de oude man eens een kus.'

Zijn blik maakte zich los van de hare, en ze wist dat hij een reden had gehad om haar hier op te zoeken. Ze draaide hem haar wang toe en hij kuste die. Zijn lippen voelden droog en koel aan. Hij deed een stap achteruit en keek om zich heen. 'Het is een bende hier.'

'Ik geef de afdeling huishouding wel een seintje.'

'Zo mag ik het horen.'

Toen hij wegging, keek ze hem na en begon toen de kamer op te ruimen. Ze maakte het bed op, legde rondslingerende boeken op stapels en zocht de lege koffiekoppen bij elkaar. Ten slotte pakte ze Julians smoking op en bracht die naar de kast. Hij rook naar sigaren en aftershave. Ze wilde hem gladstrijken voor ze hem weghing en vond in een zak een foto. Er stond een haveloos meisje op van een jaar of negentien, zo klein en tenger als een elf. Ze stond op de verzakte veranda van een vrijwel verveloos huis. Wilde blonde haren omlijstten een gezicht dat in een andere context heel mooi zou zijn geweest, maar ze was vuil, ze had geen schoenen aan, haar mond was een nijdige streep en de ogen waarmee ze in de camera keek stonden groot boven holle wangen. Ze droeg een verschoten, extreem kort afgeknipte spijkerbroek en een mouwloos topje dat te dun en strak was voor de borsten die ertegenaan duwden. Ze had haar handen diep genoeg in haar zakken gestoken om het broekje laag op haar heupen te duwen en haar heupbeenderen te tonen, met het stuk vlakke strakke huid ertussenin.

Ze was bruinverbrand door de zon.

Het erf was een bende.

Abigail had het meisje voor het laatst gezien toen ze nog een kind was, maar ze herkende het huis. Met een opkomend gevoel van misselijkheid liep ze terug naar de ezel en bladerde ze door de pagina's tot ze de houtskooltekening vond van de ontklede jonge vrouw in het bos. Ze keek naar de tekening, en daarna naar de foto. Ze ging dichterbij staan en hield ze naast elkaar. De tekening was het werk van kundige handen. De jonge vrouw was zelfs nog mooier gemaakt, haar gezicht was ingebed in het bos en er waren bladeren door haar haar gevlochten. De schets toonde de welving van haar heupen en borsten, en haar iets toegeknepen ogen stonden al te wetend.

'O, nee.'

Abigail staarde geschrokken naar de tekening en voelde zich nog misselijker worden.

'Nee, nee, nee.'

Ze haastte zich de kamer uit, de foto dubbelgevouwen in haar hand. De regen buiten was overgegaan in nevel. Ze vond de landrover op de plek waar ze hem had laten staan, startte de motor, controleerde de lading van de revolver en zette toen koers naar de andere kant van het landgoed.

'Nee, nee, nee,' zei ze nog eens.

En het bos strekte zich steeds verder uit.

In een heel leven van strijd, machinaties en politieke intriges was er altijd één hardnekkige doorn blijven steken in het vlees van Abigails echtgenoot. Aan de achterkant van zijn zestienhonderd hectare lag een pachtgoed van vijfenzestig hectare, een eilandje van oerdennenbos dat sinds de negentiende eeuw het eigendom was geweest van dezelfde familie. Het was een woest en onontgonnen stuk terrein, zeer geaccidenteerd en met een grindweg die leidde naar vier hectare vlakke grond met een huis dat er al vóór de Burgeroorlog stond. Aan het bezit was servituut verbonden met betrekking tot het achterste gedeelte van de grond van de senator, en de vrouw van wie het land was, weigerde het te verkopen, hoeveel de senator er ook voor bood. Hij had haar vijf keer de waarde geboden, daarna tien, toen twintig. Hij was in woede ontstoken, waarna de dingen alleen maar moeilijker werden.

De vrouw heette Caravel Gautreaux, wat volgens haar Louisiana-Frans was. Maar dat kon iedereen wel beweren. De vrouw was een geschift liegbeest. En vroeger was er iets gebeurd tussen haar en de latere senator. Iets wat niet goed was.

De hoofdweg van het landgoed liep van de tuinen vandaan naar de werkgebieden daarbuiten. Bestrating ging over in kiezel en de weg slingerde langs wijngaarden, omheinde paardenweiden en het biologische zuivelbedrijf dat Abigail acht jaar geleden van de grond af aan had opgebouwd. Ze reed langs de brede uiterwaard van de rivier en sloeg toen af in noordelijke richting, door de diepe bossen en langs de drie hectare weiland, waar veel vee op graasde. Toen de weg aan de andere kant weer het bos in dook, begon de kiezel te verdwijnen en werd het pad smaller.

De bomen stonden dicht genoeg op elkaar om krassen op de lak te maken, en hoe verder ze het bos in reed, hoe meer jonge aanwas ze omlaag boog onder de voorbumper. Dit was het woeste deel van het buiten, drieduizend are wildreservaat en jachtgebied en grote stukken oud bos die nooit onderhouden waren.

Ze reed verder tot het terrein zich verhief en vervolgens wegviel in een kloof met onderin een snelle, wit schuimende beek. Ze schakelde terug naar de laagste versnelling en ploeterde door water dat tot de assen kwam, dan een steile glooiing op, met een bocht in het pad. De aarde hier was geribbeld en ruw. Graniet stak door dunne, zwarte modder heen; bomen van hardhout werden opzij geduwd door pijnbomen en droegen nog altijd sporen van de terpentijnwinning van twee eeuwen geleden.

Het pad kruiste een smal kiezelspoor dat leidde naar de openbare weg ten zuiden van het landgoed, maar Abigail wilde niet naar die weg. Ze draaide tussen twee heuvels door naar het noorden en onderweg werden de aardwallen steeds hoger en nam het licht af naarmate het pad dieper leek weg te zakken. Abigail was hier al zo'n twintig jaar niet meer geweest, maar toen Caravels huis in zicht kwam, knepen haar ingewanden op dezelfde manier samen als toen. Het was klein en oud, een armoedig allegaartje van kamers waar ooit een witkwast overheen was gehaald, midden op een kale, modderige plek vol verroeste auto's en uitwerpselen van dieren. Uit de open ramen hingen gordijnen. In de bagger onder een pecannotenboom stonden geiten, in een open schuur ruwharige paarden.

Abigail reed de open plek op en zag dingen die ze in twintig jaar geslaagd was te vergeten. Rechts van haar kwam onder het koelhuis een straaltje water naar buiten. Erachter bevond zich een rokerij. De deur stond open en je zag de hangende metalen haken binnenin. Abigail stapte uit de auto en rook een vochtige geur, een lucht als van natte talk en geplette bloemen.

Een windklokkenspel klingelde. Stukjes gekleurd glas aan een bruin touwtje.

Abigail liep langs een vuurkuil vol uitgestrooide as en zwartgeblakerde botjes. Op de stoep lagen stenen met pentagrammen erin gekrast, weckpotten gevuld met iets wat leek op urine en roestige spijkers. Aan een omraming bij de muur zaten huiden gespannen en boven de veranda hingen gedroogde planten.

Abigail bleef staan toen de voordeur openzwaaide. In het duistere interieur bewoog iets en er kwam een vrouw naar buiten lopen. 'Krijg nou wat! Ik kan mijn ogen niet geloven!'

De stem was dezelfde gebleven, evenals de gewiekste blik in de heldere, spottende ogen.

'Hallo, Caravel.'

'Dag rijke dame.'

Caravel Gautreaux bleef staan op een plek waar licht op viel en legde een hand op de balustrade. Als Abigail had verwacht dat armoede en het harde bestaan haar ondergang zouden zijn geworden, had ze het bij het verkeerde eind. Caravels handen waren ruw, maar ze zag er nog altijd zo uit als mannen dat graag hebben. Ze was één meter vijfenzestig lang en bruinverbrand, ze liep op blote voeten en zag er slank uit in een jurk die doorschijnend was geworden door de tijd en de zon. Haar haar was hier en daar doorschoten met grijs, maar haar heupen waren vol en weelderig. 'Je ziet er goed uit,' zei Abigail.

'Ik mag niet mopperen.' Ze stak een sigaret op. 'Hoe is het met je man?'

'Je mag hem hebben, als je wilt.'

Gautreauxs linkermondhoek ging omhoog. 'Ik heb het beste van hem al gehad, denk ik zo. Ben je hier om nu eindelijk eens je gram te halen?'

Abigail haalde haar schouders op. 'Mannen zijn nou eenmaal mannen.'

'Heeft hij het nog altijd over me in zijn slaap?'

'Zelden.'

'Nee, dat zal wel niet.' Caravel tikte de as van haar sigaret. 'Waarom ben je hier, rijke dame?'

'Ik zou je dochter graag willen spreken.'

'O.' Er kwam een geamuseerd trekje op haar gezicht. 'Het gaat over Julian.'

Abigail verstrakte. Tot nu toe was het allemaal nog maar een theorie geweest. 'Wat weet je over mijn zoon?'

'Alleen maar dat hij blijkbaar dezelfde smaak heeft voor Gautreauxvrouwen als je man, dat hij dezelfde wijsheid koestert in zijn ziel, en dat ook hij jou niet inlicht over zijn voorkeuren. Het is allemaal zo vertrouwd – de leugens en het opgewonden gedoe, kaarslicht en warme lucht, de geur van jonge geliefden...'

'Je geniet hier geloof ik nogal van, hè?'

'Ik geniet van zoveel dingen,' zei Caravel vergenoegd. 'Van mannen en van rook en van warm, rood vlees.'

'Ik wil haar spreken.'

'Je gezelschap is een genoegen als je in verwarring verkeert...'

'Verdomme, Caravel.'

De glimlach verdween en haar stem verhardde. 'Victorine is er niet.'

'Dan kom ik terug als ze er wel is.'

'Je begrijpt het niet. Ze is al een week weg. Misschien komt ze wel helemaal niet terug.'

'Ah, eindelijk is ze oud en wijs genoeg.'

'Waarvoor?'

'Om het te snappen.'

'Ze is mijn kind,' zei Caravel.

'Niet meer, zo te zien.'

Caravels ogen schoten vol woede; er trokken diepe lijnen rond haar mond. 'Dat neem je terug!'

'Als jij je dochter maar bij mijn zoon uit de buurt houdt. Als je dat doet, is er verder niets aan de hand. Hou haar uit de buurt van het landgoed en van ons huis.'

Caravel kwam van de veranda af, met één schouder opgetrokken. Er laaide plotseling een krankzinnig licht in haar ogen. 'Jij hebt haar gezien, hè?'

Abigail deed een stap achteruit. 'Als dat zo was, zou ik hier niet staan.'

Caravel priemde een vinger in haar richting. 'Waar is mijn kind?'

'Ik zei al...'

'Zeg maar tegen haar dat mama Gautreaux niet meer boos is. Zeg maar dat als ze naar huis komt alles vergeten en vergeven is.'

'Blijven jullie nou maar bij ons uit de buurt.'

'Zeg je tegen haar wat ik net zei?'

'Ten eerste heb ik geen idee waar die geschifte dochter van jou uithangt. Dat heb ik je nu al een paar keer gezegd. En ten tweede: het beste wat dat kind kan doen is bij jou vandaan blijven. Dát zal ik tegen haar zeggen, als ik haar zie.'

Gautreaux gooide haar sigaret in de modder en zei met een plotselinge, wilde haat in haar stem. 'Zeg op! Kom jij tussen mij en mijn dochter? Nou?' Ze kwam een stapje dichterbij; haar gezond verstand leek als sneeuw voor de zon verdwenen. 'Dat kind is van mij! Begrijp je wel? Ik sta niet toe dat jij en dat jong van jou ons met allerlei leugenverhalen uit elkaar jagen. Ik heb het nu door.' Ze stak een arm uit om Abigail aan te raken. 'Nu heb ik het door.'

'Blijf van me af.' Abigail deed struikelend nog een stap naar achteren.

'Afstanden maken never niks uit, rijke dame. Ook vanaf de andere kant van de wereld kan ik je kwaad doen.'

Abigail bereikte haar auto en pakte de deurknop beet. 'Als je mijn zoon maar met rust laat.'

'Een halve meter of de hele godvergeten wereld.' Gautreaux ging op het opstapje van de veranda zitten en lachte. 'Helemaal never niks.'

Abigail stapte in de wagen en startte de motor. Bij het keren van het voertuig joegen de wielen stof op. Haar raampje was naar beneden en ze zag Gautreaux kijken.

'Alle wegen leiden terug naar mama Gautreaux,' riep die.

Het huis verscheen in de achteruitkijkspiegel. Bomen doken op en Abigail hoorde de laatste woorden vaag door het geraas van de motor heen. 'Zeg dat maar tegen mijn meisje...'

Abigail gaf nog wat extra gas.

'Maar dan ook álle wegen...'

Na vijf minuten in het bos gereden te hebben ging Abigail eindelijk wat langzamer rijden. Ze was helemaal van slag en haar hart raasde als dat van een klein dier terwijl ze hijgend ademhaalde. Ze besefte dat Caravel Gautreaux haar een diepe, fundamentele angst wist aan te jagen. Abigail was zevenenveertig en een rationele vrouw, maar het kwaad, wist ze, was net zo echt als zijzelf. Het had hetzelfde kloppende hart, hetzelfde bloed. Noem het zonde, of verval, noem het wat je maar wilt, maar die vrouw was een belichaming van het kwaad. Het zat in de lijnen van haar huid en in het verleden van die plek, in de geur van het stof en in de zwakheid van mannen. Het enige wat Abigail wist, is dat ze door de blik in Caravels ogen in paniek was geraakt. Die gekte daarin kwam haar maar al te bekend voor; die koude, harde blik.

Abigail kende vrouwen als zij.

En ze had redenen om die te vrezen.

Ze rilde nog eens en kwam toen, zoals altijd, weer tot zichzelf. Ze onderdrukte de zwakheden en de twijfel en reed naar huis, naar hoge stenen muren en spiegels die niet zo diep bij haar naar binnen keken. Ze hield zichzelf voor dat ze vanbinnen van ijzer was, en harder dan welke andere levende vrouw ook.

Tien minuten later parkeerde ze de landrover bij het huis. Jessup wachtte haar op bij de achterdeur. 'Waar heb jij gezeten?'

Ze zag de rode gloed in zijn gezicht en de krampachtigheid in zijn

gedrag. 'Ik ben naar Caravel Gautreaux geweest.'
'Waarom? Die vrouw is gek.'
'Ik denk dat Julian iets met haar dochter heeft.'
'Victorine Gautreaux is negentien.'
'Net als haar moeder, toen die een spoor van honderd kilometer breed door de getrouwde mannen van Chatham County trok. Leeftijd doet voor de dames Gautreaux niet ter zake. Caravel begon toen ze veertien was. Schooljongens. Boerenknechten. Zwervers.'
'Dat zeggen ze, ja...'
'Iedereen met vijf dollar en een stijve.'
'Ik vind het niet prettig als je zo doet.'
Abigail slaakte een zucht, waarmee ze ook lucht gaf aan haar gespannenheid en de herinnering aan haar angst. 'Kan zijn. Wie weet. Vertel eens wat er is gebeurd.'
'Is me dat dan aan te zien?'
'Ik ken je al erg lang, Jessup.'
'Loop even mee.' Hij draaide zich om en Abigail voegde zich bij hem. Ze volgden de oprijlaan en liepen vervolgens het beschaduwde grasveld op. 'Er is iemand bij de poort.'
'Er is altijd iemand bij de poort. Dit is het huis van een senator. Daar is die poort voor.'
'Iemand die jij vast wel wil spreken.'
'Godallemachtig...'
'Het is Julians broer.'
'Dat kan niet.'
Abigail keek Jessup aan. Ze zag de zekerheid en bezorgdheid, twee constanten die bij hem altijd een onderstroom vormden, aan de oppervlakte komen.
'Hij is het echt.'
'Onmogelijk...'
Dit was haar stem niet. Hij was te klein, te jong.
'Abigail...'
Ze dook in elkaar toen haar beeld grijs werd aan de randen.
'Abigail...'
Ze kromp nog meer ineen, kreeg geen lucht. Ze zag een jongen die voorbij holde in de sneeuw, aan de rand van haar blikveld, in een flits. De nacht in die hem opslorpte. Hij was zo klein, zo verloren. Ze probeerde rechtop te gaan staan, maar het gewicht van drieëntwintig jaar drukte in haar nek.

Michael...
'Diep inademen,' zei een stem.
Maar dat kon ze niet.

11

Het hek waar de gestolen auto voor stond was vier meter hoog. Het was mooi gemaakt, duizenden kilo's met de hand vervaardigd smeedijzer, maar functioneel en sterk genoeg om ongeveer alles minder dan een tank tegen te houden. Erachter trok een strip zwart asfalt een rechte lijn door fluwelig gras. Het verderop gelegen huis leek onmogelijk groot; een kasteel achter drie meter hoge stenen muren. Michael leunde tegen de auto en keek naar het verkeer op de weg. Hij bestudeerde de poort en de wachtposten. In de auto zei Elena zijn naam.

'Gaat het?' Hij bukte zich net genoeg om door het raampje naar binnen te kunnen kijken. Elena schoof over de voorbank tot ze achter het stuur zat. Ze was doodop, had donkere kringen onder haar ogen en ingevallen wangen. De oververmoeidheid klonk door in haar stem, zoals die ook te zien was geweest elke keer dat ze wegdoezelde en rusteloos bewoog tijdens de eindeloze kilometers op de snelweg. Een bleke, afgepeigerde ziel. In het motel, gisteravond, was ze alleen gaan liggen in het andere bed, roerloos en stil, maar wakker. In de ochtend had ze zich in stilte gedoucht en zich aangekleed, met het kleinste glimlachje dat maar denkbaar was. Ze ontweek Michaels blik wanneer mogelijk, en als ze hem aankeek, was er iets onbekends tussen hen in, een plek waar geen van beiden ooit eerder waren geweest.

'Laten ze ons binnen, denk je?'

Michael bekeek de mannen die de poort bewaakten. Dat waren professionele en alerte, brede, fitte mannen met kort haar en smetteloze pakken. Ze droegen allebei een wapen in een holster en waren zowel beleefd als zelfverzekerd. Ze beschikten over de modernste communicatieapparatuur. Als ze particulier waren, waren ze duur, en Michael vroeg zich af hoe goed ze in de praktijk zouden blijken te zijn. 'Als Julian hier is, laten ze ons wel binnen.'

'Denk je dat hij je geloofde?'

'Hangt ervan af, vermoed ik.'

'Ik denk niet dat hij terugkomt.'

Michael bestudeerde de poort, de muren. De aandacht van de bewakers verslapte geen moment. Op hoger gelegen plaatsen waren veiligheidscamera's aangebracht en een daarvan stond direct op hen gericht.

'Hij komt wel,' zei Michael.

'En wat doen we als ze er niet zijn?'

'De Senaat is op reces. Dit is hun zomerhuis. Ik heb er een goed gevoel over.'

Elena kauwde op een nagel; haar haar viel in haar nek toen ze de weg afkeek, naar de diepe, zwarte bossen. Ze voelde zich weerloos te kijk zitten in de auto. Dat begreep Michael, maar hoe kon hij haar de naakte waarheid vertellen? Hoe kon hij haar uitleggen dat Stevan en Jimmy het nooit zouden laten eindigen met een snel en gericht schot vanuit het duistere bos? Hoe kon hij haar in de ogen kijken en haar zeggen dat als ze kwamen, dat zou zijn om het van heel dichtbij heel persoonlijk te maken? En komen zouden ze...

'Dit bevalt me niet.'

Auto's stoven voorbij en in het bos wiekte de vleugel van een vogel. Michael keek naar de oprijlaan toen er in de verte een voertuig opdook, een metalen kogel die de vorm aannam van een Ford Expedition toen hij dichterbij kwam en afremde bij de poort. Michael zag dezelfde grijsharige man aan het stuur. Hij stapte uit en zei iets tegen de bewakers, die alert bleven, maar verder niets deden toen de poort openzwaaide en de man naar buiten kwam om met hen te praten. 'Mevrouw Vane is bereid jullie te woord te staan. Jullie kunnen met mij meerijden.'

Michael wierp een blik op de weg, die leeg was. De muren strekten zich wel twee kilometer ver beide kanten op. 'Ik maak liever gebruik van mijn eigen vervoer.'

'Als je binnen het hek wil komen, blijft de auto hier.' Het bleef even stil. 'En je wapen ook.'

Michael trok een wenkbrauw op. 'Wapen?'

'Beledig me niet, vriend. Het wapen dat achter in je broek steekt. Leg het in de auto. Doe de auto op slot. Stap in. Dit kost alleen maar tijd.'

Michael bekeek zijn gezicht, dat zonverbrand was, ruig en hard. Het leek een gezicht van een eerlijke man, maar uiterlijkheden maakten nooit zoveel indruk op Michael. Hij had zoveel leugenaars gekend, zoveel bedriegers. 'Kent u mijn broer?'

De man kneep zijn ogen half dicht, en de huid rond zijn oogleden rimpelde. 'Ik ken Julian alsof het mijn eigen zoon was.'

'Is hij hier?'

'Ja.'

Michael keek als eerste weg. 'Momentje.' Hij gleed de auto in, stopte het pistool onder de zitting en liet de raampjes naar boven komen.

'Weet je wel zeker wat je doet?' Elena wreef met beide handen langs haar dijen.

'Er overkomt ons niets.'

Ze stapten uit de auto en Michael deed hem op slot. De chauffeur gebaarde met zijn duim en zei: 'Zij gaat achterin. Jij komt voorin zitten, zodat ik je in de gaten kan houden.'

Toen ze waren ingestapt, legde de oude man zijn linkerhand naast zich op zijn stoel, keerde toen met een scherpe draai om en reed terug naar dat grote huis. Michael zag geometrisch aangelegde tuinen en bomen die tot ware kunstwerken waren gesnoeid. In de verte stond een bewaker bij de voordeur en patrouilleerden twee andere langs de zijflanken. Michael zag er geen uiterlijke kenmerken van, maar ging ervan uit dat ook daar elektronische voorzieningen waren: camera's, bewegingssensoren, warmtedetectoren.

'Waarom zoveel beveiliging?' vroeg hij.

'Hoeveel miljardairs ken jij?'

Halverwege de oprijlaan draaide het voertuig links af, een smal kiezelpad op dat verdween tussen een groep eikenbomen. 'Ik dacht dat we daar naar binnen zouden gaan,' zei Michael.

'Niet in het grote huis. Dat komt later. Misschien. Mijn naam is Jessup Falls.'

'Dit is Elena,' zei Michael.

Falls keek in de achteruitkijkspiegel om haar met zijn ogen te groeten. Hij hield de ene hand aan het stuur en de andere op de holle plek tussen zijn stoel en de deur. 'Dag mevrouw.'

'U had langer nodig dan we hadden verwacht.'

Falls keek naar Michael en haalde zijn schouders op. 'Jullie bezoek was onverwacht. Er moest eerst worden gepraat.'

'Of ik wel of niet kon worden binnengelaten?' vroeg Michael.

'Ik was in Iron Mountain op de dag dat jij die jongen van Hennessey omlegde, dus ja, dat was een deel van het gesprek.'

'Is dat waarom uw linkerhand een wapen vasthoudt?'

Falls schokschouderde, haalde toen het pistool tevoorschijn en legde het tussen zijn benen. 'Macht der gewoonte,' zei hij.

'Heeft u de leiding over de beveiliging?'

'Alleen over die van mevrouw Vane. De senator heeft zijn eigen mensen.'

Ze reden een kleine kilometer, eerst door bos en toen over een bergkam die grootse uitzichten bood over het huis en de gronden. Toen dat uitzicht wegviel, stopte Falls de auto.

'Zien we mevrouw Vane hier?' vroeg Michael.

Falls trok de handrem aan. Zijn gezicht was een en al zakelijkheid. 'We zijn hier aan de westkant van het landgoed. We gaan naar het gastenverblijf. Die kant op.' Hij wees. 'Het is privé. Niemand gebruikt het ooit.' Hij ging zo zitten dat hij Elena en Michael tegelijkertijd kon aankijken. Hij zweeg een hele tijd, fronste toen zijn wenkbrauwen, en zei: 'Jullie krijgen geen geld.'

'Daarvoor zijn we hier ook niet.'

'Waarvoor dan wel?'

'Om mijn broer te zien.'

'Zomaar? Na al die tijd?' Michael haalde zijn schouders op en Falls vroeg: 'Waarom heb je een wapen bij je?'

'En u?'

'Waar woon je?'

'Nergens, op het ogenblik.'

'Wat doe je voor werk?'

'Mijn laatste baan was bordenwasser.'

Falls tuurde door de voorruit. De weg lag voor hen. 'Ik kan niet zeggen dat je me veel vertrouwen inboezemt.'

'U bent een particuliere bewaker, wat inhoudt dat u waarschijnlijk een ex-politieman bent. U vertrouwt me niet, en zal dat ook niet gaan doen. Niets wat ik zeg zal daar verandering in brengen, dus laten we daaraan verder geen tijd verspillen. Ik wil graag Julian zien. U zegt dat ik daarvoor eerst met mevrouw Vane moet praten. Best. Ze heeft gezegd dat ze me wil spreken. Dus laten we dat dan gaan doen.'

'Klinkt niet onredelijk. Stappen jullie allebei maar uit de auto.'

'Waarom?'

'Dat ik geen zin had jullie te fouilleren aan de kant van de openbare weg betekent nog niet dat ik een stomkop ben.' Buiten, in de koelte onder de bomen, liet Michael zich door Falls fouilleren. De man werkte grondig en snel. 'Neem me niet kwalijk,' zei hij tegen Elena.

'Het is in orde,' zei Michael tegen Elena en keek toe hoe Falls ook haar fouilleerde. Hij deed dat net zo grondig als bij hem en zonder verdere verontschuldigingen.

'Jullie kunnen weer in de auto gaan zitten.'

Ze stapten in en toen Falls keerde, stond zijn mond onverbiddelijk. 'Moord verjaart niet in North Carolina.' Hij kneep zijn ogen tot spleetjes en keek van Michael naar Elena, en terug. 'Ik wilde zeker weten dat jullie je daarvan bewust zijn.'

'Dat begrijp ik niet.' Elena leunde naar voren.

'Hij heeft het over wat er in het IJzeren Huis is gebeurd.' Michael liet een paar seconden verstrijken, zonder zijn blik van Falls af te wenden. 'Hij bedreigt me.'

'Geef me alleen wat informatie.'

Michael lachte heel even, maar zijn ogen lachten niet mee. 'We weten allebei dat er geen aanhoudingsbevel is met mijn naam erop. Geen aanklacht. Er zit niets in het systeem.'

'Toch is de politie een hele tijd naar je op zoek geweest.'

'Drieëntwintig jaar geleden en een halve staat hiervandaan.' Michael boog zich naar hem over. 'Niemand is naar mij op zoek, meneer Falls, en we weten allebei de werkelijke reden waarom dat zo is.'

Ze namen elkaar een tiental seconden keurend op en Falls bezweek als eerste. 'Drijf de zaken nu niet op de spits, jongeman. Ik neem mijn werk serieus.'

'En ik hou van mijn broer,' zei Michael.

'Dan is er niets aan de hand.'

Het gastenverblijf was een stenen cottage op een lage terp met uitzicht over de meren en het huis. Het had ijzeren laarzenschrapers bij de deur, een overdekte veranda en groene luiken met zwarte metalen scharnieren. Er liep een grasveld naar beneden, naar het water, en aan de achterkant stond een dichte bomenhaag.

'Wacht hier maar even.'

Ze zagen Falls de veranda op lopen, de deur opendoen en verdwijnen. Het huis was klein en stond daar zo te zien al een eeuwigheid. Het dak was bedekt met zware leisteen dat in de voegen groen uitgeslagen was. De blauwe lucht werd weerspiegeld in de ramen, de onderste waren zwart. Bij de ingang stond een aftandse Land Rover Defender geparkeerd. Michael keek of hij binnen iets bewegen zag, maar zag niets. Elena pakte bezorgd zijn arm.

'Is het waar wat hij zei? Kunnen ze je inderdaad arresteren?'

'Dat gebeurt niet.'

'Vanwege die werkelijke reden waar je het over had?' Michael kneedde haar schouders en ze zei: 'Wat bedoel je daar eigenlijk mee?'

'Ik bedoel ermee dat de zoektocht naar gerechtigheid zelden juist of eerlijk verloopt.'

'Wees nou eens wat duidelijker, Michael.'

'Het betekent dat niemand hier ophef wilde rond de adoptie van Julian, zeker niet met Hennessey dood op de vloer bij de wc's. De media zouden ervan hebben gesmuld, dus heeft de senator het allemaal stilgehouden.'

'Kan hij dat dan?'

'Hij heeft geld, en macht. En Hennessey had vermoedelijk geen familie.'

'Wat een ongelooflijk koude opmerking is dat.'

'Het is de wereld waarin we leven.'

'Maar waar wonden ze zich eigenlijk over op?' Ze gebaarde naar het grote huis. 'Jij had Julian opgedragen te zeggen dat jij het had gedaan. Hem konden ze niets maken.'

'Roddelpraatjes gaan gewoonlijk een eigen leven leiden, als de kans zich voordoet. Daarnaast klonk Julian niet zo erg geloofwaardig. Hij heeft nooit goed kunnen liegen. Hij heeft te veel het hart op de tong.'

'Geloofde de politie hem niet?'

'Laten we zeggen dat de senator een hoop geld en politiek kapitaal heeft gespendeerd om te voorkomen dat ze al te veel vragen zouden gaan stellen.'

'Hoe weet je dat allemaal?'

'Omdat ik het grondig heb uitgeplozen.' Ze fronste, en Michael duwde haar tegen haar heup. 'Neem nou maar van me aan Elena, dat met alles wat er de laatste paar dagen is gebeurd, een onderzoek van tientallen jaren geleden wel het laatste is waar je je nu druk over moet maken.'

'Beloof me dat je niet wordt gearresteerd.'

'Beloofd.'

'Mooi. Dank je.' Ze leunde tegen hem aan en keek uit over de meren. 'Had je dit verwacht?'

Ze doelde op het landgoed, op alles. 'Er is meer beveiliging dan ik dacht, maar dat is alleen maar goed.'

Ze zuchtte. 'Dat bedoelde ik niet en dat weet je ook.'

'Gaat het wel met je?'

'Alleen wat verdrietig.'

'Waarom?'

Ze keek naar het zachte gras en het verderop gelegen buiten, pakte toen zijn arm en legde haar hoofd tegen zijn schouder. 'Dit had jouw leven kunnen zijn.'

Jessup had Abigail aangetroffen op de bank in de huiskamer. 'Is hij hier?' vroeg ze.

'Buiten. Weet je zeker dat je dit aankunt?'

Abigail sloeg haar ogen neer. In haar hand had ze een oud zwart-witfototje.

'Is dat Michael?' vroeg Jessup.

'Uit zijn dossier in Iron Mountain.' Ze hield het op, zodat hij het kon zien. De jongen was jong, misschien acht. Hij had wilde haren en een glimlach die geforceerd leek. 'Het is de enige foto van hem die ik ooit heb gezien.' Ze streek over de foto. 'Ik heb hem op een paar minuten na gemist, Jessup. Ik heb zijn hele leven gemist, omdat we werden dwarsgezeten door een sneeuwstorm, door zoiets simpels als wind en bevroren water.'

'Hij had een jongen van vijftien vermoord. Hij had een mes in zijn keel gestoken en hem voor dood op de wc-vloer achtergelaten. Mensen als hij veranderen niet. Ik heb het gezien. Ik weet het. Die storm heeft je een levenslange ellende bespaard.'

'Hij moet een reden hebben gehad voor wat hij deed.'

'Dan had hij moeten blijven en dat moeten uitleggen.'

'Hij was een kind, en hij was bang.'

'Dat is geen reden om hem nu te vertrouwen.'

'Natuurlijk niet, Jessup. Ik ben geen dwaas, en romantisch ben ik ook niet.'

'Waarom laat je hem dan überhaupt in je leven toe?'

'Omdat Julian dat ook zou doen.'

'Hij is gevaarlijk, Abigail. Je maakt een fout, dat bezweer ik je.'

'Gevaarlijk? In welk opzicht dan wel?'

'Hij loopt rond met een wapen op zak, om maar eens wat te noemen. Ik heb zijn kenteken nagetrokken. De auto is gestolen. Hij zei dat hij bordenwasser was. Dat klopt ook al niet.'

'Ik wil hem niet ongezien veroordelen.'

'Je betaalt me om je te beschermen.'

'Ik betaal je om te doen wat ik je zeg. Hou nu maar even op, oké? Geef me een minuutje voor mezelf.' Ze sloot haar ogen en toen ze die weer opendeed, wees ze. 'Buiten?' Jessup knikte zonder iets te zeggen.

Ze liep naar het raam en schoof het gordijn opzij. 'Mijn god,' zei ze. 'Hij lijkt sprekend op hem.'

Michael was langer, sterker. Hij had dat soort rustige zelfverzekerdheid dat Julian nooit zou kennen, maar het leed geen twijfel dat het broers waren. Ze hadden hetzelfde bruine haar, dezelfde donkere, expressieve ogen. Maar waar Julian zacht was, was Michael hard. Waar de een schuchter was, was de ander dat niet. Michael leunde tegen de auto, armen over elkaar, met een voet tegen de voorband. Hij zag hen, en knikte.

'Zei je dat zijn auto gestolen was?'

'Ja.'

Abigail bleef nog even naar hem kijken. Buiten liep het meisje geagiteerd heen en weer, maar Michael hield Abigails blik vast. Er school macht in hem, dacht ze. Uitgekookt, sluw en kalm. 'Die moet goed doorzocht,' zei ze. 'Ik wil alles over hem weten. Waar hij werkt. Wat hij doet. Wie hij is. Alles.'

Jessup klapte zijn mobieltje open. 'Waarom denk je er nu anders over?'

'Ik denk er niet anders over.'

'Wat is er dan?'

'Je hebt in één opzicht gelijk,' zei Abigail.

'En dat is?'

Ze hield haar hoofd scheef en tuurde naar hem door haar zwarte wimpers. 'Die man is geen bordenwasser.'

Michael stond aan Elena's laatste woorden te denken toen hij zich bewust werd van de geur van een verfijnd parfum. Hij keek op en zag een vrouw die net zo elegant was als het parfum dat ze ophad. Ze stapte de deur uit, en dat moment was zoveel dingen tegelijk: doodgewoon en vreemd en bitterzoet. Ze had zijn moeder kunnen zijn. Ze was een vreemde, maar kende zijn eigen broer beter dan hij. Michael liep op haar toe en zag dat haar huid perkamentkleurig was.

'Stoor ik?'

'Helemaal niet.' Michael nam een zo neutraal mogelijke houding aan. 'Fijn dat u ons wilt zien. Dit is Elena.'

Ze begroette Elena met een knikje en toen ze weer naar Michael keek, leek ze een beetje in verlegenheid gebracht. 'Ik heb mezelf vaak afgevraagd wat ik zou zeggen als we elkaar voor het eerst zouden zien. Een normale vraag, zo op het eerste gezicht, weet je. Zou ik heel zakelijk zijn, alsof we daadwerkelijk vreemden voor elkaar waren? Of zou ik gewoon wegsmelten?' Ze lachte, een klein geluidje. 'Ik ben niet het smelterige type, maar ik vroeg me af of het me allemaal niet te veel zou worden.' Ze trok een gezicht. 'Ik ben geloof ik niet erg duidelijk.'

'U bent volmaakt duidelijk,' zei Michael. 'Ik begrijp u volkomen.'

Ze ging met een vinger langs haar lip en haar ogen lichtten op. 'Ik was in Iron Mountain op de dag dat je de benen nam. Ik zag je in de sneeuw, die avond. Een flapperende jas, en weg was je. Ik zag hoe je door dat afschuwelijke weer werd meegevoerd.'

'Dat is erg lang geleden,' antwoordde Michael.

Haar ogen veranderden van licht naar glanzend vochtig. 'Als het had gekund, had ik je zeker gevonden.'

'Geeft niet.' Michael wist niet waarom hij dat zei – hij was deze vrouw niets verschuldigd – maar hij zei het, meende het, en voelde op dat moment de aanraking van ijs op zijn huid, een herinnering die zo realistisch was dat de destijds bevroren delen van zijn handen begonnen te jeuken. Hij dacht nooit aan die donkere, koude vlucht, zag die alleen in dromen, en daar stonden ze nu opeens, allebei. Haar ogen waren groot en groen en ze kon haar tranen haast niet meer bedwingen. 'Geeft niet,' zei hij nog eens.

Maar ze liep op hem toe en sloeg haar armen om hem heen. 'Ik vind het zo erg.' Michael verstijfde even, maar haar haar rustte vederlicht tegen zijn wang. Haar huid rook naar lavendel en dat verfijnde parfum. 'Jij arme stakker,' zei ze.

Jessup stapte naar voren: 'Mevrouw Vane...'

Maar ze negeerde hem. 'Arme jongen.'

12

Een klein deel van Julian wist waar hij zich bevond. Hij begreep dat hij in een van de logeerkamers was, dat zijn moeder kwam en ging, dat er een dokter was. Maar die informatie was niet meer dan een lichtflits in het donker. Hij wist niet waarom hij daar was en wat er aan de hand was, wist niet welke dag het was of welke maand van het jaar. Julian wist amper hoe hij heette.

Hij was volledig in de war.

Bang.

Het bed was te klein, een warboel van warme lakens die om zijn benen zaten gedraaid en hem een opgesloten gevoel gaven. Dat was beroerd, claustrofobisch. Hij schopte de lakens weg, maar hield zijn ogen dicht zodat hij rood zag door zijn oogleden, rood en hitte en zwarte strepen. Hij wachtte op het een of andere patroon, iets wat dingen duidelijk maakte.

Maar er werd niets duidelijk.

Het zwart verschoof en in het rood waren flitsen van fel, scherp metaal. Julian rolde op zijn zij. Zijn handen deden pijn en er stonk iets, dus richtte hij zich op het zwart. Het zwart was veilig, en het zwart was koel. Daarachter was het warm en daar weer achter was iets slechts.

Julian rolde zich op tot een bal.

Het zwart maakte een eiland, en als hij op het eiland bleef, kon niets hem deren. Dat was ook iets wat hij wist, het eiland dat hij in zijn hoofd had bedacht. Daar kon hij heen als dingen uit de hand liepen, of beangstigend of moeilijk werden. Het eiland was veilig, en het eiland was van hem. Achter het eiland was...

Hij wilde daar niet aan denken, zocht naar iets anders. Maar er klonken vreemde stemmen in de gang.

En ook dat was beangstigend.

Stemmen.

Vreemden.

Julian hoopte op te gaan in het niets, maar de deur knarste en toen hij zijn ogen opendeed zag hij voeten op de vloer en benen die bewogen. Hij zag zijn moeder en een vrouw die hij niet kende. En er was een man, maar die man sloeg nergens op. Het was alsof je in een spiegel keek en je eigen vertrokken gezicht zag.

Julian knipperde met zijn ogen en de duisternis trok op. De man zei iets, maar Julian wilde niemand zien. Hij wilde alleen zijn in het zwart, dus hij sloot zijn ogen weer en probeerde een brug af te breken in zijn geest.

Hij wist hoe dat moest, bruggen afbreken, wegdrijven.

Iemand pakte zijn arm, en toen hij zijn ogen opendeed, zag hij het gezicht dat het zijne was, maar ook weer niet. Er was troost daar, en warmte, een reden om zich niet zo eenzaam te voelen. Maar de brug begon al te breken. Julian hoorde zijn naam, maar te vaag om te blijven hangen. Hij scheerde langs en was weg.

Julian wilde hem terug, de aanraking van die stem. Een deel van hem begreep wat er gebeurde, en dat deel wilde dat de man met het vertrouwde gezicht begreep waarom hij op het eiland zat, dat er iets *gebeurd* was. Hij had het wilde, onzinnige gevoel dat de man met het gezicht alles beter kon maken.

Dus wachtte Julian tot de man knielde, en toen hij dichtbij kwam, zei Julian het afschuwelijke ding. Hij schreeuwde toen de brug wentelde en brak en viel.

Maar de man vervaagde.

Het eiland was een eiland. Het rood was weg, en er was alleen duisternis. Maar Julian begreep het eindelijk.

Michael.

Zijn stem echode.

Hij was alleen in het zwart.

Michael veerde terug op zijn hielen en stond op. Zijn broers ogen waren nu dicht, maar wat Michael van ze had gezien, duidde op waanzin. Ze waren opengesperd, bloeddoorlopen en bevatten het soort wilde, rauwe paniek dat hij niet meer had waargenomen sinds de ergste momenten in zijn jeugd.

'Wat heeft hij tegen je gezegd?'

Dat was Jessup Falls. Hij stond bij de deur, met een gewapende bewaker achter hem in de gang. De bewaker was net als zijn collega's bij de poort, bekwaam en emotieloos. Professioneel. Michael keek Falls even aan en schudde toen zijn hoofd. Er was één seconde van bewustzijn geweest, toen Michael Julian bij de schouders pakte, één ogenblik van helderheid en herkenning toen ze zich naar elkaar overbogen. Hij had iets gefluisterd, zo zachtjes dat alleen Michael het horen kon. De waanzin was gestopt – verstandhouding tussen broers; toen had iemand de stop eruit getrokken en was Julian verdwenen.

'Ik vraag het nog eens.' Falls wilde op hem toe lopen, maar Abigail hield hem met een handgebaar tegen.

'Alsjeblieft,' zei ze. 'Hij heeft in drie dagen niet gesproken. Vertel ons wat hij heeft gezegd.'

'Het was niets,' loog Michael. 'Iets van vroeger. Niks bijzonders.' Hij hurkte weer, tilde de ene arm van zijn broer op en daarna de andere. Julian reageerde niet, zelfs niet toen Michael zijn mouwen oprolde en zijn huid controleerde op naaldsporen.

'Er zijn geen tekenen van intraveneus drugsgebruik.' De dokter wees. 'Ik heb tussen zijn tenen gekeken, en naar de achterkant van zijn benen. Alle gebruikelijke plekken.'

Michael stond op. 'Mag ik de andere kamer zien?'

Doktor Cloverdale keek naar Abigail, en die knikte. Ze hadden Julian weggehaald uit de kamer met de bloedvlekken, maar de muren waren nog niet schoongemaakt. Samen liepen ze Julians kamer uit en de gang door. De bewaker deed een stap naar achteren om hen langs te laten.

'Je begrijpt waarom ik weifelde.' Abigail bleef in de deuropening staan, alsof ze zich er liever buiten hield.

Michael bekeek de kamer. 'Wanneer heeft u hem verhuisd?'

'Pas vanochtend.'

'En dit is drie dagen geleden begonnen?'

Abigail deed het hele verhaal nog eens: Julians afwezigheid, hoe ze hem in de garage vond, en hoe hij zijn handen had stukgeslagen. 'Heb je zoiets als dit wel eens eerder gezien?'

Michael voelde aan een donkere halvemaan van gedroogd bloed en legde de palm van een hand op een van de getekende deuren. 'Op een wat kleinere schaal, misschien. Lang geleden.' Hij zag Julian voor zich in het ketelhuis van het IJzeren Huis, met glazige ogen en bloederige knokkels. Hij voelde aan de tweede deur. Ook die was doorgekrast tot op het pleister. 'Als dingen misliepen, dook Julian de diepte in. Kelders, grotten. Als hij niet diep genoeg kon komen in de wereld, kroop hij diep weg in zijn geest. Dat gebeurde veel, toen we nog klein waren. Als er iets ergs gebeurde, kneep hij ertussenuit. Minuten. Soms uren. Nooit zo lang als nu.'

'En hoe zit het met die deuren?' Abigail wees op de tekeningen.

'Een oude man heeft hem eens verteld dat er magische deuren in de muren verborgen zaten. Deuren naar betere oorden, naar een ander leven. Klop op de goeie plek en ze gaan open. Het enige wat Julian moest doen, was ze vinden.'

'Die arme handen van hem,' zei Elena.

Michael bleef staan bij het bed. De lakens waren er afgerukt. 'Er is iets ergs gebeurd, drie dagen geleden.'

'Dat weet jij toch niet?' zei Falls.

'Dat weet ik wel.'

'Het is drieëntwintig jaar geleden. Het is niet meer dezelfde jongen van toen. Je kent hem niet meer. Dat kan niet.'

Michael zag het wantrouwen op Jessup Falls gezicht, de gerimpelde huid, en de plooien bij zijn ooghoeken. De man was erg gespannen en Michael was gepikeerd dat hij niet serieus werd genomen. Hij keek naar de met bloed besmeurde muren en voelde de woede opgloeien in de normaal rustige plek achter zijn ogen. Julian was zijn broer en ze hadden hem hier toegelaten.

Hem? *Hen.*

Niet Michael.

De oude beschermingsdrift kwam in hem op alsof die nooit had geslapen. Drieëntwintig jaar van onderdrukte zorgen, angst en twijfel laaiden op tot een woede die zo volkomen en hevig was dat Michael besefte dat hij zijn beheersing dreigde te verliezen. Het kon hem niet schelen. Hij liep op Falls en Abigail Vane toe. Hij negeerde de bewaker in de gang, de harde man met het ongevoelige gezicht die op zijn tenen ging staan en zijn hand onder zijn jas stak naar het wapen dat hij daar droeg. 'Hebben jullie enig idee wat mijn broer als kind heeft moeten doorstaan? De pesterijen en mishandelingen? De harteloosheid en desinteresse van de mensen die ervoor werden betaald om in zijn elementairste behoeftes te voorzien?'

'Nee, ik...'

'Precies.' Zijn blik belandde bij Abigail Vane. 'Dat weten jullie niet. Dat weet niemand van jullie. Jullie weten niet hoeveel pijn hij leed of hoe vaak hij is ingestort. Jullie weten niet wat ervoor nodig was hem elke dag opnieuw weer overeind te moeten helpen, op zijn benen te zetten, hem op gang te houden. Jullie waren daar niet en jullie hebben geen idee. Hij werd geslagen, misbruikt, onder de voet gelopen...'

Michael werd rood bij de gedachte aan een dag uit zijn jeugd die hem zo levendig voor de geest kwam dat hij bijna tastbaar werd. Julian was acht en was al een uur verdwenen toen Michael hem uiteindelijk vond in dezelfde wc-ruimte waar Hennessey later zou sterven met een verroest mes in zijn hals. Het was het schreeuwen dat zijn aandacht trok. Ze hielden Julian naakt tegen de tegelvloer gedrukt, een jongen op elke arm en elk been. Julian was nog nat van het douchen en lag te gillen en te smeken. Hennessey hield een mes tegen Julians haarloze piemel en dreigde lachend die af te snijden.

Ik zou wel een worstje lusten...

Nee, niet doen alsjeblieft!

Zeg het, klotenklapper.

'Julian praat niet graag over zijn jeugd.' Abigail ging tegenover Michael staan.

'Dat is omdat nachtmerries persoonlijk zijn.'

'We weten bij benadering niet wat jullie daar in dat afschuwelijke huis hebben doorgemaakt, maar hebben wel ons best gedaan erachter te komen.' Abigail sloeg treurig haar ogen neer. 'Het was zo moeilijk allemaal.'

'*Moeilijk*? Jullie denken dat je het begrijpt, maar dat kunnen jullie niet. Niemand kan dat. Probeer me niet uit te vragen over het verleden of over mijn broer.'

Michael merkte hoe stil het was geworden om hem heen, hoe Elena naar hem staarde. Ze had hem nooit zijn stem horen verheffen, nooit boos gezien.

'Het gaat er helemaal niet om dat we je niet serieus nemen,' zei Abigail. 'We begrijpen hoe sterk de band tussen jou en Julian is. En dat vinden we alleen maar goed. Wees alsjeblieft niet boos.'

Maar Michael was wel boos. Boos op de wereld en boos op zichzelf. Hij liep naar de gang en wees naar de bewaker. 'Jij daar. Hoe heet jij?'

'Richard Gale.'

'Kan je daarmee omgaan?' Michael knikte naar het wapen aan Gales riem.

'Michael, wat doe je nou?'

Abigail kwam achter hem aan, bezorgd. Ze pakte zijn arm en Michael trok zich los. Hij bekeek Richard Gale en het beviel hem wat hij zag. Een zelfvertrouwen dat grensde aan geestdrift. Een totaal ontbreken van angst of twijfel toen hij Michael in zich opnam. 'Wil je het bewijs?' zei Gale.

En dat moment vertelde Michael alles wat hij wilde weten. Hij pakte Elena bij de hand en draaide zich om. 'We gaan.' Hij liep met haar de lange gang door naar de grote trap. Abigail volgde hen, en achter haar liep Jessup Falls.

'Michael, alsjeblieft...'

Hij reageerde niet maar ze hield hem staande bij de voordeur. 'Waarom ga je weg?'

'Ik kwam om te zien of de veiligheid van mijn broer is gegarandeerd. En dat is ze.'

'Hoe bedoel je?'

'Ik heb na mijn aankomst hier zes bewakers geteld. En er zijn er waarschijnlijk nog wel meer. Allemaal goed bewapend en professioneel. Er staan hekken en muren om het terrein. Er is videobewaking. Alle elektronica.' Michael schudde zijn hoofd. 'Julian heeft mij niet nodig.'

'Natuurlijk heeft hij dat. Je kan niet zomaar binnenlopen en dan weer vertrekken. Hij heeft je nodig. *Ik* heb je nodig.'

Michael keek in de verte, naar het land achter de hekken. Daar ergens was Jimmy, op weg hiernaartoe. Elena's hand voelde klein en warm aan toen hij daar even in kneep. 'Andere mensen hebben mij ook nodig,' zei hij.

Die gedachte zat in Michaels hoofd, en ook in dat van Elena. Ze kneep terug en hij voelde haar opluchting in de manier waarop ze zich tegen hem aan drukte. Hij had gedaan wat hij moest doen. Julian was veilig. Nu konden ze hun eigen leven gaan opbouwen, een gezin stichten. 'We moeten gaan,' zei hij.

Maar Abigail was nog niet klaar. 'Je zei dat hij hier veilig was.'

'Dat klopt.'

'Wat bedreigt hem dan?'

Ze keken elkaar aan, en ze wilde het zo graag weten dat Michael haar bijna de waarheid zei. Jimmy. Stevan. De schietschijf op zijn rug. Maar wat moesten ze met dit soort informatie? 'Ik heb vijanden.' Hij hield het simpel. 'Mensen die me kwaad zouden kunnen willen doen via Julian.'

'Wat voor soort vijanden?' Falls bemoeide zich nu ook met het gesprek.

'Mensen die een beveiliging als deze te riskant vinden om Julian kwaad te doen.' Michael wist het zeker. Julian was aas, niet meer. 'Het gevaar verdwijnt als ik verdwijn.'

'Daar schiet ik niet veel mee op,' zei Falls. 'Hoezo "riskant"? Wat voor bedreigingen? Als er gevaar dreigt vanbuiten, moet ik weten wat dat is. Ik moet details hebben. Namen, tijdstippen, de hele boel.'

Maar Michael was zeker van zijn zaak. Stevan had Julian gebruikt om Michael uit zijn schuilplaats te lokken. 'Julian verkeert niet in gevaar. Niet hier. Niet met deze beveiliging.'

'Hoe heb je ons eigenlijk kunnen vinden?' vroeg Falls. 'Adoptiegegevens zijn geheim. Julians vader is een Amerikaanse senator.'

Michael wachtte even, en zei toen: 'Ik wist al een hele tijd waar ik mijn broer kon vinden.'

'Hoe?'

Een schouderophalen. 'Ik heb zo mijn bronnen.'

Wat kon Michael zeggen? Hoe kon hij uitleggen dat hij de schoolrapporten van Julian had gezien, dat hij kopieën had van hun belastingaangiftes, en foto's van de senator met twee verschillende prostituees? Michael herinnerde zich nog zijn zeventiende verjaardag. Het was vroeg in de morgen, de lucht was nog donker. De oude man was naar Michaels kamer gekomen, met een dik dossier in zijn hand.

Een mens moet zijn familie kennen. Hij legde het dossier met een treurig en veelbetekenend lachje op Michaels bed. *Wel gefeliciteerd, Michael.*

Het was een triest, maar veelomvattend cadeau. Michael ontdekte later dat de oude man bijna vijfhonderdduizend dollar had uitgegeven aan privédetectives en corrupte ambtenaren. De oude man pakte de dingen altijd groot aan.

Dus ja...

Michael kende de senator en zijn gezin. Hij kneep in Elena's hand. 'We gaan nu weg. Dat is beter voor ons, en beter voor Julian.'

'Maar je hebt toch gezien hoe hij nu is!' zei Abigail wanhopig. 'Dan kun je toch niet zomaar weggaan?'

'Ik had niet moeten komen.'

Ze leek vertwijfeld. 'Het is je broer, Michael. Alsjeblieft.'

'Het spijt me.'

'Wat voor soort gevaar?' vroeg Falls. 'Wat voor bedreigingen?'

'Niets wat jullie niet aankunnen.'

'Daar kan ik niets mee.'

'U zult het ermee moeten doen.'

Michael begon in de richting van de hekken bij de ingang te lopen. Abigail draafde voor hem langs en sneed hem weer de pas af. 'Verdomme, Michael.' Ze legde haar hand op zijn borst, en aarzelde toen. Ze keek even naar Falls en naar het grote huis. 'Niets is ooit wat het lijkt. Begrijp je wel? Niets. Ik wil dat je er nog eens over denkt.'

'Waarom?'

Elena trok aan Michaels hand, en zelfs hij dacht aan de plaatsen waar ze naartoe konden gaan.

Europa. Zuid-Amerika.

Grote steden waarin ze konden verdwijnen.

Lange, lege stranden.

'Die bewaker die jou uiteindelijk zo aanstond.' Ze slikte haar woorden half in. 'Richard Gale. In de gang, bij de kamer van Julian.'

'Wat is daarmee?' vroeg Michael.

'Die is er niet alleen om mensen weg te houden.'

'Wou u zeggen dat Julian gevangen wordt gehouden?'

Michael voelde Elena naast hem verstarren. Haar vingers trokken samen, knepen hem, en hij dacht aan wat zijn broer had gezegd op dat moment van helderheid. Toen overdacht hij die helderheid zelf – de zuiverheid ervan, de scherpe felle kantjes, door waanzin omgeven. Hij sloeg zijn ogen neer en liet zijn blik dwalen over het uitgestrekte, smalle meer, en over de dingen die hij aan de oever ervan zag. Toen hij weer opkeek, staarde Abigail hem met een smekende uitdrukking in haar ogen aan.

'Ik zeg alleen maar dat de dingen hier gecompliceerd zijn, en dat je moet blijven.' Ze rechtte haar rug en legde een hand op zijn arm. 'Ik smeek het je.'

Er was een tijd geweest dat Michael mensen die hem voor de voeten liepen gewoon liet staan. Het was de belangrijkste grondregel voor het leven op straat: overleven ging voor alles. Het was het eerste wat hij leerde na zijn aankomst in New York: mensen liegen en mensen doden. Dat gegeven zat zo diep in hem verankerd, dat het een deel van hem was geworden. Maar het begon te veranderen. Hij keek naar Elena en voelde hoe hij geleidelijk soepeler werd.

'Gaat het wel?' Ze zaten weer in de auto en reden achter Jessup Falls aan naar het gastenverblijf.

'We hadden hier weg moeten gaan.'

'Het is maar voor één dag. Voor de zekerheid.'

Ze staarde naar een verre grijze streep in de lucht. 'Er komen wolken opzetten.'

'Het is mijn broer.'

'En wat ben ik?'

Michael pakte haar hand. Ze was boos, en dat begreep hij best. 'Kijk me aan, liefje.'

'Nee.'

'Kijk me aan.' Ze keek en Michael zei: 'Jij bent al het andere, begrijp je? Jij bent mijn leven.'

Bij het gastenverblijf aangekomen, wachtte Falls tot ze uit de auto waren gestapt en liet toen zijn raampje zakken. Hij was niet blij, net als Elena. 'Het huis is niet op slot,' zei hij. 'Binnen is alles wat jullie nodig hebben. Bel het grote huis als er iets is.'

'Oké.' Michael bleef bij de auto. Elena liep naar de veranda en ging daar zitten.

'Het pistool ligt niet meer in je auto,' zei Falls.

'Dat zag ik.'

'Je krijgt het terug als je weggaat.'

'Moet ik mijn geld ook nog tellen?' Michael gooide de plunjezak op het grind, en zag Falls daar lange tijd naar kijken voor hij opkeek.

'Er zijn hier geen dieven, jongeman. En ook geen stomkoppen.'

'Ik zal eraan denken.'

Falls dacht even na, en zei toen: 'Ik ben hier dan misschien gewoon in loondienst, maar ik beschouw Julian als een zoon. Ik heb hem zien opgroeien, ik heb geholpen hem op te voeden en koester een warme plek in mijn hart voor zijn moeder. Er is niet veel wat ik niet voor hem zou doen.'

'En u zegt dat omdat...?'

'Ik zeg dat omdat ik minder vergevingsgezind ben dan mevrouw Vane. Dat zit niet in mijn natuur, en niet in mijn taakomschrijving. En ik zeg het omdat ik vind dat je met me moet praten. Er zijn dingen die ik moet weten en die ik ook te weten zál komen. Denk daar maar eens over na. Ik verwacht dat je je morgen anders opstelt.'

'Ik zal erover denken.'

Falls zette de grote Ford in de versnelling. 'En kom intussen niet zonder toestemming naar het grote huis. Als het donker wordt laten we de honden los en de bewakers zijn er niet alleen voor de show. Dat verzeker ik je.'

'Ik denk dat we elkaar begrijpen.'

Falls wachtte nog een seconde en haalde toen zijn voet van de rem. Michael zag de achterlichten verdwijnen in het donker onder de bomen en ging toen naar Elena op de veranda. Ze zat in een schommelstoel, met haar knieën opgetrokken. Michael kwam naast haar zitten. 'Wil je iets eten?'

'Ik ben bang.'

'Minuutje.' Hij liep weer naar de auto en trok aan het knopje voor de airbag aan de chauffeurskant. Die was losgemaakt en eruit gehaald. In het vakje lag de .45, in kranten verpakt om te voorkomen dat het rammelde. 'Zie je, al een stuk beter zo.'

Maar Elena voelde zich niet beter. Ze ging naar een slaapkamer aan de achterkant, trok de gordijnen dicht en klom in bed. 'Ik hou van je, Michael, en ik kan dit wel aan. Je broer. De toestand hier. Ik gun je je dag en jij kan uitzoeken wat je wilt weten. Maar zeg me dat je weet waarmee je bezig bent.'

'Ik weet waarmee ik bezig ben.'

'Zweer dat op je ziel.'

Hij legde zijn hand op zijn hart. 'Ik zweer dat op mijn ziel.'

Ze trok zijn hoofd naar beneden en kuste hem. 'Hou je van me?'

'Dat weet je.'

'Wat zou je doen als je moest kiezen? Julian of mij? Julian of de baby?'

'Dat gebeurt niet.'

Ze hield zijn gezicht tussen haar handen en keek hem diep in zijn ogen. Ze kuste hem stevig en rolde toen op haar zij. 'Het is al gebeurd.'

13

Jessup had een eigen woonruimte, buiten de bediendeverblijven. Die woonruimte bestond uit een kleine zitkamer, een bergruimte, een bad en zijn eigen aparte ingang. Hij had een grotere ruimte kunnen kiezen, maar hij vond die ingang, de privacy van zijn eigen deur, belangrijk. Abigail klopte daarop, een uur nadat Michael naar het gastenverblijf was gebracht.

'Binnen.' Jesse deed de deur open en stapte opzij toen Abigail naar binnen stormde. Ze waren aan de noordkant van het buiten; de deur zat verzonken achter drie smalle traptreden die weinig zon kregen en roken naar vochtig beton. Abigail stoof zonder een woord te zeggen langs hem heen. Ze had een wilde, onbeheerste blik in haar ogen, wat ongewoon voor haar was. Hij sloot de deur en ze begon driftig heen en weer te lopen. Ze streek met een vinger langs een rij boeken, ging op het bed zitten en stond toen weer op.

'Ik heb dit altijd een fijne kamer gevonden,' zei ze. 'Erg mannelijk.' Ze keek naar de zware meubels, de wandpanelen en de kleine stenen open haard. Ze pakte een met de hand gesmede pook en hield die schuin, zodat de putjes van de hamer opblonken. 'Echt iets voor jou.'

'Alles goed met je?'

Ze legde de pook weer terug; hij maakte een hard, metalig geluid in de standaard. 'Zit hij nu in het gastenverblijf?'

'Ja.'

'Na al die jaren.' Haar schouders gingen omhoog. 'Ik kan me niet voorstellen dat hij nu hier is.'

'Het is zorgelijk.'

'Dat bedoelde ik niet.'

'Wij hebben verschillende soorten zorgen.'

'Moet je altijd zo achterdochtig zijn?'

'Moet jij altijd zo naïef zijn?'

Ze lachte even en pakte zijn arm. 'Zulke sterke schouders, die het gewicht van de wereld kunnen dragen...'

'Je windt er geen doekjes om.'

Abigail trok haar hand terug en de glimlach verdween ook. 'Heb je de senator ingelicht?'

'Ik heb met zijn beveiliging gepraat. Senator Vane vergadert nog met zijn advocaten.'

'Wat denken zijn mensen ervan?'

'Ze schatten Michael in als een mafkees met een plan. Geld, vermoedelijk. En als het dat niet is, dan is het weer zo iemand met ideeën over wapenbeperkingswetten, abortusrechten of de doodstraf. Het soort dingen waarvoor je man meestal wordt bedreigd. Mensen kijken gewoonlijk niet verder dan dat.'

'Maar jij wel?'

'Mijn belangen liggen meer persoonlijk.'

'Denk jij dat hij gevaarlijk is?'

'Ik denk dat we die knaap scherp in de gaten moeten houden.'

'Maar alleen aan je instinct heb ik niet genoeg.'

'Er is meer.' Jessup liep naar een tafeltje in de hoek onder het raam. Hij sloeg een dossiermap open en spreidde een stapeltje foto's uit. 'Deze kwamen net uit de printer.'

'Van zijn auto?'

'Het was een vluchtig onderzoek, maar toch...'

'Wie heeft het gedaan?'

'Alden.'

'Alden is goed.'

Falls spreidde een handvol foto's uit. De auto. Het kenteken. Plaatje van het interieur. 'Er lag één wapen in het voertuig.' Jesse haalde er een close-up uit van een handwapen. 'Kimber, 9mm, een handwapen van hoge kwaliteit. De serienummers zijn verwijderd. Niet weggevijld, maar weggebrand met zuur. Heel grondig. Heel professioneel. En dit vonden we ook nog.' Een volgende foto gleed over de tafel. Daar stond een open plunjezak op, met daarin pakjes geld.

'Hoeveel?'

'Tweehonderdnegentigduizend dollar, ongeveer. De biljetten zijn splinternieuw. Ze zijn nog verpakt.'

'En dan denk jij dat hij op geld uit is?'

'Driehonderdduizend is geen miljard.'

'Meer heb je niet gevonden?'

'Onder in de plunjezak zat dit.' Falls haalde een foto uit de map en gaf die door. Het was een foto van een boek.

'Hemingway? Moet ik me nou zorgen maken?'

'Ik laat je alleen maar zien wat we gevonden hebben. Het wapen. Kleren. Geld. Ik heb de beste twee voor het laatst bewaard.' Hij haalde een volgende foto tevoorschijn. Het was een foto van een foto, een foto in zwart-wit van twee kleine jongens op een veld vol modder en sneeuw. De tijd had het beeld aangevreten, zodat hun gezichten vervaagd waren en hun ogen zwarte vlekken waren geworden.

'O mijn god.' Abigail hield de foto op.

'Het is dezelfde foto, of niet?'

'De tuin in Iron Mountain.' Ze raakte de twee jongens aan. Julian had dezelfde foto boven op zijn bureau staan. Die was op een dag toen Julian vijftien was anoniem per post gearriveerd. Geen kaart. Alleen de foto. Ze hadden er jarenlang over lopen speculeren. Wie hem gestuurd had, en waarom. Ze had Julian vaak slapend aangetroffen met de foto in zijn hand. 'Je weet wat dit betekent?'

'Het betekent dat hij al heel lang weet waar hij ons kon vinden.'

'Maar waarom heeft hij dan nooit contact met ons opgenomen? Met Julian?' Abigail kon haar ogen niet van de foto afhouden. Volgens Julian was die foto minder dan een maand voordat Michael was gevlucht, genomen. 'We hadden hem al jaren geleden terug kunnen hebben.'

'Wat ons terugbrengt op het probleem van de timing.'

Er was iets in zijn stem dat Abigails aandacht trok. 'Er is nog meer, hè?'

Falls haalde een laatste foto uit de map. Hij hield hem eerst ondersteboven, draaide hem toen om en schoof hem over tafel. Het was een vergroting van weer een andere foto, dit keer van Michael als tiener. Hij stond tegen de motorkap van een auto geleund en een oudere man had zijn arm om Michaels hals geslagen. Ze lachten. 'Deze foto had hij ook. Ik denk dat hij zestien was, toen hij werd genomen. Misschien iets ouder.'

Abigail bestudeerde de foto: Michael met een oudere man, patriciërshuizen met open ramen, geparkeerde auto's, een brandkraan. 'Het is ergens in een stad, zo te zien.'

'New York.'

'Je klinkt zeker van je zaak.'

'Dan ben ik ook.'
'Dit kan overal zijn, Jessup. Tientallen verschillende steden.'
'Herken je de man met zijn arm om Michaels hals?'
'Nee.'
'Kijk nog eens.'
Ze hield de foto naar het licht. 'Oké. Hij komt me ergens wel bekend voor. Maar die foto is bijna twintig jaar oud.'
'Hij is langer dan dat in het nieuws geweest.' Falls liet met een klap een krant op tafel vallen. 'Dit is *The New York Times* van gisteren.' Ze pakte de krant en keek naar de koppen: het gezicht van een oude man die dood was gevonden op het slagveld in zijn eigen huis.
'Otto Kaitlin?'
'Misschien wel de machtigste godfather van de laatste decennia.'
'Ik weet wie Otto Kaitlin is. Wat heeft die te maken met Michael?'
'Het is dezelfde man.'
'Doe niet zo idioot.'
'Pagina vijf is helemaal aan dit onderwerp gewijd. Wat ze van zijn leven weten. Een paar oude foto's. De gelijkenis is daarop beter te zien.'
Abigail sloeg pagina vijf op en vergeleek de foto's. Michael en de lachende man. De dode gangster, veertig jaren van moorden, afpersing en chantage. Er was een politiefoto van Kaitlin als jongeman, een andere van hem op de trappen van de rechtbank, geboeid en slank in een duur pak. De overeenkomsten waren er: het haar en de ogen, de zelfverzekerde glimlach. Otto Kaitlin was een gangster van de oude school, een gentleman-killer, vele keren voor de rechter gesleept, maar nooit veroordeeld. Hij was welbespraakt en fotogeniek, een welgemanierde moordenaar met een Hollywoodlach. Zijn loopbaan had stof opgeleverd voor diverse boeken en minstens twee films. Abigail zocht tastend naar een stoel en ging zitten.
Falls trok een la open en haalde een handwapen tevoorschijn in een plastic zak. 'Deze lag in Michaels auto.'
'Heb jij hem meegenomen?'
'Zeven doden in Kaitlins huis. Zes daarvan waren neergeschoten met een 9mm. Dan, een uur later, was er de ontploffing in Tribeca. Weer negen mensen dood. Tien of meer gewonden. De politie is op zoek naar een man en een vrouw die van de plek in kwestie zijn weggevlucht in een auto die kon worden getraceerd naar Kaitlins huis. Een man en een vrouw. De signalementen kloppen.'
Abigail schudde haar hoofd: 'Wat voor signalementen? Een man van

in de dertig? Een vrouw met donker haar? Dat kan iedereen zijn. Miljoenen mensen.'

'Zes mensen zijn neergeschoten met een 9mm.'

'Met dit pistool, volgens jou?'

'Zou kunnen.'

'Zou kunnen. Oude foto's. Moet je jou horen. Dit kunnen net zo goed kletspraatjes bij het koffieapparaat op kantoor zijn, of van een stelletje ouwe wijven die niks anders te doen hebben.'

Falls wees op de foto van Michael en de lachende man. 'We weten dat dat Otto Kaitlin is.'

'We weten helemaal niets.'

Falls duwde de foto in haar hand. 'Je wilt gewoon niet luisteren. Kijk nou toch.'

'Oké. Er is een zekere gelijkenis, maar het is belachelijk vergezocht. Michael is Julians broer. En hij was bijna mijn zoon.'

'Je gedraagt je onverantwoordelijk.' Falls spreidde zijn hand boven de krantenfoto's van Otto Kaitlin. 'Dit zijn kwalijke mensen, Abigail. Het zijn gangsters, moordenaars.'

'Je overdrijft.'

'Hij duikt op in een gestolen auto met een zak vol geld en een wapen dat niet kan worden opgespoord. Dit is geen doorsneeman.'

'En toch geloof ik zijn beweegredenen.'

'Die broederliefde van hem?'

'Ja.'

'Wat als het gevaar hem achternakomt? Als hij inderdaad bij de club van Otto Kaitlin hoort...'

'Dan kan jíj ons beschermen.' Ze legde een hand op zijn schouder. 'Grote, sterke kerel. Ex-politieman. Oud-militair.'

'Doe niet zo lollig.'

'We hebben verleden jaar meer dan een miljoen dollar uitgegeven aan beveiliging.' Abigail liet de foto vallen en legde haar beide handen plat op de tafel. 'Julian is mijn zoon, en ongeacht hoe moeilijk zijn leven ook was, ik heb hem nog nooit zo gebroken gezien als hij nu is. Zijn broer is na drieëntwintig jaar voor hem teruggekomen, en ik denk dat dat geen toeval is. Ik denk dat hij kan helpen. Dus doe wat je werk van je vraagt. Waarschuw de mensen van de senator voor een dreigend gevaar, maar zonder specifiek te zijn. Wees op je hoede. Wees slim. En als je Michael afschrikt, zal ik je dat nooit vergeven.' Ze rechtte haar rug, haar stem klonk beslist. 'En houd intussen je theorieën voor jezelf. Ik wil verder niets meer horen over gangsters of massamoordenaars of oude foto's.'

Falls schudde teleurgesteld zijn hoofd. 'Je maakt een grote fout.'

'Volgens mij niet.'

'Je hebt het zelf gezegd.'

'Wat?'

'Die man is geen bordenwasser.'

14

Sommige dingen kun je het best in het donker doen, en alleen. Dat hield Michael zichzelf voor, en het was bijna genoeg om de smaak van verraad uit zijn mond weg te spoelen toen hij onder de dekens vandaan glipte en zijn voeten op de vloer zette. De klok stond op twintig over vier. In het bed lag Elena, heel stil. Michael keek naar haar toen hij zich aankleedde en zachtjes het pistool van het nachtkastje pakte. Het was geladen – volle clip, kogel in de loop – en hij besefte hoe snel ze aan het ding gewend was geraakt. De ene dag wist ze niet van het bestaan ervan, de volgende vormde het min of meer een vast onderdeel van de uitrusting. Op een vreemde, treurige manier gaf die gedachte hem hoop. Hij zou alles veranderen wat hij kon om haar gelukkig te maken, maar wist diep in zijn hart dat geweld meer was dan alleen een vlek op zijn ziel.

Hij stak het wapen weg achter zijn riem, deed voorzichtig de deur open en glipte naar buiten. De ramen in het grote buiten waren donker, de nacht was heel stil onder hoge wolken en een streepje maan. Michael liep over het pad toen Elena zijn naam riep. De deuropening vormde een perfecte omlijsting voor haar figuur, dat was gewikkeld in een strak aangetrokken laken, voor haar overschaduwde gezicht, haar warrige haren. Ze zei zijn naam, en in haar stem klonk vertwijfeling door. 'Ga je weg?'

'Er is nog iets wat ik moet doen en ik wilde je niet wakker maken.'

'Het is midden in de nacht.'

'Ik blijf niet lang weg.'

Haar ogen waren zwart en vochtig en glad als glas. 'Ik wil met je mee.'

Ze beefde, en Michael wist wel waarom. Het licht in haar wereld was

uitgegaan en ze hield zich maar met moeite staande. 'Ik wil bij je zijn.'
'Hier kan je niets gebeuren.'
Er zaten kerfjes in haar onderlip, haar tanden waren wit en haar huid was droog. 'En als er nou iets met jou gebeurt?'
Michael liep naar haar toe. Hij kuste haar wang. 'Kleed je dan maar gauw aan.'
'Wacht je op me?'
In zijn ogen sprong een vonkje over. 'Wat dacht je dan?'
Ze liep het huis binnen. Een licht ging aan, bleef een paar minuten branden en ging toen weer uit. Toen ze weer naar buiten kwam, droeg ze een spijkerbroek, donkere schoenen en een donker shirt. Een clip hield onder in haar nek haar haar bij elkaar.
'Weet je zeker dat je dit wilt doen?'
'Ik ga waar jij gaat.'
Ze wist wat ze wilde. Michael kon er weinig tegen inbrengen. Dus vertelde Michael haar wat Julian had gezegd en waar ze heen gingen. Ze dacht er zo lang over na dat Michael zich begon af te vragen of hij er wel goed aan had gedaan het haar te vertellen. Dit ging over instinct en vertrouwen, over het *weten* dat iets slechts Julian over de rand had geduwd. De angsten van zijn broer waren onderling met elkaar verweven en gecompliceerd, maar ze waren echt, en Michael kende alle schakeringen. Elena kon dan wel beweren dat ze het begreep, maar uiteindelijk was ook zij maar een gewoon mens.
'Waarom zou Julian zoiets zeggen?' vroeg ze. 'Het slaat nergens op.'
'Dat wil ik nu gaan uitzoeken.'
'Maar je hebt hem gezien. Hij is een wrak. Het kan alles betekenen, maar ook niets. Dit heeft misschien wel helemaal geen zin.'
'Ik ken mijn broer, en er was een moment dat we contact met elkaar hadden. Zijn verwarring trok op en hij was Julian. Hij wist dat ik het was. Ongeacht wat hem dwarszit, of waar hij zijn heldere verstand ook mag hebben verstopt, hij was niet gek toen hij dat zei.'
'Hennessey is toch dood?'
'Nou en of, daar kan je van op aan.'
'Waarom zegt Julian dat dan?'
Michael beleefde het moment in gedachten opnieuw, het zweet op Julians gezicht, het moment dat zijn pupillen verkleinden en de waanzin verdween.
Hennessey is in het botenhuis...
'Het enige wat ik weet, is dat hij het geloofde en dat hij bang was.'

'Daarom zijn we gebleven, toch? Omdat Julian bang is, omdat hij iets zei dat nergens op slaat.'

Michael schudde zijn hoofd. 'Er is meer dan dat.'

'Dan moet je me toch eens zeggen, Michael, waarom we niet ergens ver weg gaan wonen, dit kind krijgen en een rustig, veilig leven gaan leiden. Waarom blijven we hier?'

'Omdat hij mijn broer is en omdat het mijn taak is hem te helpen. Omdat hij, als ik hem weer zie, moet weten dat ik nog altijd voor hem klaarsta. Ik moet hem zeggen dat ik ben gaan kijken, en dat alles in orde is. Je hebt hem gezien, liefje. Hij moet weten dat mensen het voor hem opnemen.'

Elena staarde de vochtige, donkere nacht in. 'Is er eigenlijk wel een botenhuis op dit terrein?'

'In de noordoosthoek van het grootste meer. Het is net te zien, van steen geloof ik. Het is boven het water gebouwd, drie grote deuren, met houten steigers aan één kant. Er is een pad langs het water.'

Haar blik bleef hangen op de grote plak zwart water. 'Zei hij verder nog iets?'

'Ja.'

Michael zag krijtwitte lippen, de verkrampte spieren van Julians schouders.

Alsjeblieft, Michael...

'Hij smeekte me.'

Michael kende de geur van de dood zo goed als hij de geur van Elena's haar kende. Hij ving de eerste vleug ervan op toen ze nog vijftien meter bij het gebouw vandaan waren. 'Wacht eens even.'

'Wat?'

'Even wachten.'

Hij legde een hand op haar arm en trok haar de schaduw in. De geur was moeilijk te plaatsen: een licht stroompje bedorven lucht. Het pad langs het meer waarop ze stonden was rul en smal en liep tussen zwart water en een bos dat zijn oorsprong vond op een verre heuvelrug. Het botenhuis voor hen stak als een donkere klomp af tegen de gekromde lijnen van het strand. Michael snoof nog eens diep en rook de geur weer, sterker nu. 'Jij moet hier nu even op me wachten.'

'Geen sprake van.'

Hij kneep in haar arm en zocht met zijn andere hand naar het pistool dat tussen zijn broekriem en zijn rug zat geklemd. 'Luister nou naar me,

Elena. Dit is belangrijk.' Hij ging op zijn hurken zitten, checkte het pad achter hen en het water, met zijn doffe, rimpelende oppervlak. Hij bleef lang naar het bos kijken, terwijl er een vinger van warme lucht tussen de bomen door gleed en meer van die geur meebracht.

'Ik blijf hier niet, Michael.'

'Maar je kunt ook niet verder.' Ze opende haar mond, maar Michael was haar voor. 'Ruik je dan niks?'

'Nee.'

'Wacht dan nog even.'

Weer dwarrelde er een windje; dezelfde warme vinger die langs zijn gezicht was gestreken, stopte en kwam opnieuw. Het was een vleug, een proefje, en toen Elena haar hoofd scheef hield, wist Michael dat ze het had geroken. 'Wat is dat?'

'Iets wat dood is.'

'Je bedoelt een of ander beest, of zo?'

'Hier blijven, en geen geluid maken.'

'Je bedoelt toch een of ander beest, of niet?'

Michael zei niets. Maar dat dit geen wasbeer was, wist hij wel zeker.

'Je kan me niet hier zomaar in het bos achterlaten.'

'Wij zijn alleen hier,' zei hij, en twijfelde vervolgens meteen aan zijn woorden. Er klonk een geluid over het water, dat iets weg had van een geschraap van steen over steen. Hij keek naar rechts, waar het meer uitliep in een smalle inham. Ver licht raakte het water: vaal wit van de hoge maan, een paar forse sterren. Op het verder gelegen strand rolde weiland naar de stenen oever; het gras was meer paars dan zwart.

'Michael, dit...'

'Sst!'

Michael luisterde, maar hoorde geen andere opvallende geluiden. Het strand verderop was leeg en stil, een lange strook schaduw en gevlekt gras. Hij keek langs het pad en zag het botenhuis vaste vorm aannemen: de harde rand van het dak, het uitstekende houten plankier aan hun kant. De structuur was laag en breed, met stenen muren die donkerder werden naarmate ze de waterlijn naderden. Het gebouw stak tien meter boven het meer uit, en Michael zag drie halfronde deuren voor de boten, en de zwarte vierkanten die gevormd werden door de luiken voor de ramen. 'Hier.' Hij duwde haar het wapen in de hand. 'Net zo als vorige keer. Weet je nog? De veiligheidspal is los. Niet op mij schieten.'

'Ik wil geen pistool.'

'Ik ben zo terug.'

'Waag het niet me alleen te laten.'

Maar het laatste wat hij wilde dat zij zag, was wat hij in het botenhuis verwachtte te vinden. Hij draaide zich om en liep met grote stappen over het pad, waarbij de lijklucht sterker werd bij elke stap die hij zette. Op vijf meter afstand was de lucht sterk genoeg om zich vast te zetten in zijn keel. Nog een paar meter en er was geen twijfel meer mogelijk. Dat wat dood was, lag in het gebouw, of zo dicht erbij dat het geen verschil maakte. Michael keek even achter zich, maar Elena was opgelost in de duisternis. Hij aarzelde omdat hij wist dat ze bang was en in verwarring verkeerde, maar de risico's werden groter bij elke stap die hij nam: het risico te worden gepakt, het risico dat hij een fout maakte. En dus bouwde hij een scheidsmuur in zijn hoofd en duwde hij Elena uit zijn gedachten. Het botenhuis rees voor hem op, groter dan hij had verwacht, langer vooral. Aan de achterkant stonden geen bomen; hij zag grind oplichten waar een wegverharding door het grasveld sneed. Hij wachtte even, zette toen koers naar de achterzijde en bukte zich toen hij een laatste strook gras bereikte. Hij kwam bij het gebouw en bleef staan. Het steen voelde vochtig en koel aan onder zijn vingers.

Michael ging de hoek om en zag een leeg parkeerterrein dat overwoekerd was door onkruid. Daarachter liep het grasland omhoog naar bos op een hoge heuvelrug. Het gras was kort, met kleine afwateringsgreppels die afliepen naar de waterkant.

Michael ging naar het botenhuis en liep de steiger op die langs de muur liep en uitstak tot boven het water. Op het steen groeide mos en het hout was vermolmd, zodat het er niet alleen naar de dood stonk maar ook naar verval. Dan een raam met een luik ervoor; Michael voelde eraan en verfkrullen verkruimelden onder zijn vingers. Drie meter verder kwam hij bij een deur. De geur was hier sterker, ontegenzeggelijk. Een groot slot hing aan een kapotte beugel, het staal was verwrongen, een handvol schroeven waren kromgebogen door het geweld waarmee ze uit het hout waren gewrikt. De deur zelf stond op een grote kier: een zwarte streep in de opening. De verf op de deur was dun en bladderde, net zoals die op de luiken, en benadrukte nog eens de sfeer van verwaarlozing die het geheel uitstraalde.

Michael duwde de deur verder open en een golf van hitte en stank walmde naar buiten, zo sterk dat hij elke andere man de adem had benomen. Hij wachtte even tot zijn ogen aan het donker waren gewend en stapte toen de drempel over. Binnen was het stil, op het geluid van water na. Michael zette een stap naar rechts, zodat hij zich niet aftekende tegen de deuropening. Zijn hand vond een lichtknopje, maar hij wilde dat eigenlijk niet gebruiken. Het meer zelf was zo donker dat het licht van kilometers afstand te zien zou zijn. Hij haalde daarom een lucifer uit zijn zak en stak die aan. Toen die opvlamde kreeg hij een vluchtige indruk van een weidse, grotendeels vloerloze ruimte. Het meeste ervan was schaduw en duisternis, maar hij zag zwart water en Canadese kano's op rekken. Tegen de zijmuur lag een wirwar aan zeilboten. In draagriemen hing een houten motorboot die bestoft was en half bedekt met een zeil, en waarvan het eens zo fraaie vernis nu overal barstjes vertoonde. Tegen de achtermuur stond een werkbank volgestapeld met touwen en zeilen en stoffig gereedschap.

De lucifer doofde.

Michael streek een andere aan en stapte voorzichtig naar de achterkant van de ruimte. Op de werkbank had hij een zwanenhalslamp zien liggen naast een gereedschapskist en een stapel verschoten oranje reddingsvesten. Hij verboog de hals tot de lamp naar achteren en beneden wees, hing er toen een smerige lap overheen en deed hem aan. Geel licht brandde door de lap, zo gedempt en laag dat Michael vreesde dat hij bij het licht ervan niets zou kunnen zien. Maar de lamp verlichtte het botenhuis – en het lijk. Aanvankelijk zag Michael alleen de benen. Ze staken van achter een van de zeilboten vandaan en waren dik en gezwollen. Het ene been lag recht, het andere verdraaid eronder. De voeten waren bedekt met leren werklaarzen. Blauwe spijkerbroek. Een bewerkte leren riem.

Michael stapte over een piramide van vernisblikken en liep toen rond de achtersteven van de boot. Die was zes meter lang en van glasvezel. Het leek wel of het lichaam erachter was weggedrukt; misschien was het zo gevallen. Hij kreeg wel een indruk van waar het lichaam liggen moest, maar het was daar te donker, dus trok hij de zeilboot weg, waarbij de kiel over het hout knerste, de touwen verschoven en een tros van het dek gleed. Michael bekeek het lijk van dichterbij en zag een man van middelbare leeftijd die al geruime tijd dood moest zijn. De romp was opgezwollen, de huid gevlekt en grijs. Het bebaarde gezicht had die typische weekheid die kenmerkend is voor de dood, voor de teloorgang van al het menselijke dat Michael maar al te goed kende. Eén melkwit oog was zichtbaar. Hij was één meter negentig lang en woog zo'n honderdtwintig kilo – een grote man, maar in slechte conditie. Er zaten eeltkussentjes in zijn handen en de nagels waren smerig. Onder de kaaklijn zat een denimshirt vol zwarte bloedvlekken. Vanuit zijn hals stak het handvat van een mes naar buiten, en het was het mes dat de dingen op hun plaats deed vallen. Het was het mes dat het plaatje compleet maakte.

'Verdomme!'

Michael ging rechtop staan. Het mes was niet op precies dezelfde plek en onder dezelfde hoek de hals van de dode man binnengedrongen als het mes dat Hennessey had gedood, maar het scheelde niet veel. Aan de rechterkant. Net onder het oor. En niet alleen de wond kwam hem bekend voor – er was ook iets met het gezicht. Michael voelde hoe de haartjes op zijn armen rechtop gingen staan. Hij bekeek het gezicht nog eens nauwkeurig en doorzocht toen het zakje van het shirt en de broekzakken van de dode man. Hij vond niets en verplaatste het lichaam. Het gaf aan alle kanten mee – de lijkstijfheid was al verdwenen. Het moment van overlijden was een dag of drie geleden, vermoedde hij – de dag waarop Julian volledig overstuur naar huis was gekomen. Het lijk was koud en zacht en Michaels vingers zakten weg in het vet. Hij gromde een keer, zette kracht en de dode man rolde op zijn zij, waarbij een arm tegen een tweede boot sloeg en het opgedroogde bloed bij het rollen een scheurend geluid maakte. Michael gebruikte een lap en twee vingers om de portefeuille van de man uit zijn achterzak te trekken. Hij zag wat bankbiljetten en een paar creditcards. Het rijbewijs bevestigde wat hij al had vermoed. Michael kende deze man. En Julian kende hem ook.

Klotekop uit de jeugdgevangenis.

Ronnie Saints.

Hij was in de loop der jaren ouder geworden en zijn gelaatstrekken waren verruwd, maar Michael was erg goed in het onthouden van gezichten. Vooral van mensen die hij als zijn vijand beschouwde. Na Hennessey waren er weinig jongelui actiever geweest bij het verpesten van Julians leven dan Ronnie Saints. Die had op zijn elfde drie jaar jeugdgevangenis gekregen toen hij een ander joch uit zijn buurt halfdood had geslagen bij een gevecht om een gestolen pistool. Toen hij uiteindelijk weer vrijkwam, waren zijn ouders verdwenen, of dood, of ze zaten ergens zwaar aan de speed in een aftandse caravan in de bergen van Noord-Georgia. De gissingen hierover duurden een week of twee, waarna Ronnie in het IJzeren Huis belandde, en daarna kon niemand het meer iets schelen. Hij was gewoon de zoveelste klotekop uit jeugddetentie.

Michael bekeek het rijbewijs. Saints was zevenendertig en woonde in Asheville. Michael prentte het adres in zijn geheugen en rolde daarna het lijk op zijn rug. Met de lap over zijn hand legde Michael een vinger op het handvat van het mes, aan het einde. Het was een gewoon gebruiksmes, met een gevlekt houten handvat en geborstelde metalen klinknagels. Een vismes of zoiets. Hij duwde wat met zijn vinger, maar het mes bewoog amper. Het zat diep verzonken, ingeklemd tussen bot en kraakbeen. Michael haalde zijn vinger van het mes en onderzocht het lichaam. Hij zag geen verdedigingswonden, geen tekenen van een vechtpartij. Er waren spatten, maar verder was er geen bloed, behalve op de plaats waar hij het lijk had gevonden.

Toen het gebeurde, dacht hij, moest het hard en snel zijn gebeurd.

Michael verspilde verder geen tijd aan de mogelijke oorzaken. Het was weer als voorheen, alsof er sindsdien niets was gebeurd. Julian zat in moeilijkheden, en Michael ging ervoor zorgen dat alles weer op zijn pootjes terechtkwam. Dat is wat broers doen, daarvoor ben je familie van elkaar. Hij rechtte zijn rug en bedacht welke stappen hij in de volgende drie minuten zou gaan ondernemen. Hij zette ze op een rij in zijn hoofd, werktuiglijk en precies. Hij moest een boot hebben die niet zonk en iets wat zwaar genoeg was om een lijk te doen zinken en beneden te houden. De vloerplanken waren doorweekt en het bloed zat te diep om het weg te kunnen schrobben, maar in die kennelijk niet meer gebruikte loods zou dat geen mens opvallen. Hij kon wat boten verschuiven en vernis uitgieten.

Hij vond op de werkbank een paar oude handschoenen en trok die aan. De eerste kano die hij bekeek was van hout en te ver heen om hem te kunnen vertrouwen. De tweede was van aluminium. Hij tilde het ding van het rek en liet hem in het water zakken, waar hij met plons en een luide bons tot rust kwam tegen een houten aanlegpaal. Het was niet makkelijk een lichaam in en uit een kano te tillen: een kano was smal en sloeg gauw om. Maar hij was ook licht en hij gleed snel en geluidloos door het water. Michael bukte zich, pakte de laarzen van de dode man en sleepte hem drie meter over de vloer. Hij bleef staan bij de rand. Een halve meter lager wiegde de kano; het water eronder was gepolijst zwart. Van een plank aan de achtermuur pakte Michael een anker van vijf kilo en een spoel met dik draad. Hij bukte zich weer, legde het anker op de borst van de dode man en bond dat met een heleboel lussen rond de romp stevig vast. Het was een hoop werk; de man was zwaar en moeilijk hanteerbaar. Een laatste lus ging rond zijn enkels en Michael tilde de benen op om de knoop strak aan te trekken.

Toen zag hij Elena.

Ze stond in de deuropening, met een hand over haar mond. Haar gezicht was zo bleek dat het doorschijnend leek. Michael had geen idee hoe lang ze daar al stond, en op dit moment kon hem dat ook niet schelen. Een halve staat verderop kwam de zon al op. Ze hadden veertig minuten, misschien nog wel minder.

'Help me,' zei hij.

De overweldigende stank deed haar bijna dubbelslaan. Ze kokhalsde twee keer en zei toen: 'Hoe bedoel je?'

'Daar ligt een ketting.' Michael wees. 'Die moet ik hebben.'

Haar blik ging omlaag en naar rechts, en bleef hangen op een hoop smerige kettingen in een lege ruimte achter de deur. Ze keek weer naar het lijk toen Michael het mes uit de hals trok en het kletterend in de kano gooide. 'Heb jij...?'

'De ketting, Elena. Alsjeblieft.'

'Heb jij hem vermoord?'

Michael trok het lijk nog een stukje verder, tot het parallel aan de rand met de kano lag. 'Hij is al dagen dood.'

'Wat ben je aan het doen?'

'Iets aan het regelen dat geregeld moet worden. Ik heb nu echt geen tijd om dat uit te leggen. Wil je me nu die ketting geven, alsjeblieft?'

Ze bewoog zich niet. Een deel van Michael begreep haar strijd, en een deel was kwaad. Hij had haar niet voor niets gezegd te blijven waar ze was.

'Wist je dan dat je dit hier zou vinden?'

Michael stak de ruimte tussen hen in over en pakte de ketting. 'De stank laat weinig te raden over.' Hij pakte het wapen uit haar slappe hand en stak het achter zijn riem. 'Ik wou dat je naar me had geluisterd, schatje. Het spijt me dat je dit moet zien.'

Ze staarde naar het lijk, haar keel bewoog toen ze de bittere emotie wegslikte die de aanblik ervan teweeg had gebracht. 'Wie is dat?'

'Dat is niet van belang. Kom nu even hier alsjeblieft, je moet iets voor me doen.' Michael begon de ketting om het lijk te wikkelen en keek op, ongeduldig. 'Je hoeft hem niet aan te raken. Je hoeft alleen maar de kano vast te houden.'

'De kano vasthouden?' herhaalde ze. 'Waarom?' De vraag hing in de lucht tussen hen in. Michael zocht haar blik en zag het moment dat ze het begreep. 'Je gaat hem op het meer tot zinken brengen, hè?'

'Ik heb die ellende hier niet veroorzaakt, Elena, maar hij moet wel worden opgeruimd. Dat is belangrijk. Geloof me maar. De kano, alsjeblieft?'

Ze schudde haar hoofd. 'Dit is verkeerd.'

'Dit moet gebeuren.'

'We moeten de politie bellen. Dit is...' Haar stem stierf weg. 'Dit is...'

'Het enige wat je moet doen is de kano vasthouden. Liefje, alsjeblieft.'

'Wat mankeert jou toch?'

'Dit is niet zomaar.'

'Ik ga geen dode man in een meer afzinken.'

'Ik weet wat ik doe.'

'Kom me daar niet mee aan.'

'De zon komt zo op, schat.'

Ze schudde haar hoofd. 'Ik hoor hier niet.'

'Elena...'

'Nee.' Ze struikelde naar buiten door de deur, die met een klap tegen de buitenwand van het gebouwtje sloeg. Michael zag haar in een flits voorbijschieten, een glimp van zwarte stof en huid. Daarna was ze weg. Hij keek even naar de lege deuropening en toen naar het lijk. Hij dacht een halve seconde na en ging toen achter haar aan.

'Elena.'

'Blijf uit mijn buurt.'

Haar voeten klonken luid op het hout tot ze het gras bereikte en geluidloos verder rende. Ze holde, maar zag slecht in het donker. Michael haalde haar in bij de waterkant; haar arm voelde warm en droog aan tussen zijn vingers. Hij trok aan haar tot ze stilstond. 'Blijf nou staan. Kom op!'

Ze rukte met haar arm. 'Laat me los, Michael.'

'Luister nou even.'

'Laat me los, of ik ga schreeuwen.' Eén seconde, twee, drie... Toen liet Michael haar los. Even zweeg ze, en toen zei ze: 'Wie ben jij in godsnaam?'

'Ik ben een gewoon mens.'

'Ik kan met jou niet omgaan.'

Haar hoofd bewoog in het donker en Michael wist dat ze op het punt stond het weer op een lopen te gaan zetten. Ze zette een stap, en hij zei: 'Dat is te link, schat. Je moet echt bij me blijven.'

'Nee.'

'Elena...'

'Ik moet nadenken. Ik heb tijd nodig. Ik wil...'

Maar ze wist niet wat ze wilde en het begon steeds lichter te worden. Michael probeerde haar hand te pakken, maar ze deinsde terug. 'Blijf van me af.'

'Ik ben het maar...'

'Kom niet achter me aan. Bel me niet op.' Ze stapte achteruit en Michael liep op haar toe. 'Nog één stap en je ziet me nooit meer terug. Dat zweer ik je!' Ze stak haar hand in de lucht; haar palm lichtte bleek op.

'Vertrouw me nou maar.'

'Dat kan ik niet. En dat doe ik niet.'

En er klonk zoveel afkeer in haar stem, zoveel angst en walging, dat toen ze zich omkeerde en wegholde, Michael besloot haar te laten gaan. Hij zag haar langs de oever verdwijnen, werd een moment door grote besluiteloosheid gekweld en keerde toen terug naar het botenhuis.

Zij moest nadenken, zij had tijd nodig.

Dus goot hij vernis over de bebloede vloer, trok een boot over de vlek en rolde het lijk in de kano. Dat was zwaar, koud en kapot – net als zijn hart. Dus liet hij het zinken in het meer, in het diepe, zwarte water, omringd door stille bossen en purperen heuvels. Heel even was het gezicht te zien toen het viel, daarna was Michael alleen met de keuze die hij had gemaakt.

Terug bij het huis was hij niet verbaasd te zien dat de auto was verdwenen, en Elena ook. Hij keek naar de plek waar hij geparkeerd had gestaan en ging toen op de veranda staan, rechtop en roerloos, terwijl de nacht zijn laatste krachten verzamelde en een nieuwe dag zich aankondigde. Hij wilde haar bellen, maar de tijd verstreek en rood licht vulde geleidelijk het dal. Ze zou het begrijpen, of ze zou het niet begrijpen. Ze zou terugkomen of ze zou blijven vluchten. Dus ging hij naar binnen en stapte hij onder de douche. Hij legde zijn plunjezak naast de bank, ging liggen en zakte weg in een diepe, droomloze slaap, waaruit hij pas wakker werd toen de zon al urenlang de hemel tot barstens toe had gevuld. Hij opende de deur, voelde de brandende hitte en zag, toen hij weer op de veranda stond, twee dingen.

Elena was niet terug.

En de politie was in het meer aan het dreggen.

15

Elena reed met de tranen in haar ogen en een brandend gevoel in haar keel. Ze rook nog steeds de stank van het lijk, een lucht die zo doordringend was dat hij in haar haar was getrokken, in haar kleren, en zich vermengd had met de vetten van haar huid. En met die geur kwamen de beelden: een vlekkerige huid en gezwollen handen, de uitdrukking op Michaels gezicht, zijn koele afstandelijkheid en methodische precisie.

Daar ligt een ketting...

Ze keek in de binnenspiegel, wreef met een arm over haar gezicht, en diep in haar welde een somber lachje op. Ze voelde zich hol, leeg vanbinnen. Hoe had ze ooit kunnen geloven dat hij dezelfde man was die ze vroeger dacht dat hij was, dat hij in koelen bloede kon moorden en toch een goede vader kon zijn voor het kind dat hij in haar had geplant?

'O, god...'

Het lachje baande zich een weg naar buiten, en het was een uiting die zo bitter was, en zo verscheurd, dat ze er zelf van schrok. De ogen in de achteruitkijkspiegel waren niet de hare. Het waren glazen ogen, stenen ogen die zwart geverfd waren. Haar vingers voelden het stuur, maar het stuur voelde verkeerd aan. *Alles* voelde verkeerd aan. Elena wist niet waar ze was: een plaats ergens in North Carolina, een weg met vier rijbanen, hamburgertenten en goedkope motels. Er was landelijkheid geweest, en rood licht dat vervaagde naar oranje, en gefluister van bomen.

Ik heb niets verkeerds gedaan, niets waarvoor ik me moet schamen.

De gedachte voelde onoprecht aan, maar ze klampte zich er toch aan vast. Ze tastte naar de stoel naast zich. Ze had schone kleren, haar paspoort en geld genoeg om terug te gaan naar Spanje. Ze zou Michael en de doden die ze had gezien uit haar hoofd zetten. Ze zou naar haar vader gaan en tegen hem zeggen dat ze er verkeerd aan had gedaan om weg te gaan, en dat het leven in een dorp genoeg leven was. Elena moest bijna huilen bij de gedachte en bij de beelden die haar zo duidelijk voor ogen kwamen: het ouderlijk huis, de familie en de mensen die nooit veranderden. Haar vingers wreven over de warmte van haar buik, en waar eerst angst zat, voelde ze nu vastberadenheid. Ze ging terug naar haar ouders, besloot ze. Ze ging naar huis en ze ging het kind grootbrengen dat ze aan haar dwaling had overgehouden, een volmaakt kind dat nooit te weten zou komen wie zijn biologische vader was.

Elena reikte naar het spiegeltje, draaide het naar boven en van zich af. Ze had genoeg van geverfde ogen en van emoties. Ze was Carmen Elena Del Portal, en ze ging naar huis. Maar eerst moest ze van die lucht af. Dat betekende een douche en een plek waar ze andere kleren aan kon trekken. Die gedachte was zo aanlokkelijk, dat ze onontkoombaar werd. Haar kleren voelden zwaar en smerig aan, haar huid voelde besmet, en toen bij een volgende afrit een motel opdoemde, zette ze haar rechterrichtingaanwijzer aan en reed ze het parkeerterrein op.

Ze bleef even in stilte zitten, overvallen door emoties Ze dacht aan Michael en voelde een zachte plek in haar hart.

'Nee.'

Ze wreef met beide handen over haar gezicht en schudde haar hoofd.

'Nee.'

Ze stapte uit; haar ogen waren rood maar droog. Toen ze het motel binnenstapte, rinkelde er een belletje. De medewerker aan de receptie was een lange, tengere man, wiens gezicht bovenmatig was gerimpeld voor iemand van in de veertig. Hij had lange armen en brede, vierkante handpalmen. Hij schoof een sleutel aan een plastic hangertje en bleef glimlachen toen ze vier biljetten van twintig op de vlekkerige balie legde. 'Als u iets nodig heeft...' Hij hield de sleutel twee seconden langer vast dan nodig was. 'Dan belt u maar gewoon naar de receptie.'

Ze snoof en veegde toen het laatste vocht van de huid onder haar ogen weg. 'Dank u.'

'Ik heet Calvert.' Hij wees op het lage plafond en de versleten vloerbedekking. 'En ik ben de eigenaar.'

'Dank je, Calvert.'

'Dus...' Zijn vingers trommelden op de kleine, strakke omtrek van zijn buik. 'U zegt het maar...'

'Heeft u een kaart?'

Hij krabde op zijn hoofd. 'Waar moet u naartoe?'

'Waar is het dichtstbijzijnde vliegveld?'

'Raleigh, zou ik zeggen.'

'Dan moet ik daar naartoe.'

Hij wees Raleigh aan op de kaart en gaf haar de sleutel van een kamer aan het eind van de gang. Elena legde de kaart op de stoelen voor in de auto, pakte daarna wat spullen en droeg die via de lobby naar een kleine, donkere kamer waar de lucht zo vochtig was dat ze het voelde op haar huid. Ze deed de deur op slot en trok haar kleren uit. De vloer in de badkamer was net schoongemaakt, het douchegordijn was van wit vinyl dat aan het verkleuren was tot grijs. Elena pakte de flesjes met shampoo en conditioner en het in papier verpakte stukje zeep, stapte onder de douche en liet de naalden van het warme water doffe, rode plekjes maken op haar wangen en voorhoofd.

Calvert stond tegen de balie geleund toen het belletje boven zijn deur twee keer rinkelde. Hij zag in een flits iets kleurigs bewegen, net genoeg om een indruk te krijgen van een verwijfde man met smalle schouders in dure kleren. Het inspireerde hem niet erg om in actie te komen. Hij hield niet van rijke mensen en haatte homo's, en hij keek dus niet meteen op van de krant die hij stond te lezen. Hij was nog met zijn hoofd bij die lekkere latina die zich genoeg had gebukt om hem in haar blouse te kunnen laten kijken toen hij Raleigh aanwees op de kaart.

De man schraapte zijn keel.

Calvert sloeg een blad om en keek op. Hij zag een man van middelbare leeftijd met een zwartfluwelen broek en een bordeauxrood jasje. Hij had een zonnebril op waarachter zijn ogen zichtbaar waren en een groot gouden horloge dat vermoedelijk meer kostte dan menige nieuwe auto. Calvert toonde zijn afkeer toen hij zei: 'Een beetje warm voor zo'n broek, vind je zelf ook niet?'

'Deze stof ademt goed, vind ik.'

De man glimlachte en Calvert besefte dat die vent te dom was om te begrijpen dat iemand hem zojuist had beledigd. Hij stond daar maar wat, en het reptielendeel van Calverts hersenen registreerde dat er het een en ander niet in orde was. Maar dit was zijn tent, en de man droeg een fluwelen broek. Achter het glas stond een auto met een kenteken van New York die aan de wasstraat toe was. 'Oké, broekmans. Wat wil je?'

'Da's een leuke. Broekmans.'

'Hoor eens, ik heb het druk.'

'Die dame die net binnenkwam...'

'Ik geef geen kamernummers.'

'Misschien nu wel?'

'En ik zou graag zien dat je je nu omdraaide en terugging naar de grote stad waar je vandaan komt. Zoals je ziet heb ik het erg...' Hij wees met een gele nagel naar de krant. '... druk.'

'Erg behulpzaam ben je niet.'

De krant ritselde toen er een blad werd omgeslagen. 'Blijkbaar niet, nee.' Het bleef even stil, en zonder op te kijken zei hij: 'Ben je nog niet weg?'

'Ik zou je eigenlijk iets willen laten zien.'

'Wat mag dat dan wel zijn?'

'Het is eigenlijk een kunstje.'

Calvert keek op en de man met de fluwelen broek hield zijn linkerhand boven zijn schouder. Hij maakte een zwierig gebaar – zijn vingers rolden open en sloten zich weer.

'Je bedoelt zoals bij het goochelen?'

'Zoiets. Heb je gekeken?'

'Nee.'

'Het is echt best de moeite waard.'

Calvert sloeg zijn krant dicht. 'Goed dan. Ik kijk.'

'Het gaat heel vlug.'

Calvert keek naar de hand. De vingers bewogen. De hand sloot zich tot een vuist.

'Daar komt-ie.' Eén vinger strekte zich, toen twee. 'Hou je klaar.'

Calvert keek nog steeds naar de linkerhand toen Jimmy hem met een .22 in zijn hart schoot. Het schot sloeg hem een stap achteruit en zijn mond ging even open. Toen viel hij neer op de plek waar hij stond. Jimmy liep om de balie heen, schoot voor de zekerheid nog een kogel in zijn schedel, stapte toen elegant over de bende heen en keek naar het computerscherm. Tevredengesteld pakte hij de sleutel van kamer twaalf van het bord en veegde toen een paar pluisjes van zijn mouw.

'Stomme boerenlul,' zei hij en liep de gang door naar kamer twaalf.

16

Elena hapte naar adem van de stoom en het warme water plensde op haar neer. Ze pakte de douchekop en voelde de metalen pitjes van de corrosie; een tong van nat douchegordijn likte langs haar been en bleef plakken. Ze waste zich nog een keer.

Maar de lucht bleef toch hangen.

En de beelden.

Ze zeepte haar haren in, kneedde hard met haar vingers en streek het uit, terwijl ze zoveel dingen zag die goed waren geweest: de gele verf op Michaels handen, de glimlach die zijn gezicht verlichtte als hij over de baby sprak. Zeven maanden gecondenseerd tot één enkel moment toen ze zijn handen zag op haar buik, haar borsten, en toen op de huid van dat lijk. Hij was zo... bedreven geweest. Het deed hem niets. De stank. Het simpele feit dat de man dood was.

Daar ligt een ketting...

Het was echt, allemaal echt.

Elena legde een hand op haar buik en bad toen, zoals ze als meisje al deed, niet alleen om kracht en advies, maar ook of God naar beneden wilde reiken, of Hij alles goed wilde maken. Maar zo makkelijk was dat allemaal niet, en diep vanbinnen schaamde ze zich voor haar nood. Haar vader had haar geleerd sterk te zijn, op eigen kracht te kunnen leven, dus schoof ze alle zwakheden van zich af. Ze groef diep en vond de kern van wie ze was. Ze voelde angst en smart, een verblindende flits van felle, scherpe woede. Michael was een moordenaar, en in dat woord – moordenaar – vond Elena de draden van haar kracht. In het begin leek het maar iets kleins, die kluwen van draadjes, maar ze zocht ze bij elkaar en trok eraan tot ze stevig aanvoelden in haar ziel. Ze zou herstellen en de pijn die bleef hangen, zou vervagen en verdwijnen – ook de herinnering aan zijn handen op haar huid. Ze zegde dit zichzelf toe, bezwoer het. Maar leugens zijn ongrijpbaar en snel, zo werken leugens, en een deel van Elena wist dat ze trouweloos was. Ze hield van hem. Er was geen andere man als hij.

Maar de dingen die hij had gedaan...

Ze draaide de kraan dicht en de straal verminderde tot een gedruppel terwijl ze haar haren uit haar gezicht streek.

'Alles gaat nu goed.'

Het voelde niet goed aan, zoals ze dat zei, en dus probeerde ze het nog eens.

'Alles *wordt* nu goed.'

Dat was beter. Dat was realistisch.

Ze trok het gordijn open met een metalen gekras over de stang en reikte naar een badjas die niet meer hing waar ze hem had achtergelaten. Ze zag een man – delen van een man, een waas van huid en haar en ogen. Die ogen waren kil, en blauw, en er speelde een geamuseerd trekje over zijn dunne lippen en zijn bleke huid. Hij stond een paar decimeter bij de douche vandaan, zijn voorhoofd hoog en vierkant, zijn haar sprietig en dun over de kruin van zijn hoofd. Het moment was zo onwerkelijk, zo totaal onverwacht, dat ze bijna moest lachen. Het was een of ander misverstand, een motelmedewerker op de verkeerde plek op het verkeerde moment. Maar de blik klopte niet. Hij was te kalm. Te geamuseerd. Haar badjas was in zijn ene hand, in de andere hield hij iets zwarts en vierkants. Pas toen zijn glimlach breder werd, borrelde de schreeuw in volle kracht op achter in Elena's keel.

'Alles wordt helemaal niet goed,' zei hij.

En Elena wist wie hij was.

Haar armen gingen omhoog, maar zijn hand maakte een vage beweging. Er flitste iets blauws en ze hoorde een knetterend geluid toen er een vuur door haar ribben joeg. Ze voelde een folterende pijn, witte hitte.

Toen was er niets meer.

17

Beheersing was een onderdeel van wat Michael zo goed maakte in wat hij deed: het kiezen van de tijd en de plaats voor de dingen die hij ondernam, het naar de hand zetten van de elementen die erbij te pas kwamen en het daarna handelen met inachtneming van alle mogelijke gevolgen. De meeste mensen in het vak waren precies het tegenovergestelde van Michael. Ze moordden uit woede en angst, of ze hadden hun eigen zieke afwijkingen die hen gretig maakten. Zij lieten hun emoties de vrije loop. Dit soort mannen werd zelden oud. Ze stortten in, werden slordig of gingen een risico vormen voor de organisatie die hen betaalde. Heel wat van die jongens moesten op een gegeven moment worden afgevoerd, en Michael had daar zelf verscheidene keren voor gezorgd. Dingen lagen simpel in Michaels wereld. Emoties zijn slecht. Beheersing is goed. Maar nu was er geen beheersing.

Elena was weg.

Een golf van duizeligheid overviel hem en hij ging op de bovenste trede zitten. Gisteravond was alles heel duidelijk geweest: het probleem en hoe het moest worden opgelost. Zo zat hij in elkaar: dingen regelen, dingen afhandelen. Hij was ervan uitgegaan dat Elena dat ook kon. Dat ze geduldig zou zijn, dat ze zijn uitleg wilde aanhoren. Maar de manier waarop ze naar hem had gekeken! Er was zoveel verdriet in haar ogen te lezen geweest, zoveel afkeer en walging.

Wat heb ik gedaan?

Ze was weg, en dat was zijn fout. Ze zat al urenlang langs de weg; ze kon in Virginia zijn, of South Carolina, misschien zelfs wel in Georgia of Tennessee.

Jezus, ze kon overal zitten.

Ook Stevan en Jimmy konden overal zitten.

Zorgen knaagden aan Michael, maar hij dwong zichzelf om alles nog eens goed te overdenken. Zonder contacten in de politiewereld waren Vincent en Jimmy net zo blind als Michael. Ze konden niet bij creditcardgegevens of in de database van de politie komen. Dat was waarom ze in eerste instantie Julian bedreigden, om Michael uit zijn hol te jagen. Vanaf het moment dat Elena het terrein van het landgoed verliet, konden ze haar niet meer traceren. Ze was veilig.

Dat hield Michael zichzelf voor. Keer op keer. Hij slikte zijn emoties weg, liep naar de rand van de veranda en bestudeerde de situatie bij het botenhuis. Daar stond een handvol politieauto's met flitsende lichten in de heldere, frisse lucht en lagen twee boten op het water. Mannen schreeuwden naar elkaar en werkten met draglines.

Er zouden nu ook wel gauw duikers komen, dacht Michael. Hij was benieuwd hoe lang het zou duren voor ze het lijk vonden. Het meer was groot en hij had zo'n idee dat het diep was. De aarde helde van beide kanten naar beneden en hij kon bijna zien hoe die helling zich voortzette om daar in de diepte de bodem van het meer te vormen. Het water was donker en leek zelfs in de zon een diepe en onbeweeglijke koelte uit te stralen.

Maar dat kon ook een vrome wens zijn.

Hij zag een van de lijnen uitvliegen, die vanaf deze afstand zo dun leek als een draad. Brede metalen haken flitsten en zonken toen. De lijn werd teruggehaald en de haken kwamen naar boven met slierten wier eraan. Michaels blik gleed naar rechts.

Ongeveer daar, dacht hij.

Een tweede lijn vloog uit en beschreef een boog voor hij viel. Michael vroeg zich af of het Elena was die de politie had gebeld. Het zou best kunnen. Een gewelddadige dood is niet gewoon, en moeten aanzien hoe je vriend een lijk in kettingen wikkelt om het in een meer te laten zinken is dat ook niet. Maar zou ze de politie bellen? Michael betwijfelde dat. Als ze hem had verlinkt zou Michael op de vlucht zijn, of dood, of gearresteerd. Dan bleef er maar één mogelijkheid over.

Iemand anders had het gezien.

Hij doorliep in gedachten nog eens de gebeurtenissen: het stille naderen en het purper gevlekte gras, een geluid dat kwam aanwaaien van het smalle einde van het meer. Hij voelde een rilling, en niet bij de gedachte dat hij zou zijn gezien. Hij hoorde de stem van een dode man. Hij zag het gezicht van de oude man en dat stond zo helder voor zijn geestesoog alsof de man in leven was en ze samen op de veranda zaten.

Zoek geen fraaie verklaringen, jongen. Als de juten hier zijn, heeft je vrouw gepraat.

Michael knipperde met zijn ogen en het beeld verdween. Dat was de oude man die hem had opgevoed, niet de stervende man die sprak over verloren liefdes en nooit geboren dochters. Die man had begrepen dat leven verandering met zich meebrengt en dat leven vertrouwen is, dat niet alles eenvoudig is. Hij had Michael uiteindelijk de vrijheid gegeven, en dat ten nadele van zijn enige zoon.

Zo eenvoudig was dat niet, oude man.

En in zijn eigen leven was ook niets eenvoudig. Was hij, Michael, een moordenaar of een vader? Kon hij beide zijn? Kon hij veranderen voor Elena en toch sterk genoeg blijven om Julian te beschermen? Kon hij een kind opvoeden? Een leven opbouwen? Eén deel van Michael was kalm als hij hierover nadacht. Een ander deel voelde aan als vakjes in zijn borst. Hij moest kalm zijn, maar Elena was weg. Hij moest sterk zijn terwijl de emotie hem verzwakte. Hij werd nog gek als hij te lang over dit soort gelul ging zitten nadenken.

Michael ging naar binnen, zette de koude kraan open en plensde water over zijn gezicht. Toen hij de handdoek weghaalde, streek hij over het glanzende litteken aan de zijkant van zijn hals. Dat was lang en plat en wit als paarlemoer. Een paar centimeter naar rechts en het zou op dezelfde plek hebben gezeten als het mes dat hij de vorige avond uit de hals van de dode man had getrokken.

Waar zit je, Elena?

Hij legde de handdoek naast de wastafel en dwong zichzelf om na te denken. Elena zou hem accepteren of niet, ze zou naar hem terugkomen of niet, en daarover gaan lopen piekeren hielp hem niet bij zijn overpeinzingen over de dode man op de bodem van het meer.

Vakjes.

Beheersing.

Michael ademde diep in en dacht aan Ronnie Saints. Niet aan zijn lijk of zijn geur, maar zijn aanwezigheid. Waarom was Ronnie Saints hier, in Chatham County? Wat wilde hij? Waarom was hij dood en wat wist Julian daarover? Michael bestudeerde zijn gezicht in de spiegel en probeerde zich te herinneren hoe dat gezicht er meer dan twintig jaar geleden moest hebben uitgezien. Het enige wat hij nog wist waren honger en een woeste haardos, het gevoel van ruwe wol op zijn huid en hemdsmouwen die zo smerig waren dat ze stijf stonden. Hij wilde een helder beeld van Ronnie Saints krijgen, maar zag dit keer zijn broer, niet gepest en getreiterd en klein, maar jonger dan dat, met zijn gezicht zijdelings op een kussen. Hij was misschien vijf.

Laten we doen of we geadopteerd zijn...

Er waren niet veel herinneringen meer aan Julian met een glimlach op zijn gezicht, en Michael was hier niet zo op voorbereid. Er waren tijden geweest dat de dingen goed waren, een moment hier, een middag daar, kleine, voorzichtige vleugjes van plezier. Waren die herinneringen gewoon vervaagd of had hij ze begraven met alle andere overblijfselen van zijn jeugd? Even voelde Michael zich onwaardig en niet loyaal.

Moest alleen hij opdraaien voor al het ijs op hun pad?

Hoe hard moest hij eigenlijk wel zijn?

Hij greep zich vast aan de wastafel. Wat maakte het uit? Het verleden was voorbij. Dit was het nu. Maar was het *alleen* het nu? Dat was een goede vraag. Eerst Hennessey en nu Ronnie Saints. Twee dode jongens van het IJzeren Huis. Met drieëntwintig jaar ertussen. En beiden in de hals gestoken.

Wat is er aan de hand? vroeg Michael zich af.

En wie heeft de politie gebeld?

Terug op de veranda belde hij Elena op haar mobiele nummer. Hij zou graag willen dat ze opnam, maar wist, diep vanbinnen, dat ze dat niet zou doen.

Te vroeg.

Te ingewikkeld.

Misschien was het wel goed zo, dacht hij, een definitieve breuk en een veilig, prettig leven ver van het zijne. Hij probeerde zich daar tevreden over te voelen, maar de leugen schrijnde onverbiddelijk toen in zijn gedachten een beeld van hen vaste vorm aannam: Elena en het kind – een meisje misschien, een schoonheid met donkere ogen en de huid van haar moeder. Ze wandelden over de bergweiden in Catalonië, de een mager en treurig, de ander veel te jong om de lege plaats in haar leven te kunnen begrijpen.

Vertel me nog eens over mijn papá...

De hemel boven hun hoofd zou oogverblindend blauw zijn, en in afwachting van Elena's antwoord zou de vraag herhaald worden. Michael zag het zo duidelijk: een klein kindje en leugens die vaak genoeg waren verteld om de smaak van waarheid te krijgen. Elena zou verdergaan met haar leven en zijn dochter zou opgroeien zonder hem. Michael voelde die toekomst als een gat, alsof er iets weggerukt was uit zijn hart. Maar zo hoefde het niet te eindigen. Er waren alternatieven, altijd.

Hij belde haar opnieuw.

Twintig minuten later arriveerde Abigail Vane in dezelfde aftandse Land Rover Defender als de dag ervoor. Ze zag er goed uit met haar linnen broek en lichte make-up. Het vleugje pure, wilde paniek zat diep verborgen en de angst in haar was minder zichtbaar. 'Ik dacht dat je misschien benieuwd was.' Ze gebaarde naar het botenhuis, maar Michael keek naar de grote platte envelop in haar hand.

'Een beetje, misschien.'

Ze was niet zichtbaar van slag, maar kleinigheden verrieden haar. Plotselinge kleur in wit geknepen vingers. Het even slikken voor ze iets zei. Te veel waas voor haar ogen.

'Laten we gaan zitten.' Ze wees naar de schommelstoelen en ze namen plaats in de schaduw van de diepe veranda. Abigail leunde naar voren, de envelop in haar handen trilde licht.

'De politie was hier vanochtend al vroeg. Rechercheurs uit de omgeving met een volmacht om het botenhuis en het meer te doorzoeken.'

'Wat zoeken ze dan?'

Ze keek strak voor zich uit. 'Een lijk.'

Elke zenuw in haar stond gespannen, terwijl dit alles voor Michael bijna routine was: politie, dood, geheimen. 'Weten ze ook van wie?'

'Ik zou het je niet kunnen zeggen.'

'Hebben ze u de volmacht laten zien? Weet u waarom ze zoeken?'

'Iemand meldde een dode in het botenhuis, een lijk dat in het meer is gegooid. Meer weet ik niet.'

'Wie bedoelt u met "iemand"?'

'Een vertrouwelijke informant – dat stond op het papier. Volgens een vertrouwelijke informant was er iemand in het botenhuis om het leven gebracht. Gisteravond is er een lijk afgezonken in het meer. Onze advocaten zijn meteen in actie gekomen, maar konden de speurtocht niet meer tegenhouden.'

'Waarom zou u die speurtocht willen voorkomen?'

Michael hoopte op een reactie, en kreeg die ook. Even wist ze niet wat ze moest zeggen. Ze zat met haar mond open en zweeg. Maar niet lang. 'Ze hebben eerst het botenhuis doorzocht en vonden bloed op de vloer. Veel bloed blijkbaar, hoewel iemand had geprobeerd dat te verbergen.'

'Heeft u het gezien?'

'Ze noemen het een plaats delict. En die is alleen toegankelijk voor opsporingsambtenaren.'

'Waarom bent u hier, mevrouw Vane?'

'Zeg maar Abigail.'

Michael boog zich naar voren. 'Wat wil je van me, Abigail?'

Hier draaide het allemaal om, hij zag het in elke plooi van haar gezicht. Ze was bang, maar niet voor zichzelf. Ze wilde iets. Ze wilde iets heel erg graag.

'Hou je van je broer?' vroeg ze. 'Ik bedoel niet de herinnering aan hem of de gedachte aan hem. Hou je van hem zoals ik dat doe? Alsof hij nog steeds een deel van je is?'

'Julian zal altijd een deel van me blijven'.

'Maar hou je van hem? Er is een verschil tussen liefde van nu en liefde van toen. De liefde van toen is warm, maar stelt verder niet zoveel voor. Liefde van nu betekent dat je alles wilt doen. Bruggen verbranden. Huizen afbreken. Liefde overvleugelt het normale leven volkomen. Ik wil weten of je dat voelt.'

'Waarom?'

'Omdat ik een reden zoek om je te kunnen vertrouwen.'

'Je bent bang dat hij hier iets mee te maken heeft.' Michael wees op het meer.

'Er is iets wat hem volledig van zijn stuk heeft gebracht. Dat heb je zelf gezegd.'

Ze schoof met haar voeten en Michael ging weer gewoon zitten, met zijn hoofd vol gedachten. Hij zag het botenhuis, verlaten en in verval; hij zag de angst in Abigails ogen. 'Wat denk je dat er is gebeurd?' vroeg hij.

'Ik zal alles doen wat nodig is om je broer te beschermen. Ik moet weten of jij er ook zo over denkt. Ik wíl dat niet weten, maar móét dat weten.'

Er gebeurde iets. Er steeg een standvastigheid in haar op, een morele zekerheid die rechtstreeks naar haar ziel ging.

'Ik hou van mijn broer,' zei Michael.

Abigail sloot haar ogen, zuchtte toen diep, vlocht haar vingers in elkaar en hield haar handen voor haar buik. 'Wat zei hij tegen jou? In zijn kamer, gisteren, wat fluisterde hij? Iets verontrustends, denk ik. Ik keek naar je gezicht toen dat gebeurde, dus zeg nu alsjeblieft niet dat ik ernaast zit. Dan geloof ik je niet.'

'Ik weet niet waar je het over hebt.'

'Ik smeek je erom, als het moet. Daar voel ik me niet te goed voor.'

Ze fluisterde nu samenzweerderig, en Michael vroeg zich af hoeveel daarvan was gespeeld. Het was subtiel gebracht, dit samenbrengen van gemeenschappelijke belangen. Hij stond op en liep twee stappen in de richting van het meer. 'Als er daar een lijk onder dat water ligt...' Hij keek om en zag dat haar gezicht nog altijd wit was weggetrokken. 'Denk je echt dat Julian zoiets kan doen?'

'Ja.' Haar blik was helder en strak. 'Ik denk van wel.'

'Waarom?'

Dát was de vraag, en die vraag bracht haar van haar stuk, hoe urgent haar gepraat over liefde voor haar ook was geweest. Ze waren te ver gegaan, te vlug. Haar vertrouwelijkheid begon weer te verdwijnen. 'Je kwam alleen, vanmorgen,' zei hij. 'Het verbaast me dat Jessup Falls dat goed vond.'

'Jessup is een goede man, maar hij denkt dat jij slecht bent.'

'Slecht? Ik?' Michael trok een wenkbrauw op.

'New York-slecht.' Ze streek met een hand over de envelop op haar schoot en Michael voelde een gewichtloos moment toen ze een stap naar voren deed en de wereld achter haar in een afgrond verdween. 'Otto Kaitlin-slecht.'

'Otto Kaitlin?'

'Je hebt me heel goed gehoord.'

Michael knipperde even met zijn ogen en Jessup Falls steeg in zijn achting. In twintig jaar had zelfs de politie nooit een direct verband kunnen leggen. Men wist van zijn bestaan, maar men had geen foto's of compositietekeningen, niet eens zijn naam. Men was van nabij geconfronteerd geweest met zijn werk, maar men beschikte over tegenstrijdige beschrijvingen. Hij was klein, groot, blank, zwart. Michael was een schim, een gerucht; een dreiging van geweld, gemaskeerd door valse namen en bedachte verhalen. Hij was een schaduw die werkte in opdracht van Otto Kaitlin en van niemand anders. Iemand om bang voor te zijn. Een schijnbeeld. Zo was dat toen bedacht, twintig jaar geleden, het was een idee geweest van Jimmy, en Michael wás ook heel voorzichtig. Hij was nooit gearresteerd, zijn vingerafdrukken waren nooit genomen. Hij had wel tien valse identiteiten en die waren allemaal keihard. 'Waarom denkt Falls dat ik iets van doen zou hebben met Otto Kaitlin?'

Abigail kneep haar ogen toe en Michael voelde hoe haar vastberadenheid terugkeerde. Ze had, ongeacht waar ze bang voor was, haar besluit genomen. 'Wat denk je dat ik ben, Michael?' Ze opende de bruine envelop op haar schoot. 'De vrouw van een rijke man die de hele dag loopt te nietsnutten? Een amateur?' Ze schoof een foto uit de envelop en gaf hem die.

Michael hield hem naar het licht. Het was een kopie van de enige foto die er bestond van Otto Kaitlin en hem samen. Michael en de oude man en de Ford GTO van 1965 die Kaitlin hem had gegeven voor zijn zestiende verjaardag. De foto die hij in zijn plunjezak had. Michael bekeek de foto en gaf hem toen terug. Zijn gezicht verried niets van de gevoelens die in hem omgingen: liefde en smart bij het zien van de oude man; woede dat zijn foto gekopieerd was en tegen hem werd gebruikt. 'Het is maar een foto,' loog hij.

Ze stopte hem terug in de envelop. 'Er is heel wat gedoe in de stad op dit moment. Geruchten over terrorisme en georganiseerde misdaad. De politie zoekt naar een man en een vrouw.'

'New York lijkt me nogal ver weg.'

'Valt wel mee.'

Michael haalde zijn schouders op. Hij had geld zat. Julian werd beschermd. Het enige wat hij moest doen was Elena zoeken en de benen nemen. 'Nou en?' vroeg hij. 'Falls vindt me dus slecht. Jij niet?'

'Mij kan het geloof ik niet zoveel schelen.'

'Waarom niet?'

'Omdat ik denk dat er een lijk uit dat water gaat komen.' Ze boog zich naar voren en er was een bittere trek rond haar mond. 'En ik denk dat jij daar iets van weet.'

18

Toen Elena wakker werd, hoorde ze motorgeraas en het suizen van verkeer. Het was donker om haar heen; haar polsen waren achter haar rug gebonden, haar enkels waren gekruist en vastgeknoopt. Haar ledematen waren gevoelloos geworden, maar ze proefde tape op haar lippen – een bittere, chemische lijmsmaak – en toen ze probeerde zich te bewegen, stootte ze haar hoofd in de duisternis tegen iets van metaal. Pijn schoot door haar nek naar beneden en ze raakte in de verstikkende hitte in paniek. Ze beukte met haar knieën en ellebogen en bewoog de botjes van haar tenen en de kussentjes van haar voeten bonkend en rollend heen en weer. De lucht was schaars en bedompt en de benzinelucht zat tot zo diep in haar keel dat ze ervan moest kokhalzen.

Het was een nachtmerrie, hield ze zichzelf voor, een afschuwelijke droom – maar de droom week niet. Ze lag in de kofferbak van een moordenaar.

De auto van een moordenaar.

Een moordenaar.

Dit kon allemaal niet echt waar zijn! Het motel. De douche. Maar ze voelde de badmantel om zich heen, de brandplekken van stroomstoten in haar zij. Ze probeerde kalm te blijven, aan het kind te denken, maar de auto zou op een gegeven moment stoppen, en als dat gebeurde zou hij haar eruit sleuren aan het bittere eind van een smalle zandweg. Ze zou een laatste glimp van de zon zien en dan zou het gebeuren. Ze zou sterven in de modder en haar kind zou sterven in haar.

Die gedachte maakte haar misselijk, maar ze probeerde haar hoofd koel te houden. Wat zou Michael doen? Mens, wat een onzinnige vraag was dat. Ze wist niet eens wie Michael was. Maar ze moest wél zien te denken als hij. Ze moest sterk zijn. Gebruik je hersens, Elena! Haar vingers vonden het een of andere blik en daarna nylon riemen en een streng stug touw. Ze probeerde de ruimte om zich heen te peilen, maar de auto minderde vaart en trok weer op, sloeg links af en rechts af. Er was een spoorwegovergang – een kort geratel toen de auto omhoogveerde, en weer terug. Daarna weer twee keer links, en de auto reed een grindpad op. De schokken werden heviger en Elena zag het verlaten zandpad voor zich waarvoor ze had gevreesd. De bomen zouden, als hij haar uit de auto sleurde, heel hoog zijn en hun bladeren zouden bewegen alsof er niets in de wereld was veranderd. Ze dacht dat ze misschien bidden moest. Toen, heel plotseling, werd het stil. De auto kwam glijdend tot stilstand en de motor werd uitgezet. Ze zocht naar iets hards of iets scherps, maar er was niets. Er was ook nooit iets geweest.

Michael...

Elena probeerde zich klein te maken, maar toen de klep openging zag ze dezelfde man als eerder, in haar motelkamer. De man boog zich over haar heen. Hij had een zonnebril op. Er waren ook andere mannen, flitsen van bakkebaarden en ogen met een strakke blik erin. Ze verdrongen zich rond de open kofferbak en bekeken haar alsof ze een vis was op de bodem van een emmer. De man van wie ze dacht dat het Jimmy was zei iets en twee mannen bogen zich naar voren om haar op te pakken. Ze pakten haar bij haar badjas, haar armen. Ze verzette zich en een van de mannen lachte toen ze haar uit de kofferbak tilden en daarna lieten vallen.

'Jezus,' hoorde ze iemand zeggen. Ze dacht dat het Jimmy was. 'Lastig ding.'

Elena draaide met haar ogen en zag een klein, groen huis omgeven met bomen en dood gras. De oprit was lang en ongeplaveid. De auto was zilverkleurig en rook naar verbrande olie.

Weer kwamen er handen op haar af. Twee waren bedekt met haar, twee waren mager en bruin. 'Lekkere tieten,' zei iemand, en ze merkte dat haar badjas was opengerukt.

'Breng haar nou maar naar binnen.'

Handen grepen haar weer en toen ze haar overeind hadden, spartelde en vocht ze zo hevig dat ze haar voor de tweede keer lieten vallen.

'Godallemachtig...'

'Verdomme, Jimmy. Ze is sterk.'

'Dit is belachelijk. Wegwezen.' Jimmy verscheen boven haar; zijn gezicht stak als een vale vlek af tegen het dak van hoge, groene bladeren die precies zo bewogen als ze zich had voorgesteld. Hij hield een *taser* een paar centimeter voor haar gezicht en liet blauwe vonken knetteren en sissen.

'Herken je dit nog?'

Ze merkte dat ze knikte.

Hij liet het stroomstootwapen zakken en trok de badjas dicht waar die was opengegaan. 'Gedraag je dan.'

Ze liet zich door dezelfde twee mannen van de grond tillen en verzette zich niet toen ze haar vier treden op sjorden naar de half vergane veranda van wat leek op een oude boerderij. In de deuropening hing een hordeur. Groene overnaadse planken bladderden onder een brandende zon en vanaf de veranda zag ze een schuur te midden van een wilde uitgroei van melkdistels en bramen. Naast de schuur stond een zestal stoffige auto's.

'Slaapkamer achter,' zei Jimmy. Ze voelde een golf van hitte toen haar lichaam door de ingang naar binnen werd gebracht. De kamer stond vol oude meubels en er lag een bruin kleed met moddervoeten erop. Op een tafel lagen wapens. 'Rechterkant.'

Ze manoeuvreerden haar lichaam om een bijzettafeltje heen en daarna een gang in met krakende vloerplanken. In de kamer aan de rechterkant stonden alleen een stoel en een ijzeren bed. Ze gooiden haar op de kale matras en haar neus vulde zich met een schimmelige lucht. De deuropening werd gevuld door mannen en een mug jankte langs haar oor. Ze keek, maar het waren er te veel om er een beeld van te krijgen. Ze zag ogen hier en een riemgesp daar. Handen die opengingen en zich sloten. Niemand sprak, het zweet droop van haar gezicht en waar de badjas omhoog was gekropen streek warme lucht langs haar dijen.

'Wegwezen,' zei Jimmy.

En iedereen vertrok.

Jimmy streek zijn mouwen glad en sloot de deur. Ondanks de hitte leek zijn huid zo fris alsof hij was gepoederd. Hij keek of er geen modder op zijn schoenen zat en sleepte toen de enige stoel in de kamer over de vloer. Toen hij zat, zette hij zijn zonnebril af en stopte die in de borstzak van zijn jasje. Daarna boog hij zich naar voren, stak zijn nagels onder de tape en rukte die van haar mond. Ze wilde verstandige dingen zeggen, ze wilde gillen en schreeuwen, maar er kwam geen geluid. Het enige waaraan ze kon denken was: doe mijn kindje geen kwaad.

'Laten we beginnen met wat ik weet.' Jimmy kneep een mug dood achter in zijn nek en rolde het bloedige lijfje tussen zijn vingers. 'Je naam is Carmen Elena Del Portal. Je bent negenentwintig jaar geleden geboren in Catalonië en nu drie jaar in dit land. Je bent zwanger. Je werkte in wat eens een goed restaurant was.' Hij glimlachte vreugdeloos. 'Je wordt aantrekkelijk gevonden door mannen die vallen voor wat voor de hand ligt – waarmee ik natuurlijk Michael bedoel – en toch is één borst wat kleiner dan de andere en heb je een lelijke plek hoog aan de binnenkant van je rechterdij.' Elena kromp ineen. 'Heb ik iets gemist?'

'Wat wil je?'

Jimmy negeerde die vraag. Hij sloeg zijn benen over elkaar, waarbij zijn broek een fluwelig geluid maakte. 'Michael heeft je verteld wat hij is, of niet? Daarom ben je zo overhaast weggegaan, en dat is waarom je stond te huilen onder de douche van dat walgelijke motel.'

Hij stak met een messing aansteker een sigaret op en blies de grijze rook het raam uit. 'Weet je wie ik ben?'

Elena's keel deed pijn toen ze slikte. 'Jimmy.'

'Heeft Michael over me verteld?'

'Ja.'

'En wat heeft Michael je over me verteld? Het een of andere overdreven gruwelverhaal? Iets supergriezeligs vol bloed en ellende?' Elena zei niets en Jimmy knikte. 'Een gebrek aan verbeeldingskracht is altijd zijn grote tekortkoming geweest. Geen toekomstvisie. Niet openstaan voor het grote geheel.'

Elena zag Michael met verf op zijn handen: zijn enthousiasme over het kind, over de toekomst. Hij had een gezin altijd gezien als iets wat groter was dan het geheel der delen. Hij had haar zo vaak beschreven hoe het zou zijn als ze een gezin zouden vormen, de *draagwijdte* daarvan. 'Dat is niet waar,' zei ze.

'Een kleine man met kleine ideeën.'

'Je ziet hem verkeerd.'

'Je hebt temperament. Dat mag ik wel. Maar het is zo. Misschien is dat het enige wat ik fout heb gedaan toen ik hem opvoedde. Ik heb hem niet genoeg besef bijgebracht van zijn eigen grootheid.' Jimmy nam een laatste trek en gooide toen zijn sigaret het raam uit. 'Een deprimerend gebrek aan gevoel van eigenwaarde.'

Elena wrikte met haar polsen en voelde hoe de tape diep in haar vlees beet.

'Ik zal je een verhaaltje vertellen,' zei Jimmy. 'Een leuk verhaaltje. Heeft Michael je verteld over de dag dat de oude man hem gevonden heeft? Hoe ze hem aan het afmaken waren onder een brug in Spanish Harlem en de oude man hem heeft gered? Ken je dat? Heeft hij je dat verteld?'

Elena besefte dat ze knikte en Jimmy lachte.

'Natuurlijk heeft hij dat. Het is zijn favoriete verhaal, zijn eigen persoonlijke mythe. Die mythe is zo weggelopen uit de boeken die hij leest. *Oliver Twist*, dat werk.'

Jimmy maakte een zwierig gebaar met zijn handen en Elena wist dat ze nooit de laatdunkende glimlach zou vergeten die over zijn gezicht trok.

'Nou, nu komt het mooiste van dat verhaal.' Jimmy leunde naar voren. 'Ben je zover? Goed. Otto Kaitlin had dat tuig *betaald* om Michael in elkaar te slaan. Da's een mooie, vind je ook niet? Ik bedoel maar. Otto wilde met eigen ogen zien of dat joch inderdaad zo'n taaie donder was als iedereen zei.' Jimmy stak weer een sigaret op, leunde naar achteren en haalde zijn schouders op. 'En dat bleek te kloppen.'

'Waarom vertel je me dit?'

'Omdat het, ondanks alles, niet Otto Kaitlin is die Michael heeft gemaakt tot wie hij nu is. Dat ben ik.'

'Is dat van belang dan?'

Hij lachte. 'Vraag je me dat serieus?'

'Ik wil weten waarom je me dit vertelt.'

'Ik vertel je dit, jij stomme trut, omdat Michael niet zomaar een willekeurige moordenaar is. Hij is zo elegant als Mozart wanneer hij moordde in plaats van klavecimbel te spelen, of als Da Vinci wanneer hij een heel stel mensen omlegde in plaats van de *Mona Lisa* te schilderen. Hij is een kunststuk, een genie, en ík heb hem gemaakt. Niet Otto Kaitlin. Niet de straat. Ik heb die jongen op de wereld gezet, niet minder dan die hoer die hem naar buiten heeft geperst op de smerige beddenlakens van de een of andere luizentent.'

'En daar ben je trots op?'

'Is God trots op Jezus?'

Een doffe, stille waanzin smeulde in de donkere hoeken van Jimmy's ogen, maar er brandde ook nog iets anders in, iets wat haar heel even bekend voorkwam. 'Wat wil je van me?'

Jimmy klopte zijn manchetten af. 'Ik wil dat je me vertelt over Michael. Wat zijn plannen zijn. Waar hij naartoe gaat.'

'Laat me nou maar los.'

'Nee, nee, nee. Daar is het te laat voor.' Jimmy stond op en kwam naast haar zitten; zijn heup voelde smal en hard aan tegen haar been. Hij trok een vinger langs het zweet op haar voorhoofd en wreef het vocht toen weg tegen zijn duim.

'Ik heb je niets te zeggen,' zei Elena.

'Natuurlijk heb je dat. Waar is hij nu? Wat voor wapens heeft hij? Is er beveiliging? Zijn er andere mensen? Waar slaapt hij? En wanneer?' Jimmy glimlachte – een miniem glimlachje. 'De gewone dingetjes.'

Hij likte aan zijn lippen. Even kleurde zijn bleke huid en opeens had Elena het door. Ze besefte wat ze in zijn ogen had gezien.

'Je bent bang voor hem.'

Ze wist niet waar dit gevoel zo opeens vandaan kwam, maar ze wist dat ze het bij het rechte eind had. Jimmy's praatjes over trots en vaderschap waren holle woorden. Hij was bang, en nu ze dit hardop had gezegd, was het hem dan ook duidelijk aan te zien. Aan zijn houding. Zijn gezicht.

'Dat zeg je niet nog eens.'

Dat klonk dreigend, maar Elena was geëlektrocuteerd en vastgebonden, in een kofferbak gegooid en getiranniseerd. Deze kennis was de enige macht die ze had, en die macht, hoe klein ook, was verleidelijk. Ze deed haar mond open en Jimmy's ogen liepen leeg voor de woorden zich in haar mond hadden gevormd. Hij pakte een vuistvol van haar haar en trok haar van het bed, sleepte haar met dezelfde leegte in zijn gezicht over de vloer.

'Sorry! Sorry!'

Haar woorden waren glas in haar mond. Hij sleurde haar de woonkamer door, en over het smerige kleed. Mannen stonden op en keken toe. De huid van de rug van haar handen schuurde weg en toen hoorde ze het holle bonken van Jimmy's schoenen op de planken van de veranda. Zonlicht sloeg in haar gezicht en hij sjorde haar het trapje af en de zachte smerige modder in.

'Alsjeblieft...'

Hij sleepte haar tot de achterkant van de auto en duwde haar om met zijn voet. Iemand zei: 'Wat is er aan de hand, Jimmy?'

Jimmy negeerde de vraag. De kofferbak plopte met een klein geluidje open, Jimmy boog zich eroverheen, haalde er een jerrycan met benzine uit en goot die leeg over Elena. De geur riep een heel primair gevoel in haar op, en ze probeerde weg te kruipen, ondanks haar brandende ogen en de bittere smaak in haar mond.

'Nou, wie is er hier bang?'

Zijn stem had iets onmenselijks gekregen, met een onverschilligheid die te bestudeerd was om echt te zijn. Toen hij de jerrycan neerzette zag ze butsen in het lichtrode plastic, en ze zag het fijne stiksel in de naden van Jimmy's leren schoenen. Elena knipperde tegen het brandende gevoel in haar ogen, zag weer de messing aansteker in zijn hand. Hij draaide hem heen weer tussen duim en vier vingers, opende hem, sloot hem. Glanzend metaal blonk en ze zag het verkoolde zwarte lont binnenin.

'Niet doen.' Ze rolde zich op rond de baby in haar buik.

'Wat moet ik niet doen?'

De aansteker bewoog, klikte open.

'Alsjeblieft...'

Jimmy keek op en tuurde omhoog naar de hoge blauwe lucht. 'Warm dagje vandaag.'

Elena begon te huilen.

19

Over het algemeen genomen hield Julian niet van medicijnen, maar dat veranderde als hij ze nodig had. Als hij zich koud en bang had teruggetrokken in de duisternis van zijn geest, hield hij van alles wat met medicijnen te maken had. Hij hield van de concentratie op het gezicht van de dokter als de naald in het flesje gestoken werd, van de manier waarop het licht door het glas scheen. Hij hield van het geluid van een nagel die tegen de injectiespuit tikte en van het beeld van het smalle straaltje dat werd uitgesproeid in de lucht. Zijn ogen vielen heel stil als de naald eraan kwam.

De naald stilde de stem in zijn hoofd.

De naald hielp Julian zich te verstoppen.

Het begon als een brandgaatje waar de naald naar binnen gleed, maar het branden was maar kort en vervloeide in warmte die zich verspreidde van zijn arm naar zijn borst, en daarna door zijn benen en in het metaal van zijn schedel. In de reusachtige, donkere ruimte van waaruit de stem neerdaalde als de wereld te groot was of Julian te bang, als Julian wist dat hij zwak was.

Dat is het juiste woord, of niet?

Julian schrok terug van de hatelijkheid. Hij was voor zoveel dingen bang: voor zijn leven en voor de verwachtingen van het leven, voor de kans te falen en hoe dat falen andere delen van zijn ziel zou beïnvloeden. Hij was bang dat mensen te diep zouden kijken en dat twintig jaar illusies in elkaar zouden klappen en iedereen zou weten dat hij een schijnbeeld was. Het was een grote angst, een levenslange verschrikking, en toch was deze angst niet eens altijd de ergste. Er was de angst voor minuten en seconden, de angst voor de miljoenen kleine verwordingen van een lafaard. De stem zag al die angst. Daarom haatte Julian de stem, én had hij die stem nodig. De stem deed pijn, maar hield hem sterk. En Julian moest sterk zijn.

Je moet alles hebben wat ik heb...

De stem klonk luid, ondanks de medicijnen, en boos na zoveel maanden van afwezigheid. Julian probeerde zich te herinneren wat er gebeurd was, maar zijn hoofd werkte niet helemaal goed.

Iets akeligs...

Hij probeerde het zich te herinneren. Hij stelde zich voor hoe vingers in de grijze strengen van zijn hersenen knepen.

Iets akeligs...

Hij kneep iets harder.

Woordeloos...

'Stoppen.'

Handpalmen duwden tegen de zijkanten van Julians hoofd. Wanneer was de stem teruggekomen?

Hij wist het niet, het was te veel.

Hem hebben we niet nodig...

De stem was een dunne draad dit keer.

Zeg me na...

'Nee.'

Wij hebben Michael niet nodig...

'Nee.'

Zeg het!

Julian rolde zich op tot een bal, zelfs toen een zwak geluid opklonk in de wereld buiten zijn geest. Het was een vertrouwd geluid, een geroezemoes van woorden dat zich op eigen kracht handhaafde, omdat de stem verdween. Het werd hoog en zwak tot Julian alleen was in het donker. Hij zat ineengedoken op een eiland in de donkerte, zag hoe Michael en zijn moeder binnenkwamen door de deur en met de dokter praatten. Hij zag ze stilstaan bij het bed en hij hoorde de vragen die ze stelden. Hij wilde tegen ze praten, maar kon het niet. Zij hoorden wat hij hoorde, een stem die klonk als de zijne, maar het niet was.

De stem lachte naar ze.

En de klank was krankzinnig.

Michael liep naar het bed en voelde hoe Abigail rechts achter hem kwam staan. Julian lag op zijn zij; zijn haar was geklit, zijn huid waskleurig. Zijn armen waren bleek onder wat zomerbruin, zijn vingers zaten gekromd onder verbandgaas dat rood was gevlekt op de knokkels. Toen er een zacht geluid aan Julians lippen ontsnapte, boog Michael zich naar hem toe.

'Julian?'

Het geluid liep over in een kil, lelijk lachje. Michael ging rechtop staan. 'Waar lacht hij om?'

'Ik heb geen idee,' zei de dokter. 'Hij heeft wat liggen praten. Dit is de eerste keer dat ik hem hoor lachen.'

'Wat heeft hij gezegd?'

'Hij zegt steeds hetzelfde. U hoort het zo zelf wel.'

Michael ging naast het bed op zijn hurken zitten en legde zijn hand op Julians voorhoofd. 'Geen koorts.'

'Nee.'

'Wat dan?' In Abigails stem klonk de bezorgdheid van een moeder door.

De dokter vouwde zijn handen en boog zijn hoofd zo dat het zachte vlees onder zijn kaak uitpuilde. 'Misschien dat u me dat vertellen kan.'

'Hoe bedoelt u?'

'Ik bedoel dat de senator zijn medische gegevens niet wil geven. Dat maakt het moeilijk om mijn werk te doen. Iets waarover ik eerlijk gezegd nogal kwaad ben. Ik weet duidelijk nog lang niet alles.'

'Mijn man heeft met meer problemen te maken dan de meeste mensen.'

'Medische gegevens zijn vertrouwelijk. Het is ondenkbaar dat ik het vertrouwen van een patiënt zou beschamen. Het idee alleen al is beledigend.'

'Er worden nu eenmaal fouten gemaakt.'

'Niet in mijn praktijk.'

Abigail schrok van zijn woede, maar gaf niet toe. 'Zijn medische gegevens zijn verzegeld.'

'Verzegeld?'

'Door justitie.' Ze schraapte haar keel. 'Als onderdeel van een jeugdzaak.'

'Dat begrijp ik niet.'

Abigail stond in tweestrijd, zag Michael. Haar ogen schoten van Julian naar de dokter en vonden toen Michaels gezicht. Datgene wat ze niet ter sprake wilde brengen was iets serieus, en zo te zien begreep de dokter dat wel. 'Laat ik mijn vraag dan op een andere manier formuleren.' Cloverdale kwam wat dichterbij staan en vroeg met kalme stem: 'Heeft u wel eens van *chloorpromazine* gehoord? Dat is een medicijn.' Hij wachtte met opgetrokken wenkbrauwen, maar Abigail verroerde zich niet en stond met haar mond half open. De dokter knikte treurig.

'En van *loxapine* of haloperidol? *Clozapine*?' Geen reactie. 'En hoe zit het met *ziprasidon* of *olanzapine*?'

Abigail wendde haar hoofd af en Michael zei: 'Dat zijn antipsychotica.'

'Inderdaad.'

'Waarom vraagt u naar deze middelen?'

De dokter wees op Julian, die net weer begon te lachen. 'Kijk maar naar hem.'

Ze keken allemaal en Julians ogen waren opengesperd en zwart, en het lachen bevroor opeens in de holte van zijn mond. 'We kunnen zonder...' sprak Julian met een schrille stem.

'Dit zegt hij de hele tijd,' zei de dokter.

'Maar wat zegt hij dan precies?'

Julian stak zijn kin in de lucht, en zijn oogleden zakten half dicht toen er een gemene glimlach over zijn gezicht gleed. 'We kunnen zonder Michael.'

Julians woorden zogen de lucht uit de kamer en even snel als het venijn was komen opzetten, gleed er nu een soort loomheid over zijn gezicht. Zijn ogen rolden wit weg. Zijn ademhaling werd dieper en trager. De dokter schudde zijn hoofd en keek Michael in zijn bezorgde ogen. Hij trok een treurig gezicht en zei: 'Ik denk dat Julian wel eens schizofreen kan zijn.'

Michael keek naar Abigail en het moment bevroor toen ze naar een plek op de vloer keek; haar gezicht was zo verstrakt dat één verkeerd woord het in stukken zou kunnen doen breken. 'Ik moet met hem praten,' zei Michael. De dokter keek vragend naar Abigail, en toen die aarzelde, drong Michael aan.

'Alleen.'

De deur ging open en weer dicht achter de mensen die het vertrek verlieten. Michael ging bij het bed zitten en voor Julian was het of er na vele jaren een zwarte wolk wegtrok voor het gezicht van de zon. De handen van zijn broer waren sterk, en Julian voelde, ook al liepen er lijnen door de huid bij zijn ogen, dezelfde band als toen ze nog kind waren en Michael de kracht had om hem opnieuw door een nacht vol verschrikkingen te slepen. De opluchting kwam zo hevig opzetten dat hij haast wel kon huilen, en misschien deed hij dat ook wel, omdat hij Michael hoorde zeggen: 'Rustig maar, het is goed zo.'

Een van zijn handen voelde aan de achterkant van Julians hoofd.

Zoveel zorgen in zijn ogen.

'Praat tegen me, broer. We zijn met zijn tweetjes. Alleen jij en ik. Ik maak in orde wat er is gebeurd, het geeft niet wat het is.'

Julian was zo blij, op dat moment. Hij was al die jaren alleen geweest. Al die jaren had hij zich afgevraagd waar zijn broer was. Hij had over hem ingezeten, hem gemist. Nu was Michael terug, en waren er zoveel dingen te zeggen, zoveel woorden die opwelden als een vloed in zijn keel. Julian knikte met stralende ogen en opende zijn mond.

'Jou hebben we niet nodig.'

Nee...

In Julians gedachten sloeg er een stalen deur dicht, en in de verte hoorde hij lachen.

Zijn stem.

Nee!

Maar Michael stond al. Julian probeerde te roepen, maar kon dat niet. Hij stond aan het strand van een vallend eiland, en gelach brandde in de duisternis die hem meesleurde.

20

De aansteker schoot heen en weer tussen Jimmy's lange vingers. Hij klikte hem open en dicht, glanzend metaal tegen de roze huid van zijn handpalm. De zon scheen fel en Elena probeerde weg te kruipen.

Jimmy zei: 'Uh-uh.'

Hij zette een voet op haar nek en duwde haar gezicht in de modder. Ze probeerde niet meer te huilen; haar haar stonk toen het tegen haar lippen kleefde, ze proefde de benzine op haar tong.

Jimmy stak een sigaret op.

'Jimmy...' Er klonk een mannenstem.

'Wat?'

'Stevan komt eraan.'

Elena hoorde banden op rulle kiezelgrond, het geluid van een motor. Jimmy rechtte zijn rug en gooide de sigaret ver bij hem vandaan voor hij de oprit afkeek en diep zuchtte. 'Hoe kan het ook anders,' zei hij en stopte de aansteker in zijn zak.

Elena zag de hand leeg terugkomen en haar opluchting was immens. Ze rolde zich op en toen de auto voorreed en stopte, lag ze daar, stil als een geslagen kind.

'Wat is er aan de hand, Jimmy?' Een portier sloeg dicht. Voeten liepen om de auto heen en Elena zag een knappe man met een hagelwit overhemd, strak in het pak maar zonder das. Donker haar omlijstte een gebruind, gelijkmatig gezicht zonder een zweem van vriendelijkheid.

Jim stak zijn handen in de lucht. 'Alles in orde.'

Stevan keek naar Elena, en zijn nieuwsgierigheid veranderde in ijzige woede. 'Is dat wie ik denk dat dat is?'

'Geen reden om je op te winden.'

Elena omklemde haar buik en probeerde stil te liggen, maar ze wist dat haar ogen smeekten. 'Zorg alsjeblieft dat hij me niet in brand steekt.' De woorden knarsten uit haar keel.

Jimmy porde met zijn voet tegen haar aan. 'Ze maakte me kwaad.'

'Wat doet ze hier?'

Jimmy haalde zijn schouders op. 'Ze smeerde hem en ik ging achter haar aan. Ik hoopte dat ze ons het een en ander kon vertellen.'

Stevan keek nog eens naar haar en gromde. 'Nou, breng haar naar binnen. En knap haar een beetje op, verdomme. We zijn geen beesten.'

Stevan verdween naar binnen, waar iedereen plaats voor hem maakte. 'Aan het werk,' zei Jimmy, en twee mannen tilden Elena van de grond. Ze droegen haar dezelfde gang door, maar toen ze de slaapkamerdeur bereikten, zei Jimmy: 'Badkamer.' Ze wrongen zich het badkamertje aan het eind van de gang binnen, dat niet veel groter was dan een kast. Geen raam. Een peertje dat uitstak boven de spiegel. 'Stop haar in bad.'

Ze legden haar neer en Jimmy trok de tape van haar polsen en enkels. Ze proefde bloed en besefte dat ze op haar tong had gebeten. Haar handen brandden toen haar bloed weer begon te stromen.

'Geef me wat kleren,' zei Jimmy tegen een van de mannen.

'Wat voor kleren?'

'Kan me niet schelen.'

De man kwam terug met wat verfrommelde mannenkleren en legde die op de wastafel. Jimmy zette de douche aan, hurkte toen bij het bad en zag hoe ze daar lag te beven. 'Ik kan je verwonden, verbranden, vermoorden. Ik heb zeven man hier die je maar al te graag aan flarden willen neuken. De enige reden waarom ze dat niet doen, is omdat ik dat soort gedrag niet toelaat.' Hij streek haar haren uit haar gezicht. 'Begrijpen we elkaar?'

Elena zei niets.

Hij stond op en keek neer. 'Ik sta aan de andere kant van de deur voor als je iets nodig hebt. Geurige zeep. Een schone badjas.'

Er klonk geen humor door in zijn stem. Hij schoof het douchegordijn dicht en sloot de deur. Elena was alleen en in leven; ze had het koud onder de douche. Ze spuugde bloed en zag het roodgekleurde water door de afvoerpijp cirkelen. Ze dook in elkaar, hijgde en probeerde een beetje tot zichzelf te komen. Dat was niet makkelijk. Deze doodsbange persoon die daar stond te beven onder een koude douche was haar vreemd. Ze spuugde meer bloed en trok toen haar badjas open en legde haar hand op haar buik, met een beeld voor ogen van de littekens op Michaels lichaam, van zijn sterke en bekwame handen. Ze zag hem anders én ze zag hem hetzelfde, en voor het eerst sinds ze de benen had genomen bad ze dat hij haar zou vinden, dat hij Jimmy zou afmaken terwijl zij toekeek. Dit was een nieuw gevoel, deze woede die zich vanonder haar hand vandaan verspreidde. Het was oermoederlijk, heftig, en bood haar in de koude stroom van haar hulpeloosheid het eerste echte voorproefje van hoop.

Jimmy trof Stevan aan bij de badkamerdeur. De gang was verder leeg en het huis maakte een verlaten indruk.

'Ik heb de mannen gezegd dat ze buiten moeten wachten,' zei Stevan. 'Wij moeten praten en ik wil ze niet in verwarring brengen. Ze moeten weten waar we staan, jij en ik.'

'Er is geen verwarring, Stevan. Ik sta tot het bittere eind achter je. Dat weten de mannen.'

'Dat is mooi, want...' Zijn stem zakte weg. 'Waarom lach je zo naar me?'

'Sorry.'

'Hou daar dan mee op.'

'Oké. Klaar.'

Stevan wierp hem een boze blik toe en zei toen: 'Weet je wat mijn vader zei voor hij doodging? Waarvoor hij me heeft gewaarschuwd?'

Jimmy moest bijna lachen. Stevan sloeg de toon aan van de rechtmatige erfgenaam die hij nu geacht werd te zijn, een titel die na de dood van de oude man erg veel van zijn betekenis had verloren. Stevan was een slimme jongen, maar hij was ook een slappeling, en de buitenwereld wist dat. Er werd bij de bookmakers al gewed over hoe lang hij het zou redden en wie de schutter zou zijn die hem omlegde. De slimsten zetten in op 'niet lang'. De echte slimmeriken gingen voor Jimmy. Zevenenzestig miljoen, volgens de laatste telling: dat was de enige reden waarom Stevan nog ademhaalde. Dat was het bedrag dat de oude man bij zijn dood volgens zeggen op afroep ter beschikking had. Niet in zakelijke belangen of in toekomstige geldstromen, maar contant. Harde dollars op een tiental buitenlandse rekeningen.

Alleen Stevan kende de rekeningnummers, de wachtwoorden.
Anders was hij al dood geweest.
Stevan liet zijn stem dalen tot een gefluister en kwam dichterbij. 'Mijn vader zei dat ik je moest vermoorden in je slaap, en me dan gelukkig moest prijzen. Hij wou dat ik dat deed voor hij stierf.'
Dat vond Jimmy interessant. 'O ja?'
'Hij dacht dat je gek was.'
'Gelul. We respecteerden elkaar.'
'Hij respecteerde je vakkundigheid. Dat is iets anders.'
'Flikker toch op, Stevan. Je vader en ik hebben meer dan twintig jaar samengewerkt. Al voordat jij haar op je pik had.'
'Dat verandert niets aan wat hij zei. Hij zei dat je van nature onevenwichtig was en dat de angst voor hem en voor Michael het enige was wat je in balans hield.'
'Ik ben niet bang voor Michael.'
'Hij zei dat je af zou takelen zonder hem en met Michael uit zicht. Hij zei dat je zou ontsporen, zei dat je een risico was.'
'Je vader was zelf aan het aftakelen.' Jimmy hield zijn opgloeiende woede zorgvuldig in bedwang. 'Geen wonder dat hij zoiets zei.'
'Hoor eens Jimmy, ik vertel je dit omdat ik denk dat hij het bij het verkeerde eind had, omdat ik wil dat je me vertrouwt, en omdat ik wil dat we een team vormen. Begrijp je wel? Ik wil dat dit het begin is van iets nieuws, iets van jou en mij.'
'Zeker Stevan. Natuurlijk.'
'Wat ben je dan nu aan het doen?'
'Is er iets mis?' vroeg Jimmy.
'We zijn hier om Michael te doden, of niet?'
'Ja.'
'We houden ons gedeisd en we maken hem af voor wat hij mijn vader heeft aangedaan.'
'En omdat hij een arrogante, betweterige...'
'Jij hebt zijn meid te grazen genomen, Jimmy. Denk je dat hij daar niet achter komt?'
'Jij was degene die zei dat we achter zijn broer aan zouden gaan.'
'Dat was lokaas. En hypothetisch. Nu wéét hij het.'
Jimmy maakte een wegwuivend gebaar. 'Dat doet niet ter zake. Het is uiteindelijk zelfs in ons voordeel.'
'Jij vindt het misschien leuk om op ramkoers met Michael te liggen, maar ik niet. Hij laat dit huis de lucht in vliegen, in dertig seconden.'

'Jouw huis. Niet het mijne.'

'Veertig seconden dan. Met jou ermiddenin.'

Jimmy kneep zijn ogen tot spleetjes. 'Ik geloof dat jíj degene bent die bang is.'

'Dat neem je terug.'

'Nee.'

Seconden verstreken en Stevan zei als eerste iets. 'Jij kan hem niet aan, Jimmy.'

'O nee?'

'Nee.'

'Waarom laat je hem dan niet gaan?' Jimmy had moeite om zijn walging te verbergen. 'Laat hem gewoon gaan.'

'Omdat hij mijn vader in zijn eigen godvergeten bed heeft vermoord!'

Jimmy keek de ander uitdrukkingloos aan. Hij begreep alles. Stevan wilde Michael niet dood vanwege de manier waarop de oude man was gestorven. Hij wilde Michael dood vanwege de manier waarop de oude man had *geleefd*. Omdat hij meer had gehouden van Michael dan van zijn eigen zoon. Omdat hij Michael meer respecteerde. Omdat Stevan een lafaard was en Michael niet.

Al het andere was een leugen.

'Ik heb een plan,' zei Stevan. 'Er zijn dingen in beweging gezet. Jij hoeft je niet meer met Michael bezig te houden tot ik je het sein daartoe geef. Wacht maar gewoon af.'

'Ik wíl me met Michael bezighouden.'

'Maak dit nou niet persoonlijk, Jimmy. Het gaat er niet om wie het beste is. Het gaat nu om zijn dood en hoe we daarna verdergaan.'

'Het staat me niet aan.'

'Zoals ik zei: het draait allemaal al.'

'En dat is het dan?'

'Ik laat je wel weten wanneer ik je nodig heb.'

21

'Vertel me waarom de dossiers verzegeld zijn.' Michael deed zijn best zijn gevoelens in toom te houden, maar hij voelde zijn broers huid nog, warm onder zijn handpalm en gespannen over een beenderstructuur die zoveel leek op de zijne. Voor het eerst sinds hij naar North Carolina kwam voelde Michael de diepste wortels van zijn broers ontzetting. Niet de theorie ervan, of de mogelijkheid, maar de essentie, de rauwe en naakte kwelling. Voor het eerst in tien jaar stond Michael op het punt zijn zelfbeheersing te verliezen.

'Hij meende niet wat hij zei,' zei Abigail, maar ze klonk verontrust. Ze stonden een verdieping lager in een lege gang. 'Hij heeft je nodig.'

'Daar hebben we het nu niet over. Je kent die medicijnen. Je hebt die diagnose eerder gehoord.' Ze opende haar mond om het te ontkennen, maar Michael zei: 'Justitie verzegelt medische dossiers niet zonder een goede reden.'

'Wel om een hooggeplaatste senator daarmee een gunst te bewijzen.'

'En is dat gebeurd?'

'Gunsten. Dreigementen. Noem maar op.'

'Om te verdoezelen wat Julian had gedaan?'

'Om mijn zoon te beschermen.'

'We hebben het nu over het botenhuis, of niet? Hoe lang geleden was dat? Vijftien jaar? Twintig?'

'Wat weet jij van het botenhuis?'

'Ik weet dat het zo is verwaarloosd dat het bijna op instorten staat. Het parkeerterrein is overwoekerd met groen, de weg ernaartoe zit vol gaten. De steigers zijn verrot, de boten verstoft. Alle andere dingen op het landgoed zijn perfect in orde, maar het botenhuis is aan zijn lot overgelaten. Hoe lang al? Vijftien jaar? Twintig?'

Abigail aarzelde even en zei toen: 'Achttien jaar, volgende maand.'

'Wie heeft hij vermoord?'

Haar hoofd ging met een schokje omhoog. 'Hoe weet je die dingen toch?'

'Je hebt zelf gezegd dat hij tot dat soort dingen in staat is en dat je verwachtte dat ze een lijk uit het water zouden opvissen. Dus laten we niet langer om de hete brij heen draaien. Wie heeft hij vermoord?'

Ze schudde haar hoofd. 'Daar kan ik hier niet over praten.'

'Waar dan wel?'

Ze hield het niet langer meer vol. 'Overal, behalve hier.'

Ze belandden uiteindelijk in de landrover, met Michael aan het stuur. Hij reed maar gewoon wat rond over het landgoed.

'Het gebeurde vijf jaar na we hem hadden thuisgebracht. Hij was veertien.' Abigails gezicht was onbewogen en ze keek strak voor zich uit. 'Hij had maar heel weinig vrienden gehad in zijn leven, jouw mooie, beschadigde broer, maar zijn eerste echte vriend was een vriendin, een jong meisje dat Christina Carpenter heette. Ze was ouder dan hij, zeventien toen ze stierf, maar heel klein. Een petieterig jong ding. Heel knap. Haar moeder runde de stallen, haar vader werkte in de stad. Ze woonden in een klein huisje, een paar kilometer verderop. Het waren prima mensen en hun dochter vond Julian aardig. Niets lichamelijks, natuurlijk. Ze waren jong, en zij was een net meisje. Ze waren vrienden.' Ze knipperde met haar ogen en Michael wist dat ze in het verleden keek. 'Gewone tienervrienden.'

Michael knikte alsof hij het begreep, maar in werkelijkheid kon hij zich niet voorstellen wat het was om 'een gewone tienervriend' te hebben. Zijn jeugd was een aaneenschakeling van geweld en honger en wantrouwen geweest, een wereld waarin vrienden niet voorkwamen. Op die leeftijd had hij op straat geleefd en het enige meisje dat hij ooit had ontmoet was iemand die zichzelf aanbood voor een briefje van tien en de helft van het blik fruit dat ze onder de open klep van zijn rugzak zag. Toen hij nee zei, vertrok haar gezicht even. Ze lachte hol en zei toen tegen hem dat ze daar blij om was. Ze zei dat ze het nog nooit met een jongen had gedaan, maar dat ze dacht dat het dat was wat alle jongens wilden.

De mond van een meisje daarbeneden...

Ze zei het langzaam en schuldig.

Mijn mond daarbeneden, voor tien dollar en de helft van het fruit.

Michael had eerst niets gezegd. Hij was op zijn hoede, want zo ging het op straat: afleiden van voren en aanvallen van achteren. Maar niemand trok zich iets van hen aan.

Niemand kon het een barst schelen.

Ze had een plastic waterfles, een groezelige huid en smerige kleren, die stonken. Het was een jong meisje en ze was aan het eind van haar krachten, dus liet Michael haar maar wat aan praten. Ze was weggelopen van huis, vertelde ze hem, uit de een of andere plaats in Pennsylvania waarvan hij nog nooit had gehoord. Ze was al meer dan een week in de stad, maar wist niet meer precies hoeveel dagen. Ze was uit een nachtbus gestapt en gaan lopen en had nog altijd geen idee waar in de stad ze was, van Harlem of Queens of Manhattan had ze geen benul.

Dat is toch allemaal New York?

Michael stond versteld van haar onnozelheid. Maar ze was alleen, ze had het koud en ze had honger, dus gaf hij haar wat fruit en toen ze huiverde en heimelijke blikken wierp op het blik, kreeg ze nog een beetje. Hij wist nog hoe ze at: klein roze tongetje in en uit haar mond, lichtgekleurd sap op haar kin en een schone plek waar ze dat had weggeveegd. Toen ze uitgegeten was, snoof ze een keer en zei tegen Michael dat ze mooi was, zonder al dat vuil, dat ze, als ze zich ergens kon opknappen misschien wel werk kon krijgen als model voor kleding of schoenen of hoeden. Daarom was ze naar New York gekomen, omdat alle mannen in haar woonplaats zeiden dat ze zo mooi was als een plaatje.

Eén man zei dat ik als een bloem was.
Mooi als een roze, roze roos.

Michael sprak haar niet tegen, zelfs niet toen ze vette vingers door haar klitterige haar haalde. Hij gaf haar het laatste restje van zijn fruit en zei dat ze een tijdje bij hem kon blijven als ze wilde. Maar ze zei nee. Ze zocht een plek om zich op te knappen zodat ze op zoek kon naar werk als model. 'Je moet jong beginnen,' verklaarde ze, en Michael zag een blauwe vlieg cirkelen rond de zoete plek die het fruitsap op haar gezicht had gemaakt. Hij betwijfelde of ze ouder was dan hij en hij betwijfelde ook haar bewering dat ze het nooit met een jongen had gedaan. Michael herkende uitgeblustheid, net zoals hij bitterheid herkende en angst, en hij vermoedde dat de man die haar had verteld dat ze een roze, roze roos was daar zo zijn redenen voor had gehad. Maar zo was het leven, en dit was de straat. Hij zei dat ze vrienden konden zijn en wees haar de weg naar de binnenstad, omdat hij dacht dat het daar het veiligst voor haar zou zijn, met al die toeristen en politiemensen, en met alle rijkdom van de wereld om haar heen. Maar zover kwam ze niet. Ze stierf vier straten verderop – overhoopgestoken en doodgebloed in een kartonnen doos. Er werd een dag lang over gepraat, op straat, en daarna was het vergeten. Maar Michael wist nog hoe ze heette: Jessica, die liever 'Jess' werd genoemd, een roze roos in de grijze, koude stad.

Voor het eerst in zijn leven had Michael een steek van echte jaloezie gevoeld. Het zou fijn zijn geweest om vrienden te hebben, of iets anders dat *normaal* was. Het zou fijn zijn geweest een moeder te hebben.

'Hoe heeft hij haar gedood?'

Michael zette alle gedachten over hoe jammer het was wat hij allemaal had gemist uit zijn hoofd. Ze stopten boven op een heuvel en keken naar het zwarte water en de politiemensen in hun donkere pakken.

Er lag nu ook een derde boot op het water.

Hij zag duikers.

'Ze waren op het meer,' zei Abigail. 'Dat deden ze veel: varen, vissen, zwemmen. Soms nam Julian een boek mee en las hij haar voor terwijl ze ronddreven. Hij dacht dat je dat soort dingen hoorde te doen met een mooi meisje in een boot. Maar hij las geen poëzie voor, of romantische novelles, hij las sciencefictionboeken voor, avonturenromans, of stripverhalen. Waarom je een mooi meisje eigenlijk zou moeten voorlezen op een stil meer begreep hij zelf niet. Ik denk dat hij het eens in een film had gezien, en dacht dat mannen nu eenmaal dat soort dingen deden.' Abigail zweeg even. Heuvelafwaarts glansde het water tussen groene oevers die rezen als licht gespreide knieën. 'Niemand heeft het zien gebeuren. Ze gingen op een zaterdagmorgen uit varen. Die middag trof men Julian lopend aan de kant van de weg aan, volkomen doorweekt en met bloed aan zijn handen.'

'En het meisje?'

'Ze vonden Christina's lichaam de volgende dag. Verdronken in het meer. Ze had kneuzingen in haar gezicht, blauwe plekken rond een van haar polsen. De politie zei dat de beschadigingen aan Julians handen overeenkwamen met de verwondingen op haar gezicht, maar er was geen enkel geloofwaardig motief, geen reden ter wereld waarom hij dat meisje kwaad zou hebben willen doen.'

'Volgens mij is dat ook niets voor hem.'

'Een meisje kwaad doen?'

'Een vriend kwaad doen.'

'De politie dacht er anders over. Ze gingen er direct van uit dat Julian haar had gedood. Ze dachten dat hij iets met haar had gewild en zij hem had afgewezen. Ze zeiden dat hij haar naar alle waarschijnlijkheid in blinde woede had vermoord.'

'Heeft Julian het ontkend?'

'Hij was zo hulpeloos als een pasgeboren kind. Wist niets meer van wat er was gebeurd, of waar ze waren geweest, of hoe hij daar langs die weg was beland. Ik weet alleen wel dat hij huilde toen hij zag hoe ze haar dode lichaam uit het water haalden. Hij was dol op dat meisje.'

Ze droomde weg en Michael zei: 'Maar?'

'Maar er werden vragen gesteld en alle gevolgtrekkingen wezen in zijn richting. De kneuzingen en Julians black-out; de huid onder haar nagels; de manier waarop ze met elkaar omgingen. Julian was de laatste persoon die haar in levenden lijve zag.'

'Wie zegt dat?'

'De politie, bijvoorbeeld.'

'Is hij aangeklaagd?'

'Aangeklaagd, maar nooit berecht.'

'Gunsten en dreigementen?'

'Laten we zeggen dat er een schikking is getroffen.'

'Wat voor soort schikking?'

'Twintig miljoen dollar voor de familie van het dode meisje. En nog eens vijf voor een op te richten liefdadigheidsinstelling die de naam van het slachtoffer droeg.'

'Jullie hebben de ouders afgekocht.'

'We deden wat we konden om Julian te beschermen.'

'En om de senator te beschermen.'

'We deden wat we moesten doen. Punt.'

Ze was boos, in het defensief, en dat kon Michael haar niet kwalijk nemen. 'Hoe zit het met die diagnose van schizofrenie?'

'Die kwam voordat de aanklachten werden ingetrokken. Maakte deel uit van het onderzoek. Eerst de politiepsychiater, toen een evaluatie in opdracht van de rechtbank. De rechter besloot daarna de dossiers te verzegelen.'

'Maar Julian werd behandeld?'

'Medicatie. Therapie. Maar daar is hij uiteindelijk mee gestopt. Hij zei dat de medicijnen hem zwak maakten. Hij wilde niet dat mensen dachten dat hij zwak was. Een overblijfsel van Iron Mountain, heb ik altijd gedacht. Een diep ingebrand zeer.' Het bleef even stil. Toen verduisterde een wolk de zon en zei Abigail: 'Hoor eens, ik ben geduldig geweest.'

'Ik ook. Er is nog heel veel niet uitgesproken.'

'Alsjeblieft, Michael. Ik moet het weten.'

Het was geen vraag. Ze zagen een duiker achteroverrollen van een metalen skiff. De zon flitste over het glas van zijn duikbril, daarna was hij verdwenen. 'Ik wil de waarheid horen,' zei ze.

'Vertrouw je me?'

'Ja.'

Michael startte de motor. 'Laten we hier weggaan.' Hij keerde de landrover en begon de weg af te rijden, naar beneden. Hij wachtte tot de agenten uit het zicht waren verdwenen en vertelde Abigail Vane toen wat ze moest horen. 'Ze vinden straks een lijk in je meer.'

'O nee.'

Michael schakelde terug toen de helling steiler werd. Abigail kon hierop voorbereid zijn geweest, maar Michael zag dat niet aan haar af. Ze was bleek en geschokt.

'Hoe weet je dat er een lijk in mijn meer ligt?'

'Omdat ik het erin heb gegooid.' Ze bedekte haar mond, en Michael zei: 'Kan je dit wel aan?'

'Ja. Neem me niet kwalijk. Ga door.'

Ze zweeg en Michael vertelde haar wat hij in het botenhuis had gevonden en waarom hij daar was gaan kijken. Hij vertelde haar wat Julian tegen hem had gezegd, noemde toen de naam van de dode man en legde haar uit dat hij Ronnie Saints heel goed had gekend. Dat verhaal nam een paar minuten in beslag.

'Ronnie Saints?' Ze wendde zich van hem af. 'O, god.'

Michael keek naar haar. Ze was hevig geschrokken. 'Ken je die naam?'

'Laat me even.' Ze ademde een paar keer diep in en knikte toen, met haar ogen dicht. 'Julian kende hem.'

Michael knikte ook. 'Hij kende hem. Vreesde hem. Haatte hem.'

'Saints was een van de jongens die hem treiterden.' Ze zat nog met haar gezicht naar het zijraampje gekeerd.

'Hem folterden,' zei Michael. 'Laten we het gewoon noemen wat het was.'

Folterden.

Het woord viel van haar lippen en Michael voelde zijn handen verstrakken aan het stuurwiel. 'Na Hennessey was Ronnie Saints de ergste. Hij was groot en sterk en sadistisch, een jeugdige crimineel uit de bergen van Noord-Georgia. Hij heeft Julians wijsvinger drie keer gebroken. Dezelfde. Elke keer wachtte hij tot die vinger weer was genezen. De enige keer dat Julian probeerde zich te verzetten, trok Ronnie zo hard aan zijn oor dat een deel ervan later weer moest worden vastgenaaid.'

'Waren er geen volwassenen in de buurt?'

'Te weinig en te ongeïnteresseerd. Zolang niemand doodging, waren we aan onszelf overgeleverd. We leefden er als in een stam.'

'Maar Julian had toch kunnen melden...'

'Niemand in het IJzeren Huis klikt.'

Abigail draaide zich eindelijk naar hem toe. Ze ging rechtop zitten en zei: 'Ik ben blij dat hij dood is.'

Dat vond Michael ook. Maar er waren problemen waarover Abigail nog niet had nagedacht. 'Ze hebben een jaar samen in Iron Mountain gezeten, Julian en Ronnie Saints. De politie komt daar zeker achter, op den duur. Dat levert een motief op, en na het dode meisje van achttien jaar geleden weerhoudt niets hen meer om dan met man en macht achter Julian aan te gaan.'

'Maar Christina stierf zo lang geleden. Julian was nog maar een kind.'

'Geen rancuneuzer mens dan een rechercheur. Ze denken nu al aan Julian, dat geef ik je op een briefje.'

Abigail kneep in de brug van haar neus. Grind knerste onder de banden. Het was warm in de auto. 'Laten we eens zien hoe dit zit. Hoe weet de politie eigenlijk van dit lijk? Wie kan hen hebben gebeld?'

'Degene die zag dat ik het in het water heb gegooid.'

'Waarom ben je dan niet opgepakt?'

'Misschien was het donkerder dan het leek. Misschien is er een andere reden.'

Abigail zakte wat in; ze was nog steeds geschokt. 'Denk je dat Julian hem heeft vermoord?'

'Als dat zo is, had hij een reden.'

'En dat maakt het anders?'

'Redenen maken het altijd anders.'

Ze bleef naar hem kijken. 'Heb jij mensen vermoord, Michael? Ik bedoel anderen dan die jongen van Hennessey?'

Ze zei het met een angstige toon in haar stem en Michael hoefde haar gezicht niet te zien om te weten hoeveel moeite het haar kostte om dit te zeggen. Ze haalde zich gedachten in haar hoofd, het soort theorieën dat veel mensen overgevoelig maakte. Dat begreep hij wel. Hij had zich al meer blootgegeven dan hij gewoonlijk zou doen, maar ze hadden samen dat ding, die band die in de buurt kwam van een familieband. Dus moest Michael een keuze maken. Hij kon de vraag negeren of hij kon dezelfde leugens ophangen die hij het grootste deel van zijn leven al vertelde. Vandaag deed hij iets nieuws.

'Ik heb mensen gedood,' zei hij.

'En was dat met goede redenen?'

'Sommige redenen waren goed.' Hij haalde zijn schouders op. 'Andere waren niet zo geweldig.'

'Maar er is niets waarmee je niet kan leven?'

'Dat klopt.'

Ze keek uit het raampje, en haar stem klonk zacht. 'Dat moet fijn zijn.'

Ze reden rond het zuidelijke deel van het meer en staken het bos door naar het gastenverblijf. Zelfs voor Michael de auto had stilgezet, zagen ze dat de deur wijd openstond.

Michael zette op veilige afstand de motor af.

'Is je vriendin weer terug?'

Michael gaf niet meteen antwoord. Hij bekeek de open deur, de ramen, en bestudeerde de bossen om hen heen, de rij bomen aan beide zijden van het huis. Elena liet zich niet gauw van haar stuk brengen en had alle reden om van streek te zijn. Nee, die was vast nog niet terug. Niet na wat ze in het botenhuis had gezien. 'Haar auto staat er niet.'

'Maar de deur is open.'

'Dat is niets voor haar.'

'De wind, misschien?'

'Ik denk het niet.'

Michael bekeek de ramen, zag binnen schaduwen. 'Er beweegt iets,' zei hij.

Abigail keek weer naar het huis en toen Michael op zijn zitting heen en weer schoof, zag ze dat hij een pistool in zijn hand had. Ze had geen idee waar dat vandaan kwam. Het ene ogenblik was zijn hand leeg, het volgende was het wapen er. Ze dacht aan zijn verhaal over redenen, en toen aan de lijken in de straten van New York. Ze dacht aan bloed en dood en aan Otto Kaitlins veertigjarig bewind van gewelddadigheden.

'Hier blijven,' zei Michael.

Hij stapte uit de auto en hield het wapen laag tegen zijn been toen hij over gras en modder naar het trapje voor het huis liep. Door de deuropening zag hij schaduwen en licht, maar geen ander soort bewegingen. Hij keek achter zich en zag dat Abigail uit de auto was gestapt en een hand op het open portier liet rusten. Toen hoorde hij achter in het huis iets bewegen. Hij liep de veranda op en voelde trillingen in de vloerplanken.

Abigail dook naast hem op.

Binnen hamerde er iets op hout: twee doffe dreunen.

'Rechterkant, achterin.' Michael riskeerde een snelle blik naar binnen en spreidde toen de vingers van zijn hand om aan te geven dat Abigail achter hem moest blijven. Ze knikte en de haan van het pistool bewoog onder Michaels duim toen hij naar binnen glipte en de schaduwen hem opslokten. Een halve meter verder hoorde hij een stem in de achterste slaapkamer.

'Verdomme...'

Michael voelde Abigail achter hem verstrakken, voelde haar aarzeling. Een gang liep naar de achterkant van het huis, met aan het einde twee slaapkamers. Michael controleerde of de keuken veilig was en hoorde toen glas rinkelen; het klonk oorverdovend in het kleine huis. Het was veel glas, wat het ook was. Halverwege de gang besefte hij wat er gebeurde en liep net op tijd de kamer binnen om te kunnen zien hoe een gestalte door het raam sprong en verdween.

Hij haastte zich naar het raam om de inbreker te kunnen identificeren, maar het bos liep door tot vlak tegen de achterkant van het huis. Het enige wat hij zag was een glimp van huid en beweging toen een lichaam zich een weg baande door het gebladerte en verdween.

Michael aarzelde geen moment en ging erachteraan. Hij landde op de ballen van zijn voeten en zette het op een lopen, waarbij hij er maar net in slaagde een houten kruk te ontwijken die half verscholen onder het mos en de varens lag. Hij veronderstelde dat die door het raam was gegooid door de persoon achter wie hij nu aan zat. Die persoon was snel, schoot bliksemsnel tussen de bomen door en bleef hem voor in het bos, dat steeds dichter werd. In de verte hoorde hij Abigail zijn naam roepen. Hij reageerde niet, spande zich nog meer in, liep nog sneller. Toen zich een pad opende in het bos, liep hij genoeg in om voor het eerst een goed zicht te krijgen op zijn prooi.

Het was een vrouw. Lange benen onder een ultrakort afgeknipte spijkerbroek. Smal middel, atletische bouw, strakke spieren onder een bruinverbrande huid, en ze bewoog alsof ze nog eeuwen zo door kon. Michael liep nu op haar in. De vrouw leek dat te voelen en schoot naar rechts, het pad af. Michael verloor haar in eerste instantie uit het oog, maar hoe soepel en behendig ze ook was, in een bos kon ze niet rennen zonder geluid te maken. Dus volgde hij haar op zijn gehoor, en toen de bomen uiteen weken tot een kleine open plek, haalde hij haar in. Hij tackelde haar en ze sloeg tegen de grond.

'Hou je kalm,' zei hij.

Maar ze krabbelde op handen en voeten overeind om ervandoor te kunnen gaan. Michael legde een hand op haar rug en hield haar tegen de grond terwijl hij zijn wapen vergrendelde en het achter zijn riem stak. 'Ik wil alleen maar met je praten.' Ze worstelde verwoed en Michael zei: 'Kom op nou.'

'Ga van me af!'

Ze probeerde zich omhoog te drukken. Michael duwde een onderarm over haar schouderbladen.

'Ga weg, zei ik. Klerelijer!' Ze duwde harder. 'Verdomme! Donder op!'

'Eerst maar even rustig. Niemand doet je kwaad.'

Hij verlichtte de druk wat om te laten merken dat hij het meende, en onder zijn arm verslapte ze. Michael zag dat ze op blote voeten was, en dat haar groezelige huid vol insectenbeten zat. Ze droeg een gerafelde korte broek en een mouwloos T-shirt dat ooit wit was geweest. Haar blonde haar was vuil en zat vol takjes. Het gaf Michael een wat vervelend gevoel dat hij haar onderuit had gehaald.

Ze was nog maar een kind.

'Hoor eens, het spijt me, oké? Ik wist niet...' Michael haalde gefrustreerd een hand door zijn haar. 'Heb ik je pijn gedaan?'

'Ben je klaar?'

Haar stem was net zo licht en meisjesachtig als haar verschijning.

'Ja hoor. Reken maar.' Michael tilde zijn arm op, maar zij bleef liggen, roerloos en ontspannen – een klein smerig meisje dat harder was aangepakt dan nodig was geweest. 'Moet je horen...'

Michael boog zich naar voren en ze rolde bliksemsnel op haar rug. Een hand schoot van onder haar rechterheup vandaan. Michael zag een zilveren flits, daarna krabbelde ze weg toen de pijn toesloeg en een heldere rode streep zich opende in zijn borst. Hij raakte die aan en zijn hand zat meteen vol bloed. Toen hij naar het meisje keek, zat die op anderhalve meter bij hem vandaan op haar hurken met een scheermes in haar hand. 'Niemand raakt mij aan zonder dat ik dat goedvind.'

Michael krabbelde overeind en zag toen de uitdrukking op haar gezicht: grote, bange ogen; iets geopende kersenrode lippen; witte tanden. Ze woog misschien maar veertig kilo, een soepel gebouwd meisje met een knap gezichtje en met blauwe ogen die zo wild en helder waren dat ze bijna pijn deden. Maar dat was niet wat Michael zijn vechtlust ontnam. Het zat dieper dan dat, en het was hem niet vreemd. Hij ging op de grond zitten en zij klapte het scheermes dicht en stopte het in de nauwe zak van haar broekje.

'Volgende keer,' zei ze, 'hak ik dat mooie smoel van je kapot.'

Toen spuugde ze op de grond en holde weg. Een laatste flits van haar blauwe ogen, voeten zo naakt en bruin als zomerslijk.

22

Er is vernedering en er is nederigheid, en er is domheid. Michael voelde alle drie. 'Het was maar een kind. Achttien, misschien negentien.'

'Stilzitten.' Michael zat op de motorkap van de landrover, met zijn bebloede shirt in een hoopje op de grond onder hem. Abigail stond tussen zijn knieën met een eerstehulpkist naast zich op de motorkap. 'Dit gaat pijn doen.'

De snee was niet diep maar wel lang, een diagonale keep van vijfentwintig centimeter die liep van zijn zesde rib aan de rechterkant tot net boven het hart. Abigail maakte de wond schoon met alcohol, drukte er toen verbandgaas tegen en zei Michael dat vast te houden terwijl zij een tiental vlinderpleisters uitpakte.

'Hoe zag ze eruit?'

'Mooi maar smerig.' Hij sloot zijn ogen om zich haar weer voor de geest te halen. 'Eén meter vijfenvijftig, denk ik, en hoogstens een kilo of veertig. Ze had blond klitterig haar tot op haar schouders. Smalle kaken. Grote ogen.'

'Blauw?'

'Als de een of andere steensoort.' Michael keek onder het verbandgaas, fronste naar de snee en legde het gaas weer terug. 'En ze zette een bek op als een matroos.'

'De rest kan ik wel raden.' Abigail hield haar ogen gericht op het werk waarmee ze bezig was. 'Halfnaakt en zo wild als een loopse kat.'

'Je klinkt alsof je haar kent.'

'Victorine Gautreaux. Ik ken haar moeder.'

'Wat deed ze hier?' Abigail keek op met getuite lippen en Michael zei: 'Julian?'

Ze haalde haar schouders op. 'Het kan loos alarm zijn, maar het zou me niets verbazen.'

'Waarom was ze in het gastenverblijf?'

'Ik denk dat ze van huis is weggelopen. Misschien zocht ze Julian. Wacht even. Geef me dat eens aan.'

Hij gaf haar meer verband. Ze drukte op de wond, pakte toen het verbandgaas en drukte nog wat steviger.

'Had ze een reden om weg te lopen?' vroeg Michael.

'Ik hou me liever niet te veel bezig met hoe die familie in elkaar zit, maar ik weet wel dat jeugdzorg haar een paar keer heeft weggehaald toen ze jonger was – een keer toen ze ongeveer zeven was, en daarna nog een paar keer toen ze twaalf of dertien was.'

'Waarom?'

'Mishandeling en verwaarlozing van allerlei aard. Geen ziektegeschiedenis, praktisch analfabeet. Het kind ging amper naar school, en als ze ging, deed ze niks dan vechten. Totaal onhandelbaar. Ze beet andere leerlingen en heeft een paar van hen flink verwond. Het kwam voor de rechter, maar die idioten van het provinciale bestuur hebben nooit de moed kunnen opbrengen om haar weg te halen. Waren waarschijnlijk bang voor haar moeder.' Abigail lichtte het gaas op, bestudeerde de wond en drukte wat harder. 'Het kind heeft nooit een kans gehad.'

'En jij denkt dat ze iets met Julian heeft?'

'Je weet hoe ze eruitziet. Daar kon Julian denk ik niet tegenop.'

'Ze is mooi, ja. Maar waar kennen ze elkaar dan van?'

'Misschien hebben ze elkaar ontmoet in het bos? Ik heb geen idee.'

Toen het bloeden stopte duwde ze de randen van de wond tegen elkaar en plakte van rechts naar links werkend de wond dicht met de vlinderpleisters. Daarna legde ze schoon verbandgaas over de wond en plakte dat vast. 'Je kunt het laten hechten als je wilt, maar dit zou moeten houden. Het zal wel geen mooi litteken worden, maar dat zal tussen al die andere japen op jouw lijf niet erg opvallen.' Ze pakte het bebloede shirt en de verbandwindsels op. 'Kom, we gaan naar binnen.'

Michael trok een schoon shirt aan en daarna doorzochten ze het huis systematisch. Op het kapotte raam na leek verder alles in orde. Michael probeerde een raamkozijn en toen nog een. 'Dichtgeschilderd.'

'Vandaar de kapotte ruit.' Abigail ging met een vinger langs het ruwe hout op de plek waar de scherven waren weggeslagen. 'Maar het verklaart niet waarom ze hier was. Daar moet een reden voor zijn geweest.'

Die reden vonden ze toen ze het huis nogmaals doorzochten.

'Abigail,' riep Michael vanuit de tweede slaapkamer. Toen ze binnenkwam, vond ze hem in de deuropening van de kast. 'Kijk.' Hij wees naar boven en zij kwam naast hem staan. De kast was in principe leeg – alleen een stang en een paar stalen hangers – maar in de hoek van het plafond was een valluik te zien. Eromheen zat witte verf gesmeerd, met vingerafdrukken en vuil.

'Het huis heeft een zolder. Waar volgens mij niets te vinden is.' Ze keek om zich heen. 'We moeten iets hebben waar we op kunnen staan.'

'Ik weet wel een kruk te vinden.'

Ze haalden de kruk buiten tussen de varens vandaan en zetten die neer in de kast. 'Dat zijn voetafdrukken, denk je ook niet?' Michael wees op de kruk, die vol moddervlekken zat.

'Zou kunnen.'

'Laten we dan maar eens gaan kijken.'

'Na jou.'

Michael zei: 'Je hebt zeker geen zaklantaarn?'

'Sorry.'

'Je kan niet alles hebben.' Hij klom op de kruk, die wiebelde maar zijn gewicht hield. Het valluik ging open, scharnierend aan de achternaad. 'Daar is een ladder. Pas op.' Michael deed het luik helemaal open, stapte van de kruk en trok intussen de ladder naar beneden. Ook de ladder zat vast met scharnieren, en toen hij de grond raakte stond hij bijna verticaal. 'Goed zo.'

Hij klom langzaam naar de onbestemde zwarte ruimte boven hem. Toen zijn hoofd boven de zoldervloer uitkwam, gunde hij zijn ogen een paar seconden om te wennen. Er drong genoeg licht door de ventilatiespleten onder de dakranden door om Michael een indruk te geven van de ruimte, die laag was, maar wel bevloerd. Het plafond liep schuin af en je kon het zelfs op het hoogste punt aanraken. De zolder was droog en warm.

'Zie je iets?'

'Ik zie een kaars.' Die stond een klein stukje verderop, een dikke kolom die was uitgelopen op een schoteltje. 'Wacht even.' Er waren ook lucifers en hij stak er een aan. De vlam schoot omhoog en ging toen lager branden. Hij hield de vlam bij de lont en zag hoe licht over de vloer kabbelde. Hij pakte het schoteltje op en hield het omhoog.

'Wat zie je?'

Michael hield de kaars hoger. 'Kom maar naar boven, zou ik zeggen.'

'Wat is er?'

'Wacht even. Dan maak ik wat ruimte.'

Het pentagram was tweeënhalf meter breed en leek op de vloer te zijn gekrast met houtskool of het uiteinde van een verbrande stok. Het was goed getekend, maar zwart en vlokkerig; op sommige plekken was het vlokkeriger dan op andere. Eromheen stond een tiental kaarsen in flessenhalzen of op de vloer vastgesmolten. Een grote cirkel omsloot het pentagram, en midden in het geheel lagen een kussen en een ruwe hoop dekens.

Michael stak wat andere kaarsen aan, zodat het licht flakkerde en zich verspreidde. Buiten de cirkel lagen een paar teenslippers, een kruik met water en nog een afgeknipt spijkerbroekje. Ook zag hij een kom, een tandenborstel en een tubetje lippenzalf. 'Zo te zien sliep ze hier.' Michael duwde de dekens met zijn voet omhoog. 'Moeilijk te zeggen hoe lang al.'

'Maar...' Abigail draaide zich langzaam rond. 'Wat ís dit allemaal?'

'Iets raars. Pentagrammen. Ik weet het niet.'

'Er zijn hier genoeg mensen die zullen willen zweren dat haar moeder een heks is.'

'Wat zeg je nou? Een heks?'

'Via een lange lijn die teruggaat naar een grijs verleden. Een lang verhaal.' Abigail pakte een kaars, bukte zich en liep naar de verste uithoek van de zolder. Ze zocht op de donkere plekken, waar de dakspanten de vloer raakten, draaide zich om en keek het vertrek rond. 'Wat deed ze hier in vredesnaam?'

'Ik heb wel zo'n vermoeden.' Michael duwde de dekens weer op. Hij bukte zich en kwam omhoog met een lange, opgerolde strip van foliewikkels. Hij liet de strip vanuit zijn vingers uitrollen. 'Condooms.'

'Geweldig.'

Hij duwde de dekens nog één keer op en verstarde. 'En dit.'

Abigail kwam dichterbij. Michael stond rechtop, een revolver rustte zwaar in zijn hand. Blauw staal dat roest vertoonde bij de loop en glom bij de haan. 'Een Colt .357.' Hij duwde de cilinder naar buiten en checkte de lading. 'Eén schot afgevuurd.'

Ze stonden buiten op de veranda en keken naar de boten op het water in de verte. Michael spreidde zijn handen op de balustrade en zweeg lange tijd. Beiden werden gekweld door dezelfde, vreselijke gedachten. 'Flink meer,' zei hij uiteindelijk.

'We hebben het laten aanleggen toen we net waren getrouwd.' Herinneringen verzachtten haar gezicht. 'Het was het idee van mijn man, een groot juweel midden op het landgoed. Het had het symbool moeten zijn van verandering, en van bestendigheid. Een metafoor voor ons nieuwe leven samen.'

Lijnen vlogen uit. Er ging nog een duiker.

'Hadden ze het nog maar wat groter gemaakt,' zei Michael.

'Ze gaan het vinden, niet?'

'Is het meer diep?'

'Niet diep genoeg,' zei Abigail mistroostig.

23

Victorine hield zich bij de grond, als een dier. Ze had de grot jaren geleden ontdekt. Hij was oud, de stenen waren glad afgesleten bij de ingang en in de diepere gedeeltes lagen botten van kleine zoogdieren. Ze vermoedde dat het het hol van een panter was geweest, vroeger, toen er nog panters waren in deze staat, maar dat was honderd jaar geleden, op zijn minst.

Dus de botten waren oud.

De grot was oud

Ze had hem ontdekt toen ze nog een kind was en op blote voeten rondliep omdat haar moeder haar schoenen in beslag had genomen, als straf voor de een of andere nalatigheid of het een of andere vergrijp. Zo was moeder, als het om Victorine ging: scherp van tong en wreed genoeg om op betekenisvolle manieren te straffen. En ze accepteerde dat ook, tot Julian haar vertelde hoe het leven prettiger kon zijn. Tot hij haar dát liet zien.

Ze liet zich op haar buik zakken en gleed de grot in. Binnen rees het dak op tot waar het licht door een barst in het graniet filterde. De barst zorgde voor ventilatie om een vuurtje te kunnen stoken, maar liet ook regen binnen, anders zou ze daar wel slapen. Maar daar slapen was geen goed idee. Ze had het een keer een week lang gedaan, de eerste keer dat ze wegliep, en was bijna doodgegaan aan een longontsteking. Moeder zei dat het de straf van God was, omdat ze had gezondigd tegenover de goede vrouw die haar had opgevoed, maar volgens Victorine waren het de vochtigheid en de kou en de paddenstoelensporen. En dat was een les die ze had geleerd: dat sommigen het warm hadden 's nachts en dat anderen het koud hadden.

Victorine wilde het graag warm hebben, maar niet in het huis van haar moeder. Nooit meer. Even gingen haar gedachten naar de man die ze verwond had. Dat moest Julians broer zijn. Wat zijn gezicht betreft zou dat heel goed kunnen, maar de rest van hem was heel anders. Hij wilde achter haar aan komen, zelfs toen ze hem had verwond. Dat had ze in zijn ogen gezien, een moment van vastbeslotenheid dat meteen weer wegtrok. Ze begreep nog steeds niet waarom hij dat niet had gedaan. Hij was snel genoeg, en sterk genoeg, en zo diep was die snee nou ook weer niet. Ze dubde er even over en liet het toen los.

Achter in de grot trok ze een oude kist tevoorschijn waarin een morsige deken en een paar kaarsstompjes zaten. Ze maakte een bed en stak de kaarsen aan. Het licht gleed over de beschermingstekens die ze lang geleden in de rotssteen had aangebracht. Haar moeder deed zichzelf voor als heks en Victorine had in de afgelopen negentien jaar geen redenen gehad om aan haar woorden te twijfelen. Ze was er vals genoeg voor, en ze oefende grote macht uit over mannen. Dus was ze een heks, of misschien ook niet, maar Victorine nam liever geen risico's voor zover het haar moeder betrof. Er was te veel gebeurd daar, er was te veel animositeit.

Ze strekte zich uit in de grot, op een deken op een zandplek die haar vorm had aangenomen, en dacht vooruit aan wat de komende dag zou kunnen brengen. Op dit moment had ze het warm, maar ze wilde nog wel wat meer warmte. Dus daar was ze mee bezig, daar in het donker, met de botten om zich heen in het leger van de oude kat. Ze dacht aan wat ze wilde, en aan Julian Vane. Ze dacht aan hoe hij zei dat haar leven moest worden, en dan aan de gaven die God haar gegeven had: een lichaam dat zo uit de hemel kwam, een kunstenaarsblik en een geest zo scherp en spits als de middentand van satans grote rode vork.

Ze had een plan, maar geen geld. Ze had een vriend, maar die was weg.

Waar ben je in godsnaam, Julian?

24

'De Gautreaux-vrouwen hebben iets met mannen.' Abigail reed. Ze waren op weg naar de achterzijde van het landgoed met niets anders voor zich dan kiezelpaden en diepe bossen. 'Er is iets in de manier waarop ze zich bewegen, in hun uiterlijk, in hoe ze ruiken. Ik kom er niet achter. Je moet het zien om het te kunnen begrijpen.' Ze schudde haar hoofd. 'Het is niet normaal.'

'Het klinkt persoonlijk, zoals je erover praat.'

Abigail streek met de rug van haar hand over haar wang. 'Caravel Gautreaux had iets met mijn man. Het is lang geleden, maar het heeft wel een tijdje geduurd. Hij zei dan dat hij ging jagen, maar kwam altijd met lege handen terug. Het was in het begin van ons huwelijk. Een korte, hevige affaire, zei hij. De eerste van vele, naar later bleek.'

Ze zei het zonder schaamte, maar Michael voelde de pijn en begreep dat. Het was een gevaarlijke bezigheid, mensen vertrouwen. 'Vertel eens over haar.'

Abigail gebaarde om zich heen, naar het bos. 'De familie Gautreaux kwam eind jaren 1830 over uit Frankrijk, een moeder met twee volwassen zonen en een dochter van hoogstens dertien. Ze vestigden zich in eerste instantie aan de kust van Lake Pontchartrain, maar werden acht jaar later Louisiana uit gejaagd. Uiteindelijk kwamen ze terecht aan de kust van Noord- en Zuid-Carolina en trokken ze langs de rivier omhoog, het binnenland in naar Chatham County. De dochter was tegen die tijd eenentwintig en zwanger van een van haar broers, hoewel nooit iemand ooit heeft geweten van welke. Ze verdienden hun geld in de slavenhandel en als dieven; verkochten sterke drank aan de indianen en wapens aan iedereen die er het geld voor had.'

'Opportunisten.'

'Ze stalen alles wat los en vast zat, moordden voor geld, en de vrouwen waren het ergste. Niet alleen de moeder, maar ook de dochter en de meisjestweeling die ze kreeg van de broer die haar bezwangerd had. Het waren hoeren, allemaal, genezers en bezweerders die een man de ene dag besmetten met syfilis en de volgende dag drie dollar vroegen om hem te genezen. Toen er meer mensen in de regio om hen heen kwamen wonen, werden ze gevaarlijker en raakten ze meer geïsoleerd. Tijdens de Burgeroorlog namen ze deserteurs op met de belofte van warm eten en een droog bed, waarna ze hun de keel afsneden en van hun hele hebben en houden beroofden.' Abigail wierp Michael een blik toe. 'Er is een oude man in de stad die nog altijd zweert dat hij als jongetje in een schuur op hun land meer dan honderd musketten heeft zien liggen.'

Michael had geen levendige verbeelding, maar kon zich, terwijl ze over de weg van die tong van zwarte aarde reden, wel voorstellen hoe dat moet zijn gegaan: het geven van eten aan een verscholen, uitgehongerde man; dan het vallen van de avond en een heimelijk bezoekje, met de glans van zweet en de gloed van vuur als een van de dochters zijn heupen bereed op een bed van dierenvel, haar lijf smerig en naakt, haar ogen opengesperd; en haar moeder die de kin van de man achterlangs omhoogduwde en een mes in de pezen van zijn hals stootte.

'Het verhaal kent verschillende versies,' zei Abigail, 'maar dat het in essentie waar is, daaraan heb ik nooit getwijfeld. Na anderhalve eeuw op dezelfde grond is het een familie van slangen geboren uit slangen, een hoogmoedig, gewelddadig, inhalig, stinkend gebroed. Vond je Victorine mooi?'

'Buitengewoon mooi.'

'Dat was haar moeder ook, ooit: knap en aards en rauw. Ik denk dat haar neuken zoiets was als een poema neuken. Sommige mannen vinden dat leuk.'

'Jij bent hier te veel bij betrokken,' zei Michael. 'Ik kan beter alleen gaan.'

'Die meid houdt het met Julian. Ik ga.'

'Je maakt dit tot iets persoonlijks.'

'De moeder is inslecht. Dan is die meid dat ook.'

Michael dacht terug aan het moment dat hij was verwond. De paar korte seconden na de verbazing en pijn, waarna de gevoelens complexer werden. Ze was wreed geweest en snel en bereid tot vechten, maar ze was ook bang en vastbesloten dat niet te laten merken. Hij had haar kunnen grijpen, mes of geen mes, maar kijkend naar haar gezicht, haar toegeknepen ogen en haar houding had hij zoveel herkend uit zijn eigen harde jaren. 'Ik zag iets anders,' zei hij uiteindelijk.

'Wat dan?'

'Ik zag overlevingsdrang.'

Abigail dacht na over wat hij zei. 'Overleven, moorden, neuken.' Ze schakelde terug toen het pad ophield en ze de landrover de waterstroom onder hen in stuurde. 'We hadden deze mensen jaren geleden al moeten uitroeien.'

Michael voelde de verandering toen ze over het gebied reden dat van Caravel Gautreaux was. In het gelijkmatige landschap staken links en rechts grote brokken graniet uit de grond omhoog. Het hardhout verdween en maakte plaats voor dennenbossen. Naalden vormden een deken op de grond. Het bos werd donkerder.

'Zorg dat ze je niet aanraakt.'

'Waarom niet?'

'Gewoon niet doen.' Abigail bleef naar de weg kijken. Haar voet liet het gaspedaal los en ze zei: 'Hier is het.'

Het voertuig kwam tot stilstand. Ze zagen bos dat zich aan weerszijden uitstrekte, een blauwe hemel en een hoop gore viezigheid. Michael zag het oude huis, de schuren en dieren met gevlekte vacht. En toen zag hij de politieauto. Hij was donker en zonder merktekens, en stond op een schaduwrijke plek aan de andere kant van het smerige terrein, maar Michael had meteen door wat het was.

'Politie,' zei hij.

'Denk je?'

Michael keek om zich heen en zag niemand. 'Waarschijnlijk zijn ze binnen.'

'We moeten weg.' Ze dacht aan hem, met zijn achtergrond, maar toen ze naar het sleuteltje reikte, ging de voordeur open en kwam een man de veranda op, gevolgd door Caravel Gautreaux.

'We moesten maar eens met de politie praten,' zei Michael.

'Echt?' Ze klonk bezorgd.

'Nu weggaan maakt ons verdacht.' Hij gleed uit de landrover en nam Caravel Gautreaux in zich op. Ze was langer dan haar dochter, maar had iets aards over zich dat moeilijk was te omschrijven. Ze droeg een mouwloos shirt en had moeilijk te peilen ogen onder zwart, met wit doorschoten haar. Haar schouders waren breed zonder mannelijk te zijn, haar handen oogden sterk. Ze had aantrekkingskracht, dacht hij; het was iets in de trage neerslag van haar oogleden, een soort aardse onbevangenheid.

'Abigail Vane!' Gautreaux sprak voor de agent een kans kreeg; haar lome glimlach was veelbetekenend. 'Kom je me nog een van je jongens brengen?' Ze stapte de veranda af en iedereen leek haar te volgen – ze kwamen alle vier midden op het erf bij elkaar. Op een afstand van een dikke meter leek haar huid te verzachten, leek die eerder smerig dan ruw. Nog een stap, en ook haar haar had meer glans dan Michael had verwacht. Ze keek naar Michael, en zei: 'Over deze hier had ik al meer gehoord.'

'Van wie?' vroeg Abigail. 'Van je dochter?' Gautreaux lachte en Abigail negeerde haar verder. 'Michael, dit is rechercheur Jacobsen.' Ze sprak koeltjes. 'Rechercheur Jacobsen en ik kennen elkaar al een poosje.'

'Hoewel het alweer een hele tijd geleden is dat we elkaar het laatst hebben gesproken.' De rechercheur was ruim zestig, blozend en mager. Er klonk een zekere vijandigheid door in zijn woorden, evenals een nauwelijks verholen wantrouwen. 'Hoe gaat het met Julian, dezer dagen?'

'We hadden een en ander met elkaar van doen,' legde Abigail Michael uit. 'Heel wat jaren terug al.'

De spanning was tastbaar en Jacobsen nam Michael van top tot teen in zich op. 'De gelijkenis is opmerkelijk.' Hij richtte zich tot Abigail. 'Ik wist niet dat u nog een zoon had.'

'Dat is ook niet zo,' zei Michael. 'Ik ben Julians broer, maar niet haar zoon.'

'Hij is geadopteerd...'

'En ik niet. Klopt.'

De agent knikte. 'Wat doet u hier?' Hij keek naar hen beiden. 'Ik had begrepen dat u en mevrouw Gautreaux al een eeuwigheid met elkaar overhoop lagen.'

'We willen met haar dochter praten. Het gaat om iets persoonlijks.'

'Praat, praat, praat...' Gautreaux liet het klinken als het kakelen van een kip en haar gelach laaide op toen Abigail een kleur kreeg.

'Heeft u al iets gevonden in het meer?' vroeg Michael.

'Nog niet.' Jacobsens blik bleef hangen op Michaels gezicht. Koel en klinisch. Analyserend. 'We hebben duikers in het meer. We doorzoeken het gebied grondig. Meer dan dat kan ik u niet zeggen.' Hij aarzelde even en hield zijn aandacht op Michael gericht. 'U lijkt echt heel erg op uw broer. Heeft u hem onlangs nog gezien?' Hij wendde zich tot Abigail. 'Is hij thuis?'

'U verspilt uw tijd,' zei Abigail. 'Julian heeft nog nooit iemand kwaad gedaan. En zal dat ook nooit doen.'

'En toch heeft uw man op dit moment zes advocaten in huis en kan Julian ons niet te woord staan. Klinkt allemaal nogal bekend, vindt u ook niet?'

'Elke vraag die u heeft over onze zoon kan worden gesteld aan onze advocaten. Wij zijn hier om met haar te praten.' Abigail wees naar Gautreaux. 'Een persoonlijke aangelegenheid, zoals ik al zei. Dus als u klaar bent...'

'Klaar? Nee. We beginnen net.'

'U begint net? Met wat? Een zinloze zoektocht gebaseerd op een onbetrouwbare informant? Oude vlekken in een leeg botenhuis? Het lijkt me allemaal nogal overdreven.'

'Misschien. Misschien ook niet.'

Dit had nog wel even zo door kunnen gaan, maar Jacobsens radio piepte. 'Negentien. Controle.'

Jacobsen ging in de schaduw staan. 'Controle, negentien. Zeg het maar.' Hij draaide de radio zachter en liep weg tot zijn gesprek niet veel meer was dan wat ver gebrom. Toen hij terugkwam, was hij een en al energie. 'We komen hier nog wel op terug.'

Hij liep naar de auto en Michael vroeg: 'Wat is er gebeurd?'

Jacobsen gaf geen antwoord. Hij opende het portier en sloeg het weer dicht. De motor startte en de auto draaide een kleine cirkel met wielen die modder vraten. Daarna schoot hij met loeiende motor vooruit.

'Kom mee.' Michael raakte Abigail aan bij haar schouder. 'We gaan.'

'Waarom?'

'Stap nou maar in.'

Ze keerden de landrover, maar Caravel Gautreaux was nog niet klaar. 'Ik wil mijn meisje.'

'En ik heb je gezegd...'

'Ik weet wat je hebt gezegd, zoals ik weet dat je een liegbeest bent.'

'Je kent dan misschien mijn man, maar over mij weet je helemaal niets.'

Gautreauxs lip krulde. 'Ik herken een lastpak al van een afstand.' Abigail draaide zich om, maar Gautreaux ging met haar hoofd schuin voor haar staan. 'Ik weet dat met geld trouwen je niet bijzonder maakt.'

'Ga uit de weg, Caravel.'

Gautreaux stak een hand uit en lachte kil toen Abigail terugdeinsde. 'Dat weten we allebei even goed.' Ze maakte een beweging en Abigail deinsde opnieuw achteruit. 'Moet je haar zien, compleet opgefokt en zo wit als een doek.'

'Abigail?'

'Niks aan de hand, Michael.'

'Dan gaan we nu.'

'Ja, wegwezen jullie. En kom hier niet nog een keer ongevraagd aanzetten.'

Michael kreeg Abigail in de auto en sloeg de deur dicht. Hij keek een keer naar Gautreaux, die een ruk gaf met haar hoofd en zei: 'Hou hem hoog, grote man.'

'Je zou wat zorgvuldiger moeten omgaan met mensen die je niet kent.'

'Neem maar van mij aan,' zei Gautreaux, 'dat ik haar aardig goed ken.'

'Ken je mij dan wel?'

Hij maakte een pistool van zijn vingers, deed alsof hij schoot en reed daarna weg. Naast hem leek Abigail in een soort shock te verkeren. Het duurde een hele tijd voor ze iets zei. 'Sorry hoor.' Ze zakte wat onderuit in haar stoel en er kwam weer wat kleur op haar gezicht. 'Ze maakt me bang.'

'Waarom?'

'Dat snap je toch niet.'

Ze reden verder; de landrover bokte en protesteerden waar Michael hem niet spaarde op ruige stukken pad.

'Waarom rijd je zo hard?' vroeg Abigail.

'We moeten opschieten.'

'Waarom?'

'Ze hebben het lijk gevonden.'
'Hoe weet je dat?'
'Dat weet ik gewoon.'
Twintig minuten later reden ze het bos uit en wees Abigail hem een plek waar ze uitzicht hadden op het meer: een boomloze plek waar de lage bergkam afliep en toen steil naar beneden viel. Hij stopte en ze stapten uit. Ze konden alles zien: het meer, de agenten, vier boten op glad water. Het groepje boten lag bij elkaar. Op het strand stonden alle agenten zwijgend toe te kijken. Er waren al twee duikers in het water. Toen Michael keek, ging de derde overboord.
'Wat zijn ze aan het doen?'
Abigail ging dicht bij de rand staan. Nog één stap en ze zou naar beneden vallen. Michael keek naar de activiteiten op het meer. Agenten probeerden een korf met grote mazen te water te laten aan de bakboordkant van de grootste boot. De korf had de lengte van een grote man en had touwen aan alle vier hoeken. Ze lieten hem zakken, met een duiker aan elke kant. Toen duidelijk was dat ze geen antwoord kreeg van Michael, vroeg Abigail: 'Gebruiken ze dat om het lijk naar boven te halen?'
'In theorie wel, ja.' Hij bleef kijken tot de korf was gezakt, met alle drie de duikers. 'Er is alleen één probleem.'
'Wat voor probleem?'
'Dat is niet de plek waar ik Ronnie Saints heb gedumpt.'

25

Michael en Abigail wachtten tot de korf bovenkwam. Vanaf de bodem van het meer borrelden luchtbellen omhoog, maar de korf bleef beneden. 'Wat vinden we hiervan?' Abigail keek hem aan alsof hij daarop een zinnig antwoord kon geven.
'Dáár heb ik Ronnie naar de bodem laten zinken.' En hij wees met zijn kin. 'Honderd meter, op zijn minst.'
'Er is geen stroming in het meer. Het lijk kan onmogelijk afgedreven zijn.'
'Tenzij iemand het heeft verplaatst.'
Abigail schudde haar hoofd. 'Dat lijkt me onwaarschijnlijk.'
Michael was het daarmee eens. 'De zon was bijna op toen ik hem in

het meer liet zakken. Als iemand hem heeft verplaatst, moet dat bij daglicht zijn gebeurd.'

'Dus?'

'Twee mogelijkheden, denk ik. Of ze hebben zich vergist.' Beiden keken ze naar de politieagenten, en naar de boten. 'Of er ligt nog een ander lijk in dat meer.'

Abigail sloeg haar armen over elkaar. Ze bewoog haar schouders en haar gezicht was vertrokken. 'Ik vind dit maar niks.'

Michael keek op zijn horloge en naar de stand van de zon. 'We moeten gaan.'

'Waarom?'

'Als ze een lijk naar boven halen, sluiten ze de boel hier af. Het is dan geen zoektocht meer maar een compleet moordonderzoek. Iedereen zal ondervraagd worden. Ze kunnen het hele gebied als plaats delict aanwijzen. Jacobsen is een terriër en hij heeft een goede reden om zich zorgen te maken. Niets mag hier in of uit gaan zonder toestemming van de politie.'

'Maar mijn man...'

'Juist vanwege je man en om wat er de laatste keer is gebeurd zullen ze nog meer mensen inzetten. Het zal nog erger worden. Misschien gaat de federale politie zich er wel mee bemoeien. En de media. Dit hou je niet stil.' Bij het meer begon men de kabels omhoog te halen. Het water klotste tussen de boten en Michael pakte haar bij de arm. 'We moeten gaan.'

'Waarheen?'

'Ze halen iets omhoog. We hebben niet veel tijd meer.'

'Ik wil blijven kijken.' Hij trok zachtjes aan haar arm, maar koppig als ze was bevrijdde ze haar arm uit de greep van zijn hand. 'Ik moet het zien.'

Hij liet haar even begaan. Daar, op nog geen meter van de rand van de afgrond, stond ze te wankelen. Op het meer hingen de mannen over de rand van de boten. Het was een drukte van jewelste. Je hoorde hun harde stemmen, maar het was niet te verstaan wat ze zeiden. Een duiker kwam boven water en toen een tweede. Tussen hen in dreef de korf, met onder het wateroppervlak iets zilverachtigs in de vorm van en met de afmetingen van een doodskist.

'Het is te ver weg,' zei Michael. 'Je ziet geen details.'

'Dit is afschuwelijk.' De korf kwam boven water. Hij was niet leeg. 'Mijn god.'

De politiemannen riepen naar elkaar, terwijl ze de korf uit het water probeerden te hijsen.

'We moeten gaan.' Michael hielp haar in de landrover en startte de motor. De versnelling knarste toen hij hem in zijn eerste duwde. 'We moeten hier weg zijn tegen de tijd dat ze dat lijk op het droge hebben.'

'Weg? Waarheen?'

'Asheville is vijf uur hiervandaan.'

'Asheville?'

'We moeten antwoorden hebben. Wiens lijk is dat? Waarom is het lijk hier en wat heeft het te maken met Ronnie Saints? Waarom is hij gedood? Hoe? En wie in godsnaam heeft het lijk in jouw meer gedumpt? Dat zijn veel vragen, dat weet ik, maar ze hebben allemaal te maken met Ronnie, hoe dan ook. Zijn huis lijkt mij een goede plek om te beginnen.'

'Hoe weet je dat Ronnie Saints in Asheville woonde?'

'Ik heb z'n rijbewijs gevonden.'

'Maar wat zou je daar dan nog te weten kunnen komen? Hij is dood. Het is voorbij.'

Michael schudde zijn hoofd. 'Dit zit me helemaal niet lekker.'

'Bedoel je dat dit door toedoen van Julian is gebeurd?'

Ze wees naar het meer en Michael probeerde een goed antwoord te bedenken. Julian was in staat iemand te vermoorden, dat wist hij. Hij had Hennessey vermoord toen zij nog jongens waren, en het idee dat hij Ronnie Saints kon doden lag voor de hand. Hij had al een jongen uit het IJzeren Huis omgebracht. Waarom dan niet nog een? Maar dit alles voelde niet goed aan. Hij en Julian hadden echt contact gehad, en ook al was Julian toen een zenuwinstorting nabij, ook al wist hij dat er een lijk in het botenhuis lag, het leek nog steeds een onwaarschijnlijk idee. 'Ik zou me kunnen voorstellen dat hij Ronnie gedood heeft, misschien. Ronnie komt opdagen, oude gevoelens komen naar boven, ze vechten en het loopt verkeerd af. Dat zou ik me kunnen voorstellen. Maar dit tweede lijk...'

'Je denkt dat hij dit niet heeft kunnen doen?'

'Het is te veel allemaal. Nog een lijk. En het dan verbergen in het meer. Julian handelt impulsief.'

'Je klinkt ontzettend zeker van je zaak. Mag ik vragen waarom?'

Michael dacht na en vroeg zich af hoeveel hij kon zeggen. Dat Julian vanaf zijn geboorte had aangeleerd te vluchten in plaats van te vechten? Dat hij een angsthaas was? Dat het doden van Hennessey een uitzondering was geweest? Dat niets van dit alles echt klopte?

'Heb je Julians boeken gelezen?' vroeg hij.

'Natuurlijk.'

'Er gebeuren kwalijke dingen in zijn boeken.'

Haar hand ging naar haar keel. 'Afgrijselijke dingen.'

'Zijn personages hebben moeite met het leven. Ze lijden.'

'Kwaad en geweld en kinderen.' Ze keek somber. 'Zelfs de illustraties zijn angstaanjagend.'

'Maar zijn boeken gaan over meer dan dat, vind je niet? Ze gaan over beschadigde mensen die een manier vinden om verder te gaan, om de dingen die hen beschadigd hebben achter zich te laten. Ze gaan over licht en hoop en het brengen van offers, over liefde en vertrouwen en over het gevecht om het beter te doen. Hoe problematisch en hoe verschrikkelijk het verhaal ook is, zijn personages vinden openingen dóór het geweld. Ze verwerken het en gaan weer verder.' Michael verkeerde even in tweestrijd. Toen zei hij: 'In zijn boeken kan je zien voor wat voor leven Julian koos.'

'Hopeloosheid en misbruik?'

'Nee'

'Kwetsbaarheid?'

Haar eigen kwetsbaarheid begon door te schemeren, en Michael begreep het. Julian zou altijd lijden en het zou altijd moeilijk zijn om het aan te zien. Maar dat was niet wat Michael in zijn broers werk las. 'Zijn boeken hebben geen happy end, nee. Zijn hoofdpersonen gaan door de hel en bijna te gronde, maar je ziet ook iets goeds in de mensen die hij creëert. Je ziet ook iets krachtigs. Ze maken keuzes, ze gaan door de angst en walging en onzekerheid heen.'

Michael schakelde en de auto maakte een slinger. 'Zijn personages zijn gekweld en gekwetst, maar dát is het magische van wat hij doet. Dáár gaat het om.'

'Magisch?'

'Julian schrijft zwartgallig omdat het licht dat hij wil overbrengen zo zwak is dat je het alleen kan zien als de hele omgeving zwart is. Je hebt het gelezen: duistere personages en slechte daden, pijn en geworstel en verraad. Maar licht is er altijd. Dat zit in zijn personen, in het slot. Zijn boeken zijn subtiel, en daarom willen zoveel scholen en ouders dat ze worden verbrand of verboden. Zij vinden dat het gaat over een ontbrekende God, dat het goddeloos is, maar dat is niet wat hij werkelijk schrijft. God zit in de kleine dingen, in een laatste vleugje hoop, in een klein vriendelijk gebaar wanneer de wereld tot as vergaat. Julian schraapt het vuil van de geruïneerde stukken wereld af, en dat doet hij op een manier die kinderen begrijpen. Hij laat ze meer zien dan het oppervlakkige; hij toont schoonheid, toont hoe we onder het lelijke en afschrikwekkende het moeilijke pad kunnen kiezen en kunnen overleven. Ik heb altijd troost gevonden in Julians boeken, heb altijd geloofd dat hij hetzelfde pad voor zichzelf had gevonden.'

'Hij is ongelukkig en bang.'

'Misschien is het pad voor sommigen langer dan voor anderen. Misschien bewandelt hij dat pad nog steeds.'

'En misschien heeft hij die mannen vermoord.'

Michaels vingers knepen in het stuur. 'Dat geloof ik niet totdat ik het zeker weet, en zelfs dan zal ik proberen het op een of andere manier onzichtbaar te maken.'

'Je wilt het onzichtbaar maken?'

Michael vertrok geen spier. 'Dat regel ik wel.'

'Zoals je dat met Hennessey hebt gedaan?'

'Wat zeg je nou?'

Michael keek opzij. Haar gezicht stond ernstig en ze was bleek geworden.

'Ik zat naast Julians bed toen hij net bij ons was komen wonen. Hij praatte in zijn slaap. Zoals hij dat nog steeds doet.'

'Wat wil je precies zeggen, Abigail?'

'Jij bent degene die praat over liefde en opoffering en door geweld heen breken. Vertel míj dan maar eens wat ík zeg.'

'Denk jij dat Julian Hennessey heeft vermoord?'

'Voor mij doet het er niet toe of hij het heeft gedaan, maar ja, ik denk dat dat heel goed zou kunnen. Ik ben vooral blij dat je zijn boeken zo bekijkt. Dat doe ik ook.'

'Echt?'

'Ik vind je broer een genie. Hij is ook de diepst voelende, meest nadenkende man die ik ooit heb gekend. Hier links afslaan.'

Michael kwam bij een wegsplitsing: rechts het huis, links een Y-vormige vertakking. Hij wist niet wat hij moest zeggen, maar Abigail scheen ook geen reactie te verwachten.

'Er zijn twee kleinere opritten aan weerszijden van de omheining.' Haar stem was nog dof. 'Geen bewaking. Alleen toetsenpaneeltjes.'

'Welke is het dichtste bij?'

'Links.'

Michael sloeg rechts af.
'Wat doe je nou?' vroeg ze.
'We nemen Julian mee.'
'Die praat niet met ons,' zei Abigail.
'Misschien wel, misschien niet. Maar uiteindelijk kan me dat niks schelen.'
'Waarom doe je dit dan?'
'Ik wil hem uit de buurt van de politie houden.' Michael zag het huis opdoemen door de kalende bomen heen: een platte massa grijze steen. 'Ik wil niet dat hij bekent.'
Abigail sloot haar ogen en zag in gedachten Julian, gebroken in zijn kamer. Ze zag een lijk in een lange, gevlochten korf. Het kwam naar boven terwijl zwart water groen werd, groen water helder. De oogkassen waren leeg en gerafeld. Vissen hadden het vlees van de botten gevreten en de lippen lagen gehavend over schone, witte tanden. Iets blonk in de open mond.
'Jezus...' fluisterde ze.
'Gaat het?'
Ze wreef over haar slapen. 'Hoofdpijn.'
Michael zei niets. Hij reed hard, en bij het huis zei Abigail dat hij door moest rijden naar achteren. Daar zag hij een garage voor twaalf auto's. Hij was gemaakt van steen, lang en laag. Houten, glimmende deuren. Abigail wees naar een plek aan het eind en ze stapten uit.
'Kom met me mee.'
Zij verdween via een zijdeur en Michael volgde. Binnen zag hij hier en daar staal en glanzende verf, en sleutels aan een lange rij haken. Abigail verspilde geen tijd. De auto die zij koos was uitzonderlijk mooi. Hij wist niet veel van Mercedes-Benz, maar hij vermoedde dat dit model het duurste was dat er bestond.
Abigail gaf hem de sleutels. 'De landrover is een ramp op de snelweg.'
'Wat is de beste manier om Julian weg te krijgen?'
'Julian gaat niet met je mee. En ik ook niet.'
'Je hebt gehoord waarom het moet.'
'We lopen in deze familie niet weg van onze problemen. Ik vertrouw op de senator. Ongeacht zijn fouten doet hij altijd wat er moet worden gedaan.'
'Julian zou zichzelf kunnen belasten.'
'Hij moet thuis zijn, met de mensen van wie hij houdt. Hij is niet

sterk genoeg om met jou de staat door te gaan crossen.'

'Vertrouw je me niet?'

'Ik vertrouw je bedoelingen,' zei Abigail. 'Maar ik weet niet of je in staat bent om voor Julian te zorgen.'

'Kom dan met me mee.'

'Ik blijf bij mijn zoon.'

Michael keek op zijn horloge. Minuten vlogen voorbij. 'Geef een politieman een lijk en hij wordt een speurhond, vooral als het voorpaginanieuws is, zoals dit zal zijn. Die politiemensen...' Michael stopte om zijn woorden meer nadruk te geven. 'Het enige wat zij ruiken is Julian. Begrijp je dat? De laatste keer hebben ze hem niet kunnen pakken. Deze keer komen ze met man en macht. Ze lusten hem rauw.'

'Julian is onder doktersbehandeling. De advocaten zeggen dat we daardoor wat armslag hebben.'

'Advocaten kunnen ook niet alles. We moeten uitzoeken waarom Ronnie Saints hier was. We moeten weten van wie dat andere lijk is. Als Julian deze mensen niet heeft gedood, moeten we weten wie dan wel. En als hij het wel heeft gedaan, moeten we een reddingsplan voor hem hebben. Dat lukt niet zonder informatie. We kunnen binnen vijf uur in Asheville zijn. Dat is een begin, Abigail. Een begin.'

'Neem de auto en ga.'

'Ze breken hem. Begrijp je dat? Julian is niet opgewassen tegen een officieel politieverhoor.'

'Het spijt me, Michael. Ik hoor bij Julian en mijn gevoel zegt me dat hij thuis moet blijven, waar hij zich veilig voelt. Je moet zonder mij gaan.' Abigail drukte op een knop en de poort rees omhoog. Ze zagen een oprit, bomen en in de verte een stukje lucht. Michael zag de politieagenten als eerste.

'Ah, shit.' Hij stapte naar de deur. Auto's met zwaailichten schoten over de weg langs het meer en reden steeds sneller richting het huis. 'We krijgen hem nooit weg.'

De politie was nu op een paar honderd meter afstand en kon er elk ogenblik zijn. Abigail werd op haar mobieltje gebeld. 'Het is Jessup,' zei ze. Haar gezicht was rustig, haar blik was strak op de politieauto's gericht. 'Hallo, Jessup.' Ze luisterde een tijdje. 'Ja, dat weet ik. Ik zie ze aankomen.' Weer was ze even stil. 'Nee, ik ben in de garage. Ja, Michael is bij me. Ze hebben iets in het meer gevonden.'

Ze luisterde nog even, bedekte de microfoon en fluisterde tegen Michael. 'Jessup was erbij toen het lijk naar boven werd gehaald. Hij zegt dat het een paar weken in het water heeft gelegen; een man, bijna alleen nog een skelet. Met betonblokken verzwaard. Niet geïdentificeerd.'

De eerste politieauto verdween om de voorkant van het huis.

'Ze zijn bij de voordeur,' zei Abigail, nu weer aan de telefoon. 'Ik ga nu naar binnen.' Ze luisterde nog even en zei toen: 'Nee. Ik wil erbij zijn.'

Michael kon dit keer de stem van Falls horen, die bijna blikkerig klonk in de stilte van de garage. 'Dat is niet verstandig.'

'Maar ik moet erbij zijn. Dat moet...'

'Ik wil niet dat je hierbij betrokken raakt. Dat is niet verstandig. Dat weet jezelf ook. De senator is er, de advocaten zijn er. We moeten emoties hierbuiten houden en het door de professionals laten afhandelen.'

'Maar Julian...'

Ze hield haar mond. Falls stem werd zachter en het leek alsof Abigail kleiner werd terwijl ze luisterde. Toen zei ze: 'Oké. Ja. Ik weet dat je gelijk hebt. Ja, kan ik...'

Haar gezicht verstarde en ze liet de telefoon zakken. 'Hij moest weg.'

'Dat geloof ik graag.'

'Hij is bang dat ik het niet red. Emotioneel.'

'Denk je dat zelf ook?'

'Normaal gesproken niet, maar met Julian ligt het anders. Ik moet hem beschermen. Ik wil te veel. Het is niet goed voor Julian als hij dat ziet.'

'Kom dan met mij mee.'

Abigail leek hulpeloos. Haar blik ging van Michael naar de auto, naar het huis. 'Geloof je echt dat Julian het niet heeft gedaan?'

'Ronnie stierf in ongeveer dezelfde periode dat Julian zijn zenuwinzinking had, dus misschien heeft hij daar iets mee te maken gehad. Maar je zegt dat het andere lijk een skelet is. Dat betekent dat weken, misschien wel meer, voorbij moeten zijn gegaan. Hoe was Julian verleden week?'

'Prima.'

'En twee weken geleden?'

'Ook.'

Michael schudde zijn hoofd. 'Hij heeft het niet gedaan. We moeten meer te weten komen.'

'Maar Asheville...'

'Elena is verdwenen. Ik kan Julian niet bereiken. Het enige wat ik heb is een broer die mij nodig heeft.' Abigail keek naar het huis en Michael zei: 'Hier kan je hem niet helpen.'

'Alleen heen en terug, oké?'

Hij knikte.

'Oké,' zei ze. 'Ik ga mee.'

Ze stapten in de auto. De rit terug was stil en ze kwamen geen obstakels tegen. Abigail zei weinig. *Hier afslaan. Rechtdoor.* Bij de tuinmuur ging de poort geluidloos open. Michael trapte het gaspedaal in en de zware auto voegde zich in het niet al te drukke verkeer. Michael reed in westelijke richting om de rand van de stad heen. De velden gingen over in kleinere kavels. Winkelcentra ontsierden de kant van de weg. Er was meer verkeer nu.

'Je moet de snelweg naar het noorden nemen.' Abigail praatte zachtjes. 'Een paar mijl verder. Die brengt je bij de Interstate 40. Die weg gaat helemaal door de bergen heen.'

'Dank je.'

'Zo heb ik Julian thuisgebracht.'

Ze zei dat kalm en ingetogen, en toen Michael haar aankeek, werd er plotseling een simpel plannetje tussen hen geboren. Het IJzeren Huis was niet ver van Asheville vandaan.

Misschien een uur, of zo.

Een heel leven.

Vijftig minuten later scheurde Michael de Interstate op, de Mercedes reed al honderdtachtig voor hij er erg in had. Hij nam gas terug en zette de cruisecontrol op vijftien kilometer boven het maximum.

Hij keek op zijn mobieltje. 'Heeft ze niet gebeld?' vroeg Abigail.

'Nee.' Hij deed de telefoon weer in zijn zak.

'Hadden jullie ruzie?'

'Zoiets.'

'Het is een mooi meisje.'

'Ze betekent alles voor me.'

'Zijn jullie getrouwd?'

'Nog niet.' Een paar kilometer verder zei hij: 'Ze is zwanger.'

Abigail keek opzij en Michael verwachtte iets voorspelbaars te horen: *Gefeliciteerd.*

Maar dat hoorde hij niet.

'Als een schizofreen een broer of zuster heeft, heeft die een kans van veertig tot vijfenzestig procent om ook schizofreen te zijn. Wist je dat?'

'Nee.'

'Veertig tot vijfenzestig. Meer dan de helft. Zit meestal in de familie. Broers of zussen. Kinderen.'

Ze had het over Elena's zwangerschap. Michael verstrakte.

'Ben jij ooit onderzocht?'

'Ik ben niet schizofreen.'

Ze zag de heuvels in de verte en schudde haar hoofd. 'Het is een afschuwelijke ziekte.'

'Is het een agressieve ziekte?'

'Verschillende mensen lijden op verschillende manieren.'

'En Julian?'

'Geheugenverlies. Hallucinaties. Verward denken. Daarom woont hij nog thuis. Thuis is veilig. Minder kans op stress. Minder kans op waanvoorstellingen.'

'Wat voor soort waanvoorstellingen?'

'Stemmen.' Ze spande haar kaken. 'Medicijnen helpen.'

'Zegt hij wel eens wat hij voelt?'

'Eén keer, al lang geleden. Hij zei dat de stem pijn doet, maar hem sterk houdt. Hij zei dat hij er sterker van wordt, dat die stem hem groter maakt, terwijl hij weet dat hij klein is. Hij was die avond dronken, en in de war. Hij klonk zielig en dat wist hij. Ik denk dat hij er altijd spijt van heeft gehad dat hij mij dat heeft verteld. Soms zie ik hem naar me kijken, altijd met een bezorgde blik. Hij vroeg me eens of ik minder van hem hou.'

Michael haalde zich Hennessey voor de geest, dood op de badkamervloer. Hij zag het mes in zijn keel, de tegels vol bloed. Julians verwarring. 'En hoe zit het met de stereotype schizofrenie?'

'Wat bedoel je?'

'Zoals je die in films ziet. Meervoudige persoonlijkheden.'

'Dat komt zelden voor en wordt enorm gedramatiseerd en door Hollywood opgeblazen. Niemand heeft daar wat aan. De ziekte is complexer dan dat. Er zijn oneindig veel varianten. Julian is verward, maar zijn problemen gaan nooit zover.'

'Weet je dat zeker?'

'Ik ken die ziekte door en door.'

De senator belde toen ze nog een uur bij Asheville vandaan waren. Abigail stelde een paar vragen en luisterde toen een hele tijd. Toen ze ophing, zei ze. 'De media staan voor de poort. Binnenkort is het hele land op de hoogte.'

Daar keek Michael niet van op. 'Is er nog meer?'

'Het gaat voorlopig goed met Julian. Een rechter heeft beslist dat hij niet door de politie mag worden verhoord tot de medici hem voldoende informatie hebben verschaft. Ze hebben een dag, misschien twee dagen uitstel. Cloverdale heeft hem weer een antipsychoticum voorgeschreven.'

'Was dat het?'

'Ze zoeken nog in het meer.'

Asheville ligt in de Blue Ridge Mountains in het westelijk deel van North Carolina. Het is een prachtig stadje, omgeven door plaatsen met namen als Bat Cave, Black Mountain en Old Fort. Asheville had cultuur, muziek, kunst en geld, maar er was ook armoede, heel veel zelfs diep in de bergen die zich in alle richtingen uitstrekten. North Carolina, Georgia, Tennessee – waar je ook was, het maakte geen verschil, legde Abigail uit, toen ze de stad binnenreden. 'Iron Mountain ligt vijfenzestig kilometer ten westen van hier, ver in de bergen, duizend meter hoger, dicht bij Tennessee. Het is niet veel meer dan een uur rijden, maar je waant je daar in een ander land.'

'Een arm deel van de staat?'

'Staatsgrenzen stellen hier niet veel voor. Lost Creek, Tennessee. Snake Nation, Georgia. Blackstrap Pass. Hells Hollow. Het is allemaal in de bergen. Het is allemaal geschiedenis.'

'Je bent nooit terug geweest, of wel?'

'Iron Mountain?' Abigail schudde haar hoofd. 'Geen zin in en geen reden voor. Julian was veilig en jij was verdwenen.' De weg ging naar beneden en ze reden door Asheville. 'Sinds die tijd voelt dit deel van de wereld niet goed aan voor mij.'

Ze vonden Ronnie Saints' huis aan de rand van Asheville bij een brede vallei aan de voet van steile bergen. Een smalle weg, donker en slingerend. Michael zag kleine huizen met speelgoed op het gras. Pick-ups stonden op de oprit en Amerikaanse vlaggen hingen aan kleine vlaggenstokken. Water stroomde snel door de beken en de dollekervel schoot wel dertig meter de hoogte in.

'Dit is eigenlijk niet wat ik had verwacht,' zei Abigail.

'Ronnie Saints was een griezelbockfiguur uit je zoons naarste nachtmerrie. Ik had geen reden om te verwachten dat hij menselijk zou zijn.'

Ze reden een klein straatje in. De huizen waren geel en van baksteen en hadden wit-groene luiken. Ronnies huis was het kleinste van de straat, oud maar in goede staat, al begon de verf een beetje los te laten. Een busje stond op de oprit; SAINTS ELECTRIC stond in witte letters op de zijkant geschilderd.

'Dit is het juiste adres, zo te zien.' Michael reed er langzaam langs. Hij keek naar de huizen van de buren, de zijtuinen en de auto's die er geparkeerd stonden. 'Dit is z'n bestelwagen. Hij moet nog een auto hebben. Dat zou kunnen betekenen dat hij getrouwd is. Maar ik zie geen speelgoed. Misschien heeft hij een huisgenoot.'

'Dit voelt niet goed.'

'Wat bedoel je?'

'Weet ik niet.' Ze was nerveus, kneep haar handen samen. De bestelwagen blokkeerde de oprit. Het huis was donker en verlaten. 'Iets in mij zegt dat dit gevaarlijk is.' Ze schudde haar hoofd. 'Ik kan het niet uitleggen, het lijkt wel een soort vibratie.'

Michael keerde waar de straat ophield, reed terug en parkeerde bij de stoeprand. De Mercedes moest enorm opvallen in de nauwe straat, maar tot nu toe leek niemand geïnteresseerd.

'Kom op, aan de gang.'

Hij opende zijn portier en Abigail zei: 'Michael...'

Ze zag er bang en bleek uit, en even had Michael met haar te doen.

'Misschien kan jij beter in de auto blijven zitten. Als de politie in Chatham County Ronnie vindt en het lichaam identificeert, komt de politie van Asheville meteen hiernaartoe. En dan herkennen ze je. Je kunt hier beter niet worden gezien. Zou thuis moeilijk uit te leggen zijn: vrouw van senator belt aan bij een dood iemand. Begrijp je wat ik bedoel?'

'Denk je echt?'

'Blijf nou maar lekker zitten.'

Michael sloot het portier en zij deed de deuren op slot. Hij keek nog een keer om. Toen was hij bij het huis, een witte bungalow met een brede oprit, een overdekte veranda en een garage voor één auto. De goten waren schoon. Een hoge boom groeide op een grasstrook dicht bij de stoep. Michael bestudeerde de ramen. De motorkap van het busje was koud toen hij die aanraakte. Hij stapte de veranda op, keek één keer om en belde toen aan.

Niets.

Hij belde weer.

Een derde keer.

Michael ging naar links en bij het raam dekte hij zijn ogen af om naar binnen te kunnen turen. Geen kier tussen de gordijnen. Hij luisterde even en probeerde toen de deur.

Op slot.

Massief eiken.

De sleutel lag onder een bloempot.

Abigail zag hem onder de mat kijken, en langs het kozijn boven de deur voelen. Ze zag hoe hij de sleutel vond, de deur opendeed en naar binnen ging. Haar hart begon te bonzen. Ze ademde zo snel dat ze dacht dat ze aan paniekaanval had, alsof alles gewoon te veel was geworden. Lijken. Geheimen. Een zoon die kapotging.

Hè? Verdomme!

Zweetdruppels in haar blouse.

Jezus...

Ze hapte naar lucht.

Michael voelde het slot meegeven. Metaal gleed over metaal en hij was binnen. Hij luisterde of er iets bewoog en hoorde alleen de lucht door de ventilatiegaten ruisen. De kamer was schoon en keurig, met een hardhouten vloer die aan een nieuwe laag beis toe was, een gemetselde open haard en meubels die niet echt bij elkaar pasten. Aan de rechterkant een gewelfde doorgang naar een eetkamer met donkerrode muren en een beter soort meubels op een roomkleurig kleed. Rechtdoor was een andere poort die naar een kleine studeerkamer leidde. Hij rook kip en sigarettenrook, die nog niet de tijd hadden gehad om te verdwijnen. Zijn hand ging naar de .45 in de holte van zijn rug. Hij liep verder de kamer in, zag een tafel waaraan je met vier mensen kon zitten en planken met daarop goedkoop kristal en eendjes van keramiek. Hij stond even stil onder de boog, en de vrouw begon te praten op het moment dat hij met het getrokken pistool de kamer in kwam.

'Ik heb de politie al gebeld.'

Ze zat met haar benen opgetrokken op de ingezakte bank en had een groot slagersmes in haar hand. Ze was tenger, zag bleek, had een mooi gezichtje en dik, krullend haar. Ze was twintig jaar misschien, en ze had diepliggende, angstige ogen. Het mes trilde. Ze had een kartonnen schoenendoos onder haar linkeroksel geklemd.

'Nog iemand anders hier?' Michael hield het pistool op haar gericht.

'De politie is onderweg,' zei ze, maar hij wist dat ze loog. De druk van haar arm had de schoenendoos platgedrukt, waardoor het deksel kierde. Michael zag stapels papiergeld in de doos. Een telefoon was nergens te bekennen.

'Was je van plan om iemand te steken met dat mes?'

'Niet als ik niet hoef.' Ze droeg een roze korte broek van badstof en een wit T-shirt waarvan de mouwen waren afgeknipt.

Michael boog zich achterover en keek in de keuken. Er moest ergens een slaapkamer zijn, of misschien twee. 'Ik ben helemaal niet van plan om iemand iets aan te doen, oké? Maar als er iets onverwachts gebeurt, kan ik niets garanderen. Dus vertel me eens: heb je kinderen? Iemand die zomaar binnen zou kunnen lopen?'

'Ik heb geen kinderen. Er gebeurt niets onverwachts.'

'Heus niet?' Hij sprak zacht en liet haar zien hoe hij de haan van zijn pistool spande.

'Heus, meneer.'

'Oké, ik vertrouw jou en jij vertrouwt mij. Dat maakt het allemaal een stuk makkelijker.' Hij stopte zijn wapen weg achter zijn riem. Zij volgde dat aandachtig; het mes in haar hand bewoog niet. 'Ben jij Ronnies vrouw?'

'Ken je Ronnie?' Ze bewoog het mes omhoog, maar Michael zag dat het te zwaar voor haar werd.

'Ben je zijn vriendin?'

Ze boog haar arm. 'Verloofde,' zei ze.

'Ik ben niet op je geld uit.'

Ze keek omlaag en zag tot haar verbazing dat het geld te zien was. Ze nam de doos in haar schoot en duwde het deksel op zijn plaats. 'Werk je voor Flint?' Ze haalde met een snotterig geluid haar neus op.

'Andrew Flint, de baas van het weeshuis in Iron Mountain?' Ze knikte en Michael wist niet zo gauw wat hij daarmee aan moest. Om Flints naam na twintig jaar weer te horen in Ronnie Saints huis was op zijn zachtst gezegd wel heel vreemd. Michael had nooit gedacht dat mensen van het IJzeren Huis contact met elkaar zouden houden. Daar was het de instelling niet naar.

'Waarom vraag je naar Andrew Flint?'

'Ronnie heeft gezegd dat ik hem moest smeren als Flint opdook. Dat was vier dagen terug. Toen ik uw mooie auto zag, dacht ik dat u van Flint kwam.'

'Weet je waar Ronnie is?' vroeg Michael.

'Het enige wat ik zeker weet, is dat hij me niet heeft laten zitten. Niet zolang dit nog hier is.' Ze schudde de doos.

'Laat dat eens even zien.'

Michael knikte naar het geld, en ze verstevigde haar greep op de doos.

'Hij maakt me af.'

'Ik pik het niet in als je me vertelt wat ik wil weten.' Haar ogen waren op het pistool gericht. 'Dat beloof ik.'

Ze veegde een paar tranen weg, haar weerstand brak en ze liet het mes helemaal zakken. 'Ik zei al tegen hem dat dit te mooi was om waar te zijn.' Ze legde het mes op een lage tafel en zette de doos ernaast. Ze pakte een sigaret en stak hem aan met een goedkoop aanstekertje. Michael legde het mes op de televisie en trok vanuit de verste hoek een stoel bij.

'Hoe heet je?'

Ze blies rook uit en sloeg haar ogen op naar links. 'Crystal.'

Michael tilde het deksel van de doos. Er zaten knisperend nieuwe biljetten in pakjes van tienduizend dollar in. Hij haalde ze er een voor een uit en legde ze in een rij op tafel.

Vijftien pakken.

'Dat is veel geld,' zei hij.

'Hij maakt me af.' Ze staarde naar het geld, met haar armen over elkaar onder haar kleine borsten. Michael zag een stel littekens op een van haar armen, een tiental perfecte cirkels met rimpelige witte randen. Ze zag dat hij keek en bedekte de littekens met haar hand. Michael keek haar aan en ze sloeg haar ogen neer. Hij wist hoe brandwonden van sigaretten eruitzagen.

'Hoe lang ben je al met Ronnie?'

'Vanaf de middelbare school.' Ze tikte de as af op een wit schoteltje. 'Hij had werk en zei dat ik bijzonder was. Zo was hij toen. Een kerel, weet je.'

Michael liet het geld door zijn vingers gaan. Ze waren niet opeenvolgend genummerd en niet vervalst, voor zover hij kon nagaan. Onder in de doos lag een papiertje. Hij pakte het op. 'Ronnies handschrift?'

'Hij schrijft mooi voor een man.'

Op het papiertje stonden vijf namen onder elkaar geschreven. 'Waar komt dat geld vandaan?' vroeg Michael.

Ze keek opzij.

'Crystal...'

'Het werd vorige week bezorgd.' Er zat lippenstift op het filter. 'Allemaal heel officieel en verzegeld. 's Morgens vroeg werd het afgeleverd door een keurige meneer met een glimmende auto, ja mevrouwend en nee menerend. Ronnie moest ervoor tekenen, je weet wel.'

'Waar is het voor?'

'Ronnie zegt dat dat me niet aangaat. Ook al gaan we trouwen...' Haar stem sloeg over. Ze drukte haar sigaret uit en sloeg haar handen voor haar ogen. 'Neem het alstublieft niet mee. Het enige wat ik wil is een baby en een huis zonder hypotheek. Ronnie gaat verschrikkelijke dingen doen als hij thuiskomt en ontdekt dat het geld weg is.'

'Ik ben een moordenaar, geen dief.' Hij liet die opmerking even tot haar doordringen. Hij wilde dat ze bang genoeg zou worden om hem te vertellen wat hij wilde weten. 'Begrijp je me, Crystal?' Hij wachtte tot ze haar ogen opsloeg en hem aankeek. 'Begrijp je wat ik bedoel?'

Ze staarde hem aan; haar gezicht was bleek en strak. Iets in zijn ogen had haar overtuigd, want toen ze knikte, was de rest van haar lichaam totaal verstard, als een hert in het licht van de koplampen van een auto. 'Ja, meneer.'

'Dan vraag ik je het nog eens. Waarvoor is dit geld?'

'Het enige wat ik weet is dat hij zei dat er meer zou komen, nog een zending, net als deze. Zodra hij terugkwam. Dat is het, en meer is er niet.'

'Vertel eens wat meer over Andrew Flint?'

'Ik ken alleen de naam en wat Ronnie vertelde. Dat ik ervandoor moest gaan als die man ooit kwam opdagen. Ik moest het geld meenemen en naar een bepaalde plek gaan. Daar moest ik op Ronnie wachten.'

'Weet je waar Ronnie naartoe ging?'

'Ergens naar het oosten. Meer wilde hij niet kwijt.'

Michael keek nog eens naar de stapeltjes geld en het papiertje in zijn hand. Hij hield het omhoog, zodat ze het zag. 'Zeggen deze namen je iets?'

'Nee, meneer.'

Michael begon het geld weer terug te doen in de doos. Hij rook inkt en papier en Crystals angst. Hij deed het deksel op de doos en zag dat ze haar handen uitstak.

'Meneer?'

Hij legde een hand op de doos en keek naar de namen.

Billy Walker.

Chase Johnson.

George Nichols.

Het waren namen van vroeger, Hennesseys makkers in het IJzeren Huis. Michael zag hen nog even levendig voor zich als drieëntwintig jaar terug. Grote jongens, en gemeen.

Roofdieren.

Honden.

Michael keek omlaag naar de namen die geschreven waren door een dode man, en alles kwam weer boven – een krachtige en pijnlijke stroom van herinneringen.

'Meneer?' Ze moest de verandering in hem hebben gezien, want haar stem was zachter geworden. 'Meneer...'

Hij keek weer naar Ronnie Saints' namenlijstje. De drie jongens stonden bovenaan, boven elkaar, met een streep eronder. Onder de streep stonden nog twee namen.

'Wie is Salina Slaughter?' Hij keek goed, maar zag niets wat op liegen wees toen ze haar hoofd schudde.

'Ik weet 't niet.'

Hij hield het papiertje in de lucht. 'Heeft Ronnie niets gezegd?'

'Nee, meneer. Ik zag het lijstje, net zoals u, maar hij was niet in de stemming om erover te praten. Zo zit Ronnie nou eenmaal in elkaar. Ik mag geen vragen stellen.'

'Maar je ziet toch van alles.' Michael drong aan. 'Je let toch op.'

'Ja, meneer.'

'Wat is je nog meer opgevallen?' Michael trok de doos met geld wat dichter naar zich toe.

'Niets.'

'Telefoongesprekken?' Haar ogen bleven op de doos gericht. 'Mensen?'

'Nee.'

'Heeft hij ooit met iemand op deze lijst gesproken? George Nichols? Billy Walker? Chase Johnson?'

'Chase Johnson. Ze zijn vrienden, nog steeds.'

'Waar woont Chase Johnson?'

'Charlotte, dacht ik.'

'Wat doet hij in Charlotte?'

'Weet ik niet. Ik heb hem maar één keer ontmoet.'

'Heeft Ronnie je na zijn vertrek nog gebeld?'

Ze schudde haar hoofd. 'Hij zegt dat je een hersentumor krijgt van mobiele telefoons.'

'Wie is Salina Slaughter?' Michael nam de doos op en zette die op zijn schoot. 'Vertel me dat, en je mag het geld houden.'

Ze kreeg tranen in haar ogen, je zag blinde paniek bij de gedachte dat ze het geld zou kwijtraken. 'Ik wil alleen een baby en een huis zonder hypotheek.'

'Salina...'

'Ik heb niets verkeerds gedaan.'

'... Slaughter.'

'Ze belde een keer op, dat is alles wat ik weet. Vlak voor hij wegging. Dat is alles wat ik weet.'

Michael stond op, de doos met geld in zijn linkerhand. Hij geloofde haar.

'Weet je waar ik Andrew Flint kan vinden?' Ze was nu helemaal in zichzelf gekeerd; haar neus was rood en nat, en ze schudde haar hoofd. Michael keek even omlaag en zette toen de doos met geld op de tafel. 'Koop een huis,' zei hij. 'Neem een kind als je dat wilt. Maar vergeet Ronnie Saints.'

'Hoe bedoelt u?'

Hij dacht aan Ronnie Saints, dood in het meer. Zijn blik ging naar de cirkelvormige witte littekens. 'Jij kunt wel iets beters vinden.'

26

Angst maakte je heel erg bewust van dingen; Elena wist dat nu. Ze zag elk plekje op de muur, voelde de zachtheid van de versleten spijkerstof, de stijve kraag van het shirt dat tot haar knieën kwam. Ze rook haar huid en het bedompte huis. Ze was zich meer dan gewoon bewust van het kloppen van haar hart.

Bij de deur hoorde ze stemmen en het geluid van een televisie. Ze trok zich terug en inspecteerde de kamer voor de vijftiende keer, zoekend naar een manier om te ontsnappen. Een wapen. Ze doorzocht de kast, maar die was nog steeds leeg. Geen kleerhangers of kleding. Zelfs de stang was weggehaald. In de kamer zelf stonden alleen een bed en een stoel. Ze controleerde het bedframe. Dat was van stevig ijzer.

Misschien een van de poten...

Tien minuten lang probeerde ze een bout los te draaien met haar vingertoppen, toen ging ze weer in de hoek zitten. Toen de zon laag kwam te staan, voelde ze de warmte op haar huid. Ze werd gek van het wachten. Van de onzekerheid.

Verdomme...

Ze was kwaad nu; ze kwam half overeind en kroop weer naar de deur. De klanken van de televisie waren nu duidelijker te verstaan: een nieuwszender, iets over New York en een bloedbad en geweld. Iemand zei: 'Klotezooi.' Toen brak er een glas. Onenigheid. Geschreeuw. Diverse mannen die hun stem verhieven. Toen een schot dat zo luid was dat het de stilte die erop volgde totaal en compleet maakte. De emoties waren broeierig in het kleine, bedompte huis. Het leek of er elektriciteit in de lucht hing. Na een minuut knarste er een sleutel in het slot. De deur ging open en daar stond Jimmy. 'Opgeknapt?'

Hij had andere kleren aan, die naar kruit roken, en hij had haar handtas en een pistool bij zich.

De mannen achter hem stonden wat verward te kijken. Sommigen zagen er boos uit, anderen bang. En in het midden stond de televisie, dood en stil, met een perfect gaatje midden in het scherm. Jimmy stond erbij alsof het allemaal niets uitmaakte.

'Dit slaat nergens op, Jimmy.'

Die woorden werden gesproken door een man die verderop in de hal stond. Groot, met zware botten. En kwaad. Jimmy bracht zijn arm omhoog, en hoewel hij zijn blik niet van Elena afwendde, richtte hij het pistool recht op de man die gesproken had.

'Wil je dit even vasthouden?' Jimmy gaf haar het tasje en liep daarna de hal in. De mannen gingen voor hem opzij. 'Zei je iets?'

Hij hield de loop een paar centimeter van het gezicht van de man. Zijn zware armen kwamen een klein stukje omhoog, iets boven zijn middel.

'Ik zei niets, Jimmy.'

'Weet je het heel zeker?'

De grote man knikte. Jimmy liet zijn pistool zakken en draaide de man als duidelijk teken van minachting zijn rug toe. Losjes zette hij een voet tegen de televisie en duwde hem omver. Toen het toestel de grond raakte verpulverde het scherm. Vervolgens pakte hij een paar kranten en bleef midden in de kamer staan. 'Ik wil geen geklaag meer horen.' Met een kwade blik keek hij de kamer rond. 'We vertrekken wanneer ik dat zeg.'

Niemand beantwoordde zijn blik. Voeten verschoven, en iemand zei: 'Natuurlijk, Jimmy.'

Een paar anderen knikten.

De meesten niet.

Hij liep terug naar de kamer van Elena, pakte de handtas en deed de deur achter zich dicht. 'Ik wil hier nu graag weg,' zei ze.

'Dat weet ik. Vervelend hoor. Morgen, misschien.'

Hij gooide de kranten op het bed en Elena zag een paar voorpaginakoppen voorbijflitsen. Oorlog in de straten. Explosies. Gangsters. Ze zag foto's van lijken, agenten in gevechtspakken. Jimmy zag haar kijken, en zei: 'De mensen vechten om de kruimels die de ouwe heeft achtergelaten. Een vacuüm dat snel gevuld wil worden.' Hij pauzeerde even; zijn ogen waren mat terwijl hij met zijn duim richting woonkamer wees.

'Zij vinden dat we in de stad moeten zijn in plaats van hier.'

'En jij vindt dat niet?'

'Die kruimels zijn waardeloos. Het grootste deel van Otto Kaitlins bezit is legaal. Dat is het al jaren. Reclame. Modellenbureaus. Autodealers. Hij was eigenaar van twee missverkiezingen toen hij stierf. Ongelooflijk. Kun je het je voorstellen? Missverkiezingen. Otto Kaitlin.'

'Waarom zeg je ze dat dan niet gewoon?'

'Omdat het zulke kleuters zijn.'

Hij ging op het bed zitten, maakte de handtas open en begon die leeg te halen. Hij legde elk voorwerp op het bed, een lange rij van spulletjes naast elkaar. Een haarborstel en make-up. Portemonnee. Sleutels. Kauwgom. Een paar kassabonnetjes. 'Wat een vrouw bij zich draagt in haar handtas zegt zoveel over wie ze is. Hoewel het er in jouw geval meer om gaat wat je níét bij je draagt.' Hij groef dieper in de handtas. 'Geen sigaretten of medicijnen. Geen drank. Geen pepperspray. Geen anticonceptie. Geen adresboek. Geen foto's.' Hij legde de voorwerpen recht, waarbij hij ze allemaal aanraakte. 'Wat een minimalist.'

Hij pakte haar mobieltje. 'Maar dit...' Hij klapte hem open en bekeek de gesprekkenlijst. 'Niet veel gebeld de afgelopen week. Een paar vrouwen, zo te zien. En Michael, die vooral. Het restaurant.' Hij tuitte zijn lippen, en Elena zag direct dat zijn verrassing geveinsd was. 'Je hebt sms'jes van Michael.' Hij draaide het schermpje van de telefoon in haar richting. 'Wil je ze zien?'

Elena trapte er niet in.

Jimmy haalde zijn schouders op en scrolde door de berichtjes. 'Bel me. Waar ben je? Het spijt me. Blabla. Nogal alledaags. Beetje saai.'

'Wat wil je?'

'Je hebt vier nieuwe berichten van Michael. Die wil ik graag horen.'

Hij wachtte. 'Daarvoor heb ik de code nodig.'

'Wat kunnen die berichten jou nou schelen?'

'Gewoon, interesse.'

Hij glimlachte, maar ze zag dezelfde krankzinnigheid als eerder. Wat die obsessie met Michael ook inhield, angst of trots of iets diepers, ze was alomtegenwoordig. Ze gaf hem de code, en zijn mond ging open toen hij de voicemail belde. 'Ah.' Hij hield een hand in de lucht en fluisterde: 'Kijk eens aan...'

Zijn stem stierf weg.

Terwijl hij luisterde, sloot hij langzaam zijn ogen.

27

Toen Michael terugkwam bij de auto, zag Abigail er geschrokken uit. 'Ik heb het internet gecheckt.' Ze liet haar BlackBerry zien. 'Ieder grote nieuwsdienst bericht erover.'

'Iets concreets?'

'Politie aanwezig op het landgoed. Een lijk gevonden. Een paar van de grote nieuwsdiensten berichten over de dood van Christina achttien jaar geleden. Eentje heeft een helikopter boven het landgoed hangen. Er zijn boten op het meer te zien, en politieauto's bij het botenhuis.'

'Hebben ze het over Julian gehad?'

'Alleen dat hij de vorige keer een verdachte was. Maar ze laten zijn foto zien. Ze suggereren van alles.'

'Dat is door toedoen van je vriend Jacobsen. Ze proberen hem te dwingen zijn mond open te doen, willen dat hij uit schaamte hun vragen beantwoordt. Typerend voor de politie.'

'Ze zullen hem door het slijk halen, hè?'

'Door het slijk halen. Vertrappen. Bij de politie draait alles om het bedenken van methodes om iemand onderuit te halen.' Michael wierp nog een blik op Ronnies huis en startte toen de motor. Het was een paar minuten over vijf. Over drie uur zou het donker zijn. 'Laten we hier weggaan.'

Langzaam reden ze de straat van Ronnie Saints uit; geen van beiden keken ze om. Abigail liet zich in haar stoel zakken en vroeg: 'Heb je iets ontdekt?' Michael zei niets. Hij dacht na.

'Michael?'

Hij sloeg rechts af, een brede weg in. Nog een keer afslaan en ze lieten de woonwijk achter zich. Twee rijstroken werden vier, met hier en daar langs de weg allerlei soorten bedrijfjes. Hij dacht aan Julian en Abigail Vane, aan de dingen die hij te weten was gekomen, en aan de namen op het papier. Hij wist niet precies waar hij was, op de kaart, maar de zon zakte en hij was van plan die te volgen.

'Iron Mountain is naar het westen, toch?'

Ze knikte en keek hem op een vreemde manier aan. 'Wat is daarbinnen gebeurd, Michael?'

Michael reageerde op een manier waarvan hij wist dat die even vreemd was. Ze waren bondgenoten geweest, maar dingen voelden nu anders aan. Hij moest proberen alles op een rijtje te krijgen. Hij moest de zaken interpreteren en een beslissing nemen. Dus zei hij niets, terwijl de auto vanuit de schaduw van een beboste berg een bad van matgeel zonlicht in gleed. Hij richtte zijn ogen weer op de weg, terwijl Abigail even het navigatiesysteem bekeek en haar keel schraapte.

'Over een paar kilometer gaan we rechts en dan vijfentwintig kilometer rechtdoor. Daarna wordt het lastig.'

'Hoezo?'

'Kleine weggetjes en dichte bossen. Er lopen geen hoofdwegen van hier naar Iron Mountain.'

'Hoe lang?'

'Zestig kilometer, maar het wordt bochtig. Misschien anderhalf uur.'

'Oké.'

'Gaan we naar Iron Mountain, Michael? En als dat zo is...' Ze had moeite met het hele idee. 'Kun je mij dan alsjeblieft zeggen waarom?'

Hij overwoog hoeveel hij wilde prijsgeven, en in welke volgorde. Deze botsing van verleden en heden was geen kleinigheid, dus bracht hij het voorzichtig. Hij vertelde haar over Ronnies vriendin, en over Andrew Flint. Hij vertelde haar over de doos met contant geld, en toen over Billy Walker, Chase Johnson en George Nichols. 'Hennessey, Ronnie Saints en die drie. Dat zijn die lui die Julians leven hebben vergald.'

'Ik herinner me Andrew Flint nog,' zei ze. 'Een zenuwachtige man voor iemand die zoveel verantwoordelijkheid droeg. Het leek alsof hij zich te veel op de hals had gehaald, maar dingen graag beter wilde doen.'

'En de anderen? Walker? Johnson? Nichols?'

'Ik weet wie dat zijn.'

Haar stem was koel, onverzettelijk, en Michael wist dat ze verhalen had gehoord over de dingen die de jongens hadden gedaan. Er klonk te veel woede door in haar stem, te veel bitterheid. Julian had haar die dingen verteld. Hij had beelden geschilderd met zijn woorden en met de inkt van zijn ogen. Hij had zich opengesteld en haar de pijn laten zien, want Julian, wist Michael, was het soort kind dat dingen moest delen. Zijn kracht lag in de goedheid van anderen, in sterke, bekwame handen en zielen die níét zo jong al waren gebroken.

'Wat hou je voor me achter?' vroeg ze.

Michael reed door en liet Asheville steeds verder achter zich. De weg voerde steeds hoger de bergen in.

'Michael?'

'Zegt de naam Salina Slaughter je iets?'

'Salina?' Ze aarzelde, en zei toen: 'Nee.'

'Weet je het zeker?'

'Hij klinkt me bekend in de oren, maar meer als een naam die ik op de radio heb gehoord. Ik kan hem niet plaatsen.'

De weg boog naar rechts en toen naar links; vrachtwagens met hout denderden in tegenovergestelde richting voorbij. Hij zocht naar redenen om aan haar te twijfelen, was gespitst op leugens of verdraaide waarheden, maar haar houding was ontspannen en haar ogen stonden helder en vastberaden.

'Michael...'

'Ik zit te denken.'

De snelweg slingerde en klom.

'Waaraan?'

'Niets,' zei hij, maar dat was een leugen. Er stonden vijf namen op de lijst.

En Abigail Vane was nummer vijf.

'Heftig hè?' Abigail keek opzij. 'Hier terugkomen bedoel ik.'

Ze stonden boven op de laatste hoge pas; beneden strekte het dal zich uit en Iron Mountain doemde op aan de andere zijde: een enorme plaat steen die aangeraakt werd door licht zo zacht dat het niet echt leek.

Michael knikte zwijgend.

'Dat is het stadje Iron Mountain.' Abigail rekte zich uit, ging rechtop zitten in haar stoel en schraapte haar keel, terwijl Michael de auto de berghelling liet afdalen. De laatste zon van de dag scheen op de bodem van het dal, een grote gouden vlek die de rivier liet glinsteren. 'Het is niet zo mooi als het eruitziet.'

'Waar is het weeshuis?'

'Het stadje door en dan zes kilometer verder de andere kant op. De berg hangt eroverheen.'

'Ik herinner me die berg nog,' zei Michael, en reed het dal in. Ze staken kleine stroompjes over die uiteindelijk in de rivier zouden uitkomen, en passeerden hekken met prikkeldraad en laaggelegen weilanden. Michael hoopte op wat herkenningspunten, maar het bleef bij de berg. Die rees steeds verder op naarmate ze dichterbij kwamen: lage, gelaagde hellingen en vervolgens het enorme granieten massief dat daaruit omhoogstak. Het dal zelf lag duizend meter boven zeeniveau; de berg stak daar nog eens zevenhonderd meter bovenuit, met zijn vergruisde voorzijde en zijn warrige donkergroene kroon.

'Gaat het nog?' vroeg Abigail.

'Ja hoor. Prima.'

Ze kneep in zijn arm, maar ging er niet op door. 'Het verleden is het verleden.'

'Dat heb ik geloof ik wel eens eerder gehoord.'

'En soms kan het geen kwaad om daaraan te worden herinnerd.' Ze kneep weer even in zijn arm.

Ze passeerden kleine huisjes op laaggelegen stukjes grond. Alles was armelijk en smerig. 'Stelt niet veel voor hier,' merkte Michael op.

'De stad leefde van de mijnbouw en bosbouw, maar de steenkool raakte op.' Ze hield haar hoofd een beetje schuin. 'De meeste nationale bossen mogen niet worden gekapt. Private bedrijven zijn er jaren geleden al mee opgehouden. De zagerijen moesten hun deuren sluiten toen dat gebeurde. En transportbedrijven. En een papierfabriek. Allemaal weg.'

'Hoe weet je dat allemaal?'

'Omdat ik vond dat ik het moest weten. Ik wilde jullie, de jongens, en heb me daarop voorbereid. Geld. Kennis.' Ze wees. 'Hier links, volgens mij.' Michael draaide de hoofdstraat in en Abigail begon te fluisteren. 'Niets is veranderd hier. Drieëntwintig jaar geleden en ik herinner het me nog precies.'

En dat klopte: drankwinkels en kroegen, kromme mensen met een rode, verweerde huid. Ze passeerden een open *diner*, een tankstation. Een paar winkels waren dichtgetimmerd. De mensen keken naar hen toen ze voorbijreden, wat haar een ongemakkelijk gevoel gaf. 'Wist je dat het IJzeren Huis een gesticht was voor het een weeshuis werd?'

'Wat?'

Ze sloeg haar armen over elkaar. 'Voor gestoorde criminelen.'

Negen minuten later parkeerde Michael de grote Mercedes voor de hoge ijzeren poort. De pilaren aan weerszijden van de poort herkende hij; het was een herinnering aan rechte, harde vingers die door de gevallen sneeuw omhoogstaken. Hij had er een aangeraakt en was toen weggerend met het mes in zijn hand en zijn hoofd achterover.

De poort zelf was nieuw.

Net als het hek van harmonicagaas.

Michael stapte uit de auto, Abigail volgde. Het hek was tweeënhalve meter hoog en strekte zich naar beide zijden uit. De poort was gesloten met een ketting met een groot koperen slot dat luid rinkelde toen Michael aan de poort schudde. Achter de spijlen verhief het IJzeren Huis zich tegen de glooiende heuvel, massief en donker.

'Beangstigend, vind je niet?'

Hij keek naar Abigail en toen weer naar het gothic geheel dat ooit zijn thuis was geweest. Het gebouw torende omhoog, bakstenen die door de tijd zwart waren geworden, het metselwerk eeuwig en onveranderd. De ondergaande zon legde een gele vlek op het hoge leien dak, maar onder de soffiet en de hoge tweede verdieping zag alles er grijs en verlaten uit. De vervallen vleugel lag op hetzelfde terrein, maar de achterzijde was nu verwoest; de muren waren ingestort, boompjes werkten zich omhoog door het puin. De rest van het gebouw zag er niet veel beter uit. Kapotte ramen gaapten je aan, stukken glas staken als tanden uit de verrotte kozijnen. De brede trappen aan de voorzijde waren overwoekerd met klimop en het onkruid op de binnenplaats kwam tot borsthoogte. Het gebouw straalde een onomkeerbare sfeer van verwaarlozing en verval uit en had iets verlatens en obsceens.

'Wanneer is het gesloten?'

Abigail schudde haar hoofd. 'Dat weet ik niet precies. Een paar jaar nadat ik Julian had meegenomen.'

Hij staarde naar het nachtmerrieachtige gebouw, en naar de kleinere gebouwen die in de schaduw ervan schuilden. Hoog gras boog mee met een windvlaagje. De rivier was zwart als olie. 'Zei je dat dit vroeger een gesticht was?'

'Daarom werd het gebouwd op een plek waar niets belangrijks in de buurt lag. Daarom maakten ze het zo groot en sterk.'

Michael moest ineens terugdenken aan de dingen die hij had ontdekt toen hij als kind rondzwierf in de kelders. Kleine, lage kamers met ijzeren ringen die in de muur geklonken zaten. Stoelen met vergane leren riemen. Vreemde, vastgeroeste apparaten.

'Het is kort na de Burgeroorlog neergezet,' zei Abigail. 'Onder de patiënten waren veel soldaten die leden aan posttraumatische stress. Toen had die aandoening die naam natuurlijk nog niet. De mensen wilden de soldaten helpen, maar ze wilden ook vergeten. De oorlog heeft deze staat hard geraakt. Er is veel geleden en er is veel verdriet geweest. Het Iron Mountain-gesticht was ontworpen voor vijfhonderd patiënten, maar het werden er al snel vier keer zoveel. Toen zes keer. Geestelijk beschadigde soldaten. Gestoorden. En sommigen waren verschrikkelijke criminelen die profiteerden van de verwoesting die de oorlog bracht. Er zijn boeken geschreven over deze plek, als je die wilt lezen. Verhalen. Afbeeldingen...' Ze schudde haar hoofd. 'Verschrikkelijke dingen.'

'Hoe weet je dit allemaal?'

'Toen Julian bij ons kwam wonen, ben ik erover gaan lezen. En heb ik geprobeerd wat inzicht te krijgen. Je weet hoe het is als je je wilt inleven.'

Ze sloot haar vingers om de lege lucht, en Michael voelde woede opborrelen. Kinderen in een gesticht...

'En verder?' vroeg hij.

'Er was nooit veel toezicht, nooit genoeg geld; rond de eeuwwisseling werd het echt heel erg. De patiënten waren naakt en smerig, de medische omstandigheden barbaars. Aderlatingen. IJsbaden. Muilkorven. Alles afgeladen met mensen. Iedereen altijd ziek. Heel veel sterfgevallen.' Ze zuchtte bitter. 'Uiteindelijk was er zoveel publieke verontwaardiging dat de politiek zich ermee ging bemoeien. De omstandigheden werden als onmenselijk bestempeld en het gesticht werd gesloten.'

'En toen werd het een weeshuis.'

'Een paar jaar later, ja.'

'Geweldig.' Michael bekeek de staalblauwe lucht en de weg die in beide richtingen in de verte verdween. 'Werkelijk geweldig.'

'Wat doen we nu?'

Abigail sloeg haar armen weer om zich heen, en Michael trok hard aan de poort. Erachter lag de oprit met zijn gebarsten bestrating waar het onkruid doorheen kwam. Hij drukte zijn voorhoofd tegen twee van de warme ijzeren spijlen, zoekend naar een plan, een manier om verder te gaan, maar op dat moment was hij meer in het verleden dan in het heden. Hij zag jongens op de binnenplaats en hoorde stemmen die van ver weg zwak schreeuwden.

'Het is niet altijd even prettig, hè?' Abigail legde haar handen om de spijlen. 'Terugkeren naar de plek waar je vandaan komt.'

Michael schudde zijn hoofd. 'Ik dacht dat we hier antwoorden zouden vinden.'

'Wat voor antwoorden?'

'Andrew Flint, misschien. Iets om dit alles aan elkaar te knopen. Een aanwijzing.' Hij keek naar de ravage aan de andere kant van het hek. 'Eigenlijk had ik dit niet verwacht.'

Alsof ze zijn verdriet voelde, zei Abigail: 'Het geeft niet, Michael.'

Maar het gaf wel. Michael dacht aan gestichten en aan de gevangenis en aan de kooi waarin de geest van zijn broer was opgesloten. 'Als ze Julian arresteren,' zei hij, 'zullen de dingen instorten die hem mentaal overeind hielden. Muren, pilaren, iedere steun en stut zal wegvallen. Dan belandt hij in de gevangenis, of in een andere inrichting. Dat overleeft hij niet.'

'Maar de advocaten...'

'De advocaten kunnen hem niet redden, Abigail.' Michael sloeg met zijn vlakke hand op een van de zware spijlen. 'Denk je dat Julians geest standhoudt tot aan het proces? Denk je dat hij een jaar gevangenschap overleeft, terwijl de advocaten hun honorarium opstrijken en de zaak laten voortslepen? Terwijl Julian wordt geschoffeerd op een van de weinige plekken die nog erger zijn dan dat daar?' Hij wees naar de restanten van het IJzeren Huis. 'Ik ken mensen die hebben gezeten – taaie mannen, gewelddadige mannen – en zelfs die waren een schim van zichzelf toen ze vrijkwamen. Julian in de gevangenis opsluiten is net zo erg als een verkrachtingsslachtoffer tussen de zedendelinquenten zetten. De littekens zitten zo diep dat ze hem niet eens hoeven aan te raken om hem te breken. Nee, zelfs als hij wordt vrijgesproken, zal hij niet meer dezelfde zijn. We moeten bewijzen dat hij het niet gedaan heeft, of we moeten de politie een andere verdachte aanleveren. We moeten ons *inleven* om iets te kunnen doen.'

'Zó erg zal het toch niet zijn?'

'Ben je wel eens in een gevangenis geweest?' Michael pakte met beide handen de spijlen beet terwijl zijn woede toenam en hij een gewicht op zijn borst voelde drukken.

Julian, schizofreen.

Kinderen in een gesticht.

Hij dacht terug aan de tijd dat hij op straat leefde, aan de honger en de kou en de angst, en toen aan de man die hij was geworden. Hij zag dode lichamen en bloed aan zijn handen, zag de schimmen van een leven dat ophield toen Elena vol walging wegrende van de waarheid over wie hij was. Hij besefte nu hoe zij naar hem keek, en wist dat hij nooit meer terug zou kunnen keren naar het normale bestaan dat ze samen hadden gehad. Ze zou hem nooit meer met dezelfde ogen bekijken.

Hij had twee levens opgegeven, en dat allemaal ter bescherming van Julian.

'Ik laat hem hier niet door onderuithalen,' zei Michael. 'Dat kan ik niet.'

'Dat begrijp ik.'

'Werkelijk?'

Zijn ogen zochten de hare en hij herkende de verbondenheid, de gezamenlijke wil om te doen wat nodig was. Maar voor ze antwoord kon geven, ging haar telefoon. Ze keek naar het schermpje en zei: 'Jessup.' De telefoon ging nog een keer over en ze nam op. 'Hallo, Jessup.'

Michael hoorde een luide stem en zag hoe Abigail de telefoon wat van haar oor hield. 'Nee,' zei ze, 'ik probeer je niet te ontlopen.' Ze werd stil; emoties trokken over haar gezicht. 'Nee. Het gaat je niets aan waar ik heen ga, of met wie.' Ze keek naar Michael en liet haar schouders zakken. 'Nee. We zijn in de bergen. Er is vaak geen ontvangst. Ja, in de bergen. Michael en ik. Ja, hij is bij mij. Waar we zijn?' Haar blik volgde de met onkruid begroeide oprit en bleef rusten op het hoogste torentje. 'Iron Mountain.'

Falls' stem werd nog luider en Abigail stak een vinger op naar Michael. 'Verdomme, Jessup...'

Michael keek weer naar het IJzeren Huis. Hij vond de hoek op de tweede verdieping waar Julian en hij een kamer hadden gedeeld. Twee ramen keken uit op de binnenplaats; van één was het glas kapot.

'Wat?' Haar stem was luid en er klonk een beetje paniek in door. 'Hoe heeft dat kunnen gebeuren?' Ze luisterde. 'Wanneer? En waar was jij? En die man van de senator – hoe heet-ie? Wat is er met hem?' Ze haalde een hand door haar haar, waardoor het in de war raakte. 'Nou, iemand heeft het verknald.' Haar ogen vonden die van Michael; toen draaide ze zich om, rug recht, met één arm in haar zij. Ze praatte nog een paar minuten en zelfs toen ze opgehangen had, hield ze haar rug naar Michael toe gedraaid. Haar wervelkolom was hard en recht als een van de ijzeren spijlen die tussen de oude stenen pilaren hingen.

'Wat is er aan de hand?' vroeg Michael.

Ze draaide zich om. 'Hij stuurt een helikopter. Die gaat snel.' Ze knikte nadenkend. 'Ik regel het wel.'

'Wat?'

'Een uur en een kwartier om hier te komen. Een uur en een kwartier terug. Ik regel het.'

'Wat regel je, Abigail?'

'De politie heeft nog een lijk in het meer gevonden.'

'Ronnie?'

'Nee.' Ze schudde haar hoofd, haar stem klonk somber. 'Niet Ronnie.'

Michael moest dit even verwerken, iets wat hem zo langzamerhand minder moeite kostte dan voorheen. Er waren nu twéé lichamen, en dat van Ronnie Saints moest nog gevonden worden. Deze ontdekking zou olie op het vuur zijn voor het onderzoek en de media. Ze zouden het meer nog grondiger gaan uitkammen, zodat het alleen nog maar een kwestie van tijd werd. Ronnie Saints zou gauw gevonden worden. Als ze een lijk vonden dat aan Julian kon worden gekoppeld, zou die meteen worden gearresteerd. Michael keek naar het gebouw, naar de hoge, gebroken ramen die de lucht weerspiegelden.

Ronnie Saints. Het IJzeren Huis.

De politie zou de link snel genoeg leggen.

Hij keek op zijn horloge.

Abigails mobiel ging weer.

'Ja.' Ze luisterde, draaide naar links en staarde alsof ze in de verte iets zag. Ze knikte. 'We vinden het wel. Oké. Ja.' Ze hing op. 'Jessup,' zei ze. 'Er is een middelbare school aan de oostelijke rand van de stad. Die moet makkelijk te vinden zijn. Daar is een footballveld waar de helikopter kan landen.'

'Vertel eens wat meer over het lijk.'

Ze schudde haar hoofd en slikte. 'Het is Ronnie niet. Het ligt er al langer. Misschien ligt het al wel een maand in het water. De kleren zijn weggerot. Vooral botten.' Ze trok aan haar haar. 'O god, o god, o mijn god...'

'Abigail.' Ze was helemaal van streek en probeerde weer tot zichzelf te komen. 'Kijk me aan. Wát regel je?'

Ze keek naar alles behalve naar zijn gezicht, en Michael wist wat ze dacht.

Het zou snel donker worden. Middelbare school. Oostelijke kant van de stad. Ze vlocht haar vingers in elkaar tot ze wit zagen, en Michael dacht dat hij dat misschien ook wel begreep.

'Gaat het om Julian?' vroeg hij.

Ze knikte.

'Wat is er met hem?'

Ze knipperde een keer met haar ogen, veegde een traan weg met haar vinger en richtte zich toen zo goed mogelijk op. 'Hij is weg,' zei ze. 'Weggelopen.'

28

De helikopter kwam laag en snel aanvliegen. Het begon als een rommelend geluid beneden in de vallei en het zwol aan tot een donderend geraas toen hij over de kleine, geverfde huisjes vloog en onder een hoek van dertig graden rond de school cirkelde. De zon was twintig minuten onder en de paarse lucht werd zwart. Michael en Abigail stonden naast de zware Mercedes. De koplampen beschenen het footballveld en in het felle licht zagen ze bruin gras en uitgesleten witte markeerlijnen. Aan de andere kant van de straat stapten mensen hun veranda op om te kijken naar de helikopter en te wijzen naar het felle licht dat zich naar beneden boorde terwijl hij rondcirkelde. Hij kwam aanvliegen over de oostelijke tribunes, draaide zich in de lengte van het veld en veerde even op rond de zestienmeterlijn. Eén moment hing hij stil, het dode gras eronder neerdrukkend, voordat hij zachtjes landde.

De rotors gingen langzamer draaien maar stopten niet.

Er ging een deur open.

'Kijk nou toch eens.'

Michael keek naar Abigail. 'Wat?'

Ze hield haar hoofd schuin naar de helikopter, waar twee mannen uit klommen die vervolgens gebukt onder de rotorbladen door liepen. 'De senator is meegekomen.'

Michael herkende Jessup Falls: lang en mager, een onverzoenlijke uitdrukking op zijn gezicht. De senator naast hem leek breder, robuuster en zelfverzekerder geworden. Zijn haar was wit, zijn pak onberispelijk. Hij bewoog zich alsof de wereld hem iets verschuldigd was.

Abigail stapte naar voren om hen te begroeten. Michael volgde.

'Hallo, schat.' Ze verhief haar stem om zich verstaanbaar te maken. De senator gaf haar een lichte kus en stak toen een hand uit naar Michael.

'Vervelend dat we elkaar onder deze omstandigheden moeten ontmoeten,' zei hij. 'Abigail heeft me natuurlijk veel verteld, maar ik had dit liever op een beschaafdere manier gedaan. Ik ben Randall Vane.'

'Senator.'

Ze schudden elkaar de hand. Jessup Falls stak zijn hand niet uit. Hij hield zich wat op de achtergrond en keek ongelukkig toen de senator Abigails hand pakte en zijn twee handen eromheen vouwde. 'Toen Jessup zei dat je weg was gegaan, had ik niet verwacht dat je zover van huis zou belanden.'

'Het is een lang verhaal.'

'En een lange terugvlucht. Je kunt me helemaal bijpraten.'

'Al iets bekend over Julian?'

'Nee. Niets. Ellendig.'

'Weet de politie dat hij weg is?'

'Natuurlijk niet. God, dat zou een ramp zijn.'

'Hoe heeft dit kunnen gebeuren, Randall?'

'Het is een volwassen man, Abigail. Hij redt zich wel.'

'Ik zou het wel fijn vinden als je het allemaal wat serieuzer nam.'

'En ik zou het wel fijn vinden als je die jongen wat beter in de hand hield.' Hij bleef glimlachen, maar zijn stem was scherp. 'Dit zou heel schadelijk kunnen zijn. Christus, de krantenkoppen alleen al...'

'Je denkt toch niet dat Julian iets met die lijken te maken heeft?'

'Ik weet niet wat ik moet denken, en dat weet jij ook niet. Dat is het probleem met Julian – na al die jaren weten we nog steeds niet wat er in zijn hoofd omgaat.'

'God, wat heb ik toch een hekel aan die politieke glimlach van je.' Abigail liep kwaad verder. 'Het is een wonder dat er nog iemand bestaat die daar intrapt. Jessup...' Ze pakte Jessups hand. 'Hoe is het gebeurd?'

'We hadden een paar mensen bij hem weggehaald, omdat die het terrein in de gaten moesten houden. Eerder die dag waren er een paar journalisten over de omheining geklommen. En er kwamen steeds meer mensen kijken. Blijkbaar heeft de dokter hem een paar minuten alleen gelaten en toen moet Julian er simpelweg vandoor zijn gegaan. Zoals je weet zat hij niet opgesloten. Ik vermoed dat hij nog steeds ergens op het landgoed is. Aan de andere kant van de omheining is het veel te onrustig voor hem. Dit past in zijn patroon. We vinden hem wel.'

'Weet hij van de lijken? Is hij zich bewust van wat er gebeurt?'

'Dat weten we niet, maar het is mogelijk.'

De senator onderbrak hen. 'De mensen hier beginnen onrustig te worden.' Hij wees op een kleine groep omwoners die langs de weg waren komen staan. Auto's stopten. Anderen kwamen van hun veranda's en liepen hun kant op. 'Als we hier klaar zijn, moeten we gaan. Jessup kan de auto terugrijden.'

'Ik rijd hem wel terug,' zei Michael.

Het groepje stopte abrupt, en Michael zag hoe Jessups hand tegen de onderrug van Abigail drukte. 'Ga je niet mee?' Ze ging bij de andere mannen vandaan en liep naar Michael toe.

'Ik moet dit afmaken.'

Hij hief zijn kin op in de richting van de zwarte berg in de verte, en ze wist dat hij het weeshuis aan de voet ervan bedoelde.

'Andrew Flint?' vroeg ze.

'Ik ga proberen hem te vinden. Er is een connectie. Dat kan niet anders.'

'Het is tientallen jaren geleden, Michael. Je hebt gezien hoe het weeshuis erbij staat. Flint kan overal zijn.'

'Je moet ergens beginnen. Het is in ieder geval iets.'

Abigail keek even over haar schouder naar de helikopter; de mannen stonden op haar te wachten. 'Kom met me mee,' zei ze. 'Er zijn hier geen antwoorden te vinden. Julian heeft ons nodig.'

'Weet je nog wat je zei bij de poort? Dat het moeilijk is terug te keren naar de plek waar je vandaan komt?'

'Ja.'

'Ik moet die plek nog eens zien. De gangen. De kamers. Misschien heb ik een mazzeltje met Flint.'

'En Elena? Vrouwen worden boos en dan worden ze weer rustig. Wat moet ik tegen haar zeggen als ze terugkomt?'

Michael wierp een blik op de helikopter en werd plotseling overvallen door emoties. Hij wilde mee terugvliegen, en een fractie van een seconde had hij spijt van alle beslissingen die hem hiernaartoe hadden gevoerd. Ze hadden nu in Spanje kunnen zitten, of op een strand in Australië. Hij voelde Elena's hand in de zijne en haalde zich het felle vonkje dat ze met zich meedroeg voor de geest. 'Morgenavond ben ik terug. Mocht ze opduiken, zeg haar dat dan. Zeg tegen haar dat ik van haar houd en of ze alsjeblieft wil wachten.'

'Weet je het zeker?'

'Je moet gaan nu.'

'Michael...'

'Ga.'

'Oké.' Ze knikte bijna onmerkbaar en met onzekere ogen. De senator pakte haar bij de arm en leidde haar naar de helikoper. Falls wachtte vijf seconden en boog zich toen dicht naar Michael toe.

Zijn woede was onmiskenbaar. 'Ik kan haar niet beschermen als ik niet weet waar ze is.'

Michael voelde een pantser voor zijn ogen zakken. 'Ze is een grote meid.'

'In een gevaarlijke wereld, jij arrogante, ongevoelige klootzak. Ze is mijn verantwoordelijkheid, en dat is ze al vijfentwintig jaar. Begrijp je dat?'

'Ik heb op haar gepast.'

'Is het bij je opgekomen dat er wellicht risico's zijn die jij niet kunt inschatten? Vaardigheden waarover jij niet beschikt?'

'Als je niet oppast, mis je je vlucht.'

Falls keek even achterom en zag dat iedereen in de helikopter zat. Hij stak een vinger omhoog. 'Haal haar niet weer bij mij vandaan.'

Michael keek toe hoe hij plaatsnam naast de piloot en zich vastgespte. Abigail stak een hand naar hem op; haar gezicht was een bleek, rond waas. Michael zwaaide terug en voelde een tweestrijd. Hij wist wat hij moest doen, maar wilde dat niet; hij had Elena nodig, maar was hier. Michael besloot zich te vermannen en rustig te worden. Hij kon alles nog steeds tot een goed einde brengen: Julian, Elena, het leven dat ze nog moesten invullen. Maar de geruststelling was een illusie: alles wat hij liefhad, was ver bij hem vandaan.

De helikopter steeg op en draaide. Michael liet zijn hand zakken. De neus kantelde naar voren en de helikopter schoot vooruit. Een flits van rode verf, toen verdween hij in het donker.

Michael was alleen met de berg.

Hij reed terug naar de hoofdstraat en vond een parkeerplaats tussen een diner en een van de kroegen. Op het trottoir controleerde hij zijn mobiel in de hoop dat die zou overgaan. Hij wierp een blik op de berg, een zwarte reus die je het zicht op de sterren ontnam, draaide zich om en belde de nummerinformatie. Toen er werd opgenomen, vroeg hij of er een Andrew Flint in de buurt van Iron Mountain woonde. Nee, werd hem gezegd. Niet verrast, beëindigde hij het gesprek. Toen, in de wetenschap dat ze niet zou opnemen, belde hij Elena's mobiel en sprak een bericht in.

Ik los het wel op.

Ik kan veranderen.

En hij geloofde dat hij dat kon. Als de omstandigheden meezaten. Als de wereld ook veranderde.

Michael liep over het kapotte trottoir naar de diner en stapte via de glazen deur naar binnen. Er klingelde een belletje, en de geur van gebakken groente kwam hem maar al te bekend voor. Hij keek naar de boxen aan het raam, het oude buffet met zijn kleine, ronde krukken, de taarten achter het glas en de dikke, knappe vrouw die hem een glimlach toewierp vanachter de kassa. 'Ga maar zitten waar je wilt, schat.'

Een paar mensen keken op, maar niemand schonk bijzondere aandacht aan hem. Michael groette de vrouw in het voorbijgaan en nam de achterste box, met een rode bakstenen muur achter hem en tien meter spiegelglas tot halverwege zijn auto. Hij ving een glimp op van een man in een wit overhemd die in de keuken bezig was.

Ineens voelde hij dat hij rammelde.

Hij bestudeerde de menukaart, een gelamineerd vel papier dat smoezelig was van de vette vingers en de ketchupvlekken, en bestelde vervolgens een cheeseburger en een biertje. 'Wil je er ook patat bij, schat?'

Ze was in de dertig en blijkbaar gelukkig, want hij zag een oprechte twinkeling in haar ogen terwijl ze haar pen in de aanslag hield.

'Ja, graag.'

'En een glas bij je bier?'

'Prima.'

Ze schreef de bestelling op en voordat ze kon weglopen, vroeg Michael: 'Hebben jullie toevallig een telefoonboek?'

'Wie zoek je? Ik ken bijna iedereen hier.'

'Ken je Andrew Flint?'

'Ja hoor, natuurlijk. Die woont bij het weeshuis.'

'Ik ben daar eerder vandaag geweest.' Michael schudde zijn hoofd. 'Daar woont niemand.'

De serveerster glimlachte en stak de pen achter een lok zacht, bruin haar. 'Ben je er ook al na zonsondergang geweest?' Michael gaf toe dat dat niet het geval was, en haar glimlach werd nog breder. 'Dan zou ik het advies van onze oude vertrouwde Ginger maar eens opvolgen.'

Ze knipoogde en liep langzaam en met trots wiegende heupen naar de keuken.

Het bier was lekker. De cheeseburger was nog beter. Bij de kassa vroeg hij aan Ginger: 'Heeft deze stad een hotel?'

'Drie kilometer die kant op.' Ze wees naar de zuidelijke kant van de stad. 'Het stelt niet veel voor, maar ik heb mijn ex er vaak genoeg betrapt om te weten dat het voldoet. Als ik je de weg moet wijzen: we sluiten om negen uur.'

Michael gaf haar een fooi van vijf dollar. 'Volgende keer, misschien.'

'Zeker weten?'

Haar vingers streken langs de zijne. Ze waren zacht.

'Wat ik zeker weet is dat ik mezelf morgenochtend vervloek omdat ik deze kans heb laten schieten.'

Hij knipoogde, liep naar buiten en door het glas zag hij haar glimlachen.

De weg naar het weeshuis was nagenoeg verlaten. Michael passeerde maar een paar tegenliggers en er verschenen geen koplampen in zijn achteruitkijkspiegel. Toen de hoge poort dichterbij kwam, remde hij af en keerde hij de grote auto soepel en bijna zonder geluid. De binnenverlichting ging aan toen hij de deur openende en doofde toen hij naast de auto stond en zijn ogen liet wennen aan het donker.

De nacht was donker, zo ver van de bewoonde wereld; het warme zwart smolt samen tussen de bergen. Er was geen maanlicht. Geen straatverlichting. De sterren leken te ver weg en te kleurloos om veel licht te kunnen bieden, en zelfs de stad, zes kilometer verderop, leek zijn gloed gedimd en laag bij de grond te houden.

Michael liep naar de poort en luisterde naar de nachtelijke geluiden: de krekels en de wind en het ruisen van de rivier. Het duurde twee hele minuten voordat Michael begreep wat Ginger had bedoeld met het bijzondere van deze plek na zonsondergang – dat was toen Michael zijn blik afwendde van de grote zwarte ruïne en zijn ogen over het terrein liet dwalen. Hij zag gebouwen en in het duister een glimp van vallende sterren die weerspiegelden op de plaatsen waar de rivier glad genoeg was. Er is hier niets te vinden, dacht hij. Deze plek was net zo zwart en kaal als de achterzijde van de maan. Toen richtten zijn ogen zich weer op een van de gebouwtjes achter op het terrein. Door een raam op de begane grond viel een zwak licht. Het was maar een heel iel straaltje, een blauwe gloed achter halfgesloten gordijnen, maar het was voldoende.

Michael klom over het hek.

Hij belandde zachtjes op de grond, met een pistool in zijn hand. De oprijlaan voelde beschadigd en verkruimeld aan onder zijn voeten. Laag groeiend onkruid schuurde langs zijn schoenen, en onder het lopen voelde hij het verleden weer bovenkomen. Hij haalde zich Andrew Flint voor de geest en vroeg zich af of dat werkelijk zo'n slecht mens was. Hij was zwak, dat zeker, incompetent en nalatig. Maar uiteindelijk deed het er niet toe. Michael kende het antwoord zoals hij zijn eigen botten kende. Of het nu uit slechtheid of uit zwakheid was, Flint had de gang van zaken in de gevangenis in handen gegeven van de gevangenen. Hij had de zwakste mensen aan hun lot overgelaten en gefaald bij het uitvoeren van zijn meest basale taken. Michael voelde diep vanbinnen woede opborrelen, een gebalde vuist die harder duwde naarmate hij in het duister steeds meer herkenningspunten zag, oud zeer weer oplaaide en hij geleidelijk aan steeds meer door herinneringen werd ingekapseld.

Tien jaar hel.

Tien jaar pijn en angst en gebrek.

Michael zoog de avondlucht diep in zijn longen en liet zijn emoties de vrije loop terwijl hij zich licht en snel over het terrein bewoog dat hij zich zo beangstigend goed herinnerde. Hij kwam langs bomen die hij kende en sprong automatisch over een afwateringsgeul die hij niet eens zag. Naast hem doemde het gebouw op, en er kwam een bittere smaak in zijn mond bij de gedachte aan Julian, die daar lag te huilen in zijn bedje. Hij gleed langs de oostelijke muur, stak zijn arm uit om de bakstenen te voelen en trof die onveranderd aan. Er was verval hier, én kracht; dat zou iets moeten zeggen, maar dat was niet het geval. Hij liep in alle kalmte de hoofdtrap op en draaide toen de sluizen van haat dicht, zodat hij, toen hij het raam bereikte met daarachter de televisiegloed, zichzelf weer kon zijn: koel en scherp en vurig.

Hij ging met zijn rug tegen de muur staan, speurde het open terrein af en zag niets bijzonders. Het gebouw had twee verdiepingen, was opgetrokken uit rood baksteen en had luiken, die toen hij een jongetje was groen waren geweest. Het had destijds gefungeerd als dienstwoning: een stel kamers voor personeel dat ervoor koos van het IJzeren Huis hun thuis te maken. Voor de jongens was het altijd verboden gebied geweest. Weer een regel. Weer een plek om te mijden.

Nu niet meer.

Michael keek door het raam en zag een kleine kamer met versleten meubilair. In de hoek flikkerde een televisiescherm. De tv was oud en klein en stond op een boomstronk. In de kamer was niemand te zien, maar door een deur zag Michael geel licht uit een ander vertrek vallen. Hij liep langzaam om het gebouw heen. Aan de achterkant trof hij een oude auto aan en kozijnen zonder ruiten. Het licht was afkomstig van een kamer dicht bij de voordeur. Michael zag meer gordijnen, die halfgesloten waren, en ving glimpen op van het interieur. Hij zag een kolenhaard met een haveloze leunstoel ernaast, twee boeken op de schouw, houten vloeren en een vloerkleed dat aan één kant tot op de draad was versleten. Hij dacht aan het pistool dat hij vasthad en stopte het weg.

Hij klopte op de deur, klopte nog een keer en rammelde vervolgens aan de deurknop. Binnen hoorde hij een krassend geluid. Hij hield zijn hand met gespreide vingers op het hout en drukte zijn oor tegen zijn vingers. Eerst was er stilte. Daarna hoorde hij het typische ratelmechanisme van metaal op metaal. Hij dook naar achteren, en de deur werd op borsthoogte aan flarden geschoten.

Er viel licht door het gat.

De scherpe geur van kruitdamp.

Michael hoorde hoe er weer een patroon in het wapen werd gestopt. Hij zag flarden schaduw van iemand die zich naar de deur bewoog, stond toen op en ging met zijn rug tegen de bakstenen staan. Zijn pistool lag zwaar in zijn hand. Hij verwijderde de veiligheidspal en legde zijn vinger om de trekker. Hij gleed dichter naar de deur toe: zestig centimeter, toen dertig. Achter het gat in de deur hoorde hij iemand ademhalen. Onregelmatig. Geforceerd. Hij hoorde schuifelende voetstappen en in het gat verscheen het uiteinde van een loop. Zwart metaal met een rode korrel, dat trilde toen het door de deuropening schoof. Michael wachtte niet langer. In een snelle beweging pakte hij de loop, duwde die weg en gaf er een harde ruk aan. Het wapen ging af en spuugde een tong van vuur. Michael hoorde een korte schreeuw, en toen was het wapen van hem: warm metaal en een walnoten kolf. Een zwaar kaliber jachtgeweer. Hij trok het door het gat, gooide het op de grond, hief zijn eigen pistool en kreeg een oude man met wit haar en een losse huid in het vizier. De man hield zijn handen voor zich alsof hij het geweer nog vasthad. Zijn mond stond open. Zijn kamerjas kwam tot aan zijn knieën; daar onderuit staken blote benen, met rode, versleten pantoffels aan de voeten.

'Deur openmaken.' Michael hield het pistool op hem gericht. De oude man – Andrew Flint – keek strak voor zich uit, maar leek zich niet te kunnen bewegen. Boven op zijn hoofd zaten wat onregelmatige plukken haar. Zijn wangen waren ingevallen en op zijn handen waren leverplekken en aderen te zien. Hij tuurde door het gat, alsof hij geen idee had wat er allemaal gaande was. 'Alstublieft,' voegde Michael eraan toe, en zijn stem werd zo sereen als een zondagmorgen. Dat leek effect te hebben, want Flint legde zijn hand op de doffe, koperen deurknop. De deur zwaaide open en Michael stapte naar binnen. Toen het licht vol in zijn gezicht viel, kneep Flint zijn ogen tot een spleetje en trok hij zijn lippen op.

'Julian Vane?' Er kwam een vleugje hoop op zijn gezicht. Een knobbelige vinger verhief zich en meteen was de blik van herkenning weer weg. Hij schudde zijn hoofd. 'Nee. Niet Julian.'

'Stap achteruit, alstublieft.' Michael gebruikte dezelfde zondagochtendstem. Uit ervaring wist hij dat mensen er rustig van werden, zelfs als ze diep vanbinnen wisten dat de komst van Michael niet zonder reden was. De stem werkte sussend, omdat die in het geheel niet bedreigend klonk. De stem was te redelijk en te kalm; hij gaf mensen hoop.

Flint liep achteruit, tot zijn knieën tegen een salontafeltje botsten. Michael keek om zich heen en zag een gedoofde haard en een leunstoel. Aan een muur die niet te zien was geweest toen hij buiten stond, hing een grote boekenplank. Aan de rechterkant was een brede gang die aan het einde donker was. De televisiegloed kwam uit een kamer halverwege de gang. 'Is hier verder nog iemand?' vroeg Michael.

Hoofdschudden. 'Nee.'

Michael hield het pistool op Flint gericht. 'Waarom dacht u dat ik Julian Vane was?'

Flints handen bewogen met gespreide vingers naar de boekenplank. 'Ik heb zijn boeken. Allemaal.' Hij deed een stap naar voren. 'Hier.'

'Staan blijven.' Flint stond een halve meter bij de plank vandaan. Michael zag een rij boeken waarvan de ruggen de naam van Julian droegen.

'Zijn foto op de achterflap...'

Flint strekte zijn arm. Michael spande zijn .45. Flint bevroor, en Michael zei: 'Een gevaarlijk iemand zou een wapen achter die boeken verstopt kunnen hebben.'

'Nee...'

'Gaat u toch maar zitten, voor de zekerheid.' Michael bewoog de loop heen en weer in de richting van de stoel. Flint keek naar de leunstoel.

'Zitten.'

'Alsjeblieft, laat me leven.'

Toen Flints knieën de stoel raakten, zakte hij met een plof neer. In de droeve, bruine kamerjas leek hij niet meer dan een zak oude botten. Michael verschoof het salontafeltje en ging op een meter afstand tegenover Flint zitten. Hij bleef het pistool op Flint gericht houden en hield tegelijkertijd met één oog de donkere, lege hal in de gaten. 'Weet u wie ik ben?'

'De hand van God die wraak komt nemen...'

Hij klonk krankzinnig toen hij dat zei, fluisterend en met zijn gelig witte ogen opengesperd. Michael merkte dat de kleren en de adem van de man naar drank roken. Naast Flints stoel zag hij een versleten leren bijbel liggen. Hij zag dat de nagels van de man waren afgebeten tot aan het vlees. Zijn handen waren hoornachtig als krokodillenhuid.

Michael boog zich naar voren in het licht. 'Kent u mij?'

'Ik... nee.' Hij draaide zijn hoofd weg maar hield zijn ogen op Michael gericht. 'Nee.'

'Maar u kunt het wel raden.'

Flint knikte en het licht viel op de bleke, roze halvemaanvormen onder zijn ogen. 'Je hoeft dit niet te doen.'

'Wat niet?'

'Mij vermoorden.'

'Het enige wat ik op dit moment wil, is dat u mijn naam zegt.' Flint staarde naar het uiteinde van de loop.

'Zeg het.'

'Michael...'

'Waarom denkt u dat ik u wil vermoorden?'

'Omdat de anderen ook allemaal dood zijn. Omdat ik wist dat het verleden me zou inhalen. Omdat het een zonde was om dat geld aan te nemen. Om die jongens te verkopen...' Zijn stem brak. Michael ontspande de haan en richtte de loop vijf graden links van Flints buik. Flint volgde de beweging en zei toen: 'Ik heb het je nooit kwalijk genomen dat je die jongen van Hennessey hebt vermoord. Het was een vreselijke jongen.'

'O ja?'

'Er waren toen zovéél vreselijke jongens.' Flints ogen schoten naar de openstaande deur.

'Zo weinig jongens die op je broer leken. Maar wat er nu gebeurt...' Hij schudde zijn hoofd, met zijn blik op de vloer gericht. 'Wat er nu gebeurt...' Hij keek weer omhoog, met de ogen van een gekwelde ziel. 'Het is drieëntwintig jaar geleden. Waarom zou je die jongens nu nog vermoorden? Na al die tijd...'

'Ik weet niet waar u het over heeft,' zei Michael.

Maar Flint schudde nog steeds met zijn hoofd; zijn in de verte starende ogen waren vochtig. 'Het kwaad en de wraak, en het behoedzame oog van God...'

Michael bewoog het uiteinde van de loop weer drie graden terug, waardoor hij Flints aandacht kreeg. 'Waarom heeft u een gat in uw deur geschoten, meneer Flint?'

'Ik heb een bewegingssensor bij de poort geïnstalleerd.'

'Dat betekent dat u wist dat er iemand kwam. Maar dat verklaart niet waarom u een schot gelost heeft door uw deur heen.' Michael wachtte tot Flint zijn aandacht er weer volledig bij had.

'Heeft u überhaupt gekeken wie het zou kunnen zijn?'

'Nee.'

'Waarom deed u het dan?'

'Ik dacht dat ik de volgende zou zijn. Ik zat erop te wachten. Ik was bang.'

'Waarvoor?'

'Hou je niet van den domme.' Flints stem werd luider en er verscheen een harde trek op zijn gezicht. 'Ik mag dan een oude, bange man zijn, maar ik ben slim genoeg om te snappen hoe het in elkaar steekt: jij hier, met je kalme stem en je sluwe ogen, die andere jongens die van de aardbodem verdwenen zijn en dus wel dood moeten zijn... Al dat geld zonder er een prijs voor hoeven te betalen...' Hij rolde met zijn ogen en zuchtte plotseling diep. 'Ik weet wat ik gedaan heb. En ik weet wat jij bent.'

'Dat weet u niet.'

'Ik heb in ieder geval geen geld, als je hier bent om dat terug te halen.' Hij veegde met een arm langs zijn mond en zag er sluw en kwaad uit. 'Het is allemaal op. Verdomde indianen. Verdomde Cherokees, die oplichters met hun goedkope drank en hun casino's.' Flints ogen schoten naar links en Michael zag een fles whisky en een glas waar nog een bodempje in zat. Flint streek met zijn hand over zijn witte snor en liet de whiskyfles toen weer even voor wat die was. 'Het is eigenlijk logisch nu ik erover nadenk. Dat jij degene bent.'

'Hoezo?'

'Jij bent de enige moordenaar die hier heeft gewoond. En eens een moordenaar, altijd een moordenaar.' Hij knikte. 'Dat is zo zeker als regen in de lente.'

Michael stond op. 'U kent mij helemaal niet, meneer Flint.' Hij liep de kamer door en pakte de whiskyfles en het glas. 'En ik ken u nog minder. Ik ken uw behoeftes en zwaktes niet, en ik ken de jongens niet van wie u zegt dat ze van de aardbodem zijn verdwenen.' Hij ging weer zitten en goot vijf centimeter bruine vloeistof in het glas. 'Maar dat gaat u me vertellen.'

'Waarom zou ik?'

De loop van het pistool bewoog naar rechts en stopte recht voor Andrew Flints voorhoofd. 'Voor mijn broer doe ik alles, meneer Flint. Onthoud dat goed.'

Flint keek naar het glas en likte zijn schuurpapieren lippen. 'En als ik het vertel, laat je me dan leven?'

Michael hield het pistool onbeweeglijk vast en gaf Flint het glas aan. 'Ik doe geen beloftes die ik niet kan nakomen.'

'Wat bedoel je daarmee?'

'Ik bedoel dat ik vragen heb.' Flint dronk het glas leeg. 'En dat ik antwoorden van u verwacht.'

29

Honderddertig kilometer ten oosten van Iron Mountain schoot de helikopter op zevenhonderd meter hoogte door de lucht. Zuidwaarts lag de stad Charlotte, die er verguld en compact uitzag. De ondergaande zon zakte in een gigantische zwarte zee. Abigail zat achter de piloot en de senator zat links van haar. Jessup zat voorin: diepe schaduwen in de groeven van een hoekig en strak gezicht, miniem wit snorretje. Hij keek een paar keer achterom, en wanneer hij dat deed, sprak zijn gezicht de stille pijn uit van dingen die onuitgesproken waren. Maar omdat de senator aanwezig was, praatte hij alleen over routinezaken. Hij raadpleegde de kaart en onderhield zich met de piloot. Af en toe maakte hij radiocontact met het landgoed en gaf hij hun meest recente positie en het vluchtplan door.

Na twintig minuten verzonk Abigail in een stil gepeins. De cabine was warm en zelfs door de koptelefoon was het geluid van de rotor kalmerend. In haar hoofd speelden zich opnieuw de laatste uren met Michael af. Zijn gezicht bij de poort van het IJzeren Huis. Zijn vastberadenheid toen ze afscheid namen. Ze sloot haar ogen en schrok even toen de senator een hand op haar been legde. Ze zat stil, terwijl hij een schakelaar omzette die hun koptelefoons van de andere afsloot.

'Ik dacht dat we wel wat privacy konden gebruiken.'

Zijn gezicht stond vermoeid in het zwakke licht, zijn ogen lagen ver uit elkaar. Ze rook het geurtje dat hij graag droeg, iets Frans, en verwonderde zich over de kracht in zijn dikke vingers. 'Het is wat laat om elkaar nu nog lieve dingetjes toe te fluisteren.'

'Geloof je dan niet meer dat ik van je hou?'

'Niet zo erg, nee.'

'Blaas een vrijerijtje zo nu en dan niet op tot meer dan het is. Dat is gewoon seks en ego.'

'Je bent een man met behoeftes.'

Ze zei het vlak, maar knikte alsof ze aan het preken was. 'En je bent eerlijk wanneer het ertoe doet.'

Hij kneep even in haar been en een donkere twinkeling danste in zijn ogen. 'Je bent altijd de perfecte echtgenote geweest – elegant en mooi en evenwichtig. Toen ik je voor het eerst zag, wist ik...'

'Dat ik goed zou uitkomen, naast jou.'

Vane fronste. 'Dat je discreet zou zijn, en loyaal aan je echtgenoot. Dat je de waarde zou inzien van de dingen die ik aan het opbouwen was, en van de vele manieren waarop jij daarvan kon profiteren.' Hij verschoof in zijn stoel. 'Dat je ondanks je schoonheid zou begrijpen hoe het spel wordt gespeeld. Dat je pragmatisch was.'

'Misschien ben ik niet zo belust op geld als je denkt.'

'Misschien ben je dat juist wél.'

'Wat bedoel je daarmee, Randall?'

Hij kreeg de koude blik van een politicus. 'Ik vraag me af of je iets van die lijken weet.'

'Ik zou nooit...'

'Laten we nou niet doen alsof je daartoe niet in staat bent.'

'Om iemand te vermoorden?'

'Om geheimen te bewaren.' De senator keek even naar de piloot en naar Jessup, die waren buitengesloten en hun gesprek niet konden horen. 'Dat je Julian zou beschermen, zelfs als je daarvoor tegen mij moest liegen.' Abigail raakte haar keel even aan, maar hij was onverbiddelijk. 'Op mijn landgoed duikt het ene naar het andere lijk op en ik word afgemaakt in de media. Ze beschuldigen me van obstructie, elitair gedrag en nog veel meer. Het hele circus van achttien jaar geleden vindt nu weer plaats, en de verkiezingen zijn al over drie maanden! Ik moet weten wat er aan de hand is, Abigail. Dit is niet het moment voor zwijgzaamheid of misplaatste loyaliteit.'

'Ik weet van niets.'

De senator fronste. 'Ik heb niet de illusie dat ik je door en door ken, schat. Sterker, ik ben erachter gekomen dat je net zoveel lagen hebt als menig politicus. Maar ik weet het wanneer je liegt.'

'Ik ben dit spelletje beu.'

'En ik bewonder je complexiteit, maar ik wil nog steeds weten wat er aan de hand is.' Zijn hoofd bewoog en ze zag zijn weerspiegeling in het plexiglazen raam. 'Dat je met Michael terugging naar Iron Mountain was niet per ongeluk, en ook niet zonder doel. Jij doet niets zonder goede reden.'

'En jij ook niet. En door deze ondervraging vraag ik mij af of er ook niet iets is wat jíj achterhoudt.' Vane liet zijn blik zakken. 'O mijn god,' reageerde Abigail. 'Je hóúdt iets achter.' Abigail kreeg een knoop in haar maag. Ze dacht dat ze het begreep. 'Ze hebben de lijken geïdentificeerd, of niet?'

De senator had overal connecties: mensen die hij betaalde, mensen die hem nog iets schuldig waren. Hij had in ieder geval één contact bij de plaatselijke politie, en waarschijnlijk had hij er meer.

Alstublieft, God...

'George Nichols werd vijf weken geleden als vermist opgegeven.'

'George Nichols...' Abigail herhaalde de naam met afschuw. Ze voelde zich ineens misselijk.

'Hij heeft een hoveniersbedrijf in Southern Pines.' Vane boog zich naar haar over.

'Hij heeft vrienden, Abigail. Werknemers. Mensen die hem als vermist hebben opgegeven. De politie trof zijn auto weken geleden verlaten en uitgebrand aan op een leeg stuk land in het zuiden van Chatham County. Minder dan twintig kilometer bij het landgoed vandaan. De kentekenplaten waren verwijderd, maar het chassisnummer was nog intact. De politie traceerde de eigenaar en die naam kwam overeen met die in hun dossier van de vermissing. Vanmiddag werden de tandartsgegevens gefaxt en tegen etenstijd kwam de bevestiging.'

Abigails mond werd droog.

'Zegt de naam je iets?' vroeg hij. 'George Nichols. Blanke man. Zevenendertig jaar oud.'

Verdoofd schudde ze haar hoofd.

'En Ronnie Saints?'

'Ronnie wie?'

De gevoelloosheid verspreidde zich naar haar armen en benen. Vane knikte. 'Ze hebben hem minder dan uur geleden opgedregd. Hij heeft niet lang in het water gelegen. Zijn portemonnee zat nog in zijn zak. Ik neem aan dat ook die naam je niets zegt.'

'Zou dat moeten dan?'

De senator leunde achterover. 'Ik denk dat we allebei weten dat ook dat gelogen is. Het is jaren geleden, maar ik heb die namen eerder gehoord. George Nichols. Ronnie Saints. Ik weet niet meer waar of in welke context, maar ik weet zeker dat het te maken had met Julian. Met Iron Mountain.'

Abigail keek een andere kant op.

'Waarom ben je naar die plek teruggegaan, Abigail?'

Ze zei niets, maar voelde hoe de paniek in haar borst oplaaide. Hij pakte haar hand met een verrassende tederheid.

'Zie je niet hoe gevaarlijk dit is?' Hij wachtte op het moment dat ze zich weer naar hem toe draaide. 'Kun je me niet vertrouwen?' Haar hoofd bewoog en de senator zag er verslagen uit. 'Waarom niet?'

Hij smeekte haar op een manier zoals ze die niet van hem kende. Ze zou tientallen leugens kunnen opdissen, waarvan hij een aantal zomaar zou kunnen geloven. Uiteindelijk koos ze ervoor om niet te liegen. 'Jij hebt nooit van Julian gehouden zoals ik.' Ze stak haar kin in de lucht. 'Je hebt nooit genoeg van hem gehouden.'

Drie seconden keken ze elkaar aan, toen liet Vane haar hand los. Zijn mond ging open, maar ten slotte keek hij simpelweg de andere kant op.

Hij wist wanneer ze loog.

En hij wist voldoende om de waarheid te zien.

Victorine wist dat er iets belangrijks gaande was. Overal waren helikopters. Agenten, en nog meer agenten. Ze volgde het geluid tot aan de rand van het bos en zag alle mensen die zich hadden verzameld bij het meer. Net toen de zon onderging had ze gezien hoe een lichaam uit het water werd gehaald: een grote man; zijn huid zag er olieachtig wit uit en was aangevreten, er liep water uit zijn mond. Ze nam het schouwspel goed in zich op en sloop toen terug door het donker wordende bos. Eenmaal in de grot stak ze de kaarsen aan en at ze een beetje van het overgebleven voedsel.

Ze rekte zich uit en vroeg zich af wat ze zou kunnen doen. Ze had geen geld en geen auto. Haar moeder zou haar waarschijnlijk vermoorden en het pistool dat ze uit de kast had gestolen was ze kwijt. Toen ze daaraan terugdacht, verscheen er een boosaardig glimlachje op haar gezicht. Ze zag haar moeders gezicht voor zich toen de ruzie hoog opliep, zag weer hoe arrogant ze deed en hoe zij, Victorine, haar weer naar beneden haalde toen ze een kogel door het dak van de keuken joeg. De ruzie was meteen voorbij. De uitdrukking op haar moeders gezicht was een daalder waard geweest: de schrik, de ontzetting. Maar nu was het een zootje. Julian had een slaapplaats voor haar geregeld in het gastenverblijf, hartstikke rustig zou het daar zijn, had hij beloofd, er logeerde nooit iemand.

Maar er logeerde dus wél iemand, en nu zat Victorine zonder eten en geld in deze grot en wist ze niet waar ze naartoe kon gaan. Dat was op zich geen probleem, maar nu was Julian ook nog weg. Hoeveel dagen nu al? Drie dagen? Vier? Toen hij haar vertelde dat ze weg moest lopen, dacht ze dat hij haar zou helpen. Dat had hij gezegd, gezworen zelfs. Ze hadden een plan bedacht, een goed plan – zo goed zelfs dat ze iets deed wat ze nog nooit eerder had gedaan: ze had een man haar vertrouwen gegeven. En nu begon ze te twijfelen.

Waar zat hij in godsnaam?

Met die gedachte viel ze in slaap, en toen ze wakker werd was het donker. Op één na waren alle kaarsen opgebrand, en die ene was nog maar een stompje met een laag en flikkerend vlammetje. Victorine kwam langzaam overeind, maar verstarde.

Er was iets mis.

Buiten, bij de ingang van de grot, klonken lage, ritselende geluiden. Er verplaatste zich iets door het stuikgewas. Fluisterende stemmen. Pratende stemmen.

Victorine pakte een platte steen ter grootte van een pakje sigaretten. Als iemand de grot wilde binnengaan, moest hij dat met zijn hoofd vooruit doen. Ze blies de kaars uit en het duister omringde haar. Ze wachtte zo stil als ze kon. De geluiden klonken nu duidelijker, dichterbij. Ze hoorde een lichaam vallen en iets zwaars naar beneden glijden. Ze hield de steen boven haar hoofd en hoorde toen de stem van Julian. 'Alsjeblieft, God...'

'Julian?'

Ze liet de steen zakken.

'Victorine?'

'Ik ben het.' Ze pakte zijn handen en trok hem verder naar binnen. Hij ademde zwaar en had het warm. Toen hij beide armen om haar heen sloeg, voelde ze hoe zijn nek glad was van het zweet.

'Het spijt me,' zei hij. 'Het spijt me zo.'

'Hoe bedoel je? Wat spijt je?'

'Ik weet niet wat er aan de hand is. Het spijt me dat je alleen bent. Het spijt me dat ik zo'n... sukkel ben.' Hij liet haar los en sloeg met zijn vuist tegen de zijkant van zijn hoofd. 'Alles is verkeerd en niets deugt.

'Ik krijg...' Hij sloeg zichzelf weer. 'Ik krijg gewoon...'
'Wacht even. Dan steek ik een kaars aan.'
Victorine maakte zich los en tastte rond naar lucifers. Toen ze die gevonden had, stak ze de laatste kaars aan. Julians gezicht zag er vochtig en groezelig uit in het plotseling opflakkerende licht. 'Verdomme, Julian.' Ze veegde het zweet en vuil van zijn gezicht. Dunne straaltjes bloed stroomden uit door braamstruiken veroorzaakte wondjes. 'Je ziet er verschrikkelijk uit.'
Hij trok zijn knieën op en drukte zijn hoofd tegen haar borst. 'Ik kan het gewoon niet...'
'Wat kan je niet?'
'Ik krijg het beeld niet uit mijn hoofd.'
Hij klauwde in haar shirt en duwde zijn gezicht hard tegen haar borsten.
'Welk beeld?'
'Het lichaam van een dode man op de vloer. Rode nevel en het geluid van iets zwaars dat valt. Ik zie mijn broer en mijn moeder, stukjes van Iron Mountain, stukjes van dingen van vroeger. Gezichten van vroeger. Stemmen. Het is zo verwarrend.' Hij trok harder aan haar shirt. 'Ik was je vergeten, Vic. Dat spijt me zo, maar het is mis in mijn hoofd. Ik ben helemaal in de war.'
'Rustig, Julian. Vertel me wat er gebeurd is.'
'Ik weet het niet. Soms heb ik het gevoel dat ik het helder kan zien, en vervolgens is het weer weg. Dan verdwijnt het en word ik verzwolgen door het zwart. Overal water om me heen. Lachende mensen. Herinneringen. Gezichten. Zo erg als nu is het nog nooit geweest.'
Hij trok aan zijn haren en duwde een hak in de vloer van de grot.
'Gewoon rustig ademhalen.' Ze wist dat hij een man was die met zichzelf worstelde en drukte hem steviger tegen zich aan. Maar ze had hem er nog nooit zo slecht aan toe gezien als nu. De Julian die ze kende was meer een jongen dan een man; een serene ziel met heel veel geduld voor een eenzaam meisje dat onder ruwe omstandigheden was opgegroeid. Hij wist wat het betekende om vertrapt te worden. Hij wist hoe lange, zwarte uren zich 's nachts konden opstapelen en hoe zelfs de zon te bleek kon opkomen. Maar nu begon ze te geloven dat ze wellicht toch naar haar moeder had moeten luisteren. Haar moeder, die zei dat er geen God in de hemel was en dat geen enkele man je vertrouwen waard was, dat er geen andere waarheid bestond dan die van het vlees, van familie en van het incasseren van geld, en dat er geen fatsoenlijke

plek op de wereld was voor vrouwen die de naam Gautreaux droegen. 'Alles komt goed, Julian.' Ze sprak de woorden uit alsof zij ze meende. 'Victorine is nu bij je.'

'Ik wil dat je iets voor me doet.'

'Wat?'

Hij vertelde het haar.

'Je moeder?' Hij knikte, en Victorine stelde zich leliewitte handen en een prachtige witte huid voor, en bedienden en bankiers en bedden die vederzacht waren. Ze dacht terug aan haar eigen moeilijke jeugd, met slaag en eenzaamheid en een gestoorde moeder die zich prostitueerde aan iedere man met vijftig dollar op zak en een auto die sterk genoeg was om de weg te beklimmen die naar haar bed leidde.

'Ik kan je moeder wel aan.' Het licht flikkerde, en er ging een moment voorbij.

'Weet je waarom ik van je hou?' vroeg hij. Ze wiegde hem in stilte heen en weer, en hij vroeg het nog een keer.

'Weet je waarom?'

'Ik weet het,' zei ze.

En dat klopte. Het kwam niet door haar uiterlijk of haar mooie, gespierde lichaam of omdat ze zo slim was. Julian hield van haar om één enkele reden.

'Je bent zo sterk,' zei hij.

En dat was de reden.

De helikopter cirkelde om de achterzijde van het landgoed en landde op een plek waar de journalisten geen zicht op hadden. De boomtoppen bogen opzij toen hij vertraagde, er verscheen een opening onder het landingsgestel en Abigail zag het heliplatform scherp afsteken tegen de grond. De verlichting stond aan. In het omringende duister stonden auto's geparkeerd. Toen de piloot de laatste manoeuvres maakte en het landingsgestel het beton aantikte, maakte Abigail de gespen los.

Terwijl het donkere coulisselandschap voorbijflitste aan haar raam, was ze steeds woedender geworden. Ze wist dat het oneerlijk was en voornamelijk ingegeven door angst, maar de geur van haar echtgenoot maakte haar woedend. Zijn egocentrisme. Het berekenende van zijn gedrag. Buiten hakten de rotorbladen de lucht in ruwe neerwaartse windstromen. De motor maakte een geluid als van een lawine. Toen Abigail de eerste auto bereikte, voelde ze een hand op haar schouder. Snel draaide ze zich om en zag haar echtgenoot staan.

'Denk na over wat ik gezegd heb.'

Hij moest schreeuwen; zijn witte haar danste op zijn grote hoofd.

Abigail verhief haar stem op gelijke wijze. 'Nee. Denk jij maar na over wat ík gezegd heb.'

Hij keek naar de lange, zwarte auto. Twee mannen van zijn persoonlijke beveiligingsdienst stonden hem op te wachten. Vergeleken met die auto zag de landrover er oud en gammel uit. Hij leek dat ding als een belediging te beschouwen. 'Ik neem aan dat je liever met Jessup meerijdt.' Hij zei het met gekrenkte trots en de behoefte om te kwetsen.

'We hebben dingen te bespreken,' zei Abigail.

'Zien we elkaar dan morgenochtend?' Een sluwe glimlach verscheen op zijn gezicht en Abigails woede nam nog wat toe. Ze probeerde op een beschaafde manier met haar echtgenoot om te gaan, maar er waren grenzen aan wat ze kon verdragen. 'Ik heb je nooit bedrogen. Wat jij ook mag denken, ik zou zoiets nooit doen.'

'Hou op zeg...'

'Daarin verschillen we van elkaar.'

'Ik heb je eerder gezegd dat we allemaal soms wat ontspanning nodig hebben, maar doe niet of ik achterlijk ben. Neuk hem zoveel als je wilt, maar wees er in ieder geval eerlijk over.'

Ze schudde haar hoofd. 'Ik heb al lang geleden besloten wat voor persoon ik wenste te zijn.'

'Je bent soms echt belachelijk, weet je dat?'

Ze wilde iets ad rems zeggen maar kon niets bedenken, dus hield ze het simpel. 'Ben jij ooit een man met moraal geweest?'

'Moraal is een relatief concept. Dat zou jij helemaal moeten weten.' Hij ging in de auto zitten, zijn raampje gleed naar beneden en hij zei: 'Morgenochtend vroeg. Ik wil antwoord op mijn vraag.'

Terwijl het raampje van de senator weer omhoogging en de auto langzaam in beweging kwam, verscheen Jessup naast haar.

'Gaat het?'

'In de auto.'

Ze stapten in en sloten de deuren. De motor van de helikopter viel eindelijk stil. De stilte zorgde voor een schok, net als de stem van Jessup. 'Wat is er verdomme aan de hand, Abigail? Je vertrekt zonder mij in te lichten en gaat ervandoor met een man die je nauwelijks kent. Een gevaarlijke man, een gangster verdomme...'

Maar alleen Julian was haar aandacht waard, en ze wuifde Jessups woorden kwaad weg.

'Heb je de plaatselijke motels gecontroleerd? Vrienden die we kennen?'
'Natuurlijk.'
'Het terrein?'
'Alle zestienhonderd hectare? Nee. Natuurlijk niet.'
'Hij is bij Victorine Gautreaux...'
'Dat weten we niet zeker.'
'Lul niet, Jessup. Het is de enige logische mogelijkheid. Dat kleine kreng heeft hem in haar tentakels. We moeten het huis van Caravel doorzoeken.'
'Is al gebeurd.'
'En dat vond ze goed?'
'Voor vijfduizend dollar contant. We hebben elke hoek gecontroleerd. Ze zat de hele tijd op de veranda haar geld te tellen en ons uit te lachen. Er was geen spoor van Julian. Van Victorine ook niet. De politie arriveerde tegen de tijd dat wij weggingen.'
'De politie?'
'Jacobsen en nog een rechercheur. Ik weet niet wat ze daar deden.'
Abigail schudde haar hoofd. 'Ronnie Saints. George Nichols.' Ze realiseerde zich dat ze voor zich uit zat te staren. De voorruit en de buitenwereld waren een waas.
'Hou daar alsjeblieft over op, Abigail.'
'Ik ben bang, Jessup.'
'Er is niets wat wij niet aankunnen.'
Abigail wreef met beide handen over haar gezicht en zei toen: 'Ik weet wie die dode mannen zijn. Ronnie Saints. George Nichols. Lieve God, sta me bij, ik weet wie ze zijn. Maar ik begrijp niet wat er aan de hand is.'
'Dat hoeft ook niet. Oké. Adem maar diep in. Ik regel dit wel.'
'Ik denk niet dat je dat kan.'
'Begin maar bij het begin en vertel me alles.'
Ze vertelde waar zij en Michael naartoe waren geweest en wat ze hadden ontdekt. 'Die lijst lag bij Ronnie Saints thuis. George Nichols stond daarop. Net als Billy Walker en Chase Johnson.'
'Waren jullie daarom bij het IJzeren Huis?'
'Om Andrew Flint te spreken. Michael dacht dat hij misschien iets wist.'
'Maar jullie hebben Flint niet gezien?'
'Nee.' Ze beet op een topje van haar vinger en dacht aan het meer.

'Er is een derde lichaam, dat ze nog niet geïdentificeerd hebben. Het lichaam dat als tweede uit het water werd gehaald, waar alleen nog botten van over waren.' De vinger kwam bij de mond vandaan. 'Wat als het Billy Walker is, of Chase Johnson? Het kan geen toeval zijn. O god, Jessup, wat als er nog een lijk in het meer ligt? Stel dat ze allemaal dood zijn... Wat er is er toch aan de hand?'

'Julian heeft die mannen niet vermoord.' Jessup was stellig. 'Dat moet je van me aannemen. Wat er ook gebeurt, hij móét geloven dat jij daarvan overtuigd bent.'

'Je houdt echt van hem, hè?'

'Natuurlijk.'

'Maar waarom, Jessup? Het is zelfs van de senator te veel gevraagd.'

'Ik houd van hem omdat jij van hem houdt.'

Abigail raakte zijn wang aan. 'Dank je, Jessup. Heel erg bedankt.' Jessup duwde zijn wang tegen haar hand en ze zei: 'Zegt de naam Salina Slaughter je iets?'

Hij trok zijn hoofd terug. 'Waarom vraag je dat?'

'Haar naam stond ook op de lijst.'

Jessup schudde zijn hoofd. 'Nee.'

'Weet je dat zeker?'

'Ja. En ik heb ook een vraag.'

'Oké.'

'Wat vind je van Michael?'

'Dat ligt moeilijk. Hoezo?'

'De senator heeft navraag naar hem gedaan. Hij heeft zijn naam laten vallen bij de politie. Zijn mensen graven naar informatie over Michaels achtergrond. Ze willen alles weten. Wie hij is. Waar hij vandaan komt. Alles. Ze willen hem helemaal in kaart brengen. Ze willen zijn vriendin vinden. Ze zijn een dossier aan het opbouwen.'

'Ik begrijp het niet.'

'Ik denk dat je echtgenoot op zoek is naar een zondebok.'

Toen zag ze hoe dit gespeeld zou kunnen worden. 'Iemand die ze de moorden in de schoenen kunnen schuiven?'

'Dat is de manier waarop de senator denkt. Michael is een buitenstaander.'

Ze ging meer rechtop zitten. 'Je hebt mijn man toch niets verteld, hè? Je hebt hem toch niet verteld over Otto Kaitlin en de zaken die je in Michaels auto hebt gevonden – het geld, de foto's, het pistool? Jezus. Je hebt hem toch niet Michaels pistool gegeven?'

'Nog niet, nee.'
'Nog niet? Hoe bedoel je?'
Hij haalde onbewogen zijn schouders op. 'Ik bedoel dat dat misschien zo'n slecht idee nog niet is.'

30

Jimmy stond te wachten op de veranda aan de voorzijde toen Stevan eindelijk kwam opdagen. Het was al laat en de meeste mannen lagen te pitten of zaten te kaarten. Er hing een onderhuidse woede in het huis, een zweem van muiterij. Er was geen airco. De enige televisie die er was, had een gat, precies in het midden van de beeldbuis. Maar er speelde meer. Iedere man in dit huis had zijn manier om geld binnen te halen. Ze hadden geen miljoenen, zoals Stevan, of plannen, zoals Jimmy. Ze hadden hun eigen gebiedje, dat ze met hun bloed bevochten hadden. Hun eigen stukje van de Amerikaanse droom hadden ze, en Stevan schopte dat in de war – en waarom? Ze hadden Michael dagen geleden al moeten omleggen. Ze hadden hem nooit de kans moeten geven de stad te verlaten. Nu voelden ze zich buitengesloten en in hun hemd gezet.

Jimmy begreep dat. Het kon hem niet schelen, maar hij begreep het wel. Iedere man heeft iets nodig om trots op te zijn, en wat geld in zijn zak. Voor Jimmy vormden geen van beide een probleem, natuurlijk. Zijn behoeftes waren ontstegen aan simpele dingen als angst, respect en je kans grijpen. Ze waren gegroeid en tegelijkertijd eenvoudiger geworden. Hij wilde dat Michael stierf, zodat er geen onduidelijkheid kon bestaan over wie de beste was van hen beiden, en hij wilde zevenenzestig miljoen dollar. Het was een heel specifiek bedrag. Terwijl hij daar stond, dacht hij erover na.

Misschien een landgoed in Californië...

Iets met een wijngaard...

Het licht van de koplampen gleed over het huis terwijl Stevan de auto parkeerde, en Jimmy voelde even aan het wapen dat in zijn riem gestoken zat. Stevan en hij troffen elkaar boven aan de trap. 'Waar heb jij gezeten?'

'Is dit soms de geest van mijn vader die via jou spreekt?'

'Jouw vader zou je eerst een pak rammel geven en dan pas vragen stellen. Hij zou zijn mensen hier sowieso niet heen hebben gebracht. Hij zou een verrader bij de eerste tekenen van verraad hebben vermoord. Hij zou zijn mannen nooit een reden hebben gegeven om aan hem te twijfelen.'

'Jezus, Jimmy. Fijn je te zien.'

'Het stikt hier van de politie, weet je dat? De mannen zijn kwaad en Michael leeft nog. Je zit de boel te verkloten.'

'Ik ben hier te moe voor, Jimmy.'

Stevan zag er gespannen uit. Zijn stropdas hing los, zodat slordige plukken borsthaar over zijn kraag hingen, en zijn ogen lagen diep in hun kassen. Hij wilde snel verder lopen, maar Jimmy hield hem een halve meter voor de deur staande. 'Je mensen hebben behoefte aan leiding.'

'Dat zeg je helemaal goed.' Hij posteerde zich recht voor Jimmy. '*Mijn* mensen.'

Hij stak zijn hand uit naar de deur, maar Jimmy hield hem weer tegen. 'Ik wil Michael bellen. Ik wil dit afronden.'

'Die discussie hebben we al gevoerd. Ik heb al een plan dat klaar is om te worden uitgevoerd.'

'Ga je me nou eindelijk eens vertellen wat dat geniale plan van jou inhoudt?'

'Luister, Jimmy, mijn vader heeft jou de leiding over een aantal zaken gegeven, dat snap ik – maar zover zijn jij en ik nog lang niet.'

'Dit slaat nergens op.'

Stevan legde zijn hand op zijn borst en praatte alsof hij het tegen een kind had. 'Hersens,' zei hij, en wees toen naar Jimmy. 'Spieren. Hersens. Spieren.' Zijn hand bewoog heen en weer. 'Snap je hoe het werkt?'

'Wat doen we met die vrouw?'

Stevan trok een wenkbrauw op. 'Leeft die dan nog?'

'Wat wil je dat ik met haar doe?'

'Dat is jouw rommel.' Stevan opende de deur. 'Ruim die dan ook zelf maar op.'

De deur viel in het slot, en Jimmy dacht aan de dingen die hij voor zich had gehouden. Hij dacht aan Michael en de vrouw, aan hoe Stevan in het niet viel vergeleken bij zijn vader. Hij dacht aan zevenenzestig miljoen dollar, en aan de dingen die hij was tegengekomen in de grote, donkere, stille schuur: de kettingen en metalen haken, de oude slijpsteen en al het gereedschap dat je daarmee zou kunnen slijpen. Hij zag Stevan voor zich die met gespreide armen en benen vastgebonden op de grond lag en bloed huilde. En hij vroeg zich af hoe lang die kleine klootzak het vol zou houden, hoeveel uren hij zou schreeuwen voordat hij de rekeningnummers en toegangscodes ophoestte.

Zevenenzestig miljoen dollar.

Een stoffige schuur, en de stilte van het bos zover het oog reikte.

Jimmy ademde diep in en rook alle plaatsen waar je een lichaam zou kunnen begraven.

31

'Dus dat is het?' Michael boog zich naar voren. Flint was uitgepraat, de fles was leeg. Sommige dingen waren nu duidelijker. Niet alles, maar sommige dingen wel. Dat is het grappige aan drank en angst – je kunt er bijna elke man mee breken, als je de tijd neemt en zorgvuldig bent.

En dan waren er mannen als Flint.

Hij had een agressieve dronk, was het soort man dat steeds killer en scherper werd. Michael kon de radertjes zien draaien, met een mechanische precisie geolied door de goedkope bruine drank. Flint was zo slim om zich voornamelijk bij de waarheid te houden, maar hij vertelde ook kleine, voorzichtige leugens. Michael wist nog niet welke dat waren, maar hij wist dat ze er waren, en hij wist dat het sleutels waren tot iets groters. Dronken of niet, een man liegt niet zomaar met een .45 onder zijn neus. 'Heb je nog een fles?' vroeg Michael.

'In de keuken. Ik hoef niet meer.'

Dat was niet waar. Flint was het soort rustige, doelgerichte drinker dat een klein, warm vuurtje aanlegt en weet hoe hij dat in toom moet houden. Michael kende dat soort drinkers: het konden geharde mannen of zwakke, stille, hongerige zielen zijn, maar ze hielden niet op met drinken tot ze buiten bewustzijn raakten of totdat de drank op was.

'De keuken, hè?' Michael draaide zich half om op zijn plek. Hij wees over de gladde, warme koffietafel heen naar een kastje met deurtjes onder de boekenplank. 'Je zat zo naar dat kastje te loeren, ik denk dat die fles wel wat dichterbij staat.'

'Ik zat niet te loeren.'

Michael glimlachte: dat was de eerste onhandige leugen. Flint had naar drie dingen gekeken nadat hij was gaan zitten: Michaels gezicht, de .45 en dat kastje. 'Zal ik eens voor je gaan kijken?'

Michael stond op, en Flint maakte een plotselinge beweging in zijn stoel. 'Niet doen!'

'Wat moet ik niet doen?'

'Alsjeblieft...' Michael hield Flint in de gaten terwijl hij het kastje openmaakte. Er stond maar één ding in. Hij haalde de doos eruit en ging weer zitten. Flints mond hing open; in zijn ogen was een wereld van pijn te zien. 'Alsjeblieft.'

Michael keek in de doos en zag geld. Heel veel geld. Hij schudde de doos heen en weer. De biljetten lagen los, en hij roerde erdoorheen met de loop van zijn .45. Allemaal honderdjes. Misschien wel tachtigduizend dollar. Hij zette de doos naast zich neer. 'Is dat wat er nog van over is?'

'Dit is alles. Ik zweer het. Neem het alsjeblieft niet mee.'

'Vertel nog eens over de man die het kwam brengen.'

Ze hadden het er al twee keer over gehad, en Michael wilde het nog eens horen.

'Het werd gewoon afgeleverd,' zei Flint. 'Een pakje, in plastic gewikkeld. Een jonge vent. Ik moest ervoor tekenen.'

'En het was niet dezelfde man als daarvoor?' Flint schudde zijn hoofd en Michael overdacht wat hij allemaal had gehoord. Een man die beweerde een advocaat te zijn, had Flint zeven weken geleden benaderd. Hij had een duur pak aan en hij had een aktetas bij zich, en hij liet een visitekaartje zien van een werkelijk bestaand kantoor. Hij was boven de vijftig, streng en onbuigzaam, en sprak van een klant wiens naam hij niet mocht noemen. De klant had een voorstel. Hij wilde iets heel eenvoudigs: de huidige adressen van vier mannen die ooit als jongen in het IJzeren Huis hadden gewoond. Chase Johnson. Billy Walker. George Nichols. Ronnie Saints. Andrew Flint had een goed geheugen en hij had toegang tot dossiers. En de klant zou goed betalen.

Michael pakte een handvol biljetten op en liet ze vallen. 'Hoeveel bood hij?'

'Vijftigduizend per adres. Ik heb hem er drie gegeven.'

'Welke drie?'

Flint sloot zijn ogen en slikte. 'Ronnie Saints. George Nichols. Chase Johnson.'

'Waarom Billy Walker niet?'

'Ik kon hem niet vinden, oké? Alleen die drie. Alleen hen maar. Alsjeblieft, kan je nu gewoon weggaan?'

Michael pakte de doos op en schudde hem opnieuw heen en weer. 'Het is heel veel geld.'

'Neem maar mee.'

Dat vond Michael interessant: Flint woog dingen tegen elkaar af. Hij was niet langer vijandig of wanhopig; dit was pure paniek. 'Neem maar mee?' vroeg Michael.

'Ja.' Flint maakte een wuivend gebaar met zijn vingers. 'Het is van jou.'

Michael wachtte.

Flint zei: 'Luister, ik heb je vragen beantwoord.'

Michael zei niets, en Flints blik gleed intussen naar de gang. Vanaf het moment dat Michael binnenkwam, had Flint dat nog niet gedaan. Niet één keer.

Toen hoorde ook Michael het: een zacht schuifelend geluid. Hij kwam overeind, met geheven pistool. En met een verbluffend vertoon van snelheid en coördinatie wierp Flint zich naar de gang en schreeuwde: 'Nee!' Hij draaide zich om naar Michael, me gespreide armen, bleek en dronken en trillend. 'Niet doen. Alsjeblieft.'

Hij probeerde de gang te blokkeren. Zijn badjas viel open, waardoor de botten van zijn smalle borstkas en de paar witte haren die nog over waren zichtbaar werden.

'Wie is daar?'

Het pistool lag stevig in Michaels hand. De voetstappen werden harder achter Flint, vreemde, stokkende geluiden, en je hoorde geschraap over textiel. 'Het is maar een jongen,' zei Flint.

Maar het was geen jongen die door de gang liep. De man was ruim één meter tachtig, met stevige benen en brede, zware handen. Hij liep schuifelend; één voet sleepte een beetje. Michael zag een spijkerbroek en blote voeten en een mop zwart haar. Hij liep deels door de schaduw; er viel een blauwe gloed op zijn gezicht toen hij langs de televisieruimte liep, met zijn neergeslagen ogen naar links gericht.

Flint probeerde zich groter te maken. 'Alsjeblieft.'

'Dat is ver genoeg.' Michael wreef met zijn vinger over de haan.

'Niet schieten!' Er brak iets in de stem van Flint. Hij was bijna in tranen, zijn wangen zagen ongezond roze. 'Ik smeek het je.'

Michael aarzelde en de man achter Flint zei: 'Hoi.' Net zoals een kind zou doen. Hij wreef over zijn gezicht en stapte toen het licht in terwijl Flint hem probeerde af te schermen. De aanblik van het pistool deed hem niets, evenmin als Michaels aanwezigheid. De man schoof

Flint opzij alsof hij een gordijn was en Michael zag dat hij een uitgezakt oog had onder een opvallende deuk in de bolling van zijn schedel. 'Ik heb dorst.' Er zaten lange littekens op zijn voorhoofd, oude hechtingen die zijn haargrens in liepen. 'Mag ik al tevoorschijn komen?'

Flint wierp een blik op Michael en legde toen zijn hand op de schouder van de man. 'Natuurlijk mag dat.' Hij klonk nu licht opstandig. 'Niemand zal je kwaad doen.'

'Oké.'

'Zeg maar hallo tegen die aardige meneer.'

De man wiebelde van de ene voet op de andere. Hij leek verlegen en van zijn stuk gebracht. Toen stak hij een hand omhoog op een steelse, jongensachtige manier. 'Hallo, aardige meneer.'

En Michael herkende hem.

'Hallo, Billy.'

Billy Walker glimlachte bij het horen van zijn naam. 'Hebben we melk?'

'Jazeker,' zei Flint.

'Chocola?'

Flints gezicht werd zorgelijker, maar zijn stem bleef warm. Hij glimlachte en streek het haar op Billy's hoofd glad. 'Laten we maar eens gaan kijken.'

'Wat is er met hem gebeurd?' Billy zat aan tafel en was te zien door een open deur. Hij at gesuikerde cornflakes terwijl hij op zijn stoel wiebelde en naar een glas chocolademelk staarde. Er zat melk op zijn kin. Flint was nu gebroken: alle leugens waren verteld, alles was voorbij. Hij had niets meer, en Michael wist het.

'Hij had ruzie gekregen met Ronnie Saints.' Flint duwde een knokkel in zijn rechteroog en zuchtte diep terwijl hij nog een glas bourbon inschonk. 'Dit gebeurde ongeveer een jaar nadat jij was weggelopen. De ruzie liep uit de hand en Billy lazerde met zijn hoofd naar beneden van een betonnen trap af.'

'Had Ronnie hem geduwd?'

'Hij ontkende het natuurlijk.' Het glas ging vol omhoog en kwam leeg weer naar beneden. 'Het maakte uiteindelijk niet echt uit. De dokters hebben zes uur lang stukjes schedel uit Billy's hersenen geplukt, en sindsdien is hij zo.'

'Maar waarom is hij hier? Waarom is hij bij jou?'

Flint glimlachte weemoedig. 'Niemand wil een zestienjarig joch adopteren van wie de halve schedel is ingeslagen. Maar het kan gek gaan in het leven. De betonnen rand waaraan hij die deuk in zijn kop te danken heeft lijkt de rottigheid helemaal uit hem geslagen te hebben. Alles wat donker was is weg, is zonnig geworden.' Flint haalde zijn schouders op. 'Hij was anders daarna: gedwee en lief en zonder kuren. Toen hij achttien werd, kreeg ik het niet over mijn hart om hem de wereld in te sturen, dus mocht hij blijven. Hij deed soms wat klusjes. Stokken oprapen, vegen. Het ging een tijdje goed. Met Billy. Met het weeshuis. Toen gingen de casino's open.' Een felle scherpte kwam in Flints ogen, en hij snoof luid. 'En verloor ik alles.'

'Heb je het over het geld dat Abigail Vane heeft gedoneerd?'

'Vijf miljoen dollar, en ik heb het verbrast. Gokken. Slechte investeringen.' Flint deed geen poging om zichzelf te rechtvaardigen. 'Ik dacht dat ik het weer goed kon maken, mijn inzet verdubbelen, je kent het wel. Maar ik heb iedereen teleurgesteld. Al die jongens. Mezelf. Ik heb alles verprutst.'

'En toen het weeshuis sloot?'

'Er zit hier veel restwaarde. Koperen goten en pijpen. Dakpannen.' Flint rolde met zijn schouders. 'Een bedrijf uit het noorden heeft het gebouw gekocht en mij als opzichter aangesteld tot ze het kunnen slopen. Dat had al jaren geleden moeten gebeuren, maar ze stellen het steeds uit. Mij hoor je niet klagen. Ze betalen me wat en we hebben een dak boven ons hoofd.'

Michael zocht naar meer leugens, maar vond er geen. 'Je hebt Billy al die tijd bij je gehouden.'

'Ja.'

'Waarom?'

Flint keek hem aan met een blik vol eerlijke, ware liefde. 'Omdat in de zestig jaar dat ik dingen heb verknald het zorgen voor die jongen het enige is wat ik goed heb gedaan.'

Twintig minuten later bracht Flint Billy Walker naar bed. Toen hij terugkwam, zei Michael: 'Ik help je wel even met die deur.' Ze spijkerden het gat dicht met multiplex. Buiten, waar de maan laag en vol opkwam, zei Michael: 'Je gelooft echt dat ze dood zijn, hè? Allemaal.'

'Ze worden allemaal vermist.'

'Waarom ben je nagegaan waar ze waren?'

'Ik kreeg een slecht gevoel nadat ik die adressen had gegeven. Ik hoopte dat ik het mis had.'

'Heb je met ze gepraat?' vroeg Michael.

'Alleen met Ronnie Saints, maar hij was paranoïde en verward. Dacht dat ik achter zijn geld aan zat of zoiets. Ik waarschuwde hem dat de andere jongens vermist werden, maar hij zei dat ik me met mijn eigen zaken moest bemoeien. Zei dat hij wist waar hij mee bezig was. Twee dagen later was hij ook weg.'

Michael knikte. Het verbaasde hem niet. Als kind was Saints al paranoïde. 'Hadden ze gezinnen?'

'Daar waren ze het soort mensen niet naar, als je begrijpt wat ik bedoel.'

Michael deed de deur dicht en sloeg met zijn vuist op de plaat multiplex. Hij dacht aan de vriendin van Ronnie Saints die een baby wilde en een huis zonder hypotheek.

'Misschien moet je hier weg. Neem Billy mee en zoek een ander huis. Een frisse start.'

Flint knikte en zei: 'Eerst nog een klapper maken.'

Michael deed er het zwijgen toe. Drinkers en gokkers, die veranderden toch nooit. Hij pakte het pistool op en haalde de patronen eruit. Toen hij klaar was, staarde Flint hem aan.

'Je hebt ze echt niet vermoord?'

Michael keek naar de half ingestorte gebouwen overal in het donker om hen heen. 'Ik had al twintig jaar niet meer aan die jongens gedacht.'

'Misschien zijn ze niet dood,' zei Flint.

'Misschien niet.'

Flint pakte de fles bourbon op en wankelde. 'Ik heb gedaan wat ik kon, weet je.'

Michaels kaken spanden zich, maar Flint merkte niets.

'Toen jij hier was,' ging Flint verder, 'wilde ik helemaal niet dat er erge dingen gebeurden. Ik hoop echt dat je me gelooft als ik dat zeg. Het was gewoon zo moeilijk. Er waren zoveel jongens en wij waren met zo weinig.' Hij snoof; er klonk waarheid door in zijn stem. 'Ik weet dat het erg was.'

Michael keek Flint indringend aan. Zijn hersens maalden terwijl hij door zijn eigen emoties woelde – en er koel en onaangedaan uit kwam. Het was voorbij. Hij was eroverheen. Hij vertelde Flint de waarheid niet, zei niet dat hij toen hij het hek over klom min of meer van plan was geweest de man te vermoorden. Vreemd dat het Billy Walker was die hem had gered. En nog vreemder dat Michael zoveel mededogen voelde.

'Het is goed wat je voor Billy doet.'

Dat was alles wat Michael te geven had: simpele woorden en het geschenk om een leven niet te beëindigen. Flint schraapte zijn keel. 'Ik ga naar bed. Je mag op de bank slapen, als je wilt.'

Michael overwoog dat aanbod. Hij wilde het IJzeren Huis bij daglicht bezoeken. Hij wilde door de gangen lopen om de plaatsen uit zijn jeugd te zien. Misschien zou hij tot een onverwacht inzicht komen, een soort nieuw begrip; of misschien zou zijn woede in de zalen met de hoge plafonds opnieuw opvlammen. 'Er is een hotel in het dorp,' zei hij ten slotte.

'Het Volonte. Fatsoenlijk hotel.'

Een hotel, dat klonk goed: een douche en vier uur duisternis, maar Michael vertrouwde Flint nog niet, en de plaatselijke politie zou vast graag alsnog een poging doen om na al die jaren het dossier-Hennessey te sluiten. Een simpel telefoontje was genoeg. Politie aan zijn hoteldeur. Een snelle inval in de stilte voor zonsopgang. Dat zou het toppunt van ironie zijn, als hij met al dat bloed aan zijn handen de bak in zou gaan voor de ene moord die hij níét had gepleegd. 'De bank is prima. Dank je wel. Ik wil wel graag mijn auto binnen de poort zetten.'

Flint haalde een sleutelring uit de zak van zijn badjas. 'Met de messing sleutel kan je het slot openmaken.'

'Ik vertrek vroeg.'

Flint haalde zijn schouders op. 'Ik slaap graag uit.'

Michael gebaarde naar het weeshuis. 'Ik wil eerst nog wat rondkijken.'

'O?' Flint boog zich over naar links. 'Je wilt daar naar binnen?'

Het was meer moeten dan willen om letterlijk de plaats te voelen waar hij was gevormd. Abigail had het zo goed geformuleerd: terugkomen deed wat met je. 'Niet nu,' zei Michael. 'Morgenochtend.'

'Oké. Kijk maar. Je weet de weg.' Hij wees naar de sleutelring. 'De grote zilverkleurige is voor de voordeur. Leg de sleutels daar maar op het aanrecht.'

'Dan leg ik je geweer daar ook neer.'

Flint wankelde nog een keer; zijn rimpels waren net landkaartlijnen in zijn huid. 'Er valt volgens mij nog wel meer te zeggen.'

Michael schudde zijn hoofd. 'Zo is het genoeg.'

'Dan zeg ik je alleen gedag.' Flint stak zijn hand uit, en na twee lange seconden schudde Michael die.

'Dag meneer Flint.'

Flint liet zijn hand los en draaide zich om. Hij struikelde maar slaagde erin op de been te blijven. Even later zag Michael drie ramen verderop een licht aangaan, en het silhouet van een kwetsbare, dunne man met een fles drank. Na nog een minuut ging het licht uit en zette Michael Flint uit zijn gedachten. Hij liep naar het hek en reed zijn auto over de lange oprit met het kapotte plaveisel. Toen pakte hij zijn telefoon en belde Abigail. 'Hoi. Ik ben het. Nee, alles in orde. Al iets gehoord van Julian?'

'Nee.'

'En Elena?'

'Niets, Michael. Het spijt me.'

'Het geeft niet,' zei Michael, maar dat was niet waar. Zwakke, verre sterren verspreidden zich en de avondlucht was koel. Een kleine wolk schoof voor de opkomende maan terwijl hij Elena uit zijn gedachten probeerde te zetten. Hij moest weten of alles met haar in orde was. 'Luister.' Hij wreef over zijn ogen. 'Ik heb een vraag.'

'Vraag maar raak.'

'Heeft Julian geld?'

'Hoe bedoel je?'

'Heeft hij toegang tot grote sommen geld?'

'O Michael.' Ze moest haast lachen. 'Heb je enig idee hoe goed je broers boeken verkopen?'

'Goed, denk ik.'

'Miljoenen. Vele miljoenen. Waarom wil je het weten?'

Michael kneep zijn ogen dicht. 'Zomaar.'

'Weet je dat zeker?'

'Ja. Het is niet belangrijk.'

'Zie ik je morgen?' vroeg Abigail.

'Ik vertrek vroeg.'

Er viel een moeizame stilte tussen hen, tot Abigail die verbrak. 'Luister, kijk goed uit als je terug bent. Oké?'

'Is er iets mis?'

'Kijk gewoon goed uit.'

'Abigail...'

'Ik ben heel moe.'

Michael voelde het door de telefoon: een en al zorgen en vermoeidheid. 'Welterusten, Abigail.'

'Welterusten, Michael.'

32

Jimmy gaf Stevan tien minuten om de grote baas uit te hangen en naar zijn kamer te verdwijnen; toen ging hij weer naar binnen en bleef staan in de deuropening naar de woonkamer. Daar was het een bende: pizzadozen, sigaretten, kleren die al dagen geleden in de was hadden gemoeten. Jimmy zag blote voeten en sokken met zwarte, hard geworden zolen. Vingers krabden aan harige huiden. Iemand groef in zijn oor met een pennendop.

Beesten.

'Hé, Jimmy. Alles goed?'

Dat was Clint Robins, de enige man daar die nog enigszins normaal was. Hij was slank en vlug, een pientere geest te midden van domoren. Hij speelde patience en was aan de winnende hand. Jimmy stak zijn kin omhoog. 'Is Stevan in zijn kamer?'

'Ja.'

'En het meisje?'

Robins glimlachte. 'Lekker ding!'

'Dat vroeg ik niet.'

'Weet ik, Jimmy. Ik dol maar wat. Ze zit vast.'

'Heb je haar te eten gegeven?'

'Het is zoals Stevan al zei.' Hij knipoogde naar de man naast hem. 'We zijn geen beesten.'

Jimmy fronste zijn voorhoofd, en een andere man boog zich naar voren op de bank waarop hij zat. Hij heette Sean en had Ierse ouders, en dat was hem soms aan te horen. 'Wanneer gaan we het doen, Jimmy?' Het werd stil in de kamer en plotseling luisterde iedereen mee. Sean liet zijn stem dalen tot een dramatisch gefluister en wees met zijn duim naar de kamer die Stevan had betrokken. 'Onze rijkeluiszoon wil het niet zeggen.'

Diverse mannen knikten; het wees op een afnemend respect dat Stevan zo openlijk belachelijk werd gemaakt. Jimmy keek de kamer rond. Hij zag zeven mannen, allemaal gefrustreerd en vol misprijzen. Her en der lagen wapens. Voornamelijk pistolen, een paar kaliber .12 pompgeweren. Geen volautomaten. Dat was goed.

'Dit duurt niet lang meer,' zei Jimmy.

'Weet je dat zeker?' vroeg Sean.

De kamer bleef doodstil, en Jimmy glimlachte kort. 'Negenennegentig procent zeker.'

'Wanneer zit je op honderd procent?' vroeg Robins.
'Snel.'
'Dat hoop ik dan maar.'
Jimmy voelde een ijzige kou in zich opkomen. Het gebrek aan respect richtte zich ook op hem. Verdekt, nog niet duidelijk genoeg om de man erop aan te spreken, maar dat maakte niet uit. 'Vijf minuten,' zei Jimmy.
Robins legde zijn laatste kaart.

Elena hoorde de deurknop draaien en opende haar ogen op tijd om Jimmy binnen te zien komen. De manier waarop hij zich bewoog was griezelig. Alsof zijn gewrichten waren geolied. Ze zwaaide haar benen over de bedrand, waardoor een ketting rammelde. Jimmy knikte naar de handboeien waarmee één arm aan het bed was vastgemaakt. 'Sorry daarvoor,' zei hij. 'Het is donker buiten. We willen niet dat je wegloopt.' Hij duwde met zijn voet tegen haar bord. Een hamburger van de snackbar, die ze niet had aangeraakt en waarvan het vet was gestold. 'Geen honger?'
Elena schudde haar haren uit haar gezicht. 'Wat wil je?'
'Een antwoord op een vraag.'
'Welke vraag?'
Jimmy hield zijn hoofd schuin. 'Houdt Michael van je?'
'Wat?'
'Niet zomaar een beetje, maar oprecht.'
'Ik...'
'Dat liet hij doorschemeren, snap je. Maar ik ken hem al heel lang en ik heb hem nooit van iets anders zien houden dan van zichzelf en van Otto Kaitlin. Als hij half zoveel van jou houdt als van zijn eigen spiegelbeeld, dan ruil ik je misschien wel voor hem in. Dat is eigenlijk wat ik voor ogen heb. Wat Michael aangaat. Jij kan naar huis. Je leven leiden.' Hij pauzeerde. 'Je baby krijgen.'
Haar hand ging onwillekeurig naar haar buik. De man glimlachte, maar zijn ogen stonden te koud voor zomaar een vraag. Hij wilde haar gebruiken om Michael te treffen. Dat was onmiskenbaar zijn bedoeling.
'Ik dacht vroeger van wel,' zei ze. 'Maar nee. Hij houdt niet meer van me op die manier.'
'Is dat echt zo?'
Ze zag al het goeds aan Michael voor zich, alles waar ze van hield.

Hij zou voor haar liegen, moorden. Een dag geleden had die gedachte haar kapotgemaakt. 'Ja,' zei ze. 'Dat is zo.'

'Je bent een mooie vrouw.' Jimmy lachte. 'Maar een slechte leugenaar.'

'We hebben ruzie gehad. Het is voorbij. Hij houdt niet van me.'

'Een mooie vrouw.' Jimmy draaide zich om en Elena trok aan de boeien. 'Die de kluit een beetje beduvelt.'

'Het is waar!'

De stem van de vrouw achtervolgde hem door de gang.

'Het is waar!'

Hij hoorde het bed rammelen en schrapen, en glimlachte in gedachten. Ze had Michael verkozen boven de baby en dat zei hem alles wat hij weten moest. Ze hielden van elkaar, en dat betekende dat Jimmy Stevans plannen, wat die ook inhielden, niet nodig had Hij liep terug de woonkamer in. 'Robins.'

Clint Robins keek op. 'Jimmy.'

'We moeten praten.'

'Zitten we op honderd procent?'

'Negenennegentig komma vijf. Kom mee.'

Jimmy glipte de gang weer in en wist dat Robins hem volgde. Hij ging dieper het huis in en liep de steile, nauwe trap op naar een kamer met schuine plafonds en smalle, vierkante ramen. In de hoek van de kamer stond een oud bureau vol watervlekken en de littekens van ruw gebruik. Het lag bezaaid met vergeelde papieren en plastic pennen die al jaren geleden waren uitgedroogd.

'Kom erbij zitten.'

Jimmy wees naar een stoel aan de andere kant van de kamer, ging aan het bureau zitten en speelde met de pennen tot Robins de stoel had aangeschoven. Vier pennen: drie blauwe en een roze. Hij legde ze naast elkaar terwijl Robins ging zitten. Ze zaten op dezelfde soort stoelen. Bewerkte houten zitvlakken. Rugleuning met horizontale latjes. De kamer rook naar schimmel en stof en muizenkeutels. Robins zei: 'Waar wil je over praten?'

'Hoe we aan die honderd procent komen.' Jimmy koos de roze pen en draaide hem rond tussen zijn vingers. Er zat geen dop op en aan de punt kleefde een rare substantie. 'Er heerst een bepaalde frustratie wat Stevan betreft, en dat begrijp ik. Wat jij me moet vertellen, is het volgende: als Stevan er niet meer zou zijn, zouden de mannen mij dan volgen?'

'Als hij er niet meer zou zijn...'

'Met pensioen. Vermist. Dood.'

Beiden wisten dat maar één van die woorden ertoe deed.

'Kijk, Jimmy.'

'Ik weet dat de mannen bang voor me zijn, maar zouden ze me volgen? Zouden ze me vertrouwen?'

'Als Stevan... met pensioen zou gaan?'

'Precies.'

Robins haalde zijn schouders op. 'Stevan heeft het geld. De bedrijven staan op zijn naam. Het onroerend goed. De oude man is dood, maar de naam Kaitlin heeft nog veel gezag op straat.'

Jimmy knikte. 'Dat is natuurlijk belangrijk.'

'En de meeste mannen voelen zich op hun gemak bij hem. Hij is dan misschien niet zijn vader, maar ze weten waar hij staat. Hij is stabiel.'

'En met mij maken ze zich zorgen.'

'Wil je een eerlijk antwoord?'

Jimmy glimlachte. 'We zijn vrienden. Je kunt vrijuit spreken.'

'Je hebt een kort lontje.' Robins liet zijn handpalmen zien. 'Je bent onberekenbaar.'

'En jij, Clint? Waar zou jij staan?'

'Luister, Jimmy. Ik vind dit niet zo'n fijn gesprek.'

'Dan is dat dus jouw antwoord.'

'Zo ongeveer.'

Jimmy lachte zuinig. 'Hé, ik vroeg je eerlijk te zijn, en dat was je.'

'Even goede vrienden?' Hij klonk nerveus.

Jimmy stak zijn hand uit. 'Hou het wel onder ons.'

'Natuurlijk. Dat spreekt.' Robins nam opgelucht zijn hand aan en had die nog vast toen Jimmy de pen in zijn oogkas ramde. Hij duwde hem diep naar binnen en maakte een felroze pupil in het vernielde oog. Het lichaam verslapte, een been trok en trapte toen Jimmy hem op de grond liet zakken. Nauwelijks bloed. Nauwelijks geluid. Jimmy veegde zijn handen af aan het shirt van de dode man. 'Nú zitten we op honderd procent.'

Hij liep naar het bed en trok daar een stevige koffer onder vandaan, die hij op het bed legde en openmaakte. Er lag een scala aan wapens in, allemaal heel specifieke soorten. Geen uzi's. Ook geen andere volautomaten. Hij koos een 9mm en ontgrendelde de clip, zodat glanzende kogels en koperen hulzen hem toe blonken. Toen Michael zich een weg uit Otto's huis schoot, had hij zes mannen gedood met zeven kogels.

Dat verhaal deed overal de ronde.

Zes gewapende mannen, zeven kogels. Er was een legende geboren.

Michael, Michael, Michael...

Jimmy duwde met zijn duim alle kogels uit de clip, herlaadde er toen zeven en schoof er een in de kamer. Nu Robins dood was, waren er nog zeven mannen in het huis. Zeven mannen, zeven kogels. Natuurlijk ging hij Stevan nog niet meteen vermoorden.

Maar toch...

Jimmy pakte een tweede wapen van de schuimrubberen voering. Het was een van zijn favorieten: een .22 automaat, die licht en precies was en een hele hoop kogels had. Hij stak dat wapen weg in de holte van zijn rug.

Hij was dan misschien ijdel, maar hij was niet achterlijk.

Hij deed de koffer dicht en schoof die terug onder het bed. In de spiegel zag hij dat hij er klaar voor was, reden om zichzelf een knipoog te geven. Een trage knipoog, een opgewekte grijns.

Zevenenzestig miljoen dollar.

Afronding.

Verandering.

Hij ging met lichte tred de trap af en liep zonder vaart te minderen de woonkamer in. Ergens besefte hij dat hem niet dezelfde uitdaging te wachten stond als de uitdaging die Michael had overwonnen, maar in feite kon dat hem niets schelen. De mannen waren halfdronken en nergens op verdacht. Nou en, wat dan nog? De mannen knipperden met hun ogen als slachtvee toen het pistool werd geheven in Jimmy's hand. Nou en, wat dan nog? Het pistool voelde zo licht als een veertje. Reflexen messcherp, zicht perfect.

Twee mannen stonden toen Jimmy de kamer binnenkwam. Die gingen het eerst neer, beiden midden in hun romp geschoten en van hun sokken geblazen. Twee anderen zaten; één probeerde op te staan. Jimmy schoot ze allemaal door het hoofd; hulzen vielen kletterend op de grond terwijl hij zich omdraaide en hurkte. Vijf gehad. Waar was de zesde?

Daar.

Keukendeur, pistool bijna uit zijn riem.

Jimmy schoot hem door zijn mond voordat de loop uit het leer was. Stilte. Rook in de lucht. De zwavelsmaak van lucifers achter in Jimmy's keel. Hij keek de kamer rond. Niets bewoog.

Zes kogels. Zes doden.

Acht seconden, hooguit.

Hij had nog één kogel, en daar had je Stevan. Hij stond in de deuropening, met ogen zo roze en glazig dat ze niet echt leken. Zijn hand ging omhoog toen Jimmy opstond. 'Jij...'

'Ik weet het. Het was me wat, vind je niet?'

'Wat...'

Jimmy schudde zijn hoofd en nam een grote stap om niet in een bloedvlek op de vloerbedekking te trappen. 'Snel hè? Sneller dan Michael!'

'Je hebt ze vermoord.'

'Scherp opgemerkt.'

Ze waren nog maar een meter bij elkaar vandaan nu; Stevan begon tot zichzelf te komen. Er kwam kleur op zijn wangen en zijn woede nam toe. 'Hoe haal je het in je kop, Jimmy?' Hij bleef staan en rechtte zijn rug. 'Het is gedaan met je, verdomme. Ik weet niet eens wat ik moet zeggen. Gestoorde klootzak! Stomme, achterlijke idioot!'

'Je snapt het nog steeds niet.'

'Wat valt er te snappen?'

Jimmy schoot zijn laatste kogel in Stevans knie.

33

Er heerste een bijna volmaakte stilte in Elena's kamer terwijl al haar spieren vochten met de ijzeren stang aan het hoofdeinde van het bed. Haar voeten, plat en spierwit van de druk, persten tegen de muur. De handboei sneed pijnlijk in haar pols, hij kneusde haar bot en scheurde haar huid, maar ze trok met haar vrije hand nog harder aan de ketting. Zweet op haar gezicht. Vingers nat en glad. Drie nagels al gebroken. De andere boei schraapte over de lengte van de ijzeren stang en deed de witte lak afbladderen. Elena groef nog dieper, en het voelde alsof de botten in haar smalle pols in brand stonden.

Ze trok harder, met een vlijmende pijn in haar rug en trillende benen, maar in haar gedachten vond ze een veilige plek – een lange, vierkante ruimte met zachte vloerbedekking en katoenen lakens die als veren op haar huid voelden. Een koele fontein kletterde in de hoek. Er was muziek, en Michael was er, wachtend aan de andere kant van een gesloten deur. Ze probeerde het te voelen, muren van dikke steen en een briesje langs haar gezicht. Het visioen hield een hele poos stand; toen werd het door het geluid van schoten bruut verjaagd.

Ze klonken hard en van dichtbij, ze voelde ze door haar schedel dreunen. Ze ging overeind zitten op het bed, vergat de handboeien.

Wat gebeurde er?

Ze had geen idee. Alles leek samengepakt na het lawaai; de stilte scheen absoluut.

Toen stemmen. Nog een schot.

En geschreeuw.

God, dat geschreeuw...

Elena hield zich stil. Ze wist dat ze nog nooit zo bang was geweest. Niet toen Jimmy haar uit haar hotelkamer sleurde. Niet toen hij haar overgoot met benzine. Dit was zo plotseling en absoluut, die paar seconden oorverdovend lawaai en toen dat geschreeuw zoals ze het nog nooit had gehoord, een verschrikkelijk, dierlijk geluid dat maar niet op wilde houden. Ze keek naar de deur, wist dat wanneer die open zou gaan, zij de volgende was die zou gillen en sterven. Ze wist het, was er heel zeker van.

Maar het gebeurde niet.

Het geschreeuw stierf weg en ze hoorde een deur dichtslaan; toen was het lawaai buiten. Elena kwam van het bed af en wilde naar het raam.

Een ruk van de handboeien.

Shit!

Ze greep het ijzeren frame en sleepte het bed over de vloer. Bij het raam kon ze de tuin zien en de schuur aan de andere kant. Een lage maan hing boven de bomen en in het licht daarvan zag ze Jimmy een man over de grond slepen. Ze kon niet zien wie het was, maar dacht dat het Stevan kon zijn. Jimmy had hem bij zijn voet beet. De schuur doemde achter hen op en de schaduw onttrok hen aan het zicht, totdat Jimmy de deur opendeed en het licht naar buiten viel. Toen zag ze hen duidelijk: Stevan op de grond, naar zijn been grijpend, en Jimmy in de deuropening. Hij had een hooihaak in zijn rechterhand, dat zag ze duidelijk. Donker metaal, een scherpe punt – ze herinnerde zich het ding uit haar jeugd, van de lange dagen op haar opa's boerderij.

Stevan had nu zijn handen omhoog. Zijn stem klonk lager. Smekend.

'O god!'

De woorden ontsnapten uit haar keel, ze voelde haar maag omkeren toen Jimmy de punt van de haak met een snelle zwaai dwars door Stevans handpalm sloeg en de arm straktrok. Een seconde lang bevroor het beeld – uitgestoken arm, haak die tevoorschijn komt uit de handpalm, donker bevlekt; toen schreeuwde Stevan nog een keer. Hij sloeg zijn voeten dreunend op de grond terwijl Jimmy hem aan de hooihark de schuur in sleepte.

Nog één moment scheen het licht over de tuin, toen ging de deur dicht en was Elena weer alleen in de roerloze, hete lucht van het stille huis. Een paar lange seconden was ze verlamd, terwijl de scène zich nogmaals afspeelde voor haar geestesoog. Ze zag de glans van het staal, toen geel licht en vreemde schaduwen, en de smaak van angst verspreidde zich als zuur over haar tong. Haar ribben deden pijn van de harde, scherpe schokken in haar borst.

'Michael...'

Zijn naam kwam fluisterend over haar lippen.

'Alsjeblieft...'

Maar Michael kon haar niet redden. Dat was de waarheid. Ze voelde afschuw en paniek toen ze de kamer rondkeek en daar niets vond. Als ze weg wilde, realiseerde ze zich, dan moest ze dat zelf doen. Niet straks of morgen, maar nu, terwijl Jimmy bezig was. Want ze wist één ding zeker: hij had een reden om haar in leven te laten. En wat die reden ook mocht zijn, voor haar zou die reden niet goed zijn.

Dus ging ze het bed te lijf met haar laatste restje wilskracht. Ze maakte zich niet druk om het lawaai, of om de pijn. Dit ging om overleven, om de tijd die haar nog restte. Ze rukte aan het metalen frame. Ze smeet de matras van het bed, tilde toen één kant van het bed op en liet het dreunend neerkomen, keer op keer. Ze gooide het bed tegen de muur, schopte tegen hard metaal en hing aan haar boeien tot haar arm glibberig werd, gescheurd, rood. Het ging lang door, tot ze uitgeput was en rilde van slapte. Maar ze gaf het niet op, ze huilde niet.

Toen kwam Jimmy.

De dag brak aan. Zijn kleren waren doorweekt en zelfs zijn haar was rood gevlekt. Stukjes van Stevan waren op zijn armen gespat, en op de rug van zijn handen, maar het was de kalmte waar Elena het bangst van werd. Hij kwam binnenlopen zoals elke man dat aan het einde van een werkdag deed. Zachtjes puffend, licht schuddend met zijn hoofd. Alsof hij wilde zeggen: *Poehpoeh, het was me het dagje wel.* Elena drukte zich in een hoek. Hij stapte de kamer binnen en stak een sigaret op.

'Die man...' Hij nam een trekje, schudde zijn hoofd en blies de rook uit. 'Taaier dan ik dacht.'

De aansteker klapte dicht. Jimmy stak zijn hand in zijn zak en hield hem daar. Elena hield zich muisstil, haar ogen richtend op de sigaret, op de gevlekte vingers.

'Maar ach...' Jimmy keek peinzend, maar tevreden. 'Ik heb alle tijd.'

'Is hij...'

Haar stem brak, en Jimmy pakte de gedachte op.

'Of hij dood is? Nee.'

Hij was nog steeds te kalm. Te feitelijk. Elena wachtte op het vreselijke dat zou gebeuren. 'Waarom ben je hier?'

Een schouderophalen. 'Ik kreeg zin in koffie.'

'Laat me gaan, alsjeblieft.'

'En in een ontbijtje.'

'Wat wil je van me?'

Ze stond op het punt te bezwijken.

Jimmy nam nog een laatste trekje, haalde toen zijn hand uit zijn zak en liet een bebloed oor op de vloer vallen.

'Nu nog niets,' zei hij.

Ze bezweek.

34

Abigail reed hard in de koele ochtend: hetzelfde paard waar ze altijd op reed, hetzelfde modderige spoor, door het lage veld naast de rivier. Het dier was een bron van kracht en vastberadenheid, een anker op momenten waarop niets leek te kloppen – en nu klopte helemaal niets meer. Julians instorting en verdwijning. De lijken in het meer. De dingen die Jessup zei toen hij het goed probeerde te maken.

'Hup!'

Ze duwde haar hakken in de flanken van het paard en het dier deed wat het moest doen. Modder vloog op, en de teugels klapten een keer in wit schuim voor ze hun ritme weer vonden.

Alles liep in het honderd.

Alles.

Ze kwam aan het einde en keerde om, reed het stuk nog een keer terwijl haar gedachten brandden en de zon nabij genoeg kwam om de lucht te doen ontvlammen. Dit was de dag, dacht ze. Er zou nog een lijk komen bovendrijven, of Julian zou worden gevonden en gearresteerd. Michael zou Andrew Flint vinden of iets vreselijks ontdekken. Ze kwam aan het einde van het veld en schrok toen Victorine Gautreaux tussen de bomen vandaan kwam. Abigail trok hard aan de teugels; het paard stapte opzij. 'Verdorie kind, zo krijg je ongelukken.' Het meisje zei niets. 'Wat doe je hier?'

Victorine haalde haar magere schouders op. 'Ik was op zoek naar jou.'

'Hoe wist je dat ik hier was?'

'Je bent hier vaak.'

'Kijk je hoe ik rijd?'

'Ik vind je paard leuk.'

Abigail keek van het meisje naar het huis in de verte. Ze waren alleen. 'Wat wil je?'

'Julian zegt dat er medicijnen zijn...'

'Wat weet jij over mijn zoon?'

'Ik weet dat hij naar mij kwam en niet naar jou.'

Daar had je het weer, die uitdagendheid die had gemaakt dat Abigail zo'n hekel had aan de Gautreaux-vrouwen. 'Is het goed met hem?'

'Hij zei dat er medicijnen zijn om zijn hoofd beter te maken. Hij zei dat jij wel wist welke, en dat ik ze moest ophalen.'

Abigail keek neer op het haveloze kind met haar perfecte huid, kleine borsten en scherpe heupbeenderen. Ze was best mooi, maar alleen mooi zijn was niet genoeg. 'Ga je met hem naar bed?'

'Niemand raakt mij aan tot ik 't zeg.'

'We hebben condooms gevonden.'

'Ik zeg ook niet dat we er niet over hebben gepraat.' Ze haalde haar schouders op. 'Julian is wel aardig en zo, maar toch...'

'Waar maak je je dan druk om?'

'Hij helpt me.'

'Waarmee?'

'Met weglopen.'

Abigail kon daar niets tegen inbrengen. Weglopen van Caravel Gautreaux was een van de betere dingen die iemand kon doen. Haar stem werd zachter. 'Wou je zeggen dat Julian jou ook zonder verdere bijbedoelingen helpt?'

Ze stak haar kin naar voren. 'Dat ik niets héb, betekent nog niet dat ik niets bén.'

Abigail bekeek het meisje aandachtiger. Ze praatte stoer en ze stond fier rechtop, maar er was ook angst – ze was de eerste die haar ogen

neersloeg. 'Ik wil mijn zoon terug,' zei Abigail.
'En hij wil eerst zijn hoofd beter maken. Hij is bang.'
'Waarvoor?'
'Geef je me de medicijnen?'
Het paard deed een stap achteruit en Abigail legde een hand op zijn nek. 'Je bent veel in deze bossen.'
'Ik doe hier niets, hoor. Ik hou gewoon van 't bos.'
'Weet je iets over die lijken die ze steeds vinden?'
Ze schudde haar hoofd, maar het leek een leugen.
'Lieg niet tegen me,' zei Abigail.
'Ik wil 't er niet over hebben.'
'Julian zegt dat hij je wil helpen, prima. Ik zal je ook helpen. Geld. Een dak boven je hoofd. Ik zorg ervoor, meisje. Ik zal je leven veranderen.'
Opstandigheid werd onzekerheid. 'Dat lieg je.'
'We hebben een miljard dollar en nog wat kleingeld. Waag de gok.'
Ze keken elkaar strak aan, en weer was Victorine Gautreaux de eerste die het oogcontact verbrak. 'Ik weet alleen wat Julian me heeft verteld.'
'Wat heeft hij je verteld?'
'Dat zal je niet leuk vinden.'
'Vertel het toch maar.'
'Hij zei dat jij 't was.'
'Wat?'
'Hij zei dat jij die jongens hebt vermoord.'

35

De tweede keer dat Jimmy naar Elena kwam, hijgde hij zwaar. Ze hoorde de voordeur dichtslaan, toen snelle, harde stappen. Toen haar deur opengíng, knalde die tegen de muur. De deuropening omlijstte Jimmy fraai: vierkante, onverzettelijke schouders; kaken zo strak dat de spieren onder de huid zichtbaar waren. De kalmte was verdwenen; en in plaats daarvan zag Elena een woede die zo helder en fel was dat er geen twijfel mogelijk was.
'Koppige klootzak...'
Onverstaanbaar gemompel.

'Verdomde egoïst...'

Toen pas leek hij zich te herinneren dat hij niet alleen was. Zijn blik bleef rusten op Elena en hij dwong zich tot een glimlachje. 'Ah, je bent er nog. Mooi.'

Elena verstijfde en de ketting trok strak.

'Ik wil dat je Michael belt,' zei Jimmy. 'Ik zal je aanwijzingen geven. Hij kan je komen ophalen.'

Ze trok zich op. 'Nee.'

'Nee?' Jimmy was te verbaasd om boos te zijn. Hij lachte – een klein, verward geluid. Toen werd hij boos. 'Hoorde ik je "nee" zeggen?'

'Ik ga jou niet helpen.'

'Ik hoef dit niet te vragen, weet je.' Er kwam een gevaarlijke schittering in zijn ogen. 'Ik kan de telefoon naast jouw knappe smoeltje houden en je laten schreeuwen. Maar aangezien ik nogal moe ben...' Hij toonde een glimlach die volstrekt niet overtuigend was. 'Doe ik dat liever niet.'

Toen snapte Elena het, en ondanks haar angst klonk ze ineens fermer. 'Jij wilt dat Michael hier nietsvermoedend naartoe komt. Jij wilt dat ik hem in de val laat lopen.'

'Dat is niet...'

'Je bent bang.'

Haar kin ging omhoog, en Jimmy werd heel stil. 'Geloof jij in vrije keuze?' vroeg hij. 'Ik wel. Het is een belangrijk concept, een recht dat veel te veel mensen als vanzelfsprekend beschouwen. Ze volgen de kudde en doen wat van hen verwacht wordt. Zelfs Michael bezondigt zich daaraan. Hij speelt de brave zoon, de brave minnaar, de brave man. Dat is walgelijk, want zo is hij niet. Hij is net als ik. Precies zo.'

'Michael lijkt in niets op jou.'

'Als hij jou iets anders heeft verteld, liegt hij.'

'Ik ga je niet helpen.'

'Aha. Je weet nog niet wat de keuze is.' Jimmy haalde een sleuteltje uit zijn zak. Hij kwam dichterbij en Elena deinsde achteruit tot haar boeien straktrokken. Het bed verschoof een paar centimeter voordat Jimmy een hand op de stang legde en het tegenhield. 'Weet je...' Hij boog zich voorover tot vlak bij haar gezicht. 'Woorden zijn makkelijk.' Hij maakte de handboei los van de stang. 'Keuzes zijn moeilijk.'

'Wat doe je?'

Hij gaf een ruk aan de boei en trok haar naar de deur. 'Ik heb een cadeautje voor je.'

Elena wankelde door het huis, struikelde en viel neer in de kamer met dode mannen. Jimmy trok haar ruw mee, sleepte haar tussen de koude, verstijfde lichamen door. Ze wilde overgeven, maar kreeg daar de kans niet voor, want Jimmy was wel mager, maar ook sterk; hij sleepte haar zo ruw over de grond dat ze schaafwonden opliep. Haar arm werd zo verdraaid dat hij dreigde te breken, maar dat deed lang niet zoveel pijn als de gedachten die door haar hoofd raasden. Hij nam haar mee naar Stevan, naar de schuur die zich scherp en donker tegen de bleke, roze lucht aftekende. Vanbinnen hoorde ze een geluid dat haar op een verschrikkelijke, intieme manier raakte. Het was het geluid van een gebroken man die huilde, nat en zonder schaamte, compleet gesloopt. Daar nam Jimmy haar mee naartoe; hij sleurde haar omhoog van de harde grond en door een gat van een halve meter in de deur. Ze zag gereedschap en spijkers, rook olie en oud stro.

En ze zag Stevan.

'Dit is je keuze.' Jimmy greep met één hand haar haren en met de andere haar handboeien en trok haar omhoog. Hij boog haar arm achter haar rug, dwong haar op haar tenen te gaan staan en duwde haar naar voren. Stevan was naakt en lag op zijn rug gespreid over de kap van een roestige tractor. Touwen liepen van zijn polsen naar de achteras van de tractor, waar ze strak omheen waren gewikkeld. Hooihaken waren door het vlees van zijn kuiten gestoken en vastgebonden, één aan een motorblok, de ander aan een zak mest van vijftig kilo. Hij lag uitgestrekt, met gebogen rug. Uit zijn kuiten gutste bloed. Zijn lichaam was een lappendeken van open wonden.

Maar dat was het ergste niet.

Bij lange na niet.

Elena keek weg, maar Jimmy trok met een ruk haar hoofd recht. 'Niks daarvan. Je moet wél op de hoogte zijn voor je kiest, en je hebt nog niet echt gekeken...'

'Dat heb ik wel. O god.'

'Gekeken, maar niet gezien.'

Jimmy bracht haar dichterbij, en een van Stevans ogen rolde mee om haar te volgen. Het andere oog bewoog niet, kón ook niet bewegen. De kas was een bloederig gat, het oog was verdwenen. Er hing een spiegel boven Stevans gezicht, zo afgesteld dat hij met zijn overgebleven oog de verwoesting kon zien.

'Zie je?' Jimmy tikte met een nagel tegen het gladde, gepoetste oppervlak. 'Hij kan naar zichzelf kijken.'

'Je bent gestoord.'

'Nee. Ik werk systematisch.'

Zijn hand verstevigde de greep op haar haar en hij bewoog haar hoofd, dwong haar om de volle lengte van de gefolterde man te bekijken. 'Het oog had het hem moeten doen. Maar zoals ik eerder al zei: hij is koppiger dan ik dacht.'

'Waarom doe je dit?' Elena voelde zich zwak; ze snakte naar adem.

'Geld.'

'Dat heb ik niet...'

De woorden kwamen krakend uit Stevans keel, en Jimmy sloeg hard genoeg op een van de open wonden om Stevan te laten schreeuwen.

'Ik heb het niet tegen jou,' zei Jimmy.

Het geschreeuw ging door, maar Jimmy negeerde het en praatte luider terwijl hij haar dwong om naar Stevans gezicht te kijken. 'Ik heb besloten om eerst één kant te doen. Linkeroog, linkerhand, enzovoort. Zie je?'

Elena knikte. Waar het oog uitgesneden was, was ook het oor verwijderd. Reepjes van zijn huid waren van zijn gezicht gesneden, en vier van zijn vingers waren afgeknipt; alleen de duim was over. Jimmy zag haar kijken en zei: 'Laten we duimen voor een goede afloop.' Hij legde een hand op Stevans bebloede been en boog zich voorover zodat het ene oog op hem gericht was. 'Duimen, hè?'

Hij lachte, en Stevan snikte.

'Ik doe hierna waarschijnlijk de wenkbrauw,' zei Jimmy. 'Daarna misschien zijn hoofdhuid. Allemaal nog aan de linkerkant. Zie je hoe ik werk? De logica?'

'Nee.'

'Deze verwende nietsnut heeft altijd al twee gezichten gehad. Nu kan iedereen dat zien.'

Elena scheurde haar blik los; ze keek naar beneden, naar het stro op de vloer, toen naar de verzameling gescherpte gereedschappen. Ze zag beitels en staalborstels en heggenscharen en combinatietangen. Scherpe messen, met en zonder kartels. Verschrikkelijke gereedschappen, en onder het bloed. Ze lagen op een klein, gammel tafeltje. Netjes geordend van groot naar klein. 'Waarom doe je dit?'

'Otto Kaitlin stierf met zevenenzestig miljoen dollar op buitenlandse rekeningen. Ik dacht dat meneer de bolleboos hier mij kon helpen dat te krijgen. Ik begin nu te denken dat ik het mis heb.' Jimmy liet Elena's haar los en pakte een beitel. De zilveren rand glom en hij bestudeerde die. 'Onze Stevan hier beweert dat hij nooit de rekeningnummers en wachtwoorden heeft kunnen vinden, snap je. Wij namen allemaal aan dat Otto die had doorgegeven voor zijn dood, maar Stevan zegt dat dat niet waar is.'

Kalm en schijnbaar gedachteloos kneep Jimmy een stuk van Stevans huid aan de linkerzijde samen en schoof de geslepen beitel tussen huid en rib. Hij gleed er soepel en moeiteloos in en Jimmy liet hem daar zitten, met het handvat in de lucht, zonder acht te slaan op het geschreeuw. Jimmy liet hem even en zei toen: 'Stevan denkt dat Michael de nummers heeft.'

'Michael heeft geen zevenenzestig miljoen dollar.'

'Ik weet het niet.' Jimmy wrikte aan het handvat tot er een zuigend geluid opklonk. 'De oude man hield van hem. Het zou me niet verbazen. Wat ons weer terugbrengt bij de keuze die moet worden gemaakt.'

Elena begreep het. 'Je hebt Michael levend nodig.'

'Ik wist wel dat er een reden was waarom hij jou leuk vond.' Jimmy pakte een andere beitel op, nu een kleinere. Hij boog zich over Stevan heen, kneep op één plaats in zijn huid en daarna op een andere plaats, terwijl Stevan smeekte en rolde met zijn ene oog. 'Michael vermoorden zou makkelijk zijn. Hem levend pakken...' Hij duwde de beitel naar binnen. 'Dat is een ander verhaal.'

Stevan begon te stuiptrekken.

Jimmy keek naar Elena, die roerloos toekeek. 'Ik wil dat je Michael hierheen haalt. Dan laat ik je gaan. Simpel zat.'

Ze schudde haar hoofd, zo vol afschuw over de aanblik van Stevan op de tractor dat ze moest blijven kijken. Haar blik bleef hangen op de grootste beitel. Bloed gutste uit het bleke gat dat die had gemaakt. Het handvat was van voorgevormd hemelsblauw rubber.

'Jij kunt me helpen. Dat kan je op de makkelijke manier doen, óf we maken wat extra ruimte vrij in de schuur. Jij bent een vrouw, en zwak.' Hij wuifde een hand naar Stevan. 'De meeste van deze dingen zullen niet nodig zijn, maar toch...'

Hij pakte een ander stuk gereedschap van de tafel. Eén moment lette hij niet op, en Elena rukte de beitel uit Stevans borstkas.

Jimmy draaide zich weer om.

En ze stak toe.

36

De voorkamer van Flints huis was aardedonker en doodstil, maar Michael lag te woelen en viel niet in slaap. Hij staarde urenlang omhoog, maakte zich zorgen om Elena en nog meer over Julian. Had Abigail hem gevonden? Was hij alleen en bang of was hij compleet de weg kwijt door zijn schizofrenie? Michael vond het vreselijk dat de mensen die het belangrijkst voor hem waren niet alleen weg waren, maar ook onbereikbaar. Hij wilde ze vinden, bij elkaar brengen. Een paar keer stond hij op en wilde hij vertrekken. Maar het IJzeren Huis wachtte daar aan de andere kant van het glas en er waren nog steeds vragen die beantwoord moesten worden. Iemand spoorde jongens uit zijn jeugd op, iemand met geld en een wrok, met de bedoeling hen naar het oosten te lokken, hen te vermoorden en hen naar de bodem van het meer van de senator te laten zinken. Ronnie Saints was dood, net als George Nichols. Billy Walker was er nog, maar Chase Johnson werd vermist. Waar was hij en hoe paste hij in het verhaal? Waarom waren ze teruggekeerd in Julians leven?

Michael draaide zich om op de harde bank. Hij herinnerde zich nog hoe ze vroeger waren, en probeerde hen zich voor te stellen in het nu, als oudere en sterkere mensen, maar nog altijd aasgieren. Wat wilden ze van zijn broer? Geld? Wraak? Iets anders? Alle mogelijkheden speelden door Michaels hoofd en toen hij eindelijk in slaap viel, kwamen ze allemaal weer in zijn dromen tevoorschijn: lange kerels met gemene ogen die iemand achtervolgden in lange en hoge gangen. Ze bewogen zich voort als wolven, snel en vastbesloten, ze lachten wreed toen ze Julian op de grond hadden getrokken en gingen tekeer met metalen buizen en schoenen met ijzeren punten. Michael probeerde hen tegen te houden, maar het leek wel alsof hij aan de grond genageld stond; hij deed zijn mond open, maar die zat vol zand. Ze lachten allemaal tegelijk toen Julian hen smeekte; toen was Julian ineens Elena, zwanger en in elkaar gedoken op dezelfde kille vloer. Haar buik was dik, ze stak een hand uit terwijl ze Michael aankeek en schreeuwde zijn naam toen ze haar tot bloedens toe schopten.

Michael sprong op in de duisternis. De pistoolgreep voelde warm en ruw aan terwijl hij de lege kamer doorzocht. Het was vreemd warm; het zweet prikte in zijn ogen toen hij Elena's naam wegslikte. Hij doorzocht de hoeken, de lege deuren en realiseerde zich ineens waar hij was. Hij liet het wapen zakken. Hij ging achterover op de bank zitten en veegde het zweet van zijn gezicht.

Dit was Iron Mountain, Flints huis. De kussens waren klam van het zweet. Het was een droom geweest.

'Verdomme.'

Zijn wapen kletterde tegen een fles toen hij het teruglegde op de tafel. Michael bukte zich, haalde een hand door zijn haar en checkte zijn telefoon. Niets. Hij belde Elena en kreeg haar voicemail. 'Waar ben je, liefste? Ik heb je heel erg nodig. Bel me.'

Hij hing met tegenzin op en ging staan. Het was bedompt en veel te warm in het huis en zijn droom bleef hem achtervolgen. Hij kwam overeind, deed een paar push-ups om helder te worden en trok zijn schoenen aan. Zijn lichaam voelde ontspannen en zijn geest was helder toen hij de tuin en de oprit inspecteerde. Eigenlijk wilde hij weg, maar bij zonsopgang stond hij op de brede, vlakke treden van het IJzeren Huis, waar hij de zon zag opgaan als een brandende rode kroon. De zon kwam net hoog genoeg om de bergen op schouders te laten lijken, en op dat moment, met zijn ogen samengeknepen tegen het licht, realiseerde Michael zich dat Elena terecht kwaad was. Hij had dat lijk nooit moeten aanraken. Hij had haar bij haar hand moeten nemen, weg moeten gaan uit het botenhuis en alles achter zich moeten laten.

Maar wat had hij dan anders moeten doen? Julian en hij waren broers, in dezelfde koude winters op deze plek gevormd tot wat ze waren. Maar ook zij was familie, ze was de moeder van zijn kind, de vrouw van wie hij hield. En verdiende ze het niet om de waarheid over hem te weten? Zodat ook zij een keus had? Verdomme, hij werd bijna gek als hij hieraan dacht; maar daar, op de treden van het IJzeren Huis, voelde hij vooral zijn eigen woede. Michael had zich nooit een slachtoffer gevoeld, had nooit geklaagd over zijn lot. Hij deed wat hij moest doen en ging dan weer verder. Maar dat was niet goed genoeg meer. Hij wilde meer. Hij wilde Elena weer bij zich thuis hebben, en hij wilde dat zijn broer niet werd beschadigd. Hij wilde vergelding voor het aangedane leed, hij wilde zijn jeugd terug, en die van Julian; hij had als een razende tekeer willen gaan, maar deed het niet. Flint zou blijven leven en Billy Walker ook. Dat was Michaels besluit. Een bitterzoet besluit. Maar het was goed dat er een rode zon opkwam, dat hij de kleur van bloed zag en zich de dingen herinnerde die hem hadden gevormd.

Hij keek nog even naar de tuin, de berg en de opkomende zon, deed de deur open, stapte naar binnen en kwam weer thuis. Het plafond rees hoog op boven de kapotte vloer en hij zag houten meubilair, onder het stof. Overal lagen stukken gebroken glas. Zijn huid tintelde en hij hield zichzelf opnieuw voor:

Het is maar een huis.

Via een lange gang kwam hij bij een trap met een bocht die naar de tweede verdieping leidde. Daar was het lichter; het draadgaas in de ramen lichtte op als de scherpe kant van een scheermes. De kamer die hij met Julian had gedeeld, was in de verste hoek. Hij duwde de deur met twee vingers open en hij stapte een ruimte in die veel kleiner was dan ze in zijn herinnering leek. Het stapelbed stond er nog: hij boven, Julian onder. Met zijn vinger trok hij een streep door het stof op de zijkant van het bed; daarna ging hij bij het raam staan en keek hij naar de voorzijde van Iron Mountain, die ondanks weer en wind nog onveranderd was. Hij had verwacht emotioneel te worden, maar merkte dat zijn boosheid was verdwenen. Vanbinnen was hij als van steen, en hij dacht dat hij het allemaal misschien begraven had.

Maar dat voelde aan als een leugen. Zijn leegte was te leeg en de echo was te nadrukkelijk. Hij ademde diep in en ging op de rand van Julians bed zitten. Het voelde vertrouwd, die dunne matras met zijn ruwe stiksel. Zelfs het kussen was er nog, en toen hij dat optilde zag hij daarachter woorden in het hout gekerfd:

Maak me als Michael
Maak me sterk

Michael sprong op. Dit was niet zomaar een plek. Dit was de harde, gekartelde mond van de wereld die hen had uitgekotst. Die Julian kapot had gemaakt, én Michael...

Wat?

Hij kende de gezichten van iedereen die hij ooit had vermoord, niet toen ze al dood waren, maar op het laatste moment dat zij nog leefden, met op hun gezicht een uitdrukking van ongeloof of angst, en hij kende er een paar zoals Otto Kaitlin, die genoeg van het leven hadden en klaar waren om te sterven. Ze kwamen allen op in zijn gedachten, een reeks van gezichten die jaren terugging. Toch voelde hij geen schuld of twijfel. Was hij zo zeker van zijn gelijk? Of had deze plek een barst veroorzaakt in de ruwe, donkere diamant van zijn ziel? Hij wist dat niet veel dingen absoluut waar waren. Hij hield van Elena en van hun ongeboren kind. Hij hield van Julian. Het waren maar een paar mensen, maar het leek wel de hele wereld, een geschenk dat hij zou beschermen ook al moest hij ervoor doden. En hij zou doden om hen te beschermen. Misschien had hij dat geleerd in het IJzeren Huis, die helderheid. Misschien was dat wel de bedoeling ervan geweest.

Hij liep de trap af en besloot dat dit zo was.

Er kwam geen innerlijke rust over hem nu hij hiernaartoe was teruggekeerd, hij voelde geen warmte of begrip. Maar hij kreeg wel een gevoel dat je misschien *aanvaarding* kon noemen. Het gebouw lag in puin. Flint was een dronkaard en een gokker, Billy was zo onschuldig als maar kon. Niets hiervan was op zichzelf goed, maar het bevestigde wat Michael sinds zijn jeugd geloofde: dat het leven hard is en dat je er baat bij hebt sterk te zijn. En toen hij in zijn auto stapte en wegreed, naar de poort voor hem, vroeg hij zich voor het eerst van zijn leven af wat er met zijn leven zou zijn gebeurd als hij Julian had laten opdraaien voor Hennesseys dood. Wat voor man zou hij, Michael, zijn geworden als hij degene was geweest die met Abigail Vane naar huis was gegaan?

Waarschijnlijk dezelfde man, besloot hij. Alleen met minder moorden op zijn geweten.

Hij nam de weg die naar de stad leidde en stopte bij het eerste benzinestation dat hij zag. Het was klein, met twee oude benzinepompen onder een plastic overkapping in de vorm van een V, als van een vogel in de vlucht. Het was een nieuwe dag en er moesten beslissingen genomen worden. Elena was nog steeds niet bereikbaar voor hem, maar Julian wel. Hij kon teruggaan naar Chatham County en Abigail helpen met zoeken, of hij kon proberen uit te vinden wat er allemaal aan de hand was.

Hij reed de Mercedes naar een pomp, stapte uit en dacht tijdens het tanken na over de namen. Waar was Chase Johnson? Wie was Salina Slaughter en waarom stond Abigails naam op de lijst?

Er moest een verband zijn.

Toen de tank vol was, sloeg de pomp af. Michael deed de tankdop erop en concentreerde zich op Chase Johnson. Ronnie en hij waren nog steeds bevriend en spraken elkaar af en toe. Misschien lag Chase dood in het meer. Misschien verborg hij zich ergens en wist hij wat er aan de hand was. Hoe het ook zij, Ronnies vriendin zei dat hij in Charlotte woonde, en Charlotte was niet ver weg.

Toen hij naar binnen ging om te betalen, vroeg Michael zich af of het mogelijk zou zijn Chase te traceren. Hij kon teruggaan naar Ronnies huis om zijn vriendin verder uit te horen. Ze moest wel meer weten.

De deur ging moeizaam open en maakte het geluid van over een trottoir sloffende schoenen. Hij merkte een paar dingen op bij binnenkomst: een vrouw met het figuur van een pin-up die snoep kocht, een gebogen spiegel bovenaan in de hoek. Achter de kassa stond een verweerd uitziende man, die hem toeknikte toen Michael naar voren liep om de benzine te betalen.

'Morgen.'

Michael zag zijn vieze, vette pet, het versleten overhemd en het gehoorapparaat in zijn rechteroor. 'Goedemorgen.'

'Pomp twee.' Hij deed zijn bril met zwart montuur omhoog en keek op iets achter de kassa. 'Zevenendertig dollar.'

Michael legde twee briefjes van twintig neer en zag onder het glas ansichtkaarten liggen. Grand Canyon. San Diego. Het Flatiron-gebouw in New York City. Die laatste foto maakte dat hij glimlachte.

'Hier, jongeman. Drie dollar.'

Michael pakte het wisselgeld en kwam tot een besluit. 'Verkoopt u landkaarten?'

'Van?'

'Charlotte. De hele staat.'

'Daar achter u.' Hij wees langs een plank met flessen motorolie en antivries naar een rek met daarop keurig gerangschikte landkaarten. 'North Carolina vind je bijna bovenaan, Tennessee en Georgia en een paar andere staan onderaan.'

'Dank u.' Michael liep erheen en zag een topografische kaart aan de muur boven het rek met kaarten. Die was groot en groen, met golvende lijnen die de plooien in het aardoppervlak aangaven.

Michael ging ervoor staan en kreeg een raar gevoel vanbinnen toen hij zag hoe klein Iron Mountain leek te midden van al dat groen. De kaart omvatte het meest westelijke deel van North Carolina, stukken van Tennessee en de hele staat Georgia. Bergachtig gebied met kleine steden en smalle valleien, meren en rivieren, grote stukken nationaal park. Iron Mountain was 1225 meter hoog, de stad aan de voet van de berg was een geel stipje. Hij zag de rivier die in zijn herinnering breed en zwart was. Deze stroomde vanuit het noorden de vallei in en Michael zag hoe hij verder liep en zich vertakte, hoe beekjes de rivier in stroomden op de plaats waar hij naar het westen afboog, richting Tennessee. Hij zette zijn vinger op de kaart en volgde de grens langs de voet van een andere berg. Daar stond iets geschreven; Michael keek en zag een stuwdam. Hij geloofde niet in toeval. Althans niet in zo'n groot toeval.

De berg, dertig mijl van het IJzeren Huis, had een naam: Slaughter Mountain.

Iron Mountain.

Slaughter Mountain.

Michael kreeg het steeds warmer.

Slaughter Mountain.

Salina Slaughter.

Het moest iets betekenen, maar wat? Hij hoorde het schrapen van de deur en zag nog net hoe de kleine vrouw vertrok met een tasje met snoep. Er waren geen andere klanten. De oude man kwam sloffend achter de kassa vandaan.

'Bent u geïnteresseerd in iets speciaals?'

'Iets speciaals?'

Hij rook naar gemaaid gras en tabak. 'Het lijkt wel of u dwars door de muur heen wilt kijken.'

'Weet u iets van Slaughter Mountain?'

'Daar zitten bergbewoners.'

'En wat houdt dat in?'

Hij pakte zijn pijp en begon die te stoppen. 'Dat houdt in dat zij met hun moeders naar bed gaan en hun doden opeten.' Hij stak zijn pijp op, trok er hard aan en blies een wolk rook uit. 'Natuurlijk, de Slaughters waren ooit belangrijk. Hout. Kolen. Misschien goud. Er was vroeger een voorname oudere dame, toen ik nog een jonge kerel was. Ik denk dat ze nu dood is.'

'Zegt de naam Salina Slaughter u iets?'

'Die zegt me niets.'

Michael zuchtte maar de man ging rustig verder.

'Ik denk dat haar naam Serena was.'

Dat wekte zijn interesse. 'Serena Slaughter?'

'Geld. Politici. Feesten. Het verhaal gaat dat zij de berg leegroofden.'

'Heeft u een kaart van dat gebied?' vroeg Michael. 'Het ziet er nogal afgelegen uit.'

'Gaat u daar naartoe?'

'Misschien.'

'Dan zou ik maar een wapen meenemen,' zei hij, en legde een kaart in Michaels hand.

37

Elena gaf geen kik toen de beitel in Jimmy wegzonk. Hij werd geraakt toen hij zich net omdraaide; de beitel miste zijn borst en doorboorde een zachte plek onder zijn linkerarm. Ze hoorde het ijzer langs een bot schampen en ze struikelde achteruit toen Jimmy schreeuwde en haar bij haar kleren probeerde te pakken. Zijn vingers misten maar net. Elena draaide zich om, bracht haar arm omhoog en sloeg Jimmy zo dat de losse handboei op de brug van zijn neus terechtkwam. Hij schreeuwde nog harder, kromp in elkaar en pakte terwijl het bloed in het rond spatte het hemelsblauwe handvat dat uit zijn oksel stak.

Elena wachtte niet verder af. Ze holde de deur door, naar het natte gras en de koele buitenlucht van de kersverse dag. Zij voelde die lucht op haar wangen, heel koud; ze merkte dat ze huilde en dat ze vreemde geluiden hoorde, en dat die van haarzelf afkomstig waren. Ze keek naar de auto's en dacht niet dat ze daarmee veel zou opschieten. De sleutels lagen op tafel in het huis, in de zakken van dode mensen, en daar had zij geen tijd voor: Jimmy was gewond, maar niet dood. Ze liep naar de bossen, die diep en donker waren, en toen dacht ze opeens aan de wapens die zij overal in het huis had gezien, op tafels of uit dode handen gevallen. Voor haar gevoel moest ze het bos in, dat vol schaduw was en vol plekken waar ze zich kon verschuilen.

Even nog twijfelde ze; toen holde ze naar het huis, naar de wapens. Ze had net een eerste voet op het opstapje gezet toen ze Jimmy hoorde schreeuwen en er een schot viel. Zij keek om. Hij zat op één knie, maar probeerde zich op te richten.

Hij hief zijn pistool.

'Ahhh...'

Hij schreeuwde en zwaaide met zijn arm toen een tweede schot het huis raakte. Er zat bloed in zijn ogen, omdat de huid ertussen was opengereten. Hij veegde dat weg met zijn mouw, en Elena betwijfelde of hij een derde keer ook zou missen. Ze sprong het opstapje af en zette het op een lopen naar het bos. Het was het enige wat haar restte: het bos, de duisternis. De hoop.

Anderhalve minuut later besefte ze dat ze in de problemen zat. De grond van het bos lag vol bladeren, maar de aarde eronder was keihard. Ze rende voor haar leven, stootte in volle vaart haar voet aan een verborgen steen en voelde haar tenen breken.

Ze viel, ze had pijn.

En Jimmy kwam eraan.

Ze zag hem aan de rand van het bos, snel, behendig en geluidloos. Zijn gezicht zat vol rode strepen en hij bewoog zich voort alsof al zijn wraak zich gebundeld had met maar één doel. Hij bukte voor de takken en liep tussen de stammen door als was hij in het bos geboren. Hij liep snel op haar in. Toen hij haar zag, riep hij naar haar.

'Bij jou doe ik eerst de rechterkant!'

Elena kwam moeizaam overeind en holde verder op haar gebroken tenen. De pijn was onverdraaglijk, maar de angst balde een vuist rond haar hart – een vuist met lange, zwarte nagels, zo scherp als een beitel.

'Alsjeblieft, God...'

Ze zag een geul en rolde daarin, ze plonsde door modderpoelen terwijl de takken haar in het gezicht zwiepten en de vochtige lucht haar op de keel sloeg. Bij het zien van wat modderige wallen hield ze even in. Een paar heerlijke seconden lang dacht ze dat ze hem kwijt was geraakt, maar de wallen hielden na een meter of veertig op. Jimmy holde evenwijdig daaraan en zijn gezicht was dat van een jager.

'Meisje...'

Hij dreef de spot met haar. Zij rende zijwaarts, steeds harder. Verderop werd het donkerder. Het enige wat haar nog restte, was hardlopen, en de lucht in haar longen. Bomen tegen haar lichaam, takken die haar verwondden. Ze struikelde, rolde voorover en stond weer op. Ze holde. Ze kwam bij een greppel en sprong.

En daarna was het gebeurd.

Ze belandde in een gat dat bedekt was door rottende bladeren en brak haar enkel met een geluid dat op dat van brekend plastic leek. Ze probeerde nog een stap te doen, maar bleef toen liggen – mank, gewond en steenkoud. De bladeren roken naar verrotting. Ze rolde zich op en hoopte vertwijfeld dat zij erin zou kunnen wegzinken en verdwijnen. Dat gebeurde niet. Schrapend metaal. Een wolkje bittere rook vulde haar neus.

'Wat jammer nou toch.'

Zijn stem kwam van achter haar en van heel erg dichtbij. Ze zag een stroom dunne, blauwe rook die geleidelijk aan dikker werd op de plek waar hij bleef hangen. Ze keek om. Jimmy stond vlakbij; één hand rustte op zijn bebloede zijde, met de andere hield hij een sigaret tussen twee gestrekte vingers. Rode vegen vormden een masker rond zijn ogen, maar bij hem leek het een soort oorlogsverf, en het resultaat was afschrikwekkend. *Alles* aan hem was afschrikwekkend: het bloed, zijn kalmte, zijn velours jasje, de sigarettenrook.

Elena keek omlaag en zag het verwrongen hoopje dat haar enkel was. Daar waar haar bot ertegen drukte, was haar huid wit; overal elders was de huid donker en begon hij op te zwellen. Zij rolde op haar rug en toen ze zich bewoog vlijmde de pijn door haar enkel.

Een kreet, tranen.

Toen zij na een paar afgrijselijke seconden weer een beetje normaal kon kijken, zat Jimmy gehurkt naast haar. 'Laat me je helpen.'

'Niet aanraken.'

Hij ging met zijn knie op haar been zitten.

'Nee. Niet doen. Alsjeblieft...'

Haar voet was opzij gedraaid. Hij hield haar op de grond en trok de voet recht. Toen ze weer bij kennis kwam, was er eerst de pijn; daarna pas kwam haar geheugen terug. Jimmy zat met gekruiste benen in de modder; haar verwonde been lag op zijn schoot. Haar tenen wezen weer de goede kant op. Zij zag blauwachtige snorharen op zijn gezicht en keek naar haar geruïneerde enkel.

En ze zag haar mobiele telefoon.

'Nu gaan we Michael bellen.'

Het zonlicht scheen op zijn ogen, waardoor ze van glas leken. Hij legde zijn hand op de ronding van haar knie en keek langs zijn neus naar beneden. Zijn mond stond een beetje open, terwijl hij het nummer koos. 'Hopelijk hebben we bereik hier...'

Hij sprak tegen zichzelf. Hield de telefoon in de lucht.

'Ik laat hem niet in de val lopen voor jou.' Ze had moeite met praten. Misschien verkeerde ze in een shocktoestand.

'Je hoeft niets te zeggen wat je niet wilt. Daar gaan we.' Elena hoorde een vaag geluid uit de telefoon komen. Jimmy hield hem tegen haar oor.

'Ik doe het niet.'

'Sst. Het is oké. Zeg gewoon maar hallo.'

'O god. Gewoon...'

'Daar komt hij,' fluisterde Jimmy.

Elena hoorde het ook. Zijn stem, zo helder en dichtbij dat ze bijna instortte.

'Michael...' De telefoon deed pijn tegen haar oor, in het bos was het muisstil. 'Michael, luister...'

Jimmy pakte haar bij haar voet en draaide hem om.

En Elena schreeuwde het uit als nooit tevoren.

38

Michael liep snel naar de parkeerplaats. Zijn ervaring vertelde hem dat de dingen zo langzamerhand op hun plaats begonnen te vallen. Hij had het hele plaatje nog niet rond maar hij ging ervan uit dat dat wel ging lukken. Er was iets met dat Slaughter Mountain. Hij had beet.

En dat gaf hem een goed gevoel.

Hij stapte in de Mercedes, startte en reed snel de parkeerplaats af, met de opengeslagen kaart op de stoel naast hem.

Slaughter Mountain. Salina Slaughter.

De woorden spookten door zijn hoofd. Er had zich het nodige afgespeeld bij Slaughter Mountain: geld, politici, allerlei verbanden. Als Michael Julian wilde redden, moest hij meer weten over hoe dat allemaal in elkaar stak. Was er een verband met het IJzeren Huis? Met de jongens van het IJzeren Huis? Had het te maken met de senator? Michael hoorde in gedachten de oude man van het benzinestation weer.

Geld. Politici. Feesten.

Hij kwam aan de rand van de stad.

Men zei dat ze die berg hadden kaalgeplukt.

Michael vroeg zich af hoe Randall Vane aan zijn fortuin was gekomen. Zou daar de link liggen? Hij dacht daarover na toen de telefoon in zijn zak ging. Hij nam op, keek op het schermpje, stuurde naar rechts en remde hard, zodat de auto aan de rand van de weg tot stilstand kwam. De wereld om hem heen was leeg en deprimerend zonder haar; zijn hoop vlamde op.

'Elena?'

'Michael...'

'Goddank, lief...'

'Michael, luister...'

Er was iets niet in orde met haar stem. Iets ergs. Hij keek naar de lange, bochtige weg voor zich. Toen kwam de schreeuw.

'Elena!'

Hij drukte de telefoon tegen zijn oor.

'Elena!'

Het schreeuwen duurde lang. Hij verdroeg het omdat hij wel moest en omdat hij wist hoe dit soort dingen werkten. Jimmy wilde iets. Of Stevan. Ze wilden hem dood hebben en dit was hoe ze het speelden. Michael klemde de telefoon vast en stierf vanbinnen toen Elena's stem steeds hoger werd, brak, en ten slotte niet meer te verstaan was. Hij luisterde naar haar gekerm en voelde blinde razernij toen Jimmy aan de lijn kwam. Michael zag eruit alsof God hem in steen had veranderd.

'Ik neem aan dat je weet wat ik wil?'

'Je leven?' zei Michael koel. 'Dat krijg je niet.'

Jimmy lachte, maar zei: 'Nee, nee. Het is te laat voor grapjes.'

'Dit had je niet moeten doen, Jimmy. Je had dit niet persoonlijk moeten maken.'

'O, o, Michael. Je doet nog steeds alsof de oude man nog leeft om je te beschermen.'

'Je weet hoe dit gaat aflopen.'

'Natuurlijk weet ik dat. Daarom bel ik je. Daarom houd ik je vriendin gezelschap.'

'Ik wil met haar praten.'

'Dat kan. Zodra je mij zevenenzestig miljoen dollar hebt gebracht.'

Dus daar ging het om. Het verbaasde Michael niet. De geruchten over de oude man waren hardnekkig. 'Laat me met Stevan praten.' Jimmy lachte, en Michael begreep het. 'Stevan is dood.'

Elena gilde opnieuw. Harder, steeds harder. Toen het gegil ophield, zei Jimmy: 'Dit is geen discussie. Ik wil de nummers. Of je hebt ze, of je hebt ze niet.'

'Ik heb ze. Hou daarmee op.'

'Waar zit je?'

Michael keek naar de lege weg en naar het hoge, roze steenmassief van een berg in de verte. 'Vijf uur rijden van je vandaan.'

Elena gilde.

'Ik ben in de bergen, ik zweer het. Vijf uur. Ik zweer het, Jimmy. Over vijf uur kan ik er zijn. Ik heb wat je hebben wilt. Een paar uur. Doe haar niet nog meer pijn. Alsjeblieft.'

'Je houdt echt van haar, hè?'

'Stop ermee, alsjeblieft.'

Jimmy zweeg even. Michael kneep in de telefoon tot zijn hand pijn deed. Uiteindelijk zei Jimmy: 'Ik geef je vier uur. Bel als je de stad bereikt. Dan zeg ik je hoe je me kan vinden.'

'Vier uur is te weinig...'

'Vier uur, en kom niet te laat. De batterij van deze telefoon is bijna leeg.'

'Ik wil haar spreken. Even maar.'

'Zevenenzestig miljoen, Michael.'
'Jimmy...'
'Je kan maar beter zorgen dat je het bij je hebt.'

39

Abigail dronk koffie op het achterterras. De jaloezie beschermde haar tegen de lage zon, maar het licht weerspiegelde blikkerend op het meer. Ze had zich opgeknapt en stemmige kleren aangetrokken, passend bij deze situatie. De politie was al vanaf zonsopgang bij het meer en voor zover haar bekend kon er elk moment een volgend lijk naar boven worden gehesen. Zo onvoorspelbaar was het leven nu geworden; het gewone leven leek er saai bij.

Ze nam een slokje, keek, en zei niets toen de senator naast haar kwam zitten. 'Als ze nog een lijk vinden,' zei hij vol afschuw, 'dan ga ik zelf iemand vermoorden.'

Ze keek naar de boot en zag dunne kabels over de rand naar boven komen. Water druppelde van de metalen haken en toen ze weer het water in gingen, draaide iemand in de boot zich naar haar om, keek langs de heuvel omhoog en kneep zijn ogen samen. Dat moet Jacobsen zijn, dacht ze. Die had zo'n stijve, formele uitstraling.

Vane schonk koffie in. 'Drie lijken en de hele godvergeten wereld kijkt mee. Binnenkort volgen de dagvaardingen en komt het bevel tot huiszoeking af. Ze nemen Julian in voorlopige hechtenis, vermoed ik. In ieder geval wordt hij verhoord. Het is een godvergeten ramp.'

Hij deed room in de koffie en ze zei: 'Ik wil niet hebben dat je Michael onderuithaalt.'

'Wat?'

Ze zag bleek maar keek helder uit haar ogen, hoewel ze niet naar bed was geweest en de hele nacht had zitten piekeren. 'Je haalt hem zonder reden door het slijk. Je maakt hem af uit eigenbelang.'

'Dat is belachelijk.'

'Ik weet hoe jij te werk gaat, Randall. Ik heb je dat eerder zien doen.'

Hij glimlachte, maar niet erg overtuigend. 'Er is niets raars aan, Abigail. Gewone pr, gewoon politiek. Wat rookgordijnen opwerpen, die niet blijven hangen.'

'Ik wil dat je het laat.'
'Je kan me niet tegenhouden, al hing je leven ervan af.'
'Bedreig je me nou?'
'Natuurlijk niet.'
'Hou dat soort opmerkingen dan liever voor je, Randall. Ik weet hoe de wereld in elkaar zit.'
Hij fronste en veranderde van onderwerp. 'Je bent vanochtend met Victorine Gautreaux gezien. Heb je haar mee naar huis genomen?'
'Ik heb haar Julians medicijnen meegegeven.'
'Waarom?'
Abigail zag boten naar de wal varen. 'Omdat hij aan waanvoorstellingen lijdt. Omdat hij ze nodig heeft.'
'Ik bedoel, waarom heb je haar laten gaan? Weet je waar Julian is?'
'In het bos, vermoed ik.'
'Hij moet in de gaten gehouden worden.'
'Totdat hij die stemmen kwijt is, heb ik veel liever dat hij ergens anders is dan hier. Hij hallucineert.'
'Maar je vindt dat gezin verschrikkelijk.'
'Ik haat Caravel. Maar er is verschil. De dochter viel me heel erg mee.'
'Wat bedoel je daarmee?'
'Ik kreeg een goede indruk van haar.'
'Hoe kan een geteisemdochter van een geteisemhoer in godsnaam een positieve indruk op jou maken? Wat heeft ze dan tegen je gezegd.'
'Ze wil een beter leven. Julian helpt haar.'
'Dat zal wel, ja.'
'Doe niet zo kinderachtig. Zij is kunstenares. Ze beeldhouwt kennelijk. Dat heeft ze van haar oma geleerd. Ze moet er buitengewoon goed in zijn.'
'Dat zegt Julian omdat hij haar wil neuken.'
Nu begon Abigail zich op te winden. 'Julian mag dan zijn fouten hebben,' zei ze met enige stemverheffing, 'maar hij heeft een uitzonderlijk goede smaak. Als hij zegt dat ze talent heeft, dan hééft ze talent. Hij heeft werk van haar naar New York gestuurd. Hij heeft ervoor gezorgd dat haar werk werd geëxposeerd in een van de betere galerieën. Zijn uitgever wil er een boek van maken.'
'Over botten?'
'Over een uitstervende vorm van kunst. Over een kind dat analfabeet is en deze bijzondere gave heeft.'
'Kunstenaars. Schrijvers. Jezus, hoe ben ik hiertussen verzeild ge-

raakt?' De senator stond op. 'Als je me nodig hebt, zit ik bij de advocaten. Het zijn bloedzuigers, maar hen begrijp ik tenminste.'

Hij liep naar de deur toen Abigail hem tegenhield. 'Wat ik over Michael zei...' Ze wachtte tot hij zich omdraaide. 'Meen ik. Als je hem schade toebrengt, dan neem ik dat persoonlijk op.'

'Verkies je hem boven mij?' vroeg de senator met een koud glimlachje.

'Stel me niet voor die keuze.'

'Soms, Abigail, begrijp ik je helemaal niet.'

'Misschien is dat wel het beste.'

'En misschien ook niet.'

De senator vertrok en zij dronk haar koffie op.

Twee uur later kwamen ze Julian halen.

Michael hoorde het op de radio. Hij reed met honderdtachtig over de snelweg en keek of hij ergens politie zag. Zijn wapen lag op de passagiersstoel. Hij had nog nooit een politieman of een onschuldige burger gedood, maar kende Jimmy goed genoeg om te weten dat vier uur vier uur was.

De snelheidsmeter stond nu op 190.

Hij keek weer in de achteruitkijkspiegel en zette de radio harder.

'... we vernemen uit goed ingelichte bronnen dat er een arrestatiebevel is uitgevaardigd tegen Julian Vane, de internationaal bekende auteur van bestsellers voor kinderen en geadopteerde zoon van senator Randall Vane. Opsporingsambtenaren zijn in groten getale aanwezig op het uitgestrekte landgoed...'

Er waren verder weinig bijzonderheden, maar het bleef een sensationeel verhaal. Bekende mensen. Politiek. Diverse lijken. Toen het bericht afgelopen was, belde hij Abigail. 'Hoe is het met Julian?'

'Michael? Waar zit je?'

Op de achtergrond hoorde hij stemmen, geroezemoes. 'Is hij gearresteerd?'

'Nee, maar ze zijn naar hem op zoek en lang zal het niet meer duren. Hij kan zich niet blijven verstoppen, en als hij vlucht... God weet wat er dan gebeurt. Ik ben ten einde raad, Michael. Randall zegt dat het arrestatiebevel gebakken lucht is, maar dat doet er niet toe. Als ze hem arresteren, gaat hij voor de bijl. Dat zei je zelf. Hij kan dat niet verdragen.'

'Ik zit in de auto...'

'Niet hier komen!'

Michael voelde hoe de haren op zijn armen overeind gingen staan. 'Wat is er mis?'

'Niet... doen.'

Michael dacht even na. 'Ik heb mijn wapen nodig,' zei hij ten slotte.

'Wat?'

Hij zag Elena voor zich, gebroken, op een duistere plek; en hij zag Jimmy met een onbekend aantal mannen en een hele dag om zich voor te bereiden. Michael had zijn .45 en meer niet. 'Het 9mm-pistool dat je uit mijn auto hebt gehaald. Ik heb het nodig. Ik heb geen tijd om een ander te zoeken.'

'Wat is er aan de hand, Michael? Zeg niet dat jij ook in de problemen zit.'

'Kan je erbij?'

'Ja, natuurlijk. Maar...'

'Waar spreken we af?'

Abigail liep de smalle bemoste treden af en klopte op Jessups deur. Ze klopte nog eens, deed de deur toen open en stapte de lage kamer binnen. Zwak licht scheen door de gordijnen voor de ramen. De ketel floot zachtjes op het fornuis in de keukenhoek. 'Jessup?' Ze tilde de ketel van het fornuis. Die woog niet veel, want het meeste water was al verdampt. Het gefluit hield op en ze zette het gas uit. 'Jessup?'

De slaapkamerdeur stond op een kier. Daarbinnen zag ze hem. Hij droeg een net wit overhemd met knoopjes aan de manchetten, een zwarte broek, een zwarte das en schoenen die net gepoetst waren. Hij zat op de rand van zijn smalle bed. Zijn rug was kaarsrecht, zijn hoofd was voorovergebogen, zodat de hals plooide bij de kraag.

'Weet je nog dat je me dit gaf?'

Hij hield zijn hoofd gebogen en hief zijn hand op zodat zij het kruisje kon zien dat aan een platina ketting hing. Ze had hem dat gegeven bij hun vijfde Kerstmis samen. Ze waren heel close met elkaar geworden en op een koude avond had hij haar verteld dat hij in de hel geloofde. Niet het vage concept van de hel, maar de werkelijke plek: een meer van vuur en herinneringen. Hij was down toen hij dat zei, met tranen in zijn ogen en zoete donkere whisky in zijn glas. Hij was een van de sterkste mannen die zij kende, maar op dat moment stond hij op instorten. Ze had altijd het gevoel gehad dat er een verschrikkelijk geheim in zijn leven was: oorlogsleed, een vertrouwensbreuk of een arme vrouw die kapotgemaakt was. Maar hij praatte er nooit over.

'Dat weet ik nog.'

Zij liep naar voren en om het bed heen. Zijn ogen waren verzonken en zijn wangen stonden strak. De 9mm lag naast zijn been. Hij zwaaide met het kruisje. 'Wist je toen dat wij ons leven samen zouden doorbrengen?'

'Hoe had ik dat kunnen weten? Ik was begin twintig.'

Ze keek naar het pistool. Jessup schudde zijn hoofd. 'En hier zitten we nou, twintig jaar later.'

'Je bent de best denkbare vriend geweest.'

Hij lachte, maar het was geen echte lach.

Abigail aarzelde. 'Is dat Michaels wapen?'

Zijn hand ging direct naar het pistool en Abigail realiseerde zich weer eens dat Jessup Falls een gevaarlijke man was. Dat was de reden dat haar echtgenoot hem had ingehuurd. Ex-speciale eenheden. Ex-politieman. Haar chauffeur en haar lijfwacht.

'Ja.'

Zijn stem bleef zwak en Abigail dacht aan fluitende ketels en verdampt water. Zij vroeg zich af hoe lang hij al in het donker zat, met dat kruisje in zijn handen en dat wapen naast zich. Op dat moment besefte Abigail dat ze helemaal niets van deze man af wist, maar toen hij opkeek, was zijn uitdrukking vertrouwd en echt en natuurlijk. 'Ik heb lang gedacht dat je van me hield...'

'Jessup, hier hebben we het al over gehad.'

'Ik weet dat je getrouwd bent.' Hij glimlachte en was plotseling de oude vertrouwde Jessup. 'Ik verkeer alleen in grote twijfel.' Hij keek haar aan en hief het wapen op. 'Zal ik doen wat jij wilt dat ik doe? Of doe ik wat goed is?' Hij legde het pistool neer. 'Wat ik wéét dat goed is.'

'Je hebt het over Michael.'

'Hij is gevaarlijk.'

Toen begreep Abigail het. Ze begreep wat hij wilde doen en waarom hij zo twijfelde. 'Je wilt het pistool aan de senator geven.'

'Aan zijn mensen,' zei Jessup. 'Het wapen. De foto's. Alles wat we over hem weten, en over Otto Kaitlin.'

'Dat kan je niet doen.'

'Zijn arrestatie zou bij iedereen de druk wegnemen. De politie zou een tastbare verdachte hebben en de media een verhaal. Over een jaar is iedereen alles vergeten. En intussen zouden onze levens gewoon verder gaan.'

'En de waarheid?'

'Die wil niemand weten.'

'Misschien ik wel.'

'Noem het dan een offer voor de goede zaak.'

Abigail zat naast hem met het pistool tussen hen in. 'Zo'n offer zou mijn beslissing zijn.'

'Maar je neemt niet altijd de juiste beslissing.'

Ze legde haar hand op het pistool en hij legde zijn hand op die van haar.

'Je bent een goede en fatsoenlijke man, Jessup, maar je hebt nog nooit nee tegen mij gezegd, en dit is niet het moment om daarmee te beginnen.'

Hij kneep in haar hand. 'Ze hebben drie lijken uit het meer gehaald, Abigail. Hoe lang zal het nog duren voordat ze die met jou in verband brengen?'

Ze glimlachte – een vermoeide glimlach. 'Ik heb niemand vermoord, Jessup.'

'Maar je hebt ze wel hiernaartoe gebracht. Je wist ze te traceren, je betaalde hen. De politie komt daar wel achter.'

'Wat ik deed, deed ik voor Julian. Niemand hier had slechte bedoelingen.'

Hij schudde zijn hoofd. 'Ergens zullen getuigen zijn. Een papieren spoor. Een vriendinnetje. Iemand bij het advocatenkantoor dat je inschakelde. Iets zal de politie hierheen leiden, naar jou.'

'Ik heb die lui niet vermoord, en Julian ook niet. En daar gaat het om.'

'Je moet mij dit laten doen, Abigail.'

'Dat kan ik niet.'

'Waarom niet?'

'Omdat Michael van belang is.'

'Dat begrijp ik niet.'

'En dat verwacht ik ook niet van je.' Hij staarde omlaag; zijn diepliggende ogen waren vol emotie. Ze keek hem strak aan tot hij zijn hand optilde. Toen kuste zij hem op zijn wang en stond op met het pistool. 'Het waren vijfentwintig goede jaren, Jessup.'

'Geweldig goede jaren.'

'En over wat het had kunnen zijn...'

Hij slikte moeilijk en streelde met twee vingers haar been. 'In een ander leven,' zei hij

Zij streelde zijn gezicht met de binnenkant van haar hand, voelde haar eigen ogen prikken.
'In een ander leven.'

Michael en Abigail zagen elkaar om elf uur op de parkeerplaats van een drogist aan de rand van de stad. Een oud gebouw met een plat dak en cement dat gelig verkleurd was. Aan de linkerzijde van het gebouw en erachter waren braakliggende stukken land, overwoekerd en vervuild. Er was nauwelijks verkeer. Michael vond het een goede plek. Weinig mensen in de buurt. Goed zicht en makkelijk te vinden.
Hij parkeerde aan de achterkant.
Abigail kwam in de oude landrover. De modder die van de wielen vloog had sporen nagelaten tot op de hoogte van de buitenspiegels. Ze sprong uit de auto, gekleed in hoge laarzen en een vlekkeloze kaki broek, met een groen vest over een witte blouse die aan haar lijf kleefde. Ze zag hem naar de wagen kijken. 'Journalisten,' zei ze.
Hij begreep het. Het landgoed werd aan de achterkant niet begrensd door een muur, maar alleen beschermd door drieduizend acres bos. Ze was de weg af gedraaid om ongezien te kunnen ontsnappen. Hij keek op zijn horloge. 'Fijn dat je dit wilde doen.'
'Vertel eens wat er aan de hand is.' Michael aarzelde, en ze zei zonder omhaal: 'Je wilde een pistool. Dat heb ik bij me. Vertel me nu waarom.'
Ze stonden achter de landrover. Abigail had een vastberaden blik in haar ogen en hij had geen tijd meer, dus vertelde hij haar over het telefoontje, het gillen, de bedreiging en de razendsnelle autorit die hij net had gemaakt.
'Weet je zeker dat het Elena was?'
Ze geloofde elk woord dat hij had gezegd. Geen wringende handen. Geen oordeel. Haar hoofd hield ze rechtop, haar blik was vastberaden.
'Ja.'
'En doet die meneer Jimmy wat hij zegt? Vermoordt hij haar?'
'Onherroepelijk.'
'En vermoordt hij jou ook, als hij de bankrekeningnummers weet?'
Michael haalde zijn schouders op. 'Dat zal hij zeker proberen, ja.'
'Wie is de gevaarlijkste van jullie twee?'
'Ik.' Geen twijfel.
'Maar hij heeft Elena.' Michael knikte. 'En je weet niet of hij andere mannen bij zich heeft. En meer wapens. Daar alleen naartoe gaan is niet erg slim.'

'Ik heb geen keus.'

'Heb je echt zevenenzestig miljoen dollar?'

'Eerder tachtig.' Michael deed de achterklep open en haalde het boek uit zijn plunjezak. Hij gleed met zijn hand over de rug van het boek en glimlachte.

'Dit was Otto's favoriete boek. Hij had het zo vaak gelezen dat hij hele passages uit zijn hoofd kende. Tegen het einde, toen hij zelf niet meer kon lezen, las ik hem voor. We deelden dat, onze liefde voor de moderne klassieken.' Michael sloeg het boek open en liet haar lezen wat er geschreven stond.

Voor Michael, die meer op mij lijkt dan wie dan ook...
Voor Michael, die mijn zoon is...
Denk het goede over een oude man...
Leid een goed leven...

Het handschrift was kriebelig en dun – de hand van een stervende. 'Hij schreef dat acht dagen voor hij overleed. Het was op de dag dat ik hem vertelde dat ik ermee wilde kappen.'

'Dat begrijp ik niet.'

Michael sloeg het boek in het midden open en bladerde verder. Getallen vlogen voorbij. Bladzijde na bladzijde, allemaal in hetzelfde handschrift. 'Vierentwintig verschillende buitenlandse bankrekeningen. In verschillende landen. Bij verschillende banken. Hij schreef die bankrekeningnummers nooit op, hij had ze allemaal in zijn hoofd zitten. Toen deed hij dit. Voor mij.'

'Een genereuze man.'

'Ik hield van hem.'

Michael deed het boek dicht, tikte ermee tegen zijn voorhoofd en legde het in de auto. Abigail was een tijdje stil. 'Hij vermoordt je, Michael. Dat weet je. En hij vermoordt dat meisje.'

Er verscheen een ironisch trekje rond Michaels lippen. 'Het ligt niet in mijn aard om de politie te bellen.'

'Misschien de troepen van mijn man? Dat zijn goed getrainde professionals.' Ze dacht even na en zei: 'Nee, dat heeft geen zin. Die zoeken een zondebok en jij staat boven aan de lijst.'

Michael begreep het. 'Ze zullen mij erbij lappen om Julian te beschermen.'

'Julian. Mij. De senator.'

'Dat is een goed plan. Dat zou je moeten doen.'
'Zo zit ik niet in elkaar.'
Michael stak zijn hand uit, voor het pistool. 'Dit moet gebeuren, nu. Het is niet ver weg. Ze wachten.'
'Ik zou met je mee kunnen gaan.'
Michaels hand ging omlaag. 'Met welk doel?'
'Om ook jouw leven te kopen.'
'Dat begrijp ik niet.'
'Ik doe er tien miljoen bovenop.'
'Tien miljoen dollar?'
'Of twintig. Dat doet er niet toe.'
'Waarom?'
'Omdat je Julians broer bent.' Ze haalde haar schouders op. 'Omdat ik al lang geleden heb beslist wat voor mens ik wilde zijn. Omdat tien miljoen dollar voor mij zakgeld is.'
'En dat is het dan? Is dat de enige reden?'
'Welke andere reden zou er nog kunnen zijn?'
Michael staarde haar even aan. Bij hoge uitzondering onderdrukte hij zijn emoties niet; ze waren van zijn gezicht af te lezen. 'Weet je welke fantasie alle wezen gemeen hebben?'
Abigail bewoog haar hoofd, maar hield haar mond dicht. Krekels sjirpten in het struikgewas. Het zweet droop langs haar wangen in de felle zon.
'Waarom ben je ons toen komen halen?' vroeg Michael.
'Ik wilde kinderen, maar kon ze niet krijgen. De senator en ik waren het eens...'
'Waarom Julian? Waarom ik?'
'Ik begrijp je niet.'
'We waren al te oud om schattig te zijn, of makkelijk; we zaten al te lang in het systeem om niet beschadigd te zijn. Dus: waarom wilde je ons?'
'Daar had ik mijn redenen voor.'
'Persoonlijke redenen?' Michael leek een beetje kwaad.
'Ja.'
'En nu? Hier zit je niet op te wachten. Je kent me nauwelijks.'
Abigail probeerde rechtop te blijven staan, maar iets trok haar naar beneden. Ze keek naar het struikgewas, naar de hoge blauwe lucht. 'Ik heb al lang geleden beslist wat voor mens ik wilde zijn.'
'En wat voor mens is dat?'

'Het soort mens dat dapper genoeg is om het juiste te doen. Altijd. In welke omstandigheden dan ook.'

Iets bleef onbesproken, iets belangrijks. Hij zag het aan haar kaaklijn, aan de manier waarop zij haar schouders rechtte. Het was een belangrijke beslissing die ze had genomen, en een moeilijk leven waarvoor ze had gekozen. Iets had haar ertoe gedreven die keuze te maken, en Michael dacht dat hij wist wat dat was. 'Ben je mijn moeder?'

Abigail sperde haar groene ogen open.

'Dat was namelijk onze fantasie.' Michael ging vastberaden door. 'We droomden er allemaal van, dag en nacht, dat onze moeder ons zou komen halen. Dat het een enorme vergissing was, dat we op de verkeerde plek terecht waren gekomen en dat die vergissing zou worden rechtgezet. De getallen kloppen. Ik ben drieëndertig, jij bent nog geen vijftig. Je was nog jong, maar kinderen maken fouten. Niemand zou het je kwalijk nemen dat je ervandoor ging. Ik zou het je ook niet kwalijk nemen. Ik zou het begrijpen.'

Abigail was even te beduusd om te antwoorden. Ze keek naar die lange en sterke man, die broodmagere moordenaar met zijn prachtige gezicht en zijn grote ogen. Er ging zoveel door haar heen, maar het eerste was de teleurstelling die ze hem ging bezorgen. 'Nee, Michael.' Ze raakte zijn arm aan. 'Ik ben je moeder niet.' Hij keek de andere kant op, knikte.

'Maar wel de moeder van Julian.'

Hij knikte opnieuw, knipperde twee keer met zijn ogen en de emotie was weer weg. 'Je moet hier blijven,' zei hij.

'Iedereen heeft een prijs, Michael. Jimmy zal die ook hebben.'

'Hoe weet je dat?'

'Ik ben de vrouw van een senator.'

Ze had gelijk wat Jimmy betreft. Voor zoveel geld zou hij alles doen: zijn eigen moeder vermoorden, persoonlijke vetes terzijde schuiven. Hij zou het geld incasseren en later terugkomen voor Michael. Geen twijfel mogelijk.

'Als ik nou eens een cheque aan hem uitschrijf?' Haar lippen trilden. 'Heb je die zak met contanten nog?'

'Ja.'

'We hoeven hem alleen maar een voorproefje te geven.' Ze liet de woorden bezinken. 'De menselijke natuur doet de rest.'

'Ik kan je veiligheid niet garanderen. Begrijp je dat? Deze man is anders dan andere mannen. Hij is onevenwichtig en kent geen grenzen.'

'Als je mij niet meeneemt, sterft Elena. En jij sterft ook. Het is een val, Michael. Daarom heeft hij jou opgebeld.'

'Dan zal ik de contanten meenemen. Ik regel het wel.'

'Dat geld is alleen maar een voorschot. We moeten een prijs afspreken. Daarna moet er een telefonische overboeking geregeld worden die alleen ik kan doen. Daar moet ik dus bij zijn.'

Michael keek een andere kant op; hij verkeerde in tweestrijd. 'Het is jouw strijd niet.'

'Ik ben je al eens kwijtgeraakt.'

Hij schudde zijn hoofd. 'Ik was een kind. Je was daar met een reden.'

'Ik ben een grote meid, Michael. Ik wil dit doen.'

Hij bestudeerde haar gezicht, dat hem zo vertrouwd was geworden. 'Er gaat in elk geval iemand dood,' zei hij.

'Laten we er dan maar voor zorgen dat het Jimmy is.'

40

Toen ze naar de landrover liep begon Abigails wankele vertrouwen scheurtjes te vertonen. Ze voelde zich onzeker. De lucht was te blauw, en toen ze haar vingers op de wagen legde, voelde het metaal te warm aan. Ze slikte de bittere smaak weg en realiseerde zich dat ze bang was – niet een beetje, niet in theorie, maar werkelijk doodsbang. Beschaamd slikte ze het gevoel weg. Toen glipte ze de wagen in en pakte Michaels 9mm van onder de stoel vandaan. Het wapen was zwaar en warm, het metaal was glad als boter. Even zag ze Jessups gezicht voor zich en stelde ze zich voor hoe hij zou reageren als ze niet meer terugkwam. Zou hij denken dat ze hem na al die jaren verlaten had? Of zou hij begrijpen dat er iets ergs was gebeurd? Zou hij woede voelen? Of verdriet? Zou hij wraak willen nemen als haar lichaam werd gevonden?

Ze bestudeerde Michael door de vieze ruit. Toen opende ze het handschoenenkastje en pakte Jessups wapen. Het was een oude revolver, met een houten kolf met inkepingen en een glanzende haan. Een onooglijk, vies, klein wapen. In het metaal stond de naam gestanst: COLT COBRA .38 SPECIAL. Ze frommelde de cilinder open, zag dat die geladen was en sloot hem weer. Ze ademde diep in, stak het wapen achter haar broekriem, bedekte het met haar vest en voegde zich weer bij Michael bij de kofferbak van de Mercedes. De plunjezak die erin lag was open, zodat het geld zichtbaar was. Ze gaf Michael de 9mm en keek hoe hij het magazijn eruit haalde en het mechanisme controleerde. 'Ben je zover?'

'Ik denk van wel.'

'Denken is niet voldoende, je moet het zeker weten.'

Ze voelde de gladde, harde .38 tegen haar buik drukken. 'Ik weet het zeker,' zei ze.

Hij gaf haar het geld.

De weg die Michael nam, liep langs de zuidelijke rand van de stad. Abigail zat naast hem. De plunjezak was zo zwaar dat hij haar heupbeen tegen het metaal drukte. Ze kreeg die smaak weer in haar mond. Ze voelde een druk achter haar ogen die ze probeerde weg te knipperen.

'Gaat het?'

Zijn stem klonk ver weg. Ze likte haar lippen en knikte. 'Ik heb het gewoon warm.'

'Je hoeft dit niet te doen,' zei hij.

'Rij nou maar gewoon door, alsjeblieft.'

'Weet je het zeker?'

Ze legde een hand op haar hart en voelde het bonzen ervan tot achter in haar hoofd. 'Laat me maar even.'

De afslag was precies waar Jimmy had gezegd. Een smal zandpad drie mijl voorbij het Exxon-pompstation. De ingang lag links van de weg: een ruimte tussen de bomen, naast een brievenbus met blauwe reflectoren.

Hij reed het pad op, stopte de auto en pakte zijn mobieltje.

'Wat gaan we nu doen?' Abigail zag er niet goed uit. Ze was rood en zweterig en ademde gejaagd.

'Dit loopt alleen goed af als er geen wapens aan te pas komen.' Michael sprak zacht; hij wilde dat ze rustig werd. 'Jimmy is zeker geen sukkel en hij heeft een grote mond, maar diep vanbinnen is hij bang voor mij. Hij wil iets bewijzen, iets wat jij en ik niet volledig kunnen inschatten. Dat maakt hem nog minder voorspelbaar.' Michael hield de telefoon omhoog. 'Ik ga hem vertellen dat we eraan komen.'

Ze keek voor zich uit het lange pad af. Haar blik bleef hangen aan de muur van bomen en aan de plaatsen waar het licht erdoorheen viel. 'Weet je zeker dat dat verstandig is?'

'Het enige wat ik kan doen, is hem met open vizier tegemoet treden en hopen dat het goed gaat. Of hij stemt in met je voorstel, of hij wijst het af. Hij maakt een fout, of hij maakt die niet. Misschien is hij alleen, misschien heeft hij tien man bij zich.' Hij gaf haar de tijd, omdat hij dacht dat ze daar behoefte aan had. 'Ik heb twee prima wapens die ik beter kan hanteren dan de meeste mensen, maar toch loopt dit waarschijnlijk niet goed af.'

Ze zag er nerveus uit, maar leek zichzelf onder controle te krijgen. 'Hoe goed ben jij?'

Zijn blik was kalm. 'Dat doet er niet echt toe.'

'Omdat hij Elena heeft?'

Michael vond het niet nodig om antwoord te geven.

Hij toetste het nummer in.

Het was warm in de schuur. Elena leed op een manier die ze niet voor mogelijk had gehouden. Haar voet. Haar botten. Haar ziel. De staalkabel zat strak rond haar keel en ze had moeite met ademen. Ze zocht Jimmy, maar zag hem niet. Ze proefde wapenolie en bloed. Haar mond deed pijn, ze kon zich niet bewegen. Minutenlang vroeg ze zich af of ze wel de juiste keuze had gemaakt. Ze dacht aan de baby en aan Michaels donkere ogen. Ze dacht aan de dood en huilde.

Achter haar ging een telefoon over.

Jimmy nam op en in zijn stem klonk een glimlach door.

'Michael, vriend. Waar ben je?'

'Ik sta aan het begin van de oprit.'

'Nou, kom deze kant maar op. Er zit iemand met smart op je te wachten. Wacht. Hier. Zeg eens hallo.' Michael hoorde gedempte geluiden en toen een gesmoorde schreeuw. 'Sorry.' Nog steeds klonk Jimmy's glimlach door in zijn stem. 'Ze is op dit moment niet aanspreekbaar. Ze heeft iets groots in haar mond.'

'Ik doe precies wat je gezegd hebt...'

'Te laat!'

De glimlach was weg. Nauwelijks bedwongen woede klonk nu door in zijn stem. Ongeduld. Michael dwong zichzelf rustig te blijven. 'Ik heb iemand meegebracht.'

'Dat was niet de afspraak.'

'Deze is beter. Meer geld. Geen problemen.'

'Hoeveel meer?'

'Tien erbovenop.'

'Miljoen?'

'Plus wat Otto had weggezet in het buitenland. Dat is veel geld, Jimmy. Laat me naar je toe komen. Dan bespreken we de details.'

'Wie heb je bij je?'

Michael vertelde het hem.

'Ah, de vrouw van meneer de senator. Ik heb een foto van haar gezien. Mooie dame. Wat wil ze kopen voor haar extra tien miljoen?'

'De levens van alle betrokkenen.'

Het bleef een volle minuut stil; toen zei Jimmy: 'Waarom kan het haar iets schelen wat er met jou gebeurt?'

'Daarom.'

'Zijn er nog meer mensen bij je?'

'Nee.'

'Oké, Michael. We zullen erover praten. Je vriendin en ik zitten in de schuur. Geen ramen en maar één ingang. Dus laten we dit netjes en eenvoudig houden. Jullie gaan allebei naar binnen. Jullie luisteren naar mij. En handen in het zicht.'

'Ik wil Elena spreken.'

De verbinding werd verbroken.

Elena hoorde hoe de telefoon werd dichtgeklapt. Jimmy stond recht achter haar en had daar de hele tijd gestaan. Hoe lang? Ze had hem een uur niet gezien. Hij had achter haar gestaan en was doodstil geweest.

Toen de pijn!

God...

Een verschrikkelijke pijn. Ze vocht om zichzelf onder controle te houden. Ze voelde zijn adem bij haar oor en zijn vingers langs de staalkabel om haar keel. Ze keek naar Stevan, die over de tractor heen lag. Ze had geen idee of hij nog leefde. Geen beweging, geen geluid. Zwarte vliegen zoemden rond de open wonden.

'Sorry.'

Jimmy sprak op vertrouwelijke toon. Zijn mond was zo dichtbij dat hij haar oorschelp kon kussen als hij zijn lippen tuitte. Ze snikte rond het metalen voorwerp dat in haar mond geduwd zat. Ze hoestte, verslikte zich en kon nauwelijks ademhalen. Op allerlei plekken voelde ze het staaldraad in haar lichaam snijden. Zijn hand gleed langs haar schouder, raakte de zijkant van haar borst en ging via haar arm naar de vinger die hij zojuist had gebroken. Haar hele lichaam verstijfde toen hij hem aanraakte. Maar hij deed haar geen pijn meer. Hij nam haar

handpalm in zijn hand en kneep er zachtjes in.
'Niet weggaan.'
Hij ging staan op een plaats waar ze hem kon zien.
'Michael komt eraan.'

De kalmte van een moordenaar kwam over Michael, en hij begroette dat gevoel als een oude vriend. De manier waarop de tijd vertraagde. Het heldere, scherpe zien. Zijn gedachten ordenden zich en zijn spieren ontspanden. De mogelijkheden tekenden zich af als op een grafiek.
'Daar is het.'
Op de plek waar de weg het bos verliet, werd het lichter. De bomen weken en het terrein opende zich voor hen. Michael zag een oud huis dat grensde aan braakliggende velden. Hij zag auto's. En hij zag de schuur.
'Wat een hoop auto's.' Abigail bukte zich. Haar knokkels zagen wit, zo vast sloot ze haar vuist om de zak met geld. 'Hij is niet alleen.'
Michael controleerde de ramen in het huis en zag dat het donker was achter de lege ruiten. Hij bekeek de bosrand met zijn hoge, bruine struikgewas. De diepe schaduw bood genoeg mogelijkheden voor schutters om zich te verbergen. Met een beetje geweer schoten ze hem zo neer. Hij stopte de auto. Overal was het muisstil.
'Jezus, Michael. We zijn hier complete schietschijven.'
'Hij wil zijn geld. Wij kunnen hem dat geven. Denk daar maar aan.'
'Oké.' Ze knikte en slikte. 'Waar gaan we heen?'
'Daarheen.'
De schuur zag eruit als iedere andere schuur: een ruw en hoekig bouwsel op een zanderig stuk land met onkruid. Het hout was kaal en verweerd en het dak bestond uit verroeste staalplaten. Op het hoogste punt stond een verbogen windvaan in de vorm van een vos. Op de zolder was een opening te zien, maar afgezien daarvan leek het erop dat Jimmy gelijk had.
Eén ingang.
Eén uitgang.
'Alleen iets doen als ik het zeg.' Michael opende zijn portier. 'Duidelijk?' Ze pakte het handvat van het andere portier, maar kreeg dat niet goed open. 'Abigail?'
'Ik red me wel.'
Toen stonden ze buiten, in het open terrein. De schuur torende hoog boven hen uit. De handwapens waren geladen, de veiligheidspallen ont-

grendeld. Hij keek nog een keer het lege terrein rond, pakte toen het boek van het dashboard en liep naar de schuurdeur. Een meter van de ingang begon hij te roepen. 'Jimmy, ik ben het. Michael.' Hij wachtte, maar er kwam geen reactie. 'Abigail Vane is bij me. We komen naar binnen.'

Hij zette zijn voet door de opening en gaf de deur een zetje. Die schuurde door vuil en oud stro. Met zijn handen vooruit ging hij naar binnen. Abigail liep dicht achter hem aan.

'Rustig aan.'

Dat was de stem van Jimmy, van linksachter uit de schuur. Hij was niet te zien.

'Oké,' zei Michael. 'Ik doe rustig aan.'

Hij liep voorzichtig om de deur heen, ging anderhalve meter de schuur in en bleef staan. Abigail stond pal achter hem. Het was binnen lichter dan hij had verwacht. Er hingen minstens tien lantaarns. Hij hoorde Abigails adem stokken. Ook zelf raakte hij een moment uit zijn evenwicht toen hij de schuur vluchtig in zich opnam. Hij zag Stevan als eerste, maar verspilde geen tijd door nauwkeurig te inspecteren wat er met de man aan de hand was. Hij leefde nog, of hij was dood. Dat deed er niet toe. Hij ving een glimp op van Elena, maar dwong zichzelf niet naar haar toe te gaan. Dat kwam later wel. Hij zag Jimmy op een overschaduwde plek staan, waar hij zich deels schuilhield achter een dikke paal. Eén arm had hij uitgestoken. Hij hield een pistool vast.

Dat was niet de hand waar Michael bang voor was...

'We begrijpen elkaar, neem ik aan?'

Jimmy's stem klonk verrassend sonoor in de grote, hoge ruimte. Michael hield zijn ogen gericht op de hand die een houten pin van ongeveer vijfentwintig centimeter vasthield. De pin zat aan een stuk touw. Het touw liep door een metalen oog dat vastgeschroefd zat in de paal naar een tweede oog, vervolgens naar een derde, en toen naar... *Elena.*

Ze was vastgebonden aan een dragende pilaar in het midden van de schuur. De pilaar was tachtig centimeter breed en liep door naar het dak. Het staaldraad waarmee ze vastgebonden was, was zo strak aangedraaid dat het in haar voorhoofd, nek, armen en benen sneed. Haar armen waren zo ver naar achteren getrokken dat de schouderbladen naar voren staken. Van haar keel afkomstig bloed vormde een scherpe V bij de kraag van haar shirt. Ze stond op één been en Michael zag dat ze diverse snijwonden had en dat haar tenen opzij gebogen stonden. De enkel van het andere been was gebroken. Haar onderbeen was omhooggebogen en hoog aan de paal vastgebonden, zodat haar voet er gruwelijk bij hing. Michael had geen idee hoe lang ze zo had moeten staan, maar hij had zelf genoeg botbreuken gehad om zich te kunnen voorstellen hoe verschrikkelijk ze moest lijden. De pijn viel echter in het niet vergeleken bij de angst die hij in haar ogen zag. Haar ogen deden hem aan de grond genageld staan; ze smeekten en zeiden zoveel.

'Alles is goed, schat.'

Maar dat was niet zo.

Een dubbelloops jachtgeweer dreef haar kaken uit elkaar. Het was diep in haar mond gestopt en werd op zijn plaats gehouden door glanzende, zilverkleurige tape die in dikke lagen rond de loop en haar hoofd en kaak zat gewikkeld. Michael zag haar met bloed besmeurde tanden en stukjes van haar kapotte lippen. Ze ademde moeizaam en snuivend door haar neusgaten; ze was in paniek en verkeerde in een shocktoestand. Ze begon blauw aan te lopen. Haar ogen zwommen in de tranen.

Het jachtgeweer hing aan nylon banden. Van de trekker liep het touw naar de pin in Jimmy's hand.

'Dringt het door wat er op het spel staat?' zei Jimmy.

Michael keek nu niet meer naar Elena, maar voelde een koude woede in zich opstijgen. Hoeveel trekgewicht was er nodig om een Remington .12 te laten afgaan? Anderhalve kilo? Minder? Hij keek naar Stevan, die uitgespreid over de tractor lag. Het grootste deel van zijn gezicht was weg. Zijn afgeknipte vingers lagen in het stof. Dat had Jimmy uren werk gekost. Veel geschreeuw en veel lawaai. Jimmy had een spiegel boven Stevan gehangen, zodat hij kon zien hoe verminkt zijn gezicht was. Dat betekende dat Jimmy in alle rust had gewerkt, zich had vermaakt. Wat Michael deed vermoeden dat de anderen die samen met Stevan naar het zuiden waren gekomen ook dood waren. Jimmy zou dat risico nooit willen lopen, niet met een levende Stevan in de buurt. 'Ik denk dat er geen misverstanden zijn.'

'Wapens op de grond, alsjeblieft.' Michael pakte zijn beide wapens en legde die op de grond. 'Schop ze bij je vandaan.' Michael deed wat hem gevraagd werd. 'Doe je shirt omhoog.' Michael deed het. 'Broekspijpen.' Ook dat deed Michael.

'Wat is er met dat boek?'

Michael hield het omhoog. 'Het is van Otto.' Jimmy aarzelde; hij hield zijn hand strak om de pin. 'De nummers die je zoekt staan hierin.'

'Allemaal? Rekeningnummers? Wachtwoorden? Toegangscodes?'

'Alles wat je nodig hebt.'

Michael zag Jimmy denken. Hij wilde het boek vasthouden en de nummers controleren, maar hij had zijn handen letterlijk vol. Hij wenkte met het pistool. 'Als mevrouw zich even wat beter wil laten zien...'

'Toe maar,' zei Michael. 'Gewoon doen wat hij vraagt. Langzame bewegingen.' Abigail stapte opzij, met de plunjezak naast zich.

Jimmy stak zijn hoofd iets naar voren. 'Dat lijkt me geen tien miljoen dollar.'

'Het is een begin,' zei ze. 'De rest kan ik voor je regelen.'

'Hoe snel?'

'Ik moet alleen een computer hebben.'

'Breng het dichterbij.'

Abigail keek even naar Michael, die knikte. Ze liep naar voren tot Jimmy haar zei dat ze moest blijven staan.

'Zet daar maar neer.'

De zak viel in het zachte, droge stof.

Jimmy liet de pin los en stapte uit de schaduw naar voren. Zijn shirt vertoonde bloedvlekken onder de linkeroksel en zijn neus was opgezwollen en er zat een snee in. Afgezien daarvan hadden zijn ogen dezelfde koude, gestoorde twinkeling die Michael al zo vaak had gezien. Jimmy was een narcist en een psychopaat; een onvoorspelbare, moordzuchtige rotzak. Hij trok een tweede pistool van achter zijn riem vandaan, hield er één op Michael gericht en de andere op Abigails gezicht. 'Openmaken.'

Ze was bang en onzeker.

'Op je knieën en openmaken.'

Abigail voelde het stuk metaal bij haar middel. Iets scherps duwde tegen haar lijf, maar ze had alleen oog voor het pistool dat op haar gericht werd. Het uiteinde van de loop was groot en zwart: een cirkel met een zilverachtige glans aan de rand. Het midden was donker en diep en rook naar kruitdamp. Het bewoog, en haar ogen volgden het alsof het een slang was. Links en rechts; kleine cirkels. Ze voelde weer haar hartslag doortrillen in haar achterhoofd. Hoofdpijn. Duizeligheid.

'Openmaken!'

Jimmy spande de haan en bukte zich, zodat het uiteinde van de loop nog maar centimeters van haar rechteroog vandaan was. Abigail staarde in de loop. Ze wankelde even en gaf toen haar knieën opdracht om te buigen. Die waren stijf en verzetten zich. Maar toen ze eenmaal doorbogen, gaven ze het verzet snel op. Haar benen begaven het en ze viel met een klap in het stof.

Haar waaierde over haar gezicht.

En de .38 viel uit haar broek.

Voordat Abigail zich kon bewegen of met haar ogen kon knipperen of iets zeggen, trapte Jimmy haar tegen het hoofd, waardoor ze met een smak languit over de vloer rolde. Hij hield een pistool op Michael gericht. 'Tja...' Michael dwong zichzelf om zich in te houden. Jimmy gaf Abigail nog een schop, in de ribben, waarbij ze tot halverwege de muur rolde. Hij deed een paar snelle passen en schopte haar nog een keer. Ze kwam half omhoog en klapte tegen een wand die vol hing met gereedschap. Een schep viel en de steel raakte haar hard op haar hoofd. Metalen voorwerpen krasten en rinkelden. Een moker klapte om. Een pot spijkers viel met een dof, metalig geklingel. Jimmy wachtte, maar Abigail bewoog zich niet. Ze zakte in elkaar op handen en knieën. Haar hoofd zwaaide heen en weer, haar ogen zwommen. Met de loop van zijn pistool tikte hij op haar hoofd. 'Daar blijven, gestoord wijf.' Hij keek naar Michael. 'Zoiets gelóóf je toch niet? Jezus, sommige mensen...'

Michael keek even naar Elena en toen weer naar Jimmy. 'Ik wist niet dat ze die bij zich had.'

'O, nee?' Het klonk sarcastisch. Bijtend. 'Ik heb je geleerd nooit een vrouw met een wapen te vertrouwen. Jezus. Geef ze iets gevaarlijkers dan een vork en je kunt er gif op innemen dat het misgaat. Hij stak een van de pistolen terug in zijn riem. 'Goed, waar waren we gebleven?' Hij keek naar de zak met geld. 'Aha.'

Jimmy bukte zich over de zak. Michael keek om zich heen. Zijn pistolen lagen twee meter verderop, maar gezien de snelheid van Jimmy hadden ze net zo goed op de maan kunnen liggen. Op de tafel naast Stevan lag een verzameling messen en andere scherpe voorwerpen, maar ook dat was te ver. Hij keek naar Abigail. Haar ogen waren open, maar ze haalde nauwelijks adem. In de buurt van haar lagen bijlen en zeisen en sikkels. Ook die kon hij onmogelijk te pakken krijgen.

Een eindje verderop huilde Elena.

Jimmy pakte de plunjezak op en schopte de .38 naar de verre hoek van de schuur. Er kwam een glimlach op zijn gezicht. Rekeningnummers, wachtwoorden, bancodes: dat was mooi, maar contant geld had iets magisch – en de zak was gevuld met dikke, groene stapels. 'Jij hebt de waarde van geld nooit goed ingeschat.' Hij stond met de zak aan zijn zij en zwaaide met zijn pistool. 'Dat was altijd het probleem met jou,

Michael. Prioriteiten. Te weinig ambitie. Het lukte me nooit om je verder te laten kijken dan Otto Kaitlin. Om je te laten inzien wat je allemaal zou kunnen bereiken.'

'We hadden dezelfde baan, Jimmy, en deden dezelfde dingen.'

'Maar ik was nooit tevreden. Dat is het verschil tussen de groten en de kleinen. Jij zou voor de rest van je leven Otto's slaafje zijn gebleven.'

'Otto was een groot man.'

'Otto liet jou de kruimels.' Hij schudde vol walging zijn hoofd. 'Maar je nam ze aan, hè? Bij jou was het familie voor en familie na. Otto hield helemaal niet zoveel van je als je dacht.'

'Toch liet hij míj zijn geld na.'

'Maar het draait niet alleen om geld, hè? Het gaat erom dat je meer bent. Iets zien en het pakken en de wereld laten *voelen* dat je er bent. En daarin heb je me het meest teleurgesteld.' Hij bewoog het pistool naar achteren en naar voren in Michaels richting. 'Jij en ik hadden de dienst uit kunnen maken in de stad. We hadden dingen kunnen realiseren waarvan Otto in al die jaren nooit had durven dromen. Jezus, Michael. Ik had verdomme een prins van je gemaakt.'

'Met jou als koning?'

'Niemand is meer een vader voor je geweest dan ik. Otto mag je dan gevonden hebben, maar ik heb je gevormd tot wie je bent.' Hij gebaarde naar Elena. 'Zij begrijpt dat wél. Zíj snapt het. Daarom is dit zo teleurstellend. Vroeger gaf jij om je familie.'

'Familie? Maak je een grapje?'

'Het is nog niet te laat. Je mag het meisje hebben. We kunnen nog steeds grootse dingen doen.'

'Zit niet met me te kloten, Jimmy. Daar ken ik je te goed voor.'

'Oké, oké, zij moet dood. Maar jij en ik...' Hij grijnsde.

'Niemand zou het tegen ons kunnen opnemen.'

'Ik wil alleen maar dat we het er allemaal levend van afbrengen.'

'En dat is je antwoord?' Zijn stem verhardde. 'Dat is je enige ambitie?'

'Pak het geld, Jimmy.'

'Jij denkt echt dat het mij alleen maar daarom te doen is, hè?' Hij liep in de richting van Stevan, die over de tractor heen lag. 'Jij bent degene die dit persoonlijk heeft gemaakt. Jij bent degene die ervandoor ging. En waarvoor? Voor een vrouw!'

'Het is veel geld.' Michael spreidde zijn vingers. 'Laat ons gewoon gaan.'

'Jij verandert nooit, hè? Altijd de touwtjes in handen willen houden.'

'Precies zoals je mij geleerd hebt.'

'Altijd koel.' Jimmy hield het pistool gericht op Michael, hees de zak op en liet die recht op Stevans bebloede buik vallen. 'Deze kerel daarentegen...' Jimmy streelde het verminkte gezicht van Stevan en glimlachte. 'Eindelijk ergens goed voor.'

Jimmy keek weer naar het geld – en Stevan, gemarteld, gevild, op sterven na dood, draaide zijn hoofd en zette zijn perfecte hagelwitte tanden in Jimmy's hand.

Abigail beleefde het allemaal alsof ze door een gladde, donkere schacht naar beneden viel. Ze zag hoe Jimmy zijn rug kromde, en terwijl het donkerder werd klonk zijn schreeuw steeds verder weg.

Haar vingers sloten zich om iets scherps.

Pijn achter haar ogen.

Jimmy krijste, zwaaide met zijn pistool en liet het met een dreun op Stevans schedel neerkomen.

Toen kwam Michael in beweging.

Een harde knal en Jimmy's hand kwam vrij. Tussen zijn duim en wijsvinger zat een rafelig gat. Michael zette nog een stap, dook naar de .45, vouwde zijn rechterhand om de handgreep en rolde door op zijn schouder om de val te breken. Hij proefde vuil tussen zijn tanden en probeerde zich op één knie in balans te houden terwijl hij door het stof gleed.

Jimmy schoot eerst. De twee kogels zouden raak moeten zijn, maar misten. Michael vuurde een schot af en raakte Jimmy hoog in de borst. Die wankelde, maar had zijn vinger nog steeds om de trekker. En schoot. De kogel sloeg in Michaels been. Hij sloeg tegen de grond, halfblind maar niet uitgeschakeld. Michael vuurde een aantal schoten af, zodat hij een paar seconden tijd won, met één hand op de grond om zijn evenwicht te hervinden. Jimmy wierp zich naar links, richting de houten pin die anderhalve meter verderop hing. Misschien besefte hij dat hij er geweest was; of misschien dacht hij dat hij Michael zo weer onder controle kon krijgen. Michael vuurde weer een schot af. De kogel sloeg een stuk weg uit Jimmy's nek. Hij strompelde verder, met uitgestoken hand graaiend naar houvast. Michael schoot nog een keer en raakte hem een paar centimeter naast zijn ruggengraat. Het schot duwde Jimmy naar voren. Hij was meer dood dan levend, maar zijn uitgestoken hand kwam steeds dichter bij de pin.

Centimeters.

Zijn geopende hand zakte naar beneden.

Michael wilde hem door het hoofd schieten, maar wist dat hij te laat zou zijn. Anderhalve kilo gewicht. Jimmy's vingers er vlakbij.

Toen dook uit het niets Abigail Vane op. Klein en snel en zeker van haar zaak. Michael had haar niet eens overeind zien komen, maar daar was ze. In haar hand had ze een roestig stuk metaal in de vorm van een halvemaan – en de vijftig centimeter lange sikkel ging omhoog als een vage bruine vlek en hakte Jimmy's hand af bij de pols. De stomp raakte de pin die daardoor heen en weer begon te zwaaien.

De volgende kogel die Michael afvuurde, trof hem in zijn hoofd.

41

Op de terugweg reed Abigail. Ze leek klein achter het stuur van de Mercedes. Hangende schouders, hoofd naar beneden, alsof ze een klap wilde ontwijken. Achterin strengelden natte, gladde vingers zich ineen. Bloed vormde plasjes op de zitting terwijl Michael Elena in zijn armen wiegde en vocht tegen de pijn in zijn been. Niemand sprak een woord, totdat Abigail, na twee plaatsen te zijn gepasseerd, stopte bij een verlopen motel. Ze vond een parkeerplaats onder de beschermende takken van een boom. Koplampen van het verkeer flitsten voorbij achter het hekwerk. 'Leven jullie nog daarachter?'

'Yes.'

'Blijf in de auto.'

Ze keek niet naar hen toen ze uitstapte.

De lucht die uit de ventilatieopeningen van de Mercedes kwam was warm. Een koperachtige geur. De geur van een afgevuurd pistool en schoon leer. Michael kuste Elena's haar en met haar hand kneep ze in zijn arm. Hij vermoedde dat ze in shock verkeerde: haar huid voelde koud aan en haar lippen zagen blauw. Voorzichtig haalde ze stukjes tape van haar huid en uit haar haar. Er viel een eikel op het dak en ze schrok op in zijn armen. 'Alles kits, liefje.'

Ze zei niets, alleen haar ademhaling was te horen. Haar donkere ogen staarden hem aan.

'Dat zeg je steeds.'

Het was niet meer dan een gefluister, die eerste woorden nadat hij haar had weggedragen. Michael kuste haar voorhoofd en toen ze haar wang op zijn borst legde, zei ze: 'Je hebt me gered.'

'Dat spreekt toch vanzelf.'

'Je bent gekomen...'

Haar vingers raakten verstrikt in het stof van zijn shirt. Haar stem viel weg en Michael veegde met de rug van zijn hand de tranen van zijn gezicht.

Toen Abigail terugkeerde, zei ze: 'Ik heb een kamer voor jullie aan de achterkant.'

'We hebben een dokter nodig.'

'Is het erg met haar?'

Michael knarste met zijn tanden. 'Nogal.'

Ze zette de auto weg, opende het portier en liet hen uitstappen toen ze zag dat de kust veilig was. Ze zagen er meelijwekkend uit – gebroken, als aangeschoten wild. Michael kon zijn been bewegen, al kostte het hem veel moeite. Maar het belangrijkste was dat hij geen fracturen had en dat er geen slagader geraakt was.

Elena gilde het uit toen hij haar op het bed legde.

Michael bracht haar een glas water, terwijl Abigail hun spullen uit de auto haalde. Ze zette een EHBO-doos op tafel. 'Gevonden in de kofferbak,' zei ze, en ze legde Michaels pistolen en Jessups .38 neer. Daarna haalde ze de plunjezak met de Hemingway en het geld. Ze keek naar Elena en naar de doorweekte doek om Michaels been. 'Ik moet opschieten.' Michael hield haar tegen bij de deur. Zijn gezicht zag asgrauw, de pijn in zijn been was moordend. 'Ik moet je bedanken.'

Ze mompelde iets en voor de eerste keer sinds alles losbarstte, keek Michael echt naar haar gezicht. Ze zag er geschokt uit; haar ogen waren gezwollen en haar blik was angstig.

Ze schudde haar hoofd, vol twijfel. Voor het eerst zag ze er oud uit. 'Niet doen...'

'Zonder jou was ik haar kwijt geweest.' Hij pakte haar hand en voelde hoe licht en klein die was. 'Begrijp je hoe belangrijk dat voor me is?'

'Ik meen het, Michael. Niet doen.'

'Kijk me aan, Abigail.'

'Ik herinner het me niet.'

Dat overviel hem. 'Wat bedoel je?'

Haar ogen schoten naar Elena, naar de pistolen, naar de deur: ze ontweek Michaels blik. 'Ik herinner me dat ik werd geschopt en dat het pijn deed.' Ze voelde aan haar slaap, die donkerrood en gezwollen was.

'Ik herinner me het gevoel van scherp metaal in mijn vingers.'
'De sikkel...'
'Ik herinner me blinde woede en ik herinner me dat ik reed.'
Michael nam haar hoofd zachtjes in zijn handen en hield het schuin, zodat hij de plek waar ze was geschopt voorzichtig kon betasten. Jimmy had haar rechterslaap geraakt. De huid stond donker en strak gespannen over een enorme zwelling.
'Doet het pijn?'
'Vreselijk.'
'Zie je wazig?'
'Nee.'
'Misselijk?'
'Nee.'
'Kun je rijden?'
'Lukt wel.'
Hij liet haar los, maar legde een hand op de deurknop. 'Je hebt Elena's leven gered,' zei hij. 'Dat betekent dat je ook mijn leven hebt gered. Dat is belangrijk voor me, dat zal ik nooit vergeten.'
'Grappig is dat.'
'Wat?'
Het lukte haar te glimlachen. 'Ik ben het zelf kennelijk wel vergeten.'
Het haalde de spanning uit de lucht, voor zover dat kon, maar Michael liet de deur niet los. 'Luister, ik weet wel het een en ander over dit soort situaties. Zorg ervoor dat niemand het bloed in de auto ziet. Vertel aan niemand wat er is voorgevallen.'
'Dat zal ik niet doen.'
'Ook niet aan Jessup of de senator.'
'Oké.'
'Dokters zijn bij schotwonden wettelijk verplicht aangifte te doen...'
'Ik ben niet achterlijk.'
Hij grijnsde en wilde niets liever dan gaan liggen. 'Ik zorg voor Elena en ruim daarna de lijken op. Kom hier niet terug. Oké? Dit moet goed gedaan worden, anders draaien we er alsnog voor op.'
'Ik begrijp het.'
Hij haalde zijn hand van de deur. Even had hij moeite zich staande te houden, maar hij vermande zich.
'Abigail...'
Ze reikte naar de deur en keek op.
'Knap werk.'

Michael liet zich op het bed vallen en de wereld verdween in een grijze mist. Toen hij weer wat kleur zag, haalde hij paracetamol uit de EHBO-doos. Hij liet Elena drie tabletten doorslikken en nam er zelf ook drie. Zijn blik gleed naar haar enkel. Die was bont en blauw en gezwollen, en nog steeds in een pijnlijke hoek gedraaid. 'Ik moet naar je voet kijken.'

Ze staarde naar het plafond; haar ademhaling was snel en oppervlakkig. 'Het doet pijn.'

'Ik weet niet hoe lang het duurt voordat de dokter hier is.'

'Doe nu maar.'

Ze huilde toen ze het zei en drukte haar gezicht in het kussen. Hij tilde haar been omhoog en raakte haar voet zachtjes aan. Ze gilde het uit, zo hard dat hij een hand over haar mond moest leggen. Haar gezicht voelde hard en verhit aan. Ze duwde hem weg. Toen ze eindelijk rustig werd, haalde hij zijn hand weg.

'Het spijt me.' Ze huilde. 'Het spijt me...'

'Sst...'

'Het doet zo'n pijn, het doet zo'n vreselijke pijn...'

'Oké. Het spijt *míj*.' Hij liet haar been langzaam zakken. Hij zou haar flink moeten verdoven om haar enkel te kunnen verzorgen, dus wikkelde hij er een handdoek omheen en raakte de enkel niet meer aan. Hetzelfde gold voor haar gebroken tenen en vinger. De rest van haar wonden waren oppervlakkige huidwonden en hij zorgde ervoor alsof ze van een gewond kind waren.

Ze pakte zijn hand en hield die tegen haar borst. Ze kneep er hard in.

'Ik ben nog nooit zo blij geweest je te zien als toen je door die schuurdeur kwam.' Haar ogen vulden zich weer met tranen. 'Ik dacht dat ik dood zou gaan. Ik dacht dat de baby...'

Haar stem brak.

'Wil je erover praten?'

'Niet nu.'

'Sorry,' zei hij.

'Maar je kwam.' Ze kneep nog harder in zijn hand.

'Dat is niet genoeg, dat weet ik.'

'Nu even wel,' zei ze.

En verder zwegen ze. Er was te veel en het was te vers. De dokter kwam twee uur later en beiden hadden tegen die tijd hun pijngrenzen steeds verder moeten verleggen. Cloverdale zette zijn dokterstas op het bed en fronste. Michael zei: 'Eerst zij.'

Hij onderzocht haar voet en tilde het doorweekte verband om Michaels been omhoog. 'Uw wond is ernstiger.'

'Dames gaan voor.'

'Meent u dat echt?'

'Ja.'

Cloverdale wachtte of er nog meer kwam, haalde toen zijn schouders op en ging aan het werk met een pluk watten en een naald. Toen het been was verdoofd en Elena wegraakte, tilde Cloverdale de handdoek op. 'Ik zal dit zo goed mogelijk zetten, maar het is een tijdelijke oplossing. De pees is beschadigd. Waarschijnlijk zijn ook de zenuwen beschadigd. De botten moeten worden vastgezet met een pen. Ze moet snel worden geopereerd. Als u te lang wacht, zal ze nooit meer goed kunnen lopen.'

'Kan het een paar dagen wachten?'

'Ja, maar beslist niet langer.'

'Zorg dat ze kan worden vervoerd.'

Vervolgens richtte de dokter zich op Michael. Hij hechtte beschadigde bloedvaten, spieren en huid. Toen hij klaar was en de wond was bedekt met een verband dat nog niet doorlekte, zag het er goed uit. 'U hebt heel veel geluk gehad. Een paar centimeter naar rechts en de kogel had het bot versplinterd.' Cloverdale haalde een oranje fles met pillen uit zijn tas. 'De pijn zal aanvankelijk erger worden. Deze zijn erg sterk. Neem er niet te veel van, dat overleeft u niet.'

Hij gaf de fles aan en Michael pakte zijn pols vast. 'Niemand mag hiervan weten.'

De dokter keek naar Michaels hand totdat hij losliet. 'Dat heeft mevrouw Vane me al op het hart gedrukt.'

'Ik weet niet zeker of ze duidelijk genoeg is geweest.'

Cloverdale fronste en deed zijn instrumenten weer terug in zijn tas. Toen hij zich omdraaide, liet Michael hem twintigduizend dollar zien.

'De senator niet. Niemand.' Michael stak zijn arm uit. 'Dit is voor u.'

Cloverdale keek naar Abigail, die haar schouders ophaalde. Hij haalde ook zijn schouders op en nam het geld aan.

'Dat is de wortel.' Michael wachtte tot de dokter hem aankeek. 'Dwing me niet om de stok te hanteren.'

'Meent u dat echt?'

Even liet Michael een glimp doorschemeren van de moordenaar die hij kon zijn. 'Vraag me dat nooit meer.'

De dokter beende kwaad de kamer uit. Elena was in slaap gevallen en haalde licht reutelend adem. Michael wilde ook slapen. Hij had de duisternis nodig, en stilte, en medicijnen in zijn bloed. Maar het moest nog wachten.

'Ik heb nog één ding nodig,' zei hij tegen Abigail.

'Wat?'

Hij vertelde wat hij nodig had.

'Weet je het zeker?'

'Doe het gewoon. Alsjeblieft.'

Toen Abigail terugkwam, had ze de sleutel van een andere kamer bij zich. 'Moet dit nou echt?' Hij gebaarde naar Elena. 'Kijk dan naar haar. Jezus, kijk naar jezelf.'

Michael zwaaide zijn benen van het bed en kon een zachte kreet van pijn niet onderdrukken. 'Waar is de kamer?'

'Aan de overkant.' Ze wees door het raam. Het motel had een U-vorm; het parkeerterrein lag in het midden. 'Nummer 27.'

Michael stond op. 'Help me haar op te tillen.'

Elena liet hen begaan, half buiten bewustzijn. Het kostte hun vijf minuten en tegen de tijd dat hij haar naar de andere kamer had gebracht, was Michaels verband doorweekt.

'Cloverdale zal zwijgen,' zei Abigail. Michael keek haar aan. 'Zelfs als hij het iemand zou vertellen, zou het alleen maar aan de senator zijn. Mijn man mag dan amoreel en egoïstisch zijn, maar hij is niet achterlijk of kortzichtig. Ik ben hierbij betrokken. Het gaat ook om mij.' Michael ging naast Elena liggen. Abigail tilde zijn been op. 'Jezus. Kijk nou wat je jezelf hebt aangedaan.'

'Het is niet mijn eerste schotwond.'

'Laat me tenminste het verband verschonen.' Michael knikte en ze verving het verband en het gaas. De bloederige proppen gooide ze in de prullenbak.

'Mag ik er een kussen onder leggen?'

'Ja hoor. Waarom niet?'

'Waarom lach je nu?'

'Ik ben nog nooit eerder vertroeteld door een verpleegster.'

'Echt nooit?'

'Nooit.'

Dat raakte een gevoelige snaar bij Abigail. 'Ik haal een glas water voor je.' Ze kwam terug met een glas en Michael zei: 'Wat ik echt nodig heb, is een auto.'

'Ik heb de landrover hier...' Ze wees met haar duim naar de parkeerplaats.

'Met dit been kan ik alleen in een automaat rijden.'

'Ik haal een andere auto. Hoe doen we dit?'

'Leg de sleutels maar bij de balie.' Hij was uitgeput, zijn stem stierf weg terwijl hij tegen de slaap vocht. Hij reikte naar de fles met pillen, maar Abigail was hem voor.

'Laat mij maar.'

Ze schudde twee pillen uit de fles en keek toe hoe hij ze doorslikte. Het bed kraakte toen ze naast hem ging zitten.

'Hoe is het met Julian?' vroeg hij.

'Hij verbergt zich nog steeds.'

'En de politie?'

'Die is driftig naar hem op zoek. Zijn gezicht is in elk journaal te zien. Ze hebben het over wegversperringen en speurhonden. Ze kammen de omgeving uit, zoeken met helikopters. Hulpsheriffs uit andere regio's zijn ook komen helpen. De senator heeft advocaten, maar die staan machteloos. Het kan niet veel langer zo doorgaan.'

Michael moest zich zorgen maken over Julian, nadenken over namen en connecties.

Het IJzeren Huis...

Slaughter Mountain...

Hij sloot zijn ogen, zakte weg en schoot wakker. 'De wapens...'

'Naast je.' Hij zag ze op de tafel liggen. 'Het is oké,' zei ze. 'Alles is gedaan wat maar kon worden gedaan.'

'We moeten hem vinden. We moeten weten...'

'Ik weet het... Ik weet het. Maar niet nu. Morgen.'

Michael voelde warmte en zwaarte. Pillen of bloedverlies, of beide. 'Ik heb in mijn leven maar één persoon vertrouwd die de waarheid over me wist.'

'Otto Kaitlin?'

'Ja.'

'Nou...' Ze vouwde haar handen en stond op.

'Bedankt, Abigail.'

Hij sloot zijn ogen en zakte weg.

'Graag gedaan, Michael.'

Het was vier uur in de ochtend toen hij wakker werd: de rode cijfers van de klok gloeiden op in het donker. Duivelsogen. Een dubbele loop, afgevuurd en heet. Michael knipperde met zijn ogen en de klok versprong naar 4.01 uur. Zijn keel was droog, maar de pijn was te dragen. Hij keek naar Elena, die in het donker niet meer dan een bergje dekens leek. Daarna controleerde hij de wapens. In de .45 zaten nog maar twee patronen, de .9 had nog een volle clip, de .38 was verdwenen. Michael liep naar het raam en bestudeerde de parkeerplaats en de auto's die er stonden. Een nieuwe Range Rover stond vlak bij hun deur en hij nam aan dat Abigail zich aan haar woord had gehouden. De rest van de auto's paste bij het motel – oud, versleten en vuil – maar de lak van de Rover was schoon genoeg om het licht van de sterren te weerkaatsen. Hij keek naar de hemel, naar de heldere maan en de hoge, heldere gouden vlekken. Hij wist niet hoe hij zich moest voelen. Er waren mannen gestorven: Stevan, die ooit als een broer voor hem was, en Jimmy, die zo goed en zo kwaad als het ging hem had geholpen de man te worden die hij nu was. Hij betreurde hun dood niet, maar het was vreemd om alleen over te zijn.

Otto was dood. En Stevan. En Jimmy.

Toen drong het pas tot Michael door: niemand zocht meer naar hem, niemand had meer een reden om hem dood te wensen. In één zwiep was zijn leven bevrijd van geweld, walging en angst. Elena sliep ruim twee meter van hem vandaan en ze hadden tachtig miljoen dollar om een nieuw leven te beginnen. Ze konden veilig verdwijnen. De baby krijgen. Samen zijn. Michael zuchtte diep en voelde zich ontspannen.

Niemand zocht hem...

Fijn om een illusie te koesteren...

Twee minuten later reed een busje langzaam de parkeerplaats op. De lichten waren uit en de ramen geblindeerd. Michael rook meteen onraad. Het was de duisternis ervan, de trage beweging als van een roofdier dat zijn prooi ruikt. Het busje reed het asfalt op en stopte op een zilveren waaier van gebroken glas. Seconden die uren leken verstreken. Daarna rolde het busje verder de parkeerplaats op, naar het midden, en stopte vlak bij de eerste kamer waarin Michael had gezeten. De deur schoof open en mannen gleden de wagen uit, zo vloeiend en stil als uitgeblazen rook. Ze bewogen als professionals: handgebaren, automatische wapens met korte lopen, zwarte kleding, kogelwerende vesten.

Maar dit waren geen politieagenten.

Geen badges, geen rangaanduiding.

Nummerbord afgedekt.

Ze namen positie in aan beide kanten van de deur. De middelste man droeg een stormram. In twee seconden waren ze binnen: een gewelddadige invasie, een vloed aan zwijgend zwart. Twintig seconden later stonden ze weer buiten. Ze toonden geen teleurstelling, bleven professioneel. Drie van hen stapten terug in het busje terwijl de vierde man de beschadigde deur sloot. Hij liep naar de passagierskant, speurde het schaars verlichte parkeerterrein af en klom in de auto. Hij zei iets tegen de chauffeur. Terwijl het busje begon te rijden, keek hij in Michaels richting.

Toen reed de auto voorbij.

Ze reden net zo traag weg als ze waren gekomen en deden pas de lichten aan toen ze weer op de weg waren. De achterlichten vervaagden, verdwenen.

Michael staarde naar de lege weg. Na vijf minuten ontspande hij de slagpen van de 9mm en klom hij weer in bed. Ze zouden snel moeten vertrekken, maar Elena sliep nog steeds en haar lichaam voelde warm aan tegen het zijne. Hij drukte haar dichter tegen zich aan en dacht aan de man die hij had gezien: een glimp van zijn gezicht in het hoge, zwakke licht. Michael had hem één keer ontmoet. Voor Julians kamer.

Richard Gale.

De rechterhand van de senator.

42

Na drie kwartier vond Michael dat hij lang genoeg had gewacht. Hij maakte Elena in het donker wakker. Ze was versuft en verward. 'Waar ben ik?'

'Je bent bij mij, schat. Je bent veilig.'

'Ik weet niet meer...'

'Sst. Kalm maar. Doe rustig aan.'

Ze probeerde te bewegen en voelde een pijnscheut. 'O god. O mijn god...' Ze kromp ineen en Michael wist dat ze meer voelde dan fysieke pijn alleen. 'Ik dacht dat het een droom was.'

'Doe maar rustig aan. Hier.' Hij schudde een paar pijnstillers uit het flesje en hielp haar die in te nemen. Ze kokhalsde een beetje en hij depte het water van haar kin.

'Wat voor dag is het vandaag?' vroeg ze.
'Vrijdag.'
'Alles voelt anders. Verkeerd.'
'Wacht even.'
Michael stond op en deed de gordijnen open, zodat er zacht licht naar binnen stroomde. Hij hinkte terug naar het bed en Elena zei: 'Je bent gewond. God, dat was ik ook vergeten.'
'Je verkeerde in een shocktoestand. Dat is normaal.'
'Gaat het nu een beetje?'
'Jawel.'
'Echt?'
'Het doet pijn. Maar ik heb erger meegemaakt.'
'En dat is ook echt zo, nietwaar? Dat zeg je niet zomaar.' Ze bleef hem lang aanstaren, maar toen hij op het bed ging zitten, sloeg ze haar ogen neer, zodat hij de wimpers tegen haar huid zag. 'Ik heb nog nooit iemand zich zo zien bewegen. Hoe je naar het wapen greep, hoe je schoot... hoe je schoot...'
'Laten we het daar nu niet over hebben. Dit is een nieuwe dag. Het ligt achter ons.'
'Oké.'
'Heb je honger?'
Ze keek beschaamd toen ze zei: 'Ik moet naar de wc.'
'Laat me je helpen.'
'Michael, dat vind ik niet prettig...' Haar hoofd bewoog.
'Ik ben het, schat.'
Hij grijnsde even en op dat moment zag hij er voor haar hetzelfde uit, voelde hij weer net zo aan als eerst. Ze zag hetzelfde kuiltje in zijn rechterwang, dezelfde schittering in zijn ogen. 'Ik denk niet dat ik kan lopen.'
'Kom.'
'Niet doen...'
'Het is oké.'
Michael tilde haar van het bed, droeg haar naar de badkamer en hielp haar. Toen ze klaar was, bracht hij haar terug naar het bed. Ze was in zichzelf gekeerd en trilde. Michael hield een warme, natte handdoek tegen haar gezicht. Hij verwijderde nog wat lijmresten van het plakband en stukjes gedroogd bloed en vuil van haar huid.
'Ik dacht dat ik dood zou gaan.'
'Elena, hou op.'

'Ik dacht dat de baby samen met mij zou sterven. Ik dacht dat we in de bossen zouden worden gedumpt en dat niemand ons ooit zou vinden. We zouden gewoon verdwijnen. Mijn ouders zouden het nooit weten. De baby zou... de baby...' Ze veegde haar tranen weg en zag er ineens sterker uit, vastberadener. 'Ik heb me nog nooit zo gevoeld als toen jij die schuur in kwam. Ik kan het niet eens beschrijven. Het was geen opluchting of geluk of zoiets. Ik dacht dat je ons niet kon redden. Hij stond je op te wachten. En hij was zo gestoord, zo godvergeten zeker van zichzelf...'

'Schat...'

'Ik was zo bang, maar ik zag jou en toen dacht ik dat we in ieder geval samen zouden sterven.'

'Maar dat gebeurde niet. Het is voorbij.'

'Zo voelt het niet.'

'Ik beloof je dat het voorbij is.'

'Mag ik even alleen zijn, Michael?'

'Natuurlijk, schat.'

'Heel even maar.'

Hij liep naar buiten en keek naar de lucht. Hij zag een roze streep die dunner werd en vervaagde. Tien minuten later riep ze zijn naam en hij ging weer naar binnen. 'Gaat het?' vroeg hij.

'Ja.'

Haar haar was vochtig van de handdoek, haar gezicht was schoongeveegd. 'Abigail heeft een auto achtergelaten.' Michael knikte naar het raam. 'Dit vond ik in de wagen.' Hij liet haar kleding en krukken zien. Toen hielp hij haar met aankleden en bracht haar naar de auto. Ze wilde voorin zitten, dus zette hij de stoel zo ver mogelijk naar achteren en de rugleuning zo schuin mogelijk achterover. 'Zo.' Hij wikkelde een deken om haar heen.

'Net alsof je nog in bed ligt.' Hij probeerde luchtig te klinken en glimlachte, maar ze lachte niet terug. 'Waar gaan we heen?'

'Ergens waar we veilig zijn. We brengen je naar een dokter om je voet te behandelen. Het komt helemaal goed. Dat zul je zien. Ik zal voor je zorgen. Alles komt goed.' Maar hij hoorde zelf dat zijn woorden hol klonken.

Hij was haar aan het verliezen.

'Ik wil naar huis,' zei ze.

'Spanje zou een goede plek zijn. We kopen tickets in Raleigh.'

'Ik wil alleen maar naar huis.' Zijn glimlach verdween, maar ze liet zijn arm niet los. 'Ik ga niet weg, of zo. Ik zeg alleen dat ik moet nadenken. Er is zoveel. Wat er is gebeurd, de baby. Wij.'

'Natuurlijk.'

'Michael...'

'Nee, het is oké.' Hij zag het nu anders. 'Er is veel gebeurd. Nare dingen. Je zit met veel vragen. Ik neem het je niet kwalijk. Alleen gaan is verstandig. Het is redelijk.'

'Wat klink je zakelijk.'

'Dat moet ik wel.' Hij sloot zachtjes haar deur en liep om de auto heen naar de chauffeurskant. 'Het vliegveld van Raleigh is niet ver. We hebben contant geld. De dokter zegt dat je kunt reizen. Waar is je paspoort?'

'O, god.' Ze keek aangeslagen. 'Dat heeft hij.'

'Jimmy?'

'Ja.'

'Het komt wel goed.' Hij startte de motor van de wagen. 'Ik regel het wel.'

In het prille ochtendlicht zag het er allemaal heel anders uit. De mist dekte de velden toe en was zo dicht dat het huis bijna niet te zien was. De schuur zag eruit als een ruïne.

'Hier wil ik niet zijn,' zei Elena.

'Ik ben zo weer terug.' Michael gaf haar de 9mm. 'Weet je nog hoe je deze moet gebruiken?'

Ze nam hem zonder iets te vragen aan.

'Ik ga eerst in de schuur kijken, en daarna in het huis.'

'Hij had mijn mobieltje ook.'

'Ik zal hem halen.'

Hij opende de deur en Elena zei: 'Michael.'

'Ja.'

'Ik weet dat je anders bent dan hij.' Ze bedoelde Jimmy. 'Dat is niet waarom ik wegga.'

'Waarom dan wel?'

'Het is gewoon...' Ze snoof, schudde haar haar naar achter.

'Hé, het is toch niet voorgoed? We komen er wel uit.'

'Je begrijpt het niet.' Ze schudde haar hoofd. 'Ik wilde hem zelf vermoorden. Ik wilde hem pijn doen, wilde dat hij zou smeken en dood zou gaan. Snap je het niet? Ik haatte mezelf dat ik niet sterk genoeg was om dat te doen. Ik haatte mijn eigen zwakte.'

'Je kunt op verschillende manieren sterk zijn.'

'Ik weet niet meer wie ik ben.'

'Maar ik wel. Je bent Carmen Elena Del Portal en je bent de mooiste vrouw die er bestaat.'

'Vind je dat echt?'

'Dat is een ding dat ik zeker weet.' Hij sloot de deur en lachte naar haar door het raam. Ze sloeg haar armen om zich heen en keek hoe hij wegliep.

De schuur was donkerder, maar er was niets veranderd. Dezelfde geuren en beelden, dezelfde lijken. Michael stapte naar binnen en was boos op zichzelf. Zelfs met een schotwond en de zorg voor Elena was hij nog slim genoeg geweest om de wapens en hulzen op te rapen. Maar aan de mobiele telefoon had hij niet gedacht.

Stom...

De telefoon stond op haar naam en had haar kunnen betrekken bij de nasleep. Als de politie dat ding als eerste gevonden had...

Stom, stom...

Maar hij was emotioneel geweest. Elena gewond. Dode mannen die ooit zijn familie waren. Deze keer was hij extra zorgvuldig. Hij bekeek Jimmy's lijk van top tot teen. Hij vond haar mobiele telefoon in zijn zak, maar geen paspoort. Hij keek naar Stevan – waarbij hij even iets van teleurstelling voelde – en schopte zand in Jimmy's gezicht.

Klootzak.

Hij schopte nog wat zand over hem heen.

Zielige, sadistische, trouweloze, inhalige klootzak...

De woonkamer leek op een slachthuis. Zelfs met de deur wijd open was de klamme kopergeur onmiskenbaar. Michael liep voorzichtig en schakelde zijn emoties uit toen hij naar de gezichten van de mannen keek die hij bijna zijn hele leven had gekend. Ze waren soldaten, harde mannen die een harde dood waren gestorven.

Hij vond Elena's paspoort op een kapotgeslagen bureau in een kamertje onder de dakrand. Hij liet het in zijn zak glijden. In hetzelfde kamertje trof hij nog een lijk aan en een kist met de favoriete wapens van Jimmy. Er waren een stuk of zes handwapens, rustend in schuimrubber. Messen. IJzerdraad. Een ijspriem. De wapens zouden schoon en niet traceerbaar zijn, maar een wapen van hier meenemen zou op de een of andere manier niet goed voelen. Niet omdat stelen fout was, maar omdat het *smerig* fout zou voelen. De man brandde in de hel.

Laat die klootzak maar branden.

Michael raakte de wapens niet aan. Beneden doorzocht hij de andere kamers om te zien of er sporen van Elena waren. Hij probeerde de plaats delict door de ogen van een politieman te zien en schudde zijn hoofd bij de gedachte. Hij moest de lijken opruimen en het huis en de schuur in brand steken. Want bij een moordpartij als deze kon je van één ding zeker zijn: de politie zou het nooit opgeven. Ze zouden blijven graven, steeds dieper. Ze zouden de waarheid laag voor laag onthullen. Ze zouden elke mogelijkheid onderzoeken, elk spoor volgen. En wie weet wat ze zouden vinden? Elk van deze lijken zou leiden naar Otto Kaitlin. Dat zou hen verbinden aan de moorden in New York: de dode soldaten in Otto's huis, de burgers in en om restaurant Chez Pascal. Hoeveel lijken? Michael probeerde ze te tellen, maar dat lukte niet, omdat hij geen idee had hoeveel burgers waren omgekomen. Hoe dan ook bleef er een kans, hoe miniem ook, dat er een spoor naar hem zou leiden. Dat kon hij niet laten gebeuren. Niet nu. Niet nu hij zo dichtbij was.

Hij overwoog alles: logistiek, timing, benodigdheden. Hij knikte, was overtuigd. Drie uur, dacht hij, misschien vier. Hij zou Elena naar het vliegveld brengen, en dan kwam hij hier terug om de lijken op te ruimen en alles in brand te steken. Dat leek een goed plan. Hij was tevreden.

Toen vond hij het dossier.

Het was een simpele documentenmap, tien centimeter dik en dichtgemaakt met elastiek. Hij lag op een hoek van een nachtkastje in een slaapkamer achter in het gebouw Dit was Stevans kamer, besefte Michael: mooie pakken in de kast, Italiaanse schoenen, zijden zakdoekjes. Michael ging op het bed zitten en sloeg de map open.

En alles veranderde.

Hij zag nog niet alle puzzelstukjes, maar sommige dingen werden nu duidelijk: waarom Stevan hier was, wat hij van plan was, waarom hij Julian had bedreigd. Michael bladerde door foto's, beëdigde verklaringen en financiële gegevens. Een deel van dit materiaal had hij lang geleden gezien, maar dit dossier was completer, schadelijker. Als gezegd: dit veranderde alles. Dit impliceerde allerlei mogelijke gevolgen. Michael sloot de map en schoof de elastieken er weer omheen. Tussen de veranda en de auto besloot hij dat hij niets ging verbranden: het huis niet, de lijken niet. De politie wilde zich uitleven? Prima. De media wilden een verhaal? Best.

Het dossier veranderde alles.

Hij klom in de auto, trok de deur dicht en bleef een paar seconden lang zitten. Elena keek hem bevreemd aan, maar hij was verdiept in zijn gedachten. Wat konden de gevolgen van zijn vondst zijn? Hij zag een uitweg en woog de gevaren daarvan af.

'Gaat het?'

'Wat? Ja. Sorry.'

'Is er iets gebeurd? Je lijkt in de war.'

'Ik in de war? Welnee. Ik denk gewoon na.'

'Waarover?'

Hij overwoog het haar te vertellen, maar dit was niet haar probleem. Het was het probleem van hem en van Julian. Hij zou haar op het vliegtuig zetten en het probleem oplossen. 'Nergens over, schat.' Hij stak de map in de gleuf in het portier en glimlachte toen hij Elena's paspoort uit zijn zak haalde. 'Nu niet meer kwijtraken, goed?'

'Hou je me voor de gek?' Ze pakte het paspoort.

'Ik probeerde je alleen maar een beetje op te vrolijken.'

Ze keek naar het huis en de schuur, en naar de mist die de bomen omhulde. 'Je maakt toch maar een grapje, hè?'

Hij knipoogde en haalde het wapen uit haar hand. 'Kom, we gaan ervandoor.'

Hij vond de snelweg toen de zon opkwam en de mist optrok. Elena slikte nog een paar pijnstillers en kroop dieper weg in de deken. 'Opvrolijken...' zei ze, en lachte een beetje. Daarna was het een vreemde rit. Het was moeilijk. Ze was zo dichtbij, maar ook zo ver weg. Hij raakte haar kwijt, maar wist diep vanbinnen dat ze moest gaan, tenminste voor een tijdje. Het werd allemaal te gecompliceerd. Na een tijdje zei ze: 'Hoever is het nog?'

'Dertig minuten. Misschien veertig.'

Ze knikte loom en hij wist dat de pillen begonnen te werken. Hij haalde zijn telefoon uit het opbergvak. 'Wil jij even bellen om naar vluchten te informeren?'

'Ik heb gebeld toen je in de schuur was. Er gaat vanmiddag een vlucht.'

Hij zag haar voor zich, in de mist, met een wapen in haar ene hand en een telefoon in de andere. Hij zag het helder voor zich en het deed hem pijn, omdat het zo gemakkelijk was het je voor te stellen. 'Heb je je vader gebeld?'

'Ik wil er liever niet over praten. Goed?'

Dat was moeilijk voor Michael, omdat hij het zich zo vaak had voorgesteld: naar Spanje vliegen om Elena's vader te ontmoeten. Hij wilde het op de juiste manier doen. Hij zou om haar hand vragen, zodat hun gezin zou worden opgebouwd op een basis van traditie en waarheid. Nu zou ze alleen naar huis gaan, zwanger, en was de kans op dat alles verkeken.

'Natuurlijk,' zei hij en het was weer een leugen die tussen hen kwam, weer een bittere nagel aan de doodskist van zijn hart.

De senator belde toen hij de buitenwijken van Raleigh had bereikt. 'Hallo Michael. Dit is senator Vane. Bel ik je te vroeg?'

'Helemaal niet, senator.' Michael keek naar de map naast zijn been en voelde woede opborrelen. 'Wat kan ik voor u doen?'

'Abigail zegt dat je weer terug bent. Ik wilde je uitnodigen voor een brunch. Dan kunnen we over Julian praten. Het wordt allemaal steeds ingewikkelder en ik denk dat wij drieën de enige hoop voor die jongen zijn. We moeten de koppen bij elkaar steken en bedenken wat we het beste kunnen doen. Kun je hier om ongeveer elf uur zijn?'

Michael keek naar de weg, en hij kon ver vooruitkijken. Heel ver. Hij dacht aan de map en kon nog verder zien. 'Dat gaat niet lukken, senator.'

'O.'

Er klonk oprechte verbazing in zijn stem en Michael lachte. De senator was precies als Stevan: verwend, gewend zijn zin te krijgen. 'Misschien morgen.'

'Als je zeker weet dat het vandaag niet lukt...' Hij liet een stilte vallen.

'Morgen, senator. Ik bel u zodra ik terug ben.'

'O, ben je onderweg?'

'Ik bel u morgen. Bedankt voor de uitnodiging.'

Michael hing op en belde Abigail, die de telefoon twee keer liet overgaan en toen opnam. 'Met Michael.'

'Gaat het? Wat is er aan de hand? Hoe is het met Elena?'

'Goed. En met mij gaat 't ook goed.'

'Sorry. Ik ben nogal schrikkerig vandaag. Ik heb helemaal niet geslapen. Randall bleef maar vragen hoe ik gewond was geraakt. Hij liet niet los. Jessup werd er ook bij betrokken. Het was een chaos. En bovendien, mijn hersenen blijven maar malen. Ik blijf die beelden zien.'

Michael wist wat ze bedoelde. De dood had die macht.

'Moet je horen,' zei hij. 'Heb je al plannen voor de brunch vandaag?'

'Wat? Nee.' Ze klonk in verwarring gebracht. 'Brunch?'

'Laat maar. Het doet er niet toe.'
'Ben je in het motel?'
'Ik breng Elena naar een veilige plaats.'
'Dat is goed, slim van je.' Ze vroeg niet waarheen, en daar was Michael blij om.
'Je komt toch wel terug, hè?'
Er klonk lichte paniek in haar stem en hij wist dat ze aan de lijken dacht. 'Ik laat nooit losse eindjes achter, Abigail. Nu ook niet. Dat beloof ik.'
Ze blies hoorbaar haar adem uit. 'Het is een zware nacht geweest in een leven vol zware nachten. Ik bedoelde het niet negatief.'
'Ik moet nog iets doen en ben niet terug voor vanavond laat of morgenvroeg. Ik zal je bellen. En bel mij als Julian opduikt.'
'Doe ik.'
'Nog één vraag,' zei Michael. 'Het is persoonlijk.'
'Daar heb je inmiddels het recht op.'
'Het is zéér persoonlijk.'
'O, lieve hemel...'
'Hou je van je man?'
'Dat is een rare vraag.'
'Ik bedoel niet zomaar van hem houden, Abigail. Ik bedoel écht van hem houden. Is hij belangrijk voor je?'
Ze zweeg secondelang. 'Kun je me zeggen waarom je me dit vraagt?'
'Nee, maar het is belangrijk. Het blijft tussen ons.'
'Ik ben zevenenveertig, Michael. Ik hou niet van raadseltjes.'
'Ik moet weten of je van de senator houdt.'
'Nee.' Diepe stilte terwijl de wereld voorbijflitste. 'Ik hou van iemand anders.'

Ze bereikten Raleigh-Durham International Airport om tien over negen. Er was veel verkeer, de stoep was vol mensen. Michael vond een plekje om te parkeren vlak bij de vertrekhal van American Airlines. Elena zat rechtop, met haar handen in haar schoot. Haar nek was zichtbaar stijf. Michael boog zich naar voren en keek langs haar heen naar de mensenmassa. 'Ik ga een kruier zoeken.' Hij gebaarde naar een kruier die binnen stond, gaf hem honderd dollar en vroeg om een rolstoel. 'Die zilverkleurige Range Rover daar.' Hij wees. 'Hier buiten.'
'Een ogenblikje alstublieft, ik ga de rolstoel halen.'
'Je krijgt nog eens honderd dollar als je twee koffie meeneemt, één

zwart en één koffie verkeerd. En iets van een broodje, alsjeblieft.'

De kruier haastte zich weg en Michael baande zich een weg door de mensen. Hij haalde geld uit de zak in de kofferbak, opende Elena's deur en hurkte voor zover zijn stijve been dat toeliet. Ze wilde hem niet aankijken. Haar huid trok plooien in haar ooghoeken. Haar voet was verbonden, haar lippen waren gezwollen. Michael vouwde het geld klein, nam haar hand en legde het geld erin. 'Dit is dertigduizend dollar...'

'Zoveel heb ik niet nodig.'

'Je weet niet wat je nodig hebt. Neem het aan. Ik wil je wel meer geven, maar dat valt te veel op.' Hij opende het dashboardkastje en vond een grote envelop waarin het boekje van de auto zat. Dat haalde hij eruit. 'Hier.' Hij gaf haar de envelop en keek om zich heen toen hij de biljetten erin deed. 'Luister.' Hij legde een hand op haar goede been. 'Iedereen die je kwaad had willen doen, is dood. Jimmy. Stevan. Niemand zoekt je.' Hij liet zijn hoofd zakken en trok zijn wenkbrauwen op. 'Dat ligt allemaal achter je nu.'

'Ik proef nog steeds metaal.' Ze pauzeerde, zakte in. 'Ik voel het in mijn mond.'

'Niet doen...'

'Ik dacht dat ik dood was, Michael. Als ik mijn ogen sluit, zie ik zijn hand naar die stok grijpen. Ik zie jou schieten, maar het houdt nooit op.' Ze voelde aan haar gekneusde lippen. 'Ik proef nog steeds metaal.'

Hij kneep in haar been. 'Het is voorbij. Het is klaar.'

'Ik zal je missen.'

'Ga dan niet weg.'

Maar ze schudde haar hoofd. 'Ik wil naar huis, naar mijn vader. Na dit alles heb ik iets puurs nodig.'

'Mijn liefde voor jou is puur.'

'Dat je gevoelens dat zijn geloof ik wel.'

'Maar je gelooft niet dat ík puur ben?'

'Kun je me dat kwalijk nemen, Michael?'

Hij keek een andere kant op en schudde zijn hoofd.

'Geef me dan tijd,' zei Elena.

'Hoeveel tijd?'

'Weken, maanden. Ik weet het niet. Maar ik bel je.'

'Waarom?'

'Om afscheid te nemen of om je te vertellen waar ik ben. Een van de twee. Niets anders.'

Michael bestudeerde de lijnen in haar gezicht en voelde iets van paniek. Hij wist niet eens waar ze was opgegroeid – ze praatte er nooit over. Hij wist alleen dat het een dorpje in de bergen van Catalonië was. Als ze wegging, zou hij haar nooit meer zien.

Maar wat kon hij doen?

Hij gebaarde naar de rolstoel en hielp Elena erin. Hij gaf de krukken aan de kruier.

'Bagage?'

'Nee.' Michael haalde duizend dollar uit zijn zak.

'Wat ze maar wil.' Hij gaf hem het geld. 'En zolang ze het wil. Begrijp je?'

'Ja, meneer. Absoluut.'

'Wil je ons nu heel even alleen laten?'

'Ja, meneer.'

Michael pakte zijn koffie aan en zette die op de auto. Hij gaf Elena een beker en een papieren zakje. 'Ik weet dat je dit lekker vindt.'

Ze keek naar de zak; ze dacht aan gele verf en ontbijt op bed; ze dacht aan ongeboren kinderen en aan beloftes die nooit waren nagekomen.

'Je had gelijk, weet je.'

'Waarover?' vroeg ze.

'Ik had met je weg moeten gaan uit die botenschuur. Dan was dit allemaal niet gebeurd.'

'Julian moet wel heel speciaal voor je zijn als je zoveel van hem houdt. Je hebt gelijk dat je hem wilt helpen.'

'Maar jíj bent mijn familie.'

'En hij is je broer. Het is goed, Michael. Ik begrijp het.'

Michael knipperde een paar keer met zijn ogen en schraapte zijn keel. 'Wat ga je doen?'

'Tijd doorbrengen met mijn familie. Genezen. Dit proberen te verwerken. En jij?'

Michael dacht aan Slaughter Mountain, aan een lijst met namen en aan de inhoud van een dikke map. Hij dacht aan de politie die naar zijn broer zocht, en aan Julians kwetsbare geest. 'Ik ga naar antwoorden zoeken,' zei hij. 'Julian uit deze rotzooi halen. Afmaken waar ik aan ben begonnen.'

'Is dat alles? Iemands leven redden? Een paar moorden oplossen?' Ze lachte naar hem. 'Peanuts!'

'Hou je me voor de gek?'

'Misschien een beetje.'

'Doe dat nog eens.'
Haar glimlach verdween. 'Ik moet gaan.'
'Denk er nog eens over na.'
'Ik moet nu gaan.'
'Luister, liefste. Ik weet dat ik... niet puur ben.' Zijn handen vonden de armleuningen van de rolstoel en hij leunde voorover. 'Maar ik ben meer dan de dingen die ik heb gedaan. Ik hoop dat je ooit die waarheid zult erkennen.'
'Michael...'
Hij boog zich nog verder voorover en kuste haar wangen. Ze legde een hand op haar buik, voelde de baby bewegen.
'Goeie reis,' zei hij.
En hij draaide zich om.

43

Abigail zat op de rand van haar bed toen haar man de kamer binnenliep, rusteloos, moe en onverzorgd. Witte stoppels bedekten zijn wangen. Zijn ogen waren bloeddoorlopen en hij rook naar de drank van de afgelopen nacht. 'Wat zie jij er hinderlijk fris uit.'
'Dank je.' Abigail stond op en streek wit katoen glad.
'Jezus. Je bent nog te dom om te begrijpen dat ik dat sarcastisch bedoel.'
'Je bent bang. Ik hoor het aan je.'
'Bang? Ik?'
'Je wereld stort in elkaar, of niet?'
'Dat is ook jouw wereld.'
Abigail haalde haar schouders op. 'Je wint de volgende verkiezing. Of je verliest haar. Je politiek of je reputatie hebben me nooit zoveel geïnteresseerd.'
'Maar mijn geld interesseert je wel.'
Ze stak haar kin in de lucht. 'Ik denk dat we al jaren eerlijk zijn over wat we van elkaar verwachten. Ja, ik hou van je geld. En wat dan nog?'
'Jij bent nog altijd de inhalige kleine slet die ik jaren geleden heb opgeraapt.'
'Ik ben nooit een slet geweest.'

'Nee. Dat is waar. Een slet weet hoe ze iemand een goeie beurt moet geven.'

'Je bent dronken.'

'En Nero speelde viool terwijl Rome brandde. En wat dan nog?'

'Niets.' Ze forceerde een glimlach. 'Ik ga weg. Ik wens je een fijne ochtend.'

Ze draaide zich om en hij greep haar arm met zijn dikke vingers. 'Laten we nou niet net doen alsof jij zelf geen smerige geheimpjes hebt.'

'Laat me gaan, Randall.'

'Je eigen duistere, kleine wereldje.' Ze probeerde zich los te rukken, maar hij verstevigde zijn greep en wankelde. 'Waar was je gisteren, mijn trouwe vrouwtje? Nou? Waar is de Mercedes? Hoe kom je aan die aubergine op je gezicht?'

'Nu is het genoeg.'

'Waar is Michael? Aha, nu luister je opeens. Kijk nou toch.' Hij zwaaide weer met zijn dikke vingers. 'Die was raak.'

'Wat weet je over Michael?'

'Ik weet dat hij is neergeschoten. Ik weet dat je míjn dokter hebt omgekocht. Met míjn geld. Of dacht je nou echt dat hij me dat niet zou vertellen?'

'Ik dacht dat je wel zo verstandig was om erop te vertrouwen dat ik het goed zou doen. Ik dacht dat we het daarover in elk geval eens waren. Niemand heeft meer gedaan om de goede naam van deze familie te bewaren dan ik.'

'Michael is geen familie.'

'Ik moet nu gaan.'

'Ik wil weten wat er aan de hand is.'

'Niets.'

Ze stapte naar de deur, maar hij was verbazingwekkend snel voor zo'n grote en zware man. Hij stak een arm uit en gooide de deur dicht. 'Ik wil verdomme weten wat er aan de hand is!'

'Ik praat niet met je wanneer je zo bent.'

Hij vormde met één hand een klauw. 'Er gebeurt van alles...'

'Dat weet ik.'

'Dingen die jij onmogelijk kunt begrijpen en waarvan jij de implicaties onmogelijk kan overzien...'

'Ik weet genoeg.'

'Je weet niet alles.' Hij kwam dichter bij haar staan, torende boven haar uit. 'Waar is Julian? Wat hebben die dode kerels met hem te maken?

Ik weet dat er een verband is. We kennen hun namen.'

Abigail keek naar de deur en zuchtte toen diep. 'Kun je je genoeg beheersen voor een behoorlijk gesprek? Kun je redelijk zijn?'

Hij pakte haar arm weer en kneep hard genoeg om haar pijn te doen. 'Vertel me wat je weet.'

'Je doet me pijn.'

'Mooi zo.'

'Verdomme, Randall.'

Hij liet haar arm los en ze wreef over de pijnlijke plek. 'Al die mannen waren tegelijk met Julian in het IJzeren Huis. Ja? Ze waren in het IJzeren Huis.'

'Hoe kan jij dat weten? Ze hebben het derde lijk nog niet eens geïdentificeerd.'

'Chase Johnson. Het is Chase Johnson. Dat moet wel.'

'Nog een jongen uit het IJzeren Huis?'

'Ja.'

'Waarom liggen hun lijken in mijn meer?'

'Dat weet ik niet. Ik...'

'Wat?'

'Ik heb ze hierheen gehaald, ja? Ik heb ze geld gegeven om hier te komen. Ik heb ze gevonden en ze betaald.'

'Waarom?'

'Om hen excuses te laten maken tegenover Julian. Hij is nooit vergeten wat er in dat vreselijke tehuis is gebeurd. Ik dacht dat als ze dat zouden doen, hij het verleden zou kunnen afsluiten. Dat hij het eindelijk allemaal achter zich zou kunnen laten. Hij is tweeëndertig. Dat is te oud om nog zo'n last met je mee te dragen.'

'Je hebt ze hierheen gehaald zonder met mij te overleggen.'

'Ja.'

'Naar mijn huis.'

'Randall...'

'Je hebt ze naar mijn huis gehaald en Julian heeft ze vermoord.'

Het was geen vraag. Zijn huid lubberde, zijn mond was een dunne streep. 'Je hebt ze hierheen gehaald en die stomme bastaard van je heeft ze gedood.'

'En wat als dat zo is?' Nu was het Abigails beurt om boos te zijn. 'Ze verdienden het.' De senator hief zijn hand alsof hij haar wilde slaan, maar Abigail stapte naar voren, kin omhoog, heldere ogen. 'Waag het eens, godverdomme.'

Hij liet zijn hand zakken. 'Soms, liefste, lijkt het verleden in je naar boven te komen.'
'Welk verleden?'
'Een glimp van wat je was voor ik je opraapte.'
'Dat neem je terug.'
Hij grijnsde vals. '*White trash*... Achterbuurttuig.' Hij schudde zijn hoofd en bauwde haar na. '*Waag het eens, godverdomme.*' Hij trok zijn jasje recht. 'Wie heeft jou opgevoed?'
Er kwam iets donkers in Abigails ogen. 'Val dood.'
'Kijk, alweer!'
'Als je niet ophoudt me af te zeiken, Randall, krijg je daar spijt van.'
'En hoe dan wel? Ga je dan bij me weg?' Ze keek een andere kant op, en zijn stem verkilde. 'Precies. Je hebt het hier naar je zin, hè? Je houdt van de macht, van het geld. De hele flikkerse rotzooi. Miezerige kleine rothoer.'
Abigail liet met kracht haar knie omhoogkomen, tussen zijn benen. De senator wankelde, met zijn handen op zijn knieën. Zijn sluwe gezicht zag knalrood. 'Kreng. Verdomd... kreng...'
'Ik had je gewaarschuwd.'
'God... ver... dómme...'
Abigail rechtte haar rug en ging verder met het gladstrijken van het witte katoen. 'Je bent zielig.'
Ze deed de deur open en liep de lange, rijk geornamenteerde gang in.
'Alsof jij zo perfect bent,' riep hij.
Ze sloot de deur, maar hoorde hem nog tieren.
'Zo lelieblank en zo volmaakt, verdomme!'

44

Jessup stond voor een kleine spiegel in de badkamer van zijn verblijf. Hij was om zes uur opgestaan, had een lange, zorgelijke wandeling in het bos gemaakt en had koffiegezet in het apparaat dat al veertien jaar dienstdeed. Hij nam een douche terwijl de koffie doorliep, schoor zich zorgvuldig en deed een wit overhemd en zijn favoriete kaki broek aan. In de spiegel zag hij een mager gezicht vol lijntjes. Door zijn zongebruinde huid leken zijn tanden en haar nog witter dan in werkelijkheid. Hij probeerde een *windsor*-knoop te leggen in een kleurige wollen das, maar zijn handen trilden te veel.

Hij ademde diep in en begon opnieuw.

Abigail loog tegen hem. Geen onbeduidende leugentjes, maar het echte werk. Eerst had ze het pistool meegenomen, toen verdween ze en was ze teruggekomen, gewond en onder het bloed. Ze wilde hem niet vertellen waar ze was geweest of wat er was gebeurd. Hij wist niet wat hem bozer maakte: de gedachte dat ze in gevaar verkeerde of het feit dat ze hem er niet bij had betrokken. Deze vrouw was zijn leven.

Wist ze dat niet? Kon het haar niets schelen?

De knoop was gelukt en hij trok de das strak aan. Hij zag dat de zorgen in zijn ogen te zien waren. Ze waren blauw en helder en te oud om hem vanuit de spiegel met zoveel pijn aan te kijken. Maar hij kon de man niet veranderen die hij in zestig jaar tijd was geworden. Dat wilde hij trouwens ook niet.

Hij trok aan een koord om het licht uit te doen en liep de badkamer uit en de krappe woonkamer in waar hij zo'n groot gedeelte van zijn leven had doorgebracht. Hij woonde hier al twintig jaar en elke centimeter van de ruimte was hem vertrouwd: de stenen open haard, de boekenkasten tegen de muren en de hoek waar hij graag de wandelstokken zette die Abigail hem in al die jaren gegeven had.

Hij ging op de bank zitten en keek naar de laarzen die hij na zijn wandeling had uitgedaan. Ze waren oud en van leer, gemaakt om de kuiten te beschermen tegen hondsrozen, scherpe schaliepunten en slangenbeten. Ze stonden in dezelfde hoek en waren van onder tot boven bedekt met plakkerige zwarte modder. Hij had dezelfde modder op Abigails broek en schoenen gezien toen ze vannacht eindelijk terugkwam. Dezelfde verdomde modder, roetzwart en met een geur van verrotting. Er was maar één plek op het landgoed met die modder. Dus was hij gaan wandelen. Op zoek naar iets wat hij ook had gevonden.

Maar wat betekende het?

Hij bleef lang zitten en staarde naar de laarzen. Hij dacht aan veel dingen en kwam pas in beweging toen er op de deur werd geklopt. Hij stond vlug op, omdat alleen Abigail hier kwam. Omdat hij wist hoe ze op de deur klopte. 'Fijn dat je nog aan me dacht.' Hij zette een stap terug en liet haar binnen. 'Ik was al bang dat ik naar je op zoek zou moeten.' De woede welde onverwachts op, als reactie op de zorgen en de angst, op een gevoel van verraad dat zo intens was dat hij dingen miste die hem anders waren opgevallen.

'Jessup, ik...'

'Laat maar.' Hij bleef onbuigzaam. 'Ik heb de auto gevonden.'

'Wat?'

'Je hebt die in het moeras gedumpt aan de zuidelijke kant van het landgoed. Je hebt de auto gedumpt en je bent teruggelopen. Je hebt tegen me gelogen.'

'En wat dan nog?'

'De auto zit onder het bloed.'

Haar houding verstarde. 'Wat kan mij die rotauto schelen.'

Toen zag hij wat er anders was. De razende, gloeiende ogen. De felle blos. De snelle ademhaling. De indruk dat ze buiten zichzelf was. Ze zwaaide even op haar benen en kwam toen dichterbij, met het zweet als dauw op haar huid – de geur van lavendel en honing.

Er was iets mis.

Er was iets mis met haar ogen. De pupillen waren onnatuurlijk wijd en er lag een glazige glans in, maar het was meer dan dat. Het was alsof er een andere ziel achter die ogen leefde. Een gevaarlijke ziel.

'Kus me,' zei ze.

'Wat?'

'Kus me. Neem me.' Ze raakte zijn arm aan en hij zette een stap naar achteren.

'Je bent jezelf niet.'

'Nee, dat ben ik inderdaad niet. Het leven is een wrede grap en ik ben niet mezelf.'

Ze kwam zo dicht bij hem staan dat hij de warmte van haar huid voelde, de aanraking van haar vingers op zijn riem. Hij zag de fijne poriën op de brug van haar neus, de duistere honger die haar dreef.

'Stop!' Het woord kwam er te hard uit, te bruusk.

'Ik dacht dat je dit wilde.' Ze betastte zijn gesp. 'Al die jaren...'

Hij haalde haar handen van zijn taille. 'Niet zo.'

'Hoe?'

Hij voelde zijn gezicht verstrakken. 'Doe me dit alsjeblieft niet aan.'

'Wil je me niet?'

'Ik wil dat je weggaat.'

'Jessup, alsjeblieft...'

Hij trok de deur open en zijn stem brak. 'Martel me niet langer en maak dat je wegkomt.'

45

Slaughter Mountain lag zo ver van de bewoonde wereld als maar denkbaar was, maar je kon het bereiken via iets wat je met een beetje goede wil een verhard pad kon noemen. Puinzooi! dacht Michael, toen hij door weer een geul vol modderwater klapte.

Maar hij kwam nu in de buurt. Dat voelde hij.

In de buurt van een antwoord.

In de buurt van *iets*.

De dode jongens hadden iets te maken met het IJzeren Huis. Net als Julian, de senator en zijn vrouw. De naam van Salina Slaughter stond op dezelfde lijst als die van Abigail Vane en de dode mannen die hij als jongens had gekend. En Slaughter Mountain was niet meer dan dertig mijl bij het IJzeren Huis vandaan. In zo'n uitgestrekt gebied was dat verdomd dichtbij. Er moest een verband zijn.

Maar welk?

De weg ging steil omlaag en werd toen vlakker op een plaats waar een smalle brug een vijftien meter brede kloof. Het was nog vroeg in de middag, maar daarbeneden schemerde het al. Michael had geen auto of levend wezen meer gezien vanaf het moment dat hij een pompbediende had gevonden die wist hoe je bij Slaughter Mountain kon komen. Dat was een halfuur geleden. Daarvoor was Michael al drie keer gestopt, maar zonder succes. Niet dat de mensen onvriendelijk of onwillig waren, maar richtingborden leken hier niet te bestaan en de aanwijzingen waren onbegrijpelijk als je niet wist wat de dode spar aan het eind van Miller's Field was, of de brug waar dat dwaze kind van die toerist in de greppel was gevallen en zijn stuitje had gebroken.

Michael reed langzaam over de brug en keek langs de helling naar beneden. Door een opening tussen de bomen zag hij hier en daar de snelle, wit bruisende stroom glinsteren. Hij reed langzaam verder en hield de linkerkant van de weg in de gaten, tot hij een zijpad vond dat tussen de dichte bosschages omhoogliep. Het was smal en overwoekerd; de kruinen van de bomen raakten elkaar, waardoor het een donkere tunnel leek.

Michael keerde de auto, stopte en stapte uit. Het richtingbord was door struiken aan het zicht onttrokken, maar stond precies waar de pompbediende had gezegd. Michael trok de takken van braam en wingerd weg en zag de grafsteenachtige plaat:

1898

Hij reed naar de top van de heuvel, die zwaar gehavend bleek. Twee derde ervan was afgegraven – opgeblazen, vermalen en uitgehold. Hij passeerde groeven en schroothopen, en totaal versleten metalen werktuigen, verroest en afgedankt. De stukken en brokken lagen kilometers in het rond.

Op een heuvel in de verte stond een ruïne van een landhuis.

Michael volgde de weg die rond het terrein van de mijn slingerde. Die lag bezaaid met grijze, verpulverde keien. Diepe kuilen in de weg stonden vol water waarin de hoge blauwe lucht weerspiegelde. Hij reed langs transportbanden, autowrakken en ingestorte houten bouwsels. Bergruggen reikten tot aan de horizon, wazig blauw, en Michael vroeg zich af hoe hoog deze berg was geweest voordat de Slaughters hem sloopten tot er niets meer van over was. Hij keek in westelijke richting, ver Tennessee in, en in het oosten naar Iron Mountain, en reed toen tussen de bomen door verder omhoog naar een moerassige vlakte vol puin.

Een van de vleugels stond nog ternauwernood overeind. De rest van het gebouw was ooit, lang geleden afgebrand. Er groeide gras tussen de geblakerde balken en hopen uitgehakte keien, en glasscherven weerkaatsten het zonlicht. Vier schoorstenen staken uit de puinhopen omhoog, twee andere waren ingestort. Ooit moest het een reusachtig gebouw zijn geweest. Nu lag het er net zo onttakeld bij als de berg.

Bij de dichtstbijzijnde hoek stond een oude pick-up geparkeerd. De ooit vuurrode lak was verschoten, er zaten roestplekken op de motorkap en de terreinbanden waren in het midden glad afgesleten. Michael stopte naast de truck, opende zijn portier en stapte uit. Een kleine, gebogen figuur duwde een kruiwagen over een platgetreden pad tussen het puin. Michael wachtte tot de man naderbij kwam. 'Kan ik u soms helpen?'

De man schrok en de kruiwagen begon te kantelen. Hij probeerde hem recht te houden, maar zijn armen waren dun en zijn vracht was zwaar. De kruiwagen sloeg om. Stenen rolden eruit. De oude man keek eerst geschrokken en toen boos. Het was onmogelijk te raden hoe oud hij was. Hij kon vijfentachtig zijn, maar ook honderdtien. Zijn gezicht was een masker van groeven en gerimpelde huid, zijn lichaam was pezig en krom. Hij droeg schamele kleding en kale leren laarzen met afgesleten zolen. 'Verdomme, jongen.'

'Sorry, hoor.'

De man loenste en stak een hand in zijn zak alsof hij daar een mes had zitten. 'Ik steel helemaal niets. Dit hier is van niemand meer.'

Michael zag dat de laadvloer van de truck vol lag met handgevormde bakstenen die misschien op een tweedehandsmarkt nog wat opbrachten. Hij haalde zijn schouders op. 'Neem die gerust mee, mij kan dat niks schelen.'

De oude man nam hem van top tot teen op. 'Toerist of zo?'

Michael schudde zijn hoofd. 'Laat me u even helpen.'

Hij liep naar hem toe, zette de kruiwagen rechtop en begon de gevallen stenen er weer in te gooien. De man keek toe, bukte zich toen en begon ze met zijn knoestige, bevende maar vaardige handen op te stapelen. Hij wees naar de Range Rover. 'Sorry, maar de meeste mensen met geld zijn hufters. Ik dacht dat jij er ook zo een was.'

'Ik werk met mijn handen. Ga je die stenen verkopen?'

'Ik ga een barbecue metselen.'

'O ja?'

'Om iets omhanden te hebben.'

Michael glimlachte; hij wist niet of de man hem in de maling nam. 'Was dit hier van Slaughter?' vroeg hij.

'Wat ervan over is.'

'Wat is er gebeurd?'

'Afgebrand. Een jaar of dertig geleden.'

Michael raapte de laatste steen op, pakte de handgrepen en begon de kruiwagen naar de pick-up te duwen. 'Zijn er hier nog ergens Slaughters over?'

'Volgens mij niet.'

'U weet het niet zeker?'

'Ik heb m'n hele leven hier gewoond. Dus ik zou het moeten weten.'

Ze kwamen bij de pick-up en Michael zette de kruiwagen neer. Hij pakte een steen en liet hem in de laadbak vallen. 'Enig idee waar de familie gebleven kan zijn?'

'De hel, denk ik.'

'Allemaal?'

'Voor zover ik weet, was alleen de mevrouw er nog.'

'Serena Slaughter?'

'Gemeen serpent! Liet je werken tot je erbij neerviel of je rug brak. Zo rijk als God almachtig, maar vals tot op het bot. Ze is omgekomen bij die brand. Ik hoop dat ze hard gegild heeft.'

Hij trok een zakdoek uit zijn zak en snoot luidruchtig zijn neus. Michael keek naar de bergen die zich in een zacht blauw licht naar het oosten uitstrekten.

'Kende u haar?'

'De meeste mensen hier kenden haar. Of werkten in elk geval voor haar.'

'Kunt u me er iets over vertellen?'

'Liggen alle stenen in de laadbak?'

Michael glimlachte opnieuw en begon de rest van de stenen over te laden. De man veegde met dezelfde zakdoek zijn gezicht af.

'Kende u haar persoonlijk?'

'Nooit de moeite genomen.'

'Van wie is de berg nu?'

'Geen idee.'

Michael gooide de laatste steen in de truck. 'Zegt de naam Salina Slaughter u iets?'

'Nee. Pak die kant, wil je?'

Michael pakte de zijkant van de kruiwagen vast en samen tilden ze hem in de pick-up, omgekeerd op de hoop stenen. 'Is hier iemand anders in de omgeving die me meer kan vertellen? Had ze vrienden...'

'Je kan net zo goed aan een ratelslang vragen of hij vrienden heeft. Of aan een rotsblok.' Michael zag er blijkbaar teleurgesteld uit, want de man kneep één oog dicht en zei: 'Is dit belangrijk voor je?'

'Ik wil iets oplossen, ja.'

'Ben jij gauw bang?' Er verscheen een twinkeling in zijn oog – geamuseerd, maar ook niet zonder leedvermaak.

'Nee hoor,' zei Michael.

'Dan wil je vast wel achter me aan rijden.'

'Hoezo?'

'Omdat er een smerig oud mens is dat je misschien zou kunnen helpen en omdat je haar in geen miljoen jaar vindt als ik je niet laat zien waar ze zit.'

Michael liep achter de oude man aan om de pick-up heen en keek hoe hij instapte en het portier dichtsloeg. 'Wie is ze?'

De man stak zijn elleboog uit het geopende raam en startte de motor. 'Voor zover ik weet,' zei hij, 'is zij het getikte rotwijf dat hier de boel in de hens heeft gezet.'

De oude man had gelijk: Michael zou de plaats waar hij naartoe werd gebracht zelf nooit hebben gevonden. Ze reden de berg af, hielden links aan en sloegen een halve mijl voorbij de smalle bergstroom rechts af. Er was geen bord, bestrating of enige andere aanduiding dat het zin had hier rechts af te slaan. Ze volgden een modderig spoor dat afdaalde en zich daarna tweemaal splitste om uiteindelijk uit te komen in een nauwe kloof, waar in het midden een smal waterstroompje liep van nog geen meter breed. Het meeste bos was er gekapt, overal stonden stronken, maar er waren nog genoeg bomen over om schaduw te geven op de grond en te voorkomen dat de hele boel van de helling schoof. Er stonden een stuk of dertig bouwvallige huisjes; een paar waren geschilderd, maar de meeste waren van kaal hout. Er stonden een paar stacaravans die men op de een of andere manier hierheen had weten te slepen, maar de meeste bouwsels waren armoedige, verveloze hutten op een fundering van cementsteen. Sommige hadden een veranda. Overal stonden olietanks, sloopauto's en afgedankte werktuigen. De grauwheid van de modder overheerste, maar hier en daar zorgden bloempotten voor een sprankje kleur. Hoewel het warm was, steeg er rook op uit de schoorstenen. Het viel Michael op dat er geen elektriciteitsdraden van de weg boven het dal naar beneden liepen.

De oude man stopte bij het grootste van de gebouwtjes, dat ooit wit geverfd was. De ramen waren kapot en er zaten gaten in het dak. 'Wel eens gehoord van "gedwongen winkelnering"?' Hij liep naar Michaels portierraampje en wees naar het gebouwtje. 'Dat gebeurde daar.'

Michael klom uit zijn Rover. 'Wat bedoelt u?'

De oude man nam een rond blikje uit zijn achterzak, pakte er een pluk tabak uit en propte die achter zijn onderlip. 'Slaughter heeft dit destijds allemaal laten neerzetten. Hij verstrekte leningen, zodat we eigenaar konden worden van ons eigen huis en betaalde ons daarna deels contant en deels met krediet in zijn winkel. Je was gedwongen bij hem te kopen. De helft van de mensen hier heeft ooit voor hen gewerkt, of ze hebben gezien hoe hun ouders oud werden en er nooit in slaagden een cent over te sparen.'

'De helft?'

'De rest zijn hippies en daklozen en Mexicanen. De vrouw die je zoekt vind je aan het eind van dat pad, laatste huis, daar waar je dat water omlaag ziet vallen.' Hij wees naar een vaag, drassig paadje dat verdween tussen de bomen. 'Het huis staat aan de rand van de beek, met een grote platte zwerfkei als voortuin. Het moet er in het verleden wel aardig uit hebben gezien, toen de gele verf er nog op zat.'

Michael tuurde langs het pad naar de verte. 'Gaat u niet mee?'

'Dat is mijn huis, daar.' Hij wees naar een verveloze hut, vijftien meter verderop. Een half afgebouwde barbecue domineerde het rommelige stukje grond voor de veranda.

'Die vuurplaats ziet er goed uit.'

De man haalde zijn schouders op. 'Ik heb tegen m'n vrouw gezegd dat hij twintig jaar meegaat.' Hij knipoogde. 'Een beetje indruk maken is de beste manier om in vrede oud te worden. Ga daar maar naar beneden. Ze heet Arabella Jax. Haar oren zijn beter dan haar ogen en ze heeft al een paar keer een hond neergeknald die op haar veranda kwam. Dus zorg dat ze je hoort aankomen. En vertel haar niet dat ik je heb gestuurd.' Hij sopte terug naar zijn pick-up, maar Michael had nog een paar vragen.

'Waarom denkt u dat ze iets over Serena Slaughter weet?'

'Ik weet niet zeker of 't zo is, maar iedereen hier werkte in de steengroeve of in de mijnen. Zij is de enige die over is van degenen die in het huis werkten.'

'Wat deed ze dan?'

'De vaat. De was. De voeten van de oude mevrouw masseren. Weet ik veel.'

'Waarom denkt u dat zij het huis in de fik heeft gestoken?'

'Ze hadden ruzie over het een of ander.' De man hees zich in z'n pick-up en praatte door het raampje aan de passagierszijde. 'Maar vooral omdat zij de enige hier is die gemeen genoeg is voor zoiets.' Hij zette de pick-up in de versnelling en stak een hand op. 'Let goed op je portemonnee,' zei hij en reed met een grijns weg.

Michael keek hoe zijn wielen eerst modder sproeiden voordat ze grip kregen. Hij liep terug naar zijn eigen auto en voelde dat hij werd gadegeslagen, zag bewegingen in duistere vertrekken achter open ramen. Het zou maar een klein eindje lopen zijn, bedacht hij, maar hij betwijfelde of de Rover zijn afwezigheid zou overleven. Dus reed hij erheen.

Het pad liep tussen twee huizen door en maakte daarna een bocht naar de beek die het verder volgde, de kloof in. Michael had al heel wat armoede gezien, maar nog nooit zo schrijnend als hier. Dit gat bestond al heel lang en was altijd arm geweest. Geen stroom. Geen telefoon. Overal voor brandhout omgehakte bomen.

Het gele huis stond ver naar achteren en hij stelde zich voor hoe het er ooit uitgezien moest hebben. De beek stroomde er aan de voorzijde langs, botste daar tegen een reusachtige, platte kei en vormde een brede, diepe kom voordat hij in een sluier van opspattend water ruisend omlaag stortte. In de diepte zag je de beek verder stromen, oplichtend tussen het groen.

Daarmee had je al het aantrekkelijke wel genoemd. De meeste dakgoten waren al jaren geleden naar beneden gevallen en lagen te roesten tussen het afval. De stukken goot die nog hingen waren verstopt en er groeiden jonge boompjes in van meer dan een halve meter hoog. Blauw dakleer bedekte een deel van het dak en uit gaten waar de raamdorpels waren weggerot, staken proppen teerpapier. De veranda miste een aantal planken. Wat er nog aan verf te zien was, zat diep in de houtnerven.

Michael zette de motor af en stapte uit.

Een misselijkmakende geur walmde uit een open raam.

'Arabella Jax?'

Hij bleef op een veilige afstand van de veranda staan en hoefde niet lang te wachten.

'Wat moet je?'

De stem van een stevige roker, en behoorlijk krachtig.

'Ik zou u een paar vragen willen stellen.'

'Waarover?'

'Mag ik binnenkomen?'

Hij vermoedde dat ze vlak bij een raam zat. Aan de rechterkant, maar hij kon haar niet zien. Hij onderscheidde alleen vaag wat meubilair en een bruingeel gordijn.

'Praten doe ik niet voor niets,' zei ze. 'Heb je geld?'

'Ja.'

'Nou, sta daar dan geen wortel te schieten, zou ik zeggen.'

Michael liep voorzichtig naar de veranda. De deur stond open; er hing een versleten en gescheurde hordeur in de opening. De stank werd hier penetrant, haast ondraaglijk. 'Ik kom binnen,' zei hij.

'Je hoeft me verdomme niet elke stap te melden. Ik zie je hand tegen de deur.'

De hordeur klemde en zwaaide vervolgens zo ver open dat hij tegen de wand sloeg. De kamer erachter was schemerig en laag. Michael ontwaarde iets van een kaal tapijt en oude meubels. Arabella Jax zat in een stoel bij het raam. Ze droeg een ochtendjas die eens wit was geweest maar nu de kleur had van vuil afwaswater. Grijs haar plakte op haar schedel; haar gezicht was uitgezakt en vaalgeel; de oogkassen waren zichtbaar onder de huid rond haar ingevallen ogen. Ze liet één been rusten op een kleine geelgroene sofa, en het was dat been dat stonk. Het was van de voet tot de knie opgezwollen en paars. Er ontbraken twee tenen en in de aangetaste huid zaten een paar open zweren.

Diabetes, dacht Michael. En ernstig ook.

Zelf besteedde ze geen enkele aandacht aan de geur of de aanblik. Een oud jachtgeweer lag op haar schoot, dubbelloops, met opzichtig gekrulde hanen.

'Kom dichterbij,' beval ze.

Michael deed wat ze vroeg en ze boog zich voorover. 'Tjonge, knappe jongen.' Ze zakte terug en hield haar hand op. 'Eerst 't geld.'

'Hoeveel?'

'Alles.' Hij ging niet in discussie; hij had driehonderd dollar in zijn zak en gaf haar die. Ze telde het geroutineerd na, schudde toen een sigaret uit een verkreukeld pakje en streek een lucifer aan langs de rand van de tafel. Een wolkje rook kringelde uit haar geopende mond. 'Goed, vertel maar 'ns schatje...' Ze kneep haar ogen wat toe. 'Wat zou ik jóú kunnen vertellen dat driehonderd Amerikaanse dollars waard is?'

Michael bedacht hoeveel manieren er waren om dit aan te pakken. Hij kon haar tactvol benaderen, de achtergronden vertellen, leugens opdissen. Uiteindelijk besloot hij met de deur in huis te vallen. 'Wat kunt u me vertellen over Salina Slaughter?'

Ze verstijfde; rook kringelde rond haar gezicht. 'Salina Slaughter?'

'Ja.'

'Salina...' Haar handen staken bleek af tegen het geweer. 'Jij ellendeling!'

Ze zette haar duim tegen een van de hanen, spande die terwijl de loop omhoogkwam en liet haar slechte been op de vloer zakken. Er verscheen angst op haar gezicht, en ook woede. Ze bewoog zich verrassend snel, maar niet snel genoeg. Michael trapte het sofaatje opzij, deed een stap naar voren en griste het geweer uit haar handen. Ze drukte zich tegen de rugleuning van de stoel, handen geheven, haar tanden ontbloot. 'Godverdomme,' zei ze. 'Miserabele, ellendige, opgefokte stadsvlegel...'

Michael richtte het geweer op haar, liet de haan omhoogstaan en laadde door.

Ze zweeg. 'Bent u klaar?' vroeg hij.

Ze bleef hem aankijken. 'Niemand wordt zo snel door een godvruchtig leven te leiden.'

'Misschien niet.'

'Ga je die trekker overhalen.'

'Weet ik nog niet.'

'Wel, denk snel na, jongen, want ik heb m'n sigaret laten vallen en die schroeit m'n reet.'

'Ga uw gang.'

Ze diepte de sigaret op van tussen haar been en het kussen. Stak hem weer in haar mond. 'En zou je misschien...' Ze gebaarde naar de sofa. 'Mijn been is niet meer wat 't geweest is.' Michael schoof het ding met zijn voet naar haar toe. Ze legde haar been erop, leunde achterover en bekeek hem aandachtig, alsof het haar niet kon schelen of hij de trekker overhaalde of niet. 'Heeft die zakkenwasser je hierheen gestuurd om me te vermoorden?'

'Over welke zakkenwasser hebben we het?'

'Er is er maar één.'

'Hoe heet hij?'

'Jezus jongen, dat weet ik echt niet meer. 't Is zowat vijftien jaar geleden en hij duwde ook nog een pistool onder m'n neus. Voor een beschaafde dame als ik is het in zo'n situatie moeilijk om alles te onthouden.'

Michael deed een stap naar voren en zette de loop tegen haar voorhoofd.

'Ik ben niet iemand die zoiets twee keer vraagt.'

'Oké, oké. Dat hoeft niet. Ik heb zijn naam wel ergens in m'n hoofd. Laat me even denken, laat me even denken...'

'Niet te lang, dame.'

'Ik weet niet...'

Michael spande de tweede haan.

'Falls.'

Michael trok het geweer een paar centimeter terug. 'Jessup Falls?'

'Dat is 'm. Geen enkel oog voor de ellende van gewone mensen. Door en door slecht en meedogenloos. Geeft geen cent om z'n familie.'

'Z'n familie?'

Er verscheen een sluwe trek op haar gezicht. 'Jij denkt zeker dat je de eerste bent die hier komt om naar Salina Slaughter te vragen?'

'Is ze familie van u?'

Haar mond ging wijd open en met toegeknepen ogen lachte ze hem uit.

'Jij weet geen mallemoer, is 't niet, jochie? Er bestaat helemaal geen Salina Slaughter. En die is er ook nooit geweest. Weet je naar wie je eigenlijk vraagt? Abigail Jax.'

'Abigail?'

'Mijn dochter.' Ze gooide haar sigaret door het open raam.

'Hoe gaat 't met die harteloze, ondankbare nietsnut? Die vuile dievegge?'

46

De volgende drie kwartier bracht Michael door in het gezelschap van Arabella Jax, en het leek een eeuwigheid. Het was veel meer dan haar aanblik, meer dan de stank, meer dan de geleidelijke maar onafwendbare ineenstorting van alles om hem heen. Ze was onaangenaam, onuitstaanbaar, maar er zat een soort zwarte poëzie, een zeker ritme in haar stroom van leugens, in haar trots en geslepenheid. Zoiets als dit had Michael zelden meegemaakt, zelfs in zijn tijd op straat. Ze blufte waar ze kon, bond in als ze zich in het nauw gedreven voelde en kwam dan met nog meer branie terug. Ze wilde alles wat ze te pakken kon krijgen: geld en kennis en inzicht; zelfs van Michaels ziel had ze zich graag meester gemaakt als ze daar kans toe had gezien. Ze zei afschuwelijke dingen en probeerde hem dan weer te vleien alsof hij een onhandige tiener was, en onafgebroken loerde ze tersluiks hoe hij reageerde. Michael kon niet zeggen welk deel gespeeld was en welk deel werkelijkheid, maar hij kreeg kippenvel van de manier waarop ze naar hem keek, van de manier waarop ze haar hatelijke opmerkingen plaatste en dan haar mond openhield om langzaam de rook te laten ontsnappen.

'Slaap jij soms met mijn Abigail? Ze is knap genoeg voor zo'n prijsstier als jij. Dat heeft ze van mij.' Arabella streek wat losse haren achter haar oor. 'Is het daar bijzonder, waar ze nu woont?'

'Ik stel de vragen hier,' merkte Michael op.

'Je hebt de wimpers van een meisje. Val je misschien op jongens?'

'Laten we het over Abigail en Salina Slaughter hebben.'

'Ik durf te wedden dat Jessup Falls met haar slaapt. Zij weet heel goed hoe ze een man om haar vinger moet winden. Ik denk dat hij uit Raleigh kwam. Kom jij soms uit Raleigh?'

'Ik zeg niet waar ze is.'

'Alsof mij dat wat kan verdommen.'

Dat was een leugen; haar oog trilde, telkens als ze het over haar dochter had. Ze wilde graag weten waar Abigail was, wat ze deed. Ze hunkerde ernaar en tegelijk was ze bang. Het ging zo een tijdlang door. Michael stelde een vraag en zij probeerde die vraag terug te kaatsen. Ze wilde weten wie hij precies was, waarom hij eigenlijk naar haar toe was gekomen. Ze probeerde grip op hem te krijgen, maar Michael had het geweer vast en hij kende die trucjes maar al te goed. 'Laten we het hebben over Jessup Falls.'

'Wat is er met je been?' Ze zoog aan haar sigaret.

'Jessup Falls. Salina Slaughter.'

'Zal ik het masseren?'

Ze speelde het met lef, maar Michael was een maatje te groot voor haar. Hij leunde naar voren en pakte haar hand beet. Ze probeerde die terug te trekken, maar Michael kneep hard genoeg om duidelijk te maken dat het hem menens was. Dat het nog een stuk erger kon. 'Nou...' Hij kneep wat minder hard en klopte op haar hand. 'Ik vraag het u nog één keer...'

'Komt niks van in.'

'Ik doe dit liever niet.' Hij kneep weer harder en voerde de druk langzaam op.

'O m'n god...'

Haar gewrichten kraakten.

'Hij heeft je gestuurd!' Ze sperde haar ogen open en liet haar onderkaak hangen. 'O lieve heer. Dat heeft-ie echt.' Een nieuwe golf van angst kwam in haar op, een duidelijke, acute angst. Ze likte aan haar lippen, met een verwilderde blik in de ogen, en haar lichaam verstijfde. Het was gedaan met het poseren en haar ruwe poging een sluw spel te spelen. 'Het is niet nodig te doen zoals hij. Ik zal je alles vertellen. Let maar op. Wat wil je weten? Ik vertel 't je. Dat doe ik echt. Echt.'

Ze wilde hem zó graag overtuigen dat Michael het begreep. 'U bedoelt nu Jessup Falls.'

Ze knikte heftig en kneep haar ogen stijf dicht. Michael liet haar hand los. Wat er ook voorgevallen was tussen haar en Jessup Falls, het was niet aangenaam geweest. Ze was doodsbang. 'Laten we het hebben over Abigail,' zei hij.

En dat deden ze. Ze begon zwak en onzeker, maar toen de minuten verstreken en Michael haar niet meer aanraakte, kreeg ze weer de geest. Hij zag het in haar terugkomen: de geslepenheid en de berekening, het geloof dat hij haar misschien toch niet zo zou pijnigen als Falls had gedaan.

Uiteindelijk kreeg Michael toch wat hij weten wilde. Hij begreep nu een aantal dingen, en die dingen waren geen van alle aangenaam.

'Als u tegen me gelogen heeft, kom ik terug.'

Ze fronste haar wenkbrauwen en haar gezicht kreeg weer kleur. 'Of je nu wel of niet terugkomt, over een halfjaar ben ik toch dood.'

Ze schoot een peukje in de richting van z'n gezicht.

Spuugde op de vloer.

Michael wierp een laatste blik op de woonkamer en op die vrouw met haar verwoeste been en haar loszittende bruine tanden, en vertrok met het geweer onder zijn arm. Er was een heleboel wat hij nog niet begreep, maar er was ook veel wat wél duidelijk was. Abigail was in armoede opgegroeid. Best. Niets nieuws onder de zon. De weerzinwekkendste vrouw die hij ooit had gezien, had haar op de wereld gezet en had daarna haar best gedaan haar te verpesten. Ook dat gebeurt aan de lopende band. Het leven is een wrange grap.

Maar er had nooit een Salina Slaughter bestaan. Michael voelde nog de diepe haat in Arabella Jax toen ze hem dat uit de doeken deed.

'Dat stomme rotkind wilde zo graag rijk zijn, dat ze alles verzon. Ze vond het niet leuk dat d'r moeder aardappels schilde en de vaat deed en al dat andere rotwerk om haar een hap eten te kunnen geven. Weet je hoe ik erachter kwam? De mensen daar in de winkel lachten me uit! Vertelden dat de kleine Abigail tegen iedereen zei dat ze Salina Slaughter heette en dat de berg ooit van haar zou zijn als haar moeder doodging. Niet ik, let wel, maar dat serpent van 'n Serena Slaughter, die laag en gemeen was en me erger behandelde dan een hond. Díé wilde Abigail als haar mammie! Dát was het spelletje dat ze wou spelen, en iedereen hier in dit gat wist het! Salina Slaughter. Shit. Zelfs nadat ik dat mormel tot bloedens toe had geslagen...'

'Dat mormel' was destijds tien jaar oud. Vier jaar later stal ze alles wat haar moeder had, tot de laatste dollar, en liep midden in de nacht weg om nooit meer terug te komen. Maar Jessup Falls kwam wel. Hij mishandelde Arabella Jax, op zo'n manier dat ze nog steeds doodsbang voor hem was. Wat had Falls tot die extreme daad gebracht? Was het liefde voor Abigail? Of was het iets anders? Hoe hard was die man, en wat had het te maken met Julian en de overleden jongens van het IJzeren Huis? Er ontbraken nog een paar flinke stukken van de puzzel, en Michael had het gevoel dat hij wist wat voor stukken dat waren. *Geld. Feesten. Politici...*

Dat zinnetje liep door Michaels gedachten als een helderrode draad. Had de senator connecties met Slaughter Mountain? Wanneer en waar hadden hij en Abigail elkaar ontmoet? Wist hij van haar eenvoudige komaf? En hoe was hij aan zijn geld gekomen? Michael bleef erop terugkomen, maar Arabella Jax wist niets over de relatie van haar dochter met Randall Vane. Eigenlijk wist ze helemaal niets over haar dochter.

Het meisje was veertien toen ze wegliep...

Michael zat met al deze vragen, maar hoe brandend die ook waren, om Julian te redden had hij de antwoorden niet nodig. Hij had het dossier en dat was genoeg. Chatham County was een kruitvat en het dossier was de fakkel om de boel daar te laten ontploffen. Hij dacht daar even over na en overwoog welke stappen hij moest ondernemen. Hij zocht naar zwakke plekken en vond er geen; maar eerst moest hij nog ergens langs, en dat was het Iron Mountain Tehuis voor Jongens.

Hij trof Flint aan in dezelfde badjas en met eenzelfde fles drank voor zijn neus. Hij knikte toen hij Michael zag en sloeg wat er nog in het glas zat naar binnen. 'Heb je je wraak gevonden, die onvergeet'lijk zoete melodie?'

'Waar heb je het over?'

Flint schonk nog een glas in en maakte er een vage cirkelbeweging mee. 'Ben je gekomen om ons alsnog af te maken?'

'Ik heb geen conflict met u, meneer Flint. In feite wens ik u beiden het beste. Waar is Billy?'

'Bezig te doen wat Billy altijd doet.'

'Ik moet u iets vragen.'

'Ga dan zitten, drink wat.'

Michael ging zitten, maar kreeg geen glas aangeboden. Flint was beneveld en onvast, de keuken rondom hem was een bende. 'Is hier ooit iemand naar mij komen vragen? Het kan lang geleden zijn geweest.'

Flint kneep zijn ogen tot spleetjes en nam nog een slok. 'Zoveel jongens, zoveel jaren...'

'Ik heb het over iemand die u zich zou herinneren.'

'Kun je hem beschrijven?'

Michael beschreef Stevan zo goed als hij kon. 'Hij zou ook naar Julian geïnformeerd kunnen hebben. Hij heeft u waarschijnlijk bedreigd of geprobeerd u om te kopen. Hij kan heel vleierig of juist heel onaangenaam zijn geweest.'

'Nu weet ik het weer, een onaangename man met een duur pak en een air. Hij kwam een paar jaar nadat Julian was geadopteerd. Hij strooide wat geld rond én uitte dreigementen. Als ik me goed herinner, was hij niet alleen geïnteresseerd in je broer. Hij wilde ook meer weten over senator Vane. Hun relatie. De omstandigheden van de adoptie.'

'Hij heet Stevan Kaitlin. Klinkt dat bekend?'

'Stevan wel, ja. Vaag. Maar ik geloof niet dat hij zijn achternaam noemde. En die ander. Wie was dat ook alweer? Otto, denk ik.'

'Otto Kaitlin?'

'Ook van hem ken ik geen achternaam, maar hij was een oudere man, rustiger, beetje meer op de achtergrond, maar heel opmerkzaam. Hij zat daar alleen maar en nam alles in zich op.'

Michael knikte omdat het aannemelijk leek, legde toen honderdduizend dollar op tafel en deed alsof hij niet merkte hoe Flint bijna in zijn borrel stikte. 'Als iemand anders – politie, of wie dan ook – hier komt met dezelfde vragen wil ik dat u ze de waarheid vertelt. Vertel ze dat zijn naam Stevan Kaitlin was, en dat hij alles over de senator wilde weten. En u mag ook de naam Otto laten vallen. Kunt u dat onthouden?'

Flint hield zijn ogen strak op het geld gericht. 'Ja.'

'Dit zal binnenkort al gebeuren. Binnen een week of twee. Politie of FBI.'

''n Week of twee...'

'Vertel ze gewoon de waarheid. Daarna moet je Billy meenemen en vertrekken. Zoek ergens een nieuwe plek. Maak een nieuwe start. Geen gokken meer. Geen drank.' Flint raakte het geld aan en Michael stond op. 'Meneer Flint?'

Flint keek op van de tafel. Hij was dronken en van zijn stuk gebracht. Michael legde zijn handen op de tafel; het geld lag ertussenin. 'De barmhartigheid die u jegens Billy heeft getoond, is vrij zeldzaam in deze wereld.' Flints ogen werden naar het geld getrokken, maar snel keek hij weer op. 'Ik heb u bijna vermoord, de laatste keer dat ik hier was. Ik was woedend, begrijpt u? Het was op het randje.' Michael hield zijn duim en wijsvinger een klein stukje van elkaar en Flint wrong, uit angst of van spijt, zijn handen, terwijl Michael zich nog verder naar hem toe boog. 'Elke dag sindsdien was een geschenk aan u. En elke dag vanaf nu is dat ook. Elke minuut, elk uur.'

Michael richtte zich weer op.

'U bent een barmhartig man, meneer Flint, en ik vind dat u een tweede kans verdient.' Hij schoof het geld over de tafel. 'Vraag uzelf af wat er met Billy gebeurt als u zich dood drinkt. Vraag u dat af, en zet er dan een punt achter. In dit huis hebben veel mensen veel rottigheid meegemaakt, maar het is maar 'n huis. U kunt dit achter u laten.'

Flint keek op, met rooddoorlopen, vermoeide ogen. 'Is dat wat je jezelf voor ogen houdt?'

'Dat is wat ik ben gaan geloven.'

Flint reikte met zijn hand naar de fles. 'Misschien is het niet zo makkelijk.'

'Misschien is het dat wél.'

Flint schonk nog een glas in en zette het op tafel.

'Neem het geld, meneer Flint. Maak een nieuwe start.'

'Ik zal de politie vertellen wat je zei.'

Michael zuchtte diep. 'Doe de hartelijke groeten aan Billy.'

Flint knikte; het glas was nog onaangeroerd. Hij staarde er een tijdje naar, verborg toen zijn gezicht in zijn handen en begon over zijn hele lichaam te schokken.

Michael draaide zich om en vertrok.

47

Michael passeerde tegen zonsondergang de grens met Chatham County en zag dat de weg bij de brievenbus met de blauwe reflectoren leeg was. Hij zette zijn auto een paar honderd meter verderop op het gras in de berm neer en observeerde het pad dat naar een huis vol dode gangsters leidde. Geen politie. Geen beweging. Hij keek omhoog of er controle vanuit de lucht was, en keek naar het benzinestation tweehonderd meter terug.

Alles zag er rustig uit, constateerde hij; de lucht was stil en warm, met een loom zonnetje dat door de bomen brandde. Toch beheerste hij zich. Hij wachtte en waakte, en pas toen het laatste licht grijs wegtrok, reed hij verder. Binnen een paar seconden wist hij dat er niemand meer was geweest.

Hij liet de schuur voor wat die was, reed meteen door naar het huis, pakte het dossier en stapte uit, op zijn hoede. Eerst ging hij naar Stevans kamer. Ook daar was niets veranderd. Hij legde het dossier naast het bed neer waar hij het had gevonden. Hij keek nog eenmaal rond en vertrok toen tevreden.

Drie kwartier later had hij een kamer in een fatsoenlijk hotel. Hij douchte, kleedde zich om en vond het nummer van de senator in zijn telefoongeheugen. Het telefoontje werd opgenomen na de eerste keer overgaan. 'Ik vroeg me af of u nog wilde afspreken?'

'Michael, ik moest net aan je denken.'

'Wilt u morgen brunchen?'

'Ben je weer in de stad dan?'

'Nog maar net. Wilt u het nog over Julian hebben?'

'Natuurlijk, jongen. Natuurlijk. Maar waarom zouden we wachten? Ik heb de hele avond vrij, ik schenk mezelf net een drankje in. Kom ook. Ik heb de mooiste werkkamer van de wereld en ik heb de beste whisky aan deze kant van de hooglanden.'

'Prima.'

'Over een halfuur, dan? Zeg je naam maar aan de bewaker bij de poort.'

Michael kneep hard in de telefoon. Hij dacht aan het dossier, toen aan afpersing, verraad en de prijs van een politieke carrière. 'Een halfuur.'

Abigail was geen drinker. Drinkers konden zich niet beheersen, maakten fouten. Drinkers waren zwakkelingen. Maar vanavond maakte Abigail een uitzondering. Die uitzondering zat in een heldere glazen fles en brandde in haar keel. Maar dat was goed.

Ze was in de rouw.

En ze was ontzet.

Jessup...

Ze kwam moeizaam van het bed, ging aan haar toilettafel zitten en staarde naar haar eigen vertrouwde gezicht. Ze had zo hard gewerkt om zelfvertrouwen uit te stralen, en doelbewustheid, en toch was Jessup de enige bij wie ze zichzelf kon zijn. Hij had haar zien falen en instorten. Hij wist alles over haar, de naakte waarheid, maar was toch vijfentwintig jaar aan haar zijde gebleven, onfeilbaar en trouw.

'Hoe heb ik het zo verkeerd kunnen zien?'

Ze praatte met dubbele tong; haar gezicht werd een waas. Al die jaren was ze de senator trouw gebleven, en ze was zo trots geweest. Maar waarop? Op haar zelfbeheersing? Haar betrouwbaarheid? Altijd was ze in de weer geweest om te doen wat juist was, om de juiste keuzes te maken. Wat een grap! Wat een triest, vermoeiend waanidee!

Haar spiegelbeeld lachte haar bitter toe.

Jessup wilde haar toch niet.

Ze pakte het pistool op dat hij haar had gegeven, jaren geleden, in de tijd waarin hij zijn eerste witte haren kreeg. Twintig jaar lang had het bij haar gelegen in de landrover, en ze had er nog nooit een schot mee afgevuurd. Het was zwaar, koel, en ze dacht aan zijn gezicht toen hij het voor het eerst in haar hand had gedrukt: met een zweem van een glimlach, maar wel serieus. *We leven in een gevaarlijke wereld*, had hij tegen haar gezegd. *Je moet dit bij je houden.*

Had ze het toen al bij het verkeerde eind?

Had hij ooit van haar gehouden?

Ze gooide het pistool op het bed, stond op en begon heen en weer te lopen. Heel even dacht ze aan Julian en Michael, aan de vreselijke taferelen die ze in de schuur had gezien. Maar ze dacht vooral aan haar leven, aan de keuzes die ze had gemaakt en aan de kansen die ze had gemist. Ze dacht aan zaken die ze niet kon vergeten, en aan alle mislukkingen die ze niet ongedaan kon maken.

Doen en doen en zich verzadigen met verandering...

Ze vroeg zich af of het gelukt was ook maar iets te veranderen. Alle moeilijke beslissingen, alle opofferingen en grootse idealen – hadden ze wat uitgemaakt? Of was ze nog steeds dezelfde persoon als zevenendertig jaar geleden? Hetzelfde meisje dat zwoer dat ze het beter kon krijgen? De gedachte alleen al werkte deprimerend. De fles werd leger, en op een gegeven moment hoorde ze een zachte klop op de deur.

'Abigail?'

Ze liep naar de deur en stond daar, zei niets.

'Ik hoor je ademhalen.'

De druk achter haar ogen nam toe, maar niemand kon haar helpen. 'Ga weg, Jessup.'

'Weet je het zeker?'

Zijn stem was zacht; ze hield haar hand tegen de deur en probeerde niet te huilen.

Michael liet de wapens achter in de hotelkamer. Hij kreeg ze nooit door de beveiliging, en hij had ze toch niet nodig. Dat was het voordeel als je iets wist.

Het was helemaal donker toen hij bij het landgoed aankwam. De journalisten hielden nog steeds de wacht: busjes en apparatuur en talent. Toen hij vaart minderde, kwamen ze in beweging. Lichten gingen aan, tot iemand riep: 'Het is niemand.'

Camera's gingen uit; rokers staken een sigaret op.

Hij noemde zijn naam bij de poort, en een bewaker in uniform stak zijn hoofd door het raampje naar binnen. Hij droeg een wapen op zijn zij en had een klembord. Michael probeerde de uitdrukking op zijn gezicht te lezen, maar dat was volkomen effen. 'Identificatie, alstublieft.'

'U weet wie ik ben.'

De bewaker nam hem op met een blik die vijftien seconden duurde. 'Heeft u wapens in de auto of op het lichaam?'

'Vraagt u dat altijd?'

'Onbekenden hebben ons bedreigd.'

'Nee,' zei Michael. 'Geen wapens.'

'Rechtdoor naar het huis. Er wacht iemand op u om u naar de senator te brengen.'

Michael reed door en de poort zwaaide dicht. Gaslampen verlichtten de oprit; verderop gloeide het huis alsof het in brand stond. Michael reed langzaam, en zag twee mannen die hem opwachtten op de trap. Eén opende zijn deur. De ander was Richard Gale. 'Ik zal u moeten fouilleren,' zei hij.

'Begroet de senator al zijn gasten zo?'

'Onbekenden...'

'Ja, ik weet het. ... hebben jullie bedreigd.'

Gale glimlachte zonder een zweem van vriendelijkheid. 'Mag ik?'

'Voorzichtig met mijn been.' Michael hief zijn armen op en liet Gale hem fouilleren. Dat van die dreigementen was onzin, maar ze moesten een reden hebben, en Michael gunde hun die.

'Volgt u mij, alstublieft.'

De senator had in ieder geval in één opzicht gelijk: zijn werkkamer was spectaculair. Houten panelen glansden als honing; de handgemaakte tapijten waren van zijde en op zijn minst een eeuw oud. Vane stond op uit een leren stoel en spreidde zijn armen. 'Nou, heb ik te veel gezegd?'

'Het is heel mooi.'

De senator droeg een driedelig pak met Franse manchetten en een roze stropdas. Hij nam grote passen en bood een grote hand aan. Achter hem gaven openslaande deuren toegang tot de Franse tuinen, die verlicht waren met gekleurde lichten.

'Wat wil je drinken?'

'Hetzelfde als u graag.'

'Wat is er met je been gebeurd?'

'O, niets ernstigs. Het stelt niets voor.'

'Gelukkig dan maar.' Vane draaide zich om, pakte een fles en schonk in. Toen hij zich omdraaide zag hij eruit als iedere politicus die Michael ooit had gezien: een en al innemende glimlach, maar met een berekenende ondertoon. Hij gaf het glas aan, nipte aan dat van hemzelf en deed toen alsof de ander het antwoord op zijn vraag niet ontweken had.

'Richard Gale kende je al, geloof ik.'

Michael wist dat dit op twee manieren kon worden gespeeld: lang of kort. Hoe dan ook, de uitkomst zou hetzelfde zijn. 'Jazeker.' Michael liep licht hinkend door de kamer en ging zitten in een van de grote leren stoelen. Hij hield het glas omhoog, liet het licht door de drank schijnen en besloot het kort te houden. 'Die heeft afgelopen nacht met een paar vriendjes de deur van mijn hotelkamer ingeramd.'

Hij nipte aan zijn whisky in de doodstille kamer.

'Ik weet niet...'

Vane veinsde verwarring. Michael zei: 'U moet betere mannen zoeken.'

De senator zette zijn glas neer. 'Werkelijk?'

'Ik denk dat we allebei wel weten dat ik hier niet ben om over Julian te praten.'

Het was even stil, waarna Vane knikte. 'Goed dan.' Hij keek naar Gale, die de deur opende en nog drie mannen de kamer in liet, waarschijnlijk dezelfde drie die met hem bij het hotel waren geweest. Ze verspreidden zich en droegen allemaal onopvallend een wapen.

Michael hield zijn glas omhoog. 'Mag ik er nog een?'

De senator glimlachte en ging zitten. 'Je hebt lef. Dat mag ik wel. Het zal je niet helpen, maar ik mag het wel. En ik bied mijn excuses aan voor wat er gebeurd is vannacht.'

Michael zette zijn glas op een tafel bij de stoel. 'Laat ik u wat problemen besparen.'

'Ik zie jou niet als een probleem.'

'En toch wilt u me vermoorden.' Michael keek naar Gale. 'Dat is het plan, nietwaar?'

'Ontvoeren,' zei de senator. 'Niet vermoorden. Ontvoeren. Of nee, *afleveren*, dat is misschien een beter woord.'

'Aan Stevan Kaitlin.'

Zijn ogen verhardden zich. 'Wat weet jij over Stevan Kaitlin?'

'Hij perst u af – dat weet ik. Al een hele tijd. Jaren, denk ik zo, als ik mag afgaan op de cijfers die ik heb gezien.'

'Cijfers?'

'Het was eerder een boekhouding, een verslag van wat lange tijd geleden met Otto Kaitlin begon.'

Michael zag het dossier voor zich dat Otto hem had gegeven voor zijn zeventiende verjaardag. Informatie over Julians nieuwe familie. Foto's van de senator met verschillende prostituees. Hij had aangenomen dat het alleen voor hem was bedoeld, maar besefte nu dat Otto die informatie nooit ongebruikt zou laten. 'Je hebt vijf jaar lang jaarlijks een half miljoen dollar betaald, toen drie jaar lang zeshonderdduizend. Je zit nu al een tijdje op zevenhonderdvijftig per jaar. Ik gok dat je dertien miljoen hebt moeten dokken over de afgelopen zestien jaar.' Michael liet dat even bezinken en glimlachte toen. 'Zo ongeveer.'

'Waar heb je die cijfers gezien?'

'Op dezelfde plek waar ik de foto's zag.'

'Foto's?'

'Ik heb het dossier.'

Vane werd bleek, verstarde. 'Eruit.' Hij wuifde naar Richard Gale.

'Wij allemaal?' vroeg Gale.

'Ja.'

'Weet u zeker dat dat verstandig is?'

'Maak dat je wegkomt!'

'Zoals u wilt.' Gale en de andere mannen vertrokken.

Toen de deur sloot, pakte senator Vane Michaels glas op, plensde er wat whisky in en gaf het terug. Hij schonk ook zichzelf in en sloeg de drank achterover, en de kleur kwam terug op zijn wangen. 'Hoe weet ik dat je niet tegen me liegt?'

Michael trok een foto uit zijn achterzak, vouwde die open en gaf hem aan de senator. 'Ik heb een van de beste uitgekozen.'

De senator keek er lange tijd naar. 'Jij klootzak,' bracht hij toen uit. 'Wie ben jij? En kom me niet aan met dat gelul van *Julians broer*. Wat heb jij met Kaitlin te maken? Hoe ben je aan dat verdomde dossier gekomen?'

Hij was woest, in verlegenheid gebracht; Michael begreep het. Net als zoveel publieke figuren had de senator een ongelukkige smaak. Prostituees. Vriendinnetjes. Cocaïne. 'Stevan bood je een ruil aan,' zei Michael. 'Mijn leven voor het dossier.'

'Hij wilde je levend. Daar was hij heel duidelijk over.'

'Maakt niet uit. De ruil gaat niet door. Ik houd het dossier, en u houdt uw speelgoedsoldaatjes bij u.' Michael stond op en zette zijn glas neer. 'Bedankt voor de whisky.'

'Wat? Ga je weg? Zomaar?'

'Ik heb gezegd wat ik te zeggen had. Ik ben van plan om hier te blijven tot ik weet dat met Julian alles goed gaat. In de tussentijd wil ik geen nachtelijke bezoekjes meer.'

'En het dossier?'

'Wat is daarmee?'

De senator worstelde. 'Wat ga je ermee doen?'

Michael glimlachte sardonisch terwijl hij aan het telefoontje dacht dat hij zo zou plegen. 'Wat ik maar wil.'

Michael was weg, de kamer was leeg, de deur was dicht. Daar stond Randall Vane, vol rauwe, blinde razernij. Zestien jaar lang hadden die Kaitlin-klootzakken hem afgeperst, en wel op zo'n afdoende manier dat hij geen andere keuze had dan te betalen. Een paar van de ergste foto's waren van jaren geleden, kwamen uit een tijd waarin maar weinig mensen wisten van *pinhole camera's* en optische vezels. God, de schaamte! Als die foto's openbaar werden, zou hij het niet overleven. Politiek niet. Sociaal niet. Zelfmoord zou een serieuze optie zijn.

Hij haalde de foto uit zijn zak.

En rilde.

Deze was vijftien jaar geleden genomen: een foto van hem met een zeventienjarig grietje genaamd Ashley, een strandmeisje uit Wilmington met blond haar en een egaal gebruinde huid. Ze waren naakt in een hotelkamer in Washington, het bed was een chaos van gekreukte lakens. Ze lachte toen hij de cocaïne opsnoof van de zachte ronding van haar rechterborst.

'O god...'

Hij verbrandde de foto in de haard, pookte in de as tot er alleen stof over was. Toen hij hoorde dat Otto Kaitlin dood was, was er hoop in hem opgegloeid. Maar een dag later belde de zoon, Stevan Kaitlin, die Michael dood wilde hebben. De senator wist niet wie die Michael was. Had nog nooit van hem gehoord. Wist van niets. De man interesseerde hem niet.

Maar Stevan was wél in hem geïnteresseerd. En Stevan had het dossier.

Hij komt naar je toe. En dan moet je hem naar mij brengen.

Waarom?

Dat gaat je niets aan.

En het dossier?

Voor jou, als je doet wat ik zeg.

Het had zo simpel moeten zijn. Hij huurde wat mannetjes in, mensen die hij kon vertrouwen. De man was een bordenwasser, verdomme! Maar nu...

De senator schonk nog een glas in. Zijn handen trilden zo dat hij morste. Anders dan Michael had beweerd, was de foto met Ashley bij lange na niet de ergste. Otto Kaitlin had jaren geleden kopieën gestuurd: foto's van hem met prostituees en aantrekkelijke jonge lobbyisten, sommige ervan zo hardcore als maar kon. Maar de seks was niet het ergste – welnee, een stevig seksschandaal zou hij wel overleven. Maar er zaten ook financiële bewijsstukken bij, een papieren spoor van steekpenningen en verkochte stemmen. Niet allemaal, maar wel een paar. Ze hadden er maar één nodig, en hij had al niet veel vrienden bij de ethische commissie... 'Wat moet ik doen, wat moet ik doen, wat moet ik doen...'

Het zou weer van voren af aan beginnen. De afbetalingen. De zorgen. De angsten. Hij zou gedwongen worden om te zwichten. Een nieuwe poppenspeler zou de touwtjes in handen nemen en de grote Randall Vane zou moeten dansen.

Opnieuw!

En opnieuw, en opnieuw, en opnieuw!

De pook in zijn handen kwam tot leven. Hij sloeg vazen om, en kristalwerk, trok grote, witte strepen in zijn mooie hout.

'Shit!' Hij smeet het zware metalen ding tegen de muur. 'Shit, shit!'

'Senator?' De deur ging op een kier. 'Alles in orde?'

'Ja. Nee. Kom hier.' Richard Gale kwam behoedzaam binnen; zijn ogen taxeerden de schade. 'Ik wil dat je die klootzak volgt. Zoek uit waar hij is, waar hij zit. Ik moet dat dossier hebben.'

Gale bleef op een afstandje staan. 'U had gezegd dat we hem moesten laten gaan. Hij is al door het hek. Hij is weg.'

'Weg? Jij stomme idioot.'

'Dat is niet eerlijk, senator. Het waren uw instructies...'

'Weg. Mijn kamer uit. Nee, wacht. Waar is mijn vrouw?'

'Uw vrouw?'

'Ben je doof?'

'Nee, maar...'

De senator pakte hem bij zijn revers. *'Waar is dat rotwijf, godverdomme.'*

48

Abigail zat in een antieke stoel voor een victoriaans dressoir. Ze voelde zich onthecht na een dag die te veel was geweest. Na de afgelopen week. Na haar leven zoals zij dat had ingericht. Dus zocht ze troost in het vertrouwde. Geroutineerd bracht ze wat make-up aan. Ze hield haar schouders recht, maar schaamde zich voor haar zwakte. Ze was dronken en voelde zich onmachtig. Ze leed, en haar lippen fluisterden zacht maar hevig.

Overleven, kracht, doorzettingsvermogen.

Dat was al vanaf haar jeugd haar mantra. Ze sloot haar ogen en zei het nog eens.

Normaal gesproken bracht dat haar dat weer in balans, gaf het haar de kracht om haar leven te sturen met de precisie die daarvoor benodigd was. Maar toen ze haar ogen opendeed, zag ze het gezicht van een kind, een meisje dat tot bloedens toe was geslagen, dat uit alle macht probeerde om niet te huilen, haar tranen droogde, haar gezicht schoonveegde en zich afvroeg waarom haar moeder haar zo haatte. Het was een vreselijk beeld, en vreselijk echt: de blauwe plekken en de gescheurde huid, het frambooskleurige kuiltje waar bleek, blond haar tot aan de wortels was uitgetrokken. Ze sloot haar ogen voordat de tranen haar vonden, wiegde in de smalle stoel terwijl de kamer vervaagde tot een kale, koude hut, en ze een baby hoorde huilen.

Overleven, kracht, doorzettingsvermogen.

Haar handen lagen gespreid op de tafel, haar ogen waren dichtgeknepen terwijl haar vingers een zilveren borstel beroerden, en een kam met ivoren tanden. Ze probeerde zichzelf te vinden, maar kon het niet. Julian zou gearresteerd worden, en Jessup hield niet van haar. Het verleden kwam boven.

Overleven, kracht, doorzettingsvermogen.

Overleven, kracht...

Nee.

De kam was van roze plastic; hete tranen liepen over het gezicht van het meisje terwijl ze plukjes haar kamde over een treurige, natte, kale plek zo groot als haar moeders vuist. Haar voeten waren koud en bloot onder een goedkope jurk met een patroon bedrukt, met zwarte vlekken door een gebrek aan zeep. Er zaten overal barsten in de spiegel, grote strepen zilver waren weg zodat het op sommige plaatsen leek of je in het niets staarde. Maar waar wel zilver was, was angst, rauw en vers en gevangen in grote, groene ogen. Ze probeerde de wereld weg te knipperen, maar de kamer rook naar spek en kool; ze hoorde haar moeders voetstappen in de deur, hoorde haar haar kostbare kind roepen...

'Waar wacht je nog op, jij miezerig klein ettertje?'

Het meisje hield zich heel stil. Haar moeder liep de kamer in, bracht de geur van haarspray en zoete tabak mee.

'Nee, mama.'

'Doe het voordat ik jou hetzelfde aandoe.'

'Dwing me alsjeblieft niet om...'

'Doe het!'

'Nee, mama. Alsjeblieft.'

'Nutteloos, ondankbaar kind.' Vingers verstrengeld in haar haren. 'Waardeloze, egoïstische snotaap.' Haar gezicht werd op de tafel geknald, en nog eens. 'Doe het!' Een bloedneus.

'Alsjeblieft...' Het meisje zag afgebroken tanden op geruit hout.

'Doe het!' Gezicht tegen hout. 'Doe het! Doe het! Doe het!'

Totdat nog een pluk haar loskwam en de wereld zwart werd. Het volgende moment zat ze aan de oever van de beek, nat, blauw van de kou en knipperend met haar ogen in de doffe winterzon. Haar jurk plakte aan haar smalle borst, ze had water in haar neus. Haar handen trilden en vreemde geluiden klonken op uit haar keel. Op de oever naast haar zat haar moeder, met een hard gezicht en een tevreden blik. 'Nu ben je voor altijd van mij.'

Het meisje keek naar beneden.

En zag wat ze had gedaan.

Abigail schrok toen ze de deurknop hoorde rammelen. Een zachte kreet welde in haar op en ze wierp een bezorgde, schuldige blik op haar spiegelbeeld. Haar blik was nog beschadigd, maar de spiegel was glad en de kam in haar hand had achttienhonderd dollar gekost. Ze depte haar ogen en fatsoeneerde zich.

'Ja?'

'Ik ben het.'

'Randall, wat is er?'

'Doe de deur open.'

'Ogenblikje.'

De deurknop rammelde harder, hout trilde in de sponning. Abigail duwde het verleden weg, zoals ze al zo vaak had gedaan en opende toen de deur voor haar man. Daar stond hij, groot en opgewonden, zijn handen zo samengeknepen dat het bot bij de knokkels zichtbaar was. Hij kwam de kamer binnen en sloot de deur. Abigail deed een stap achteruit, op haar hoede. Haar man had haar nooit fysiek kwaad gedaan, maar nu gloeide er iets in zijn ogen als een hete, kersenkleurige gloed.

'Wat is er, Randall?'

'Waar is Michael?'

'Hoe bedoel je?'

'Geen spelletjes, Abigail. Ik moet weten waar ik hem kan vinden.'

'Ik weet het echt niet.'

'Je liegt. Jullie zijn twee handen op één buik.'

Hij kwam dichterbij en Abigail taxeerde hem: het ongeduld, de onderdrukte woede. Ze kende de buien van haar man, en dit was een heel slechte bui. 'Ik heb je vraag beantwoord. Ik weet niet waar hij is. Je kunt weer gaan.'

'Zo makkelijk kom je er deze keer niet af.'

'Ik weet niet...'

'Trut!' Hij sloeg zo hard op een tafeltje dat er een scheur in het blad kwam. 'Ik heb geen tijd voor jouw spelletjes en jouw leugens en jouw domme overbezorgdheid. Dit is belangrijk, dus ik vraag het nog één keer. Waar zit hij? In welk hotel?'

'Ik weet het niet.'

'Hij heeft iets wat ik nodig heb, Abigail, iets heel erg belangrijks. Begrijp je mij? Ik moet hem hebben. En jij moet mij helpen.'

'Waarom?' Ze zette een stap achteruit, klemde haar handen om de bureaustoel.

'Hij wil me kwaad doen en ik moet hem voor zijn en hem als eerste te grazen nemen. Omdat als hij mij kwaad doet, hij jóú kwaad doet. Omdat het allemaal voorbij is als ik hem niet vind. Alles, versta je? Alles waar ik voor heb gewerkt. Alles wat ik ben.'

Maar Abigail luisterde niet meer. 'Je wilt hem kwaad doen?'

'Hij is een bedreiging.'

'Jij wilt Michael kwaad doen?'

'Waar is hij, Abigail?'

Ze stond bij het bureau met één hand in de lucht. Haar blik vernauwde zich en in haar hoofd ontstond een laag, dof gegons. De kamer vervaagde, maar de senator had niets door. Abigails hoofd kantelde en haar nek knarste. Het gegons in haar hoofd werd luider; een bijenvolk zwermde erin rond tot haar huid prikte. Haar hand vond een briefopener op het bureau, een cadeau van Julian. Het handvat was van been, het lemmet van zuiver zilver. 'Jij wilt mijn Michael kwaad doen?'

'Als het moet vermoord ik hem.'

Ze knipperde met haar ogen en voelde het kolken van een donkere stroom – een koud, nat duister dat opkwam en door haar hoofd raasde.

Haar oogleden sloten zich en gingen weer open.

Abigail ging weg.

Jessup was al buiten, onder de sterrenhemel, toen hij besefte dat het niet zo makkelijk was om van Abigail weg te lopen. Iets in haar stem klonk gebroken, en zij was geen vrouw die zich makkelijk liet breken. Maar onbeschaamdheid accepteerde ze niet, en ongevraagde hulp stelde ze maar zelden op prijs.

Hij bleef even staan, en zei toen: 'Wat kan mij het ook verdommen.'

Kordaat liep hij over de brede oprit en ging door een van de kleinere deuren aan de achterkant naar binnen. Hij liep door de keuken en de eetkamer en was in de grote foyer toen hij Richard Gale en drie van zijn mannen naar beneden zag lopen. Hij had in de afgelopen jaren een paar keer een korte ontmoeting met Gale gehad – als de senator naar het buitenland reisde, of op andere momenten die een verhoogde bewaking vereisten – en had een zekere mate van respect voor de man, die duidelijk goed getraind en heel professioneel was. Hij was een ingehuurde kracht, ja, maar een goede. De man kwam, deed zijn werk en ging weer. Jessup vermoedde dat Gale hem een provinciaal vond, maar dat kon hem niet schelen. 'Heb jij mevrouw Vane gezien?'

Ze kwamen elkaar op de onderste trede tegen. Gale keek naar boven, dacht een moment na en zei toen: 'Ze is in haar suite. Ik geloof dat de senator bij haar is.'

'Bedankt.'

Jessup rende met twee treden tegelijk de trap op, en toen hij uit het zicht was, zei een van Gales mannen: 'Moeten we niet iets doen?'

'Zoals wat?'

'Weet je...' Gale keek Jessup na, en streek toen zijn revers glad. 'Ik geloof dat wij hier klaar zijn.'

Abigails suite bevond zich aan het uiteinde van een lange vleugel aan de noordkant van het landhuis. Ze was daar zeven jaar na haar trouwdag ingetrokken, met haar kleren, haar meubels, alles. Niemand zei er iets van; niemand stelde vragen. De senator en zijn vrouw woonden gescheiden, het personeel paste zich aan en het leven ging door. Jessup kwam zelden hiernaartoe, niet alleen omdat dat ongepast zou lijken, maar ook omdat het Abigails veilige plaats was, haar domein waar ze zich terugtrok in een huis dat niet echt van haar was. Hij had bewondering voor wat ze ermee had gedaan: de kleuren, het licht. De hele vleugel weerspiegelde haar onberispelijke smaak.

Snel liep hij de gang door. Het was leeg en stil; zijn voeten zonken geruisloos weg in het weelderige hoogpolige tapijt. Abigail had een hele reeks kamers: slaapkamer, zitkamer, muziekkamer, bibliotheek. Haar slaapkamerdeur was de laatste in een rij van zes.

Hij hoorde de schreeuw van zes meter afstand, trok een sprint, bereikte de deur, rukte hem open en bleef verstijfd staan. De senator lag op de vloer, schreeuwend. Abigail had een knie op zijn keel; het lemmet van de briefopener drukte tegen de zachte plek onder zijn sleutelbeen. 'Jij gaat Michael kwaad doen?' Ze wrikte het lemmet rond en liet hem nog harder schreeuwen. 'Ik dácht het niet.'

'Abigail, alsjeblieft...' Hij smeekte, met één hand op de vloer en de andere op haar pols. Ze wrikte het lemmet nog een keer rond. 'Aah! Shit! Wat doe je? Ga van me af! Laat los! Abigail!'

Jessup stapte naar binnen. 'Abigail...'

'Jessup. In godsnaam...' De senator strekte zijn hand uit. 'Haal dat gestoorde mens van me af!' Jessup aarzelde, in tweestrijd. Hij wist precies wat er gaande was. En hij voelde helemaal niets voor de senator. 'In godsnaam, man...'

Abigail leunde voorover en duwde het lemmet wat dieper. 'Als jij Michael aanraakt, vermoord ik je. Begrijp je dat?'

Jessup deed een stap naar hen toe; zijn ogen begrepen en vreesden. 'Abigail?'

Ze lachte en schudde haar haren uit haar gezicht. 'Je weet wel beter.'

'O, nee...'

Ze grijnsde. 'Zeg het.'

'Nee, nee, nee.'

'Zeg het, jij arme verdrietige man.'

'Salina.'

'Harder,' zei ze.

'Salina!'

Ze keek op; haar ogen stonden helder boven de harde streep van haar glimlach. 'Neuk je me dit keer wel?'

'Salina, doe het niet.'

'Salina? Wat is dit verdomme allemaal?' Vane probeerde haar pols omhoog te duwen, maar haar gewicht rustte op het lemmet. 'Aah! Verdomme.'

Ze zei: 'Flik dat nog eens, en ik druk door tot je hart. Begrepen, vetkop?'

'Ja! Ja! Stop!'

Ze keek naar Jessup. 'Weet je wat, knapperd. Als je me goed pakt, laat ik hem leven.'

'Je weet dat ik niet...'

'Dat weet ik, jij lulloos wonder. Dacht je dat ik dat intussen niet had uitgevogeld? Maar toch, de tijden die we hebben meegemaakt...' Ze lachte veelbetekenend.

'Luister, Salina.' Jessup stak zijn handen op, zijn vingers gespreid. 'Hier heeft niemand wat aan. Je kan niet een senator van de Verenigde Staten vermoorden.'

'Ik draai daar niet voor op. Zíj wel.'

'Jullie zullen allebei moeten boeten. Jij én Abigail. Je kan geen senator vermoorden en doen alsof er niets is gebeurd. Er zijn *gevolgen*.'

'Hij gaat achter Michael aan.' Ze zette meer druk op het lemmet. 'Zeg het hem, vetkop.'

'Ja. Ja.'

'Dat kan ik niet toelaten.' Ze keek naar Jessup. 'Dit is een goed moment voor jou om te vertrekken.'

'Je weet dat ik dat niet doe.'

'Ja, dat weet ik.' Ze lachte; haar lach klonk gestoord en de senator putte daar kracht uit. Hij schreeuwde, kwam bokkend met zijn hele lichaam omhoog onder haar, greep haar pols en wierp haar van zich af. Ze knalde tegen het bed en hij vocht zich op zijn knieën; de benen handgreep stak nog uit zijn lichaam. Hij probeerde op te staan, maar Salina was snel en zeker. Ondanks de worstelende Vane en Jessups poging haar tegen te houden, wist ze de .38 op het bed te bemachtigen. Ze draaide zich om.

Jessup verstijfde.

De senator trok het lemmet eruit.

'Dit soort feestjes vind ik nou leuk.' Salina hield het pistool stevig vast. De mannen stonden anderhalve meter van elkaar.

Alleen Jessup besefte hoe dicht ze bij de dood waren. 'Salina, niet doen!' Maar Salina deed het wel.

Het schot was helder, een harde knal van grijze rook met een veeg van vuur. De kogel raakte de senator hoog in zijn voorhoofd, trok de bovenkant van zijn schedel open en smeet hem op zijn rug. Jessup keek van het lichaam naar het gezicht van de vrouw van wie hij hield. Het was precies hetzelfde, en het was vreselijk anders. De ogen waren te hard, de glimlach te grimmig. Hij liep tastend naar het bed en ging zitten. 'Waarom deed je dat nou?'

'Niemand komt aan Michael.'

'Maar...'

'Ik deed wat ik moest doen,' zei ze. 'Nu is het jouw beurt.'

Jessup was in shock. Zijn hoofd voelde zwaar in zijn handen. 'Mijn beurt?'

'Precies.'

Ze ging naast hem op het bed zitten. Hij keek op, radeloos. 'Om wat te doen?'

'Om het goed te maken.'

Hij keek haar aan en voelde een enorme haat opkomen. 'Ik zou je voor de wolven moeten gooien.'

Ze streek met drie vingers over zijn dij. 'We weten allebei dat je dat niet doet.'

'Je bent een slecht mens, Salina Slaughter.'

'Waar wacht je nog op, jij miezerig klein ettertje?'

49

Michael vond een kleine bar aan de rand van de stad. Binnen was het rustig, er was bijna niemand, en je hoorde alleen het geluid van de jukebox op de achtergrond. Hij bestelde een bier bij de barman en ging in een nis in de hoek zitten. Hij nam een slok van zijn koude biertje, viste een mobiele telefoon uit zijn zak en legde die op tafel. Hij had een prepaid kaart en was niet te traceren, wat hem even aan het denken zette over de wonderen van de technologie.

Toen dacht hij aan lijken.

En aan zijn broer.

Michael zou alles wat hij wilde weten uit de senator hebben kunnen persen, alle details – Slaughter Mountain, Abigail Vane, het IJzeren Huis – maar dat zou tijd hebben gekost, het zou op een confrontatie zijn uitgedraaid en het had uiteindelijk niets uitgemaakt. Het kon hem geen bal schelen wie die klootzakken van het IJzeren Huis had vermoord, zolang Julian maar niet vervolgd zou kunnen worden, en het afpersingsdossier gaf hem die zekerheid. Als hij druk was gaan uitoefenen voor meer informatie, was de senator dwars gaan liggen, de boel gaan vertragen of had hij meer bewijzen gewild. De waarheid vinden kon tijd kosten, als Vane de waarheid al wist, en over die details maakte Michael zich niet zoveel zorgen. Hij kon alles nu oplossen voordat de politie een schoppende en schreeuwende Julian uit het een of andere gat waar hij zich nu schuilhield zou sleuren.

Hij liet de telefoon rondtollen op de gladde, zwarte tafel en overwoog de zaak voor een laatste keer.

Er waren lichamen uit het meer gevist, mannen die ooit jongens in het IJzeren Huis waren geweest, mannen die Julian kenden. De politie zou het verband leggen, want de politie was niet dom en zo gecompliceerd was de zaak nu ook weer niet. Waarom Julian ze precies vermoord had, zou in zo'n grote zaak niet uitmaken. De subtiliteiten van het motief zouden teniet worden gedaan door de zwaarte van de belastende omstandigheden. De slachtoffers kenden de dader. Ze waren eens vijanden geweest, met geld naar het landgoed gelokt en vervolgens in hetzelfde meer gegooid waarin achttien jaar geleden een meisje, een goede bekende van Julian, was gestorven. Alles tezamen was het meer dan genoeg om Julian op de moorden vast te pinnen. Maar omstandigheden konden gelukkig ook verder reiken. Zes kilometer verderop stond een boerderij, afgeladen met dode gangsters die senator Vane jaren hadden afgeperst. Het dossier zou voor zich spreken. Foto's, administratie, overzichten van afpersingen en de betalingen. Michaels plan was geraffineerd in zijn eenvoud. Stuur de politie naar de boerderij, laat ze de lichamen vinden, laat ze het dossier vinden. Daarna zouden er meteen twee dingen gebeuren.

Ten eerste zouden de lijken in het meer in het niet vallen bij het bloedbad in de boerderij. De dode gangsters zouden naar Otto Kaitlin leiden en daarvandaan naar het geweld in New York; naar de explosie in het restaurant; naar de moorden in Sutton Place; naar het hele geëscaleerde slagveld na de dood van de oude man. De federale politie zou erbij betrokken worden, FBI, ATF. De gevolgen zouden enorm zijn.

Ten tweede, en al heel snel, zouden al deze georganiseerde activiteiten naar senator Randall Vane wijzen, en als dat gebeurde, zou de aandacht van de zaak-Julian afgewend worden. Met zoveel doden en zoveel gangsters zou het onderzoek een heel andere kant op gaan. En uiteindelijk zou er iemand naar het weeshuis op Iron Mountain gaan om daar met Andrew Flint te gaan praten.

En kon Flint dingen over de Kaitlins vertellen.

In het IJzeren Huis zouden ze vragen over de senator stellen. Julian was destijds een rustig kind geweest en dat zou Flint ook tegen de politie zeggen. Een nieuwe schakel in de ketting van bewijs die senator Vane met de georganiseerde misdaad verbond. De zaak zou dan niet langer over een paar lijken in het meer gaan. Het ging om gangsters en misdadige politici, over smeergelden en moordenaars en bergen – bergen lijken. Het plan stond Michael aan, omdat het verwarrend en sterk was, en omdat het op zoveel manieren kon worden geïnterpreteerd dat uiteindelijk niets meer in de richting van een getroebleerde auteur van kinderboeken, Julian Vane, zou wijzen. Misschien had de bende de IJzeren Huis-jongens wel vermoord om de senator erbij te betrekken. Misschien was het wraak van de senator. Misschien waren er andere verbindingen, andere spelers. De politie kon alleen maar naar de omvang gissen.

In ieder geval was het te groot om over Julian te gaan.

Veel te groot.

Michael wilde net een nummer gaan kiezen toen zijn eigen telefoon belde. Zijn hart sloeg over, maar het was Elena niet. Het was Abigails nummer, en na de tweede toon nam hij op. 'Hallo?'

'Michael? Godzijdank.'

Het was Jessup Falls.

Ze ontmoetten elkaar aan de rand van een leeg veld, vijf kilometer ten zuiden van de oostelijke poort, ver van alle journalisten en andere nieuwsgierige blikken. Jessup zag er vermoeid en oud uit, zelfs in het schemerige licht. Michael herkende de blik van een goed mens die in slechte zaken wordt betrokken. 'Het lichaam ligt in Abigails kamer. Ik kan het zelf niet verplaatsen en ik kan het niemand anders vragen. Iedereen in het huis is loyaal aan de senator. Als ik het niet oplos, wordt zij ervoor gepakt. Je moet me helpen. Alsjeblieft.'

Dat was het pijnlijkste: het smeken.

Michael keek over het veld. De auto's stonden neus aan neus met de parkeerlichten aan. Hij dacht na over wat Jessup hem had verteld en vond het niet erg geloofwaardig. 'Vertel me nog eens wat er is gebeurd.'

'Daar hebben we geen tijd voor! Iemand kan het schot gehoord hebben. Hij kan ieder moment worden gevonden!'

Behalve aan het feit dat de senator dood was en dat Abigail de trekker had overgehaald, twijfelde Michael aan alles wat Jessup had verteld. 'De manier waarop je het beschrijft klopt niet. Ze zou hem niet zonder een goede reden vermoorden. Zeker niet om een stomme ruzie. Ze heeft te veel zelfbeheersing voor zoiets. Daar is ze veel te slim voor.'

'Wat maakt het uit? Alsjeblieft!'

'Waar is ze nu?'

'In mijn kamer. Veilig, voor zolang het duurt.'

'En het pistool?'

'Heb ik hier.'

'Is het te traceren?'

'Ik heb het twintig jaar geleden "schoon" gekocht. Het kan niet met ons in verband worden gebracht.'

Michael peilde Jessups gezicht. Mocht hij ooit aan diens gevoelens voor Abigail Vane hebben getwijfeld, dan deed hij dit nu zeker niet meer. Jessup Falls stond op het punt van instorten. Zorg, angst, vertwijfeling: Michael begreep het. Hij kende die gevoelens, maar dan voor Elena. Hij woog alles af wat er was gebeurd, alles wat hij wist en had gehoord. Toen besloot hij de druk op te voeren.

'Vertel me over Salina Slaughter.'

'O, god.'

'Ik ben in Slaughter Mountain geweest. Ik weet dat jij daar ook was.' Jessup zag eruit of hij ter plaatse uit wanhoop in elkaar zou storten. Hij keek over zijn schouder in de richting van het verre, onzichtbare, huis. Toen smeekte hij met alles wat hij in zich had. 'Daar hebben we geen tijd voor. Begrijp je het niet? Dit is haar ondergang. Alsjeblieft, Michael. Help me. Alsjeblieft. Ik kan haar niet hierdoor laten vernietigen.'

'Als ik je help...'

'Ja, ja, ik zal alles doen.'

'... wil ik alles weten.'

'Ja.'

'Slaughter Mountain. Salina Slaughter. Alles.'

'Ik zweer het.'

Jessup knikte, maar keek gekweld. Michael gunde hem wat ruimte. 'Ik zal niets doen wat Abigail kan schaden. Ze is een goede vrouw; ze is Julians moeder.' Hij glimlachte. 'Ze daalt niet in mijn achting omdat ze een man als Randall Vane heeft vermoord.'

Een beverige zucht van verlichting. 'Goed. Dank je.'

'Maar als ik dit gedaan heb, praten we.'

Jessup knikte dankbaar en Michael zei: 'Geef mij het pistool.' Jessup haalde het uit de auto maar twijfelde even. Het was het moordwapen. Abigails vingerafdrukken en die van hem zaten erop. Hun ogen ontmoetten elkaar en Michael stak zijn hand uit. 'Je hebt mijn woord.'

Jessup gaf hem het pistool. Michael nam het aan, veegde het met een zakdoek schoon, haalde de patronen eruit en veegde ook die schoon. Hij laadde het wapen opnieuw, rolde het in de doek en stak het achter zijn riem. 'Ik bel je als het klaar is.'

'En het lijk'

'Maak je geen zorgen over het lijk. Laat dat maar waar het is.'

'Maar...'

'Een beetje vertrouwen, Jessup.'

Michael wilde naar de auto lopen, maar Jessup hield hem tegen.

'Er is meer dan dat. Het lijk ligt in haar kamer. Dat heeft natuurlijk gevolgen...'

'Laten ze het lichaam maar vinden. Als je maar zorgt dat Abigail niet in die kamer komt. In de komende uren breekt de hel los, op z'n laatst tegen de ochtend. Ontken alles. Geef haar een alibi. Een dag of twee zal het er riskant uitzien, maar ik beloof je, haar zal niets gebeuren.'

Jessup legde zijn hand op Michaels arm. 'Het kost me wel moeite om je te vertrouwen.'

'Dat is wederzijds.'

Opeens begreep Jessup het. Michael had het moordwapen achter zijn riem, en hij was een moordenaar met contacten in de onderwereld. Als Jessup de verdenking van Abigail af wilde leiden, hoefde hij de politie alleen maar op Michael te wijzen. Eén telefoontje en het zou allemaal voorbij zijn. Michael gearresteerd, Abigail vrij en onschuldig. Hij keek op een andere manier naar Michael. Michael merkte dat er iets fundamenteel veranderd was.

'Een beetje vertrouwen kán gevaarlijk zijn, Jessup.' Hij knikte door het autoraampje. 'Maar het hoeft niet per se.'

'Bel je me?'

'Hou de telefoon onder handbereik.'

Michael maakte zijn derde tocht naar de boerderij in het nachtelijk duister. Hij volgde het lange bochtige pad, vond een geschikte plek in het huis en liet het pistool achter op een plaats waar geen enkele politieman het zou kunnen missen. De eerste paar dagen zouden ze Abigail zwaar onder druk zetten – de politie keek altijd het eerst naar de echtgenote –

maar de ballistische gegevens zouden uiteindelijk naar de .38 op Stevans nachtkastje wijzen. Het tijdschema zou niet kloppen, aangezien iedereen op de boerderij allang dood was toen de fatale kogel een van de politiek meest controversiële senators van het land trof. Maar uiteindelijk zou dat niets uitmaken. Alles wat Abigail nodig had, was een gegronde twijfel, en uiteindelijk zouden er te veel andere mogelijkheden zijn, te veel relaties tussen de senator en Otto Kaitlins criminele koninkrijk, te veel geld en te veel smerigheid. Per slot van rekening moest toch *iemand* al die gangsters in de boerderij hebben vermoord. Moest *iemand* het pistool daar hebben achtergelaten. Zou de politie werkelijk denken dat die iemand Abigail Vane was? Natuurlijk niet. Er waren mensen dood in New York, in de boerderij, in het meer.

En met elk van hen had de senator connecties gehad.

Michael verliet de boerderij, draaide rechts de asfaltweg op, reed een paar honderd meter verder en parkeerde uit het zicht bij het Exxonpompstation. Hij pakte het prepaid mobieltje en bedacht hoe dicht Jessup Falls aan de rand van de afgrond van het 'net een moment te laat' had gestaan. Als hij een minuut later had gebeld, zou Michael hem onmogelijk hebben kunnen helpen. Dan had hij al gebeld.

Maar vaak was de marge zo smal. Seconden.

Michael zette de telefoon aan, belde het politiebureau en vertelde de agent van dienst dat hij een boodschap voor rechercheur Jacobsen had. Nee, hij wilde niet met de rechercheur praten, alleen een boodschap achterlaten. 'Dat klopt,' zei Michael. 'Achthonderd meter na de Exxon. De brievenbus met drie blauwe reflectoren.'

De agent wilde meer informatie, maar Michael wilde niet aan de lijn blijven. Geen naam, geen details, geen uitleg. Lichamen in de boerderij. Lijken en pistolen. Mensen aan stukken gesneden. Misschien dacht de agent wel dat hij met een gek te maken had; of misschien leverde het hem promotie op.

Michael keek op zijn horloge. Hij had senator Vane zelfs voor zijn dood al naar de slachtbank willen leiden. Waarom? Om twee redenen. De man had Michael aan Stevan willen uitleveren, had hem willen verlinken. Maar het belangrijkste was Abigail. Of ze het zich realiseerde of niet, hij had haar de kans gegeven het af te blazen. *Ik hou van iemand anders*, had ze gezegd, en dat was voor Michael genoeg geweest.

Hij keek weer op zijn horloge en vroeg zich af of Jessup wist wat ze voelde.

Achttien minuten later kwam de politie.

50

Abigail ontwaakte uit dezelfde droom die haar de laatste zevenendertig jaar elke nacht had gekweld. Ze hield haar ogen dichtgeknepen en werd langzaam wakker terwijl de beelden oplichtten, vervaagden, weigerden te verdwijnen. Ze was tien jaar en zat half bevroren op de oever van haar moeders beek. Haar tanden klapperden en haar hoofd was zo leeg dat het pijn deed. Ze wist niet wat er gebeurd was, alleen dat ze iets verschrikkelijks had gedaan. Ze zag het in haar moeders gezicht, in de strakke blik en de sluwe, tevreden grijns.

Nu ben je voor altijd van mij.

En Abigail keek omlaag, naar wat zij gedaan had. Ze zag het gezicht van de baby, water in zijn mond, ogen halfopen. Ze probeerde hem wakker te maken, maar hij reageerde niet. Hij lag bewegingloos als een pop, paarsblauw in haar handen. Levenloos.

Nu ben je voor altijd van mij.

'Nee, mammie.'

Voor altijd en eeuwig...

'Nee!'

'Abigail.'

'Nééé!'

'Abigail. Rustig maar. Je bent veilig. Het is maar een droom.' De stem was echt, bekend. Abigail opende verward haar ogen.

Ze voelde iets warms in haar hand. Ze kneep en voelde Jessups vingers. Een vaag blauw licht scheen door een hoog, klein raam en leek te knipogen. Ze ging rechtop zitten en streek het haar uit haar gezicht.

'Jessup?'

'Ja.'

'Zei ik iets in mijn slaap?'

'Niet echt,' zei hij. 'Alleen aan het einde zei je: "Nee."'

De spanning nam wat af. 'Waar ben ik? Hoe laat is het?'

'Je bent in mijn kamer. Het is laat. Alles is goed.'

Ze huiverde nog na van de droom en hij legde een hand op haar schouder. 'Wat doe ik hier? O god, heb ik weer een black-out gehad?'

'Even maar.'

'Heb ik iets... Je weet wel...'

'Nee, je hebt niets slechts gedaan.'

'Ik kan me niets herinneren.'

'Herinner je je de senator in je kamer?'
'Vaag. We hadden ruzie.'
Jessup knikte. 'Toen die bezig was, kwam ik binnen. Dat vond je man niet prettig. We gingen weg en zijn hiernaartoe gegaan. Daarna viel je weg.'
'God, ik geloof dat het steeds erger wordt.'
'Niets om je zorgen over te maken. Je werd wat suffig. Ik heb je hierheen gebracht zodat je wat kon slapen.'
'Ik heb zo'n hoofdpijn.'
Jessup glimlachte. 'Ik denk dat je te veel gedronken hebt.'
'Ik geloof dat ik me opgelucht moet voelen.'
Ze wilde opstaan, maar Jessup trok haar terug op het bed. 'Ik wil dat je even goed naar me luistert, Abigail.'
'Wat?'
'Dit is belangrijk. Er is iets ergs gebeurd, maar jij had daar niets mee te maken.'
'O god.' Ze probeerde weer overeind te komen, maar weer hield Jessup haar tegen.
'Luister. De senator en jij hadden ruzie. Ik kwam binnen en de ruzie hield op. Wij gingen hierheen. Dit is heel belangrijk. We praatten over Julian. We praatten over wat er de afgelopen dagen is gebeurd. We praatten over wat je je man dit jaar met kerst zou geven. Kunst misschien. Een olieverfschilderij uit zijn favoriete galerie in Washington. Herinner je je dat nog?' Ze schudde haar hoofd; de angst kwam weer naar boven. 'Dit is er gebeurd: jij en de senator hadden ruzie, ik kwam binnen en de ruzie hield op.'
Ze keek naar het kleine raam. Flitsend blauw licht.
'We liepen weg en kwamen hier,' vervolgde Jessup. 'Luister naar me. We praatten over Julian...'
'Wat gebeurt er, Jessup?'
'We praatten over kunst voor je man.'
Maar ze luisterde niet. Ze trok zich los en liep naar het raam. De kamer was deels ondergronds en de onderrand van het raam zat hoog. Ze klom op een krukje en keek naar buiten.
Politie op de oprijlaan.
'Het is in orde,' zei Jessup. 'Vertrouw me, Abigail.'
'Jessup.' Haar stem was klein en angstig.
'Jij hebt niets verkeerds gedaan. De senator en jij hadden ruzie...'
'Jessup?'
Er was véél politie op de oprijlaan.

51

Michael nam zijn intrek in een hotel in Chapel Hill, en een en ander verliep min of meer zoals hij had verwacht. Een kamermeisje vond de dode senator kort nadat de politie de lichamen in de boerderij had aangetroffen. De politie hield het gebeurde in de boerderij stil. Dat was te explosief, te veel om er binnen een dag de volle omvang van te kunnen overzien. Maar de moord op de senator was een ander verhaal. Aanvankelijk toonden ze zich meelevend en vol respect; ze deden een eerste voorlopig onderzoek en stortten zich daarna vol overgave op Abigail. Randall Vane was miljardair, en hij was in haar kamer doodgeschoten. Haar alibi was de man die al vijfentwintig jaar haar bodyguard en chauffeur was. De politie zag dezelfde oude motieven die ze al honderdmaal eerder hadden gezien, maar Jessup mobiliseerde de advocaten als een doorgewinterde professional. Hij wist haar een hele dag op vrije voeten te houden voor ze met een arrestatiebevel kwamen. Zes uur lang onderwierpen ze haar aan een keihard verhoor, maar tegen die tijd had Jessup haar goed voorbereid en uiteindelijk moest de politie haar laten gaan. Een uur later kreeg Michael het telefoontje. De man was radeloos.

'Ze begint te bezwijken. Ze denkt zelf dat ze het heeft gedaan.'

'Wat bedoel je met: ze dénkt dat ze het heeft gedaan? Ze heeft het gedaan. Dat heb jij me verteld.'

'O jezus.' Jessup zuchtte diep. 'Het is ingewikkeld.'

'Ik kan een hoop ingewikkelds aan.'

'Dit maakt haar kapot.'

Michael woog een en ander tegen elkaar af. 'We moesten maar eens even praten.'

'Ik kan haar nu niet alleen laten. Julian wordt nog steeds vermist. Je hebt het op het nieuws gezien. Zelfs het personeel ontloopt haar.'

'Goed, goed. Morgen dan. Of overmorgen.'

'Michael, luister. Niets gaat zoals jij hebt voorspeld. Iedereen valt over haar heen. Begrijp je dat? Ze verscheuren haar levend. Politie, de media. Heb je gehoord wat ze over haar zeggen?'

'Ik heb het gehoord.'

En hij hád het gehoord. Ze zeiden dat ze hem om zijn geld had vermoord Ze toonden foto's van haar en Jessup en speculeerden over de aard van hun relatie. Het was het perfecte verhaal: lijken in het meer en de senator vermoord, seks en geld en hulp van derden. De vrouw was een schoonheid, haar chauffeur was knap. Ze kozen de foto's zorgvuldig: Abigail met haar mooie, witte huid en gebogen wenkbrauwen, Jessup die haar arm vasthield, een diamant ter grootte van een kwartelei aan haar vinger. Omringd door een horde advocaten kwam ze over als de zwarte weduwe, leek ze schuldig.

'Ik weet niet hoe lang ik haar nog op de been kan houden.'

'Probeer het nog één dag,' zei Michael.

'Zo lang redt ze het misschien niet meer. Ze staat op instorten.'

'Eén dag,' zei Michael.

Het kostte minder tijd dan dat. Iemand op het politiebureau lekte het verhaal van de boerderij en de zaak explodeerde naar een geheel nieuw niveau. Georganiseerde misdaad en een corrupte politicus. Afpersing en marteling. Verbindingen met het geweld in New York. De media werden gek; het voorpaginanieuws in elk blad, breaking news op elk tv-station. De camera's draaiden toen de lijkwagens bij de boerderij wegreden; ze filmden ook de federale politie. Een klein legertje, met geblindeerde auto's en zwarte terreinwagens. Streng kijkende mannen in donkere pakken en bodywarmers met grote letters erop. De echte doorbraak voor Abigail kwam echter onverwacht, en wel van een stille, kleine jurist. Niemand had er nog aan gedacht hem te ondervragen.

Zijn naam was Wendell James Winthrop, en hij was de executeur-testamentair van de senator. Een jonge rechercheur nam de moeite het uit te zoeken en ontdekte dat Abigail zelfs niet werd genoemd, voor geen cent. Ze mocht nog een jaar in het huis wonen en moest dan met haar kleding, juwelen en persoonlijke bezittingen vertrekken.

Zelfs Julian was uitgesloten. Een miljard dollar en zij kregen niets.

Maar het had wel een heel ander gunstig effect.

Toen de politie ontdekte dat er geen financieel motief voor de moord was, verdampte hun zaak tegen Abigail. Tegen die tijd hadden ze de zaak al honderd keer tot in alle details onderzocht en wisten ze meer van de dode senator dan ze ooit zouden hoeven te weten.

Hij was jaren afgeperst, en hij was dood.

De meeste, of alle, afpersers waren dood.

Het moordwapen was bij de dode afpersers gevonden.

In de hoogste echelons van het justitiële apparaat werd gefluisterd over een andere moordenaar, een 'schoonmaker', die alle betrokkenen opruimde. Sommige mensen van de afdeling georganiseerde misdaad van de FBI speculeerden over de rol van Otto Kaitlin en zijn rechterhand wiens identiteit hij met zoveel moeite geheim had weten te houden, maar zelfs die geruchten waren minimaal. Niemand had ooit het bestaan van zo'n rechterhand kunnen bewijzen. Ze hadden geen naam, geen foto's, geen signalement. Volgens sommigen was hij een mythe, gecreëerd door slimme gangsters, een boeman om grote mensen bang te maken. Uiteindelijk werd er binnenskamers besloten dat de volle waarheid wellicht nooit aan het licht zou komen.

Michael bleef intussen op zijn hotelkamer en keek naar het nieuws op tv. Hij maakte lange wandelingen in Chapel Hill, ging uit eten en dacht voortdurend aan Elena. Hij vroeg zich af waar zij was en of zij zou bellen of niet. Hij tobde over haar verwondingen en was bezorgd over de baby. Hij wachtte op bericht van Julian, maar ook dat kwam niet. Eindelijk, twee dagen nadat het boerderijverhaal in het nieuws kwam, belde Jessup. 'Ze slaapt nu eindelijk. Voor het eerst,' zei hij.

'Is ze verder in orde?'

'Of er een last van haar is afgevallen. Alsof ze nu pas gelooft dat ze het niet gedaan heeft.'

Michael zweeg even, en zei toen: 'Dit is de tweede keer dat je zoiets zegt.'

'Ik weet het. Dat deed ik bewust.'

'Misschien moest je me zo langzamerhand eens een en ander uitleggen,' zei Michael.

'Misschien is dat wel goed, ja.'

Ze spraken af in Raleigh, omdat dat groot en anoniem is en omdat oude gewoontes maar moeilijk slijten. Michael zag hem naar binnen gaan en wachtte ruim een halfuur om zeker te zijn dat hij alleen was.

Dat was hij.

Het restaurant serveerde spareribs en bier en was om drie uur in de middag leeg. Ze namen een tafeltje in een kleine achterkamer, bestelden een kan bier en vroegen om niet te worden gestoord. Toen het bier gebracht was, schonk Michael twee glazen in en wachtte tot Jessup hem aankeek. Toen dit te lang duurde besloot hij maar met iets makkelijks te beginnen. 'Iets van Julian gehoord?'

Jessup knikte opgelucht. 'Die kwam gisteren thuis. De pillen doen eindelijk hun werk. Hij denkt weer normaal.' Jessup nam een slok en veegde wat schuim van zijn lip. 'Hij had blijkbaar bij Victorine Gautreaux gezeten. Zij heeft voor hem gezorgd.'

'Waar?'

'Ergens diep in het bos. En doodsbang.'

'Hoe is het met hem?'

'In de war. Breekbaar. Zoals gewoonlijk. Ik ben er nog altijd niet zeker van of hij echt begrijpt wat er is gebeurd. Maar hij wil jou zien. Hij dacht dat hij misschien gedroomd had dat hij jou zag. Hij is vol verwachting, als een kind.' Michael draaide zijn glas rond en keek naar Jessup. De man was duidelijk bang voor het gesprek dat ging komen. Michael had dat voorzien en bedacht dat Julian misschien de beste opening zou zijn om uit te komen waar ze moesten zijn. 'Hij heeft gezien dat Abigail Ronnie Saints vermoordde, niet?'

Jessup slokte zijn bier naar binnen en schonk een nieuw glas in. 'O, man...'

'In het botenhuis. Daarom stortte hij in,' zei Michael. 'Daarom vluchtte hij. Hij zag haar Ronnie Saints vermoorden en kon dat niet aan.'

'Ze had niets kwaads in de zin.' Jessup bewoog zijn hoofd; zijn ogen bleven op het koude glas gericht. 'Ze wilde alleen maar dat ze Julian hun excuses aanboden. Ze traceerde hen, vond hen, betaalde hen...'

'En vermoordde hen toen.'

Hij keek op. 'Zo was het niet. Abigail is een door en door goed mens. Ze is sterk, eerlijk en oprecht, en daarnaast is ze nog erg lief ook. Ze zou nooit iemand kwaad kunnen doen. Het idee alleen al dat ze iemand kwaad zou doen...'

'Alleen is ze wel schizofreen.'

Jessup ging even met zijn tong over zijn lippen en hield zijn ogen strak op de tafel gericht.

Michael boog zich voorover, steunend op zijn ellebogen. 'Ze heeft me erover verteld, weet je. Tijdens onze rit de bergen in heeft ze uitgelegd dat het erfelijk is.'

'Dit was dom. Ik zou hier niet moeten zijn.'

Maar hij bewoog zich niet en Michael wist waarom. Geheimen drukken zwaar op je, ze werken verlammend. 'Weet je, toen ik in het IJzeren Huis was, vertelde Andrew Flint mij iets interessants. De dag dat ze ons kwam adopteren, was hij erg onder de indruk van Abigail. Ze was mooi en rijk, maar dat was niet wat hem bijbleef. Ze vertelde hem waarom ze zich om ons, Julian en mij, bekommerde. Ze vertelde de heer Flint dat ze zelf in een weeshuis was opgegroeid, dat ze een zuster had gehad en dat ze erg begaan was met oudere broers en zussen die waren achtergelaten op een plek als het IJzeren Huis. Het schijnt dat ze het met overtuiging vertelde. Dat zei Flint tenminste. Ze vertelde het met gevoel. Wist jij dat ze hem dat verteld had?'

'Dat wist ik, ja.'

'En toen ontmoette ik haar moeder in een krot aan de voet van Slaughter Mountain. Arabella Jax. Een innemende dame. Jij kent haar ook.'

'Man, hou op.'

Hij schudde zijn hoofd, ineens onrustig. Michael trok zich er niets van aan en ging verder. 'Zij zei dat Abigail van huis wegliep toen ze veertien was. En dan zit ik met de vraag: waarom loog ze tegen Flint? En belangrijker nog: wat moest ze dan met ons?'

Jessup leunde achterover in zijn stoel. Hij schoof zijn glas weg. 'Zeg jij het maar, je bent toch zo slim?'

Michael slikte; zijn keel was ineens gortdroog. Hij dacht aan de liefde die Abigail zo duidelijk voor Julian voelde, en dat ze bereid was geweest naar de boerderij te gaan en het tegen Jimmy op te nemen om Michaels leven te redden. Tien miljoen dollar. Dertig. Dat geld en haar eigen veiligheid konden haar niet schelen. Ze was zo bang geweest, maar toen de dingen fout liepen in de schuur verdween haar angst opeens. Hij zag nog de manier waarop ze van de grond opveerde en Jimmy's hand bij de pols afhakte. Op dat moment was ze een andere vrouw geweest: koud en geslepen en gewelddadig. Michael had zelden zo'n perfecte timing en fysieke beheersing gezien, maar zelf herinnerde ze er zich niets meer van.

Schizofrenie is erfelijk, had ze gezegd.

Broers en zussen.

Ouders.

Michaels vingers beroerden onzeker het glas, maar zijn gezicht bleef als van steen. 'Is Abigail mijn moeder?'

'Vraag je dat omdat Julian en zij dezelfde aandoening hebben?'

'Omdat ze meer om ons geeft dan je zou mogen verwachten. Omdat ze geen enkele reden had om ons te komen halen.'

Jessup schonk zich een nieuw biertje in en deed dat in alle rust. Hij nam een grote slok en keek naar een punt links boven hem alsof hij God om een teken vroeg. 'Je vroeg eens naar Salina Slaughter.' Zijn ogen focusten zich weer, rood en heftig. 'Laat me je eerst iets over Arabella Jax vertellen. Je hebt gezien hoe ze is?'

'Inderdaad.'

'Ze was nog erger toen Abigail jong was. Gemeen, egoïstisch en tot op het bot verrot. Ik zweer het je...' De emotie straalde uit zijn ogen. 'Ik heb me nog nooit zo moeten inhouden om een vrouw niet te vermoorden.'

'Je zocht haar op om naar Salina Slaughter te vragen?'

'Jaren geleden. Ze wilde er niet over praten. Niet over Abigail. Niet over Salina.' Hij knikte, de lippen op elkaar geperst. 'Maar uiteindelijk is het toch gelukt.'

'Je hebt haar hard aangepakt.'

'Waar ik niet trots op ben.'

'Ze is nog steeds bang voor je. Op het moment dat ik de naam Salina Slaughter noemde, wilde ze de kop van mijn romp schieten. Ze dacht dat jij me gestuurd had.'

'Ze is een smerige, leugenachtige teef. Ik deed wat nodig was om de waarheid te vinden.'

'Omdat je van Abigail houdt.'

'Omdat ik het moest weten. Omdat ik het moest begrijpen...' Hij wreef met zijn handen in zijn gezicht. 'O, shit.'

'Vertel het me maar.'

Het duurde een minuut voor hij weer sprak. 'Arabella Jax was ooit een aantrekkelijke vrouw. Ik heb bij haar thuis oude foto's gezien. Ze zag er goed uit en ze had mannen. Ze werkte bij Serena Slaughter, boven op de berg.'

'Ik heb de puinhopen gezien.'

'Een landgoed,' zei Jessup. 'Grote weelde, enorme feesten die soms dagen duurden. Er kwamen zelfs mensen van buiten de staat. Politici, sterren, rijkelui in limousines. Arabella Jax deed de afwas, waste en maakte schoon. Geen leuk leven. Ze had geen geld, haatte haar bazin, maar kon nergens anders heen. Toen ze nog jong was, had ze affaires met gasten van de Slaughters. *Kwalijke charmeurs met mooie verhalen en glimmende horloges.* Dat is tenminste wat ze mij vertelde. Er waren blijkbaar genoeg rijke mannen die de hulp in de huishouding wel eens een beurt wilden geven.' Jessup keek Michael aan en haalde zijn schouders op. 'Het hield op toen ze ouder werd en haar schoonheid taande. Het waren niet langer de mooie jongens met wie ze sliep, maar tuinlieden, stalknechten en de plaatselijke dronkenlappen. Het enige vreemde in het verhaal is de enorme haat in die vrouw. Zover ik het kan zien, werd ze verteerd door rancune. Abigail was daar en zag het gebeuren. Zij ging soms mee naar het huis. Ze speelde er terwijl haar moeder schrobde en dweilde en met iedereen neukte. Kun je je voorstellen hoe dat voor Abigail moet zijn geweest, jong en kwetsbaar als ze was? Om van dichtbij dat landgoed te zien, het kristal en het zilver, de bedienden en de chique feesten, om haar moeder aan afgunst ten onder te zien gaan en dan terug te komen in het vuil en de armoede van die schoenendoos waarin ze woonden?'

'Ze deed alsof ze een meisje was dat Salina Slaughter heette.'

Jessup schudde zijn hoofd, zijn stem kraakte. 'Ze hoefde niet te doen alsof.'

'Was ze werkelijk Serena's dochter?'

'Nee, dat is het niet. Ze had...' Jessup veegde langs zijn ogen, stond plotseling op. 'Eén momentje.' Hij liep naar het raam, draaide zich om en boog zijn hoofd. Michael keek weg, want het was nooit makkelijk een volwassen man te zien huilen.

Toen hij uiteindelijk weer ging zitten, was Jessup niet erg op zijn gemak. 'Neem me niet kwalijk.' Hij snoof en veegde zijn neus af met een servet. 'Houden van een beschadigd mens is niet altijd makkelijk.'

'Doe maar rustig aan,' zei Michael, en hij meende het. Ondanks zijn gewelddadige trekken had hij groot respect voor intense emoties.

'Abigail had een broertje,' zei Jessup eindelijk. 'Een baby van maar een paar maanden oud. Zij was pas tien, maar ze hield van hem alsof het haar eigen kind was. Ze gaf hem te eten en verzorgde hem. Arabella Jax gaf niet veel om jongens. Zij dacht dat jongens als ze opgroeiden, zouden weglopen, zoals alle mannen. Ze zouden haar slecht behandelen en haar gebruiken. Maar ze geloofde dat dochters thuis zouden blijven en later, als ze oud was, voor haar zouden zorgen.'

'Ze wilde haar eigen personeel.'

'Bedienden, slaven, iemand om te vernederen.' Jessup dronk van zijn bier en zijn handen trilden.

'Ze had een broertje,' hield Michael aan.

'Het broertje. O god.' Jessup wreef zijn grote, ruwe handen over zijn gezicht, trok aan zijn huid en liet zijn handen toen weer zakken. 'Ze dwong Abigail hem in de beek te verdrinken.' Michael deinsde achteruit. Jessup knikte somber. 'Ze sloeg Abigail half dood en liet haar toen het enige waar ze van hield vermoorden. Ik denk dat toen haar geest brak.'

'En toen werd Salina Slaughter geboren.'

'Ze heeft geen idee, Michael. Snap je? Abigail...' Hij verslikte zich. 'Die lieve, volmaakte ziel. Ze weet niet eens van het bestaan van Salina. Ze heeft black-outs, geheugenverlies.'

'Maar ze vermoedt wel iets.'

'Ze vreest iets in die richting, ja. Ze nodigde George Nichols en Ronnie Saints uit, en na haar black-out waren ze dood. En Chase Johnson ook.'

'Is dat het derde lichaam in het meer?'

Jessup knikte. 'Toen werd de senator vermoord. Abigail was doodsbang dat zij daar iets mee te maken had. Maar jij hebt dat opgelost. De politie denkt nu dat de gangsters de senator hebben vermoord en dat de jongens van het IJzeren Huis daar op de een of andere manier bij betrokken waren. Misschien waren ze in het meer gegooid om druk op de senator uit te oefenen. Of misschien hadden ze op een andere manier iets met Stevan Kaitlin van doen. De politie denkt dat er een verband bestaat en Abigail probeert hetzelfde te doen. Ze is als herboren.'

'En toch heb je mijn vraag niet beantwoord.'

Jessup zuchtte ongelukkig. 'De waarheid kan link zijn.'

'Is Abigail mijn moeder?'

'Goed, Michael. Oké.' Jessup zuchtte diep en vermande zich. 'Abigail liep niet weg toen ze veertien was. Ze bleef nog vier jaar bij Arabella Jax. Vier jaar van misbruik en ontbering. Vier jaar om Salina Slaughter te laten volgroeien. Vier jaar hel...'

'Ga door.'

'Arabella Jax wilde dochters, maar ik denk dat God zijn eigen plannen had. Hij schonk haar twee jongens, de ene sterk en de andere ziekelijk. Ze werden geboren in de achterkamer van het huis dat je gezien hebt. Zonder Abigail zouden ze het vermoedelijk niet gehaald hebben. Ze sliepen in haar bed. Ze hield ze warm en gaf ze te eten. Beschermde hen.' Jessup schudde zijn hoofd en ging door. 'Arabella bemoeide zich er een tijd niet mee, maar de dag kwam dat ze Abigail opdroeg ook hen te verdrinken. Ze weigerde, hoe Arabella haar ook sloeg. Het slaan, het bloeden en de weigering duurden twee weken.'

Michael voelde een steek in zijn hart. 'Wat wil je nu zeggen?'

Jessup knikte bij de pijn die ging komen. 'Ik zeg dat ze liever wegliep dan jullie te vermoorden.'

Michael moest echt even naar buiten. Jessup gaf hem twintig minuten, betaalde de rekening en vond hem op de parkeerplaats, met zijn handen in zijn zakken. Verkeer raasde langs.

'Abigail is mijn zus.'

'Ja.'

'Weet ze dat je me dit hebt verteld?'

'Nee.'

'Waarom niet?'

Michael draaide zich om en Jessup zag het verdriet op zijn gezicht afgetekend.

'Ze is niet meer dat arme, gebroken, kleine meisje. En dat wordt ze ook niet meer. Ze kán het niet meer worden. Hier is waar ze sterk is, in dit leven.'

'En toch liet ze ons daar achter om te sterven.'

'Er is een grens aan wat een kind aankan, Michael. Jij zou dat als geen ander moeten weten.'

'Ik heb Julian nooit in de steek gelaten.'

'O nee?'

'Nee, zo zat het niet.'

'En toch was Julian alleen toen Abigail zich over hem ontfermde.'

Michael keek weg.

'Voor wat het waard is,' zei Jessup, 'ze heeft er nachtmerries van, pijnigt zichzelf met schuldgevoelens. En vergeet niet dat ze jullie zodra dat kon is gaan zoeken. Ze vond jullie in het IJzeren Huis. Ze heeft geprobeerd jullie een leven te geven.'

'Dit is moeilijk.'

'Verdomd moeilijk.'

'Word ik verondersteld dit voor mijzelf te houden?'

Jessup begreep het. Het was al geen gemakkelijk besluit geweest het Michael te vertellen, maar hij had zijn ziel aan de duivel verkocht op de dag dat hij Arabella Jax had laten schreeuwen en smeken en alles uit haar had geperst. Het zou mooi zijn als er iets goeds uit voortkwam.

'Dat moet je zelf weten, denk ik,' zei Jessup. 'Ik weet niet hoe Julian hierop zal reageren. Hij denkt half dat wat hij in het botenhuis zag een waanbeeld was, maar ook niet meer dan half. Als mens heeft hij structuur nodig. Hij moet weten dat de mensen om hem heen sterk genoeg zijn om hem rugdekking te geven en het voor hem op te nemen. Ik weet niet of hij het aankan een vrouw als Arabella Jax als moeder te hebben. Die rauwe werkelijkheid zal niet meevallen, na alle liefde die hij heeft gekend.'

Michael dacht daarover na en zag in dat Jessup gelijk had. Niet alle wreedheid was fysiek, en zijn broer zou zo'n onthulling niet makkelijk kunnen verwerken. 'Dus Julian kent de waarheid niet en Abigail weet niet dat ik het weet?'

'Zo is het.'

'Je vraagt een hoop van me, Jessup. Ze is mijn zus. We zijn familie. Begrijp je wel hoe belangrijk dat voor mij is? En voor Julian?'

'Ze mag niet weten wat jij weet. De confrontatie met dat verleden zou haar dood zijn. Weten dat jij weet wat zij heeft gedaan, weten dat Julian het weet... Ze kan nu al nauwelijks met zichzelf leven.'

'Jezus.'

'Het spijt me, Michael. Werkelijk.'

Michael zweeg een hele tijd. Toen pas vroeg hij: 'Hoe is Abigail hier beland?'

'Hoe bedoel je?'

'Ik heb de plaats gezien waar ze is opgegroeid. Ik heb haar moeder ontmoet...' Hij aarzelde een moment bij de gedachte dat Arabella Jax zijn moeder was, maar schudde toen de woede en afkeer van zich af. 'Hoe kwam ze van Slaughter Mountain naar de plek waar ze nu is?'

'Kracht, wil en karakter. Ik weet niet wat er gebeurd is nadat ze weggelopen was, maar ze was pas tweeëntwintig toen ze de senator leerde kennen. Tegen die tijd had ze gestudeerd en sprak ze drie talen vloeiend. Ze werkte in een kunstgalerie in Charlotte en bij god, Michael, je zou denken dat ze zo uit een Europese etiquetteschool voor jongedames kwam. Ze was zo gepolijst, zo perfect; de senator viel als een blok voor haar.'

'Hield ze van hem?'

'Maakt dat wat uit?'

De zon begon te zakken en Michael voelde zich overspoeld door emotie. Alsof hij verdronk. Alsof zijn huid te strak zat. 'Abigail zal altijd twijfels houden, weet je. De senator stierf in haar kamer. En Julian denkt dat hij haar in het botenhuis heeft gezien.'

'Met twijfels kunnen we leven,' zei Jessup. 'Het is het weten dat ons kapotmaakt.'

'En Salina Slaughter?'

'Salina kan ik wel aan.'

'Toch zijn er drie mensen dood.'

'Er is maar één ding dat haar gewelddadig maakt.'

'En dat is?'

'Als ze jou of Julian bedreigen. De jongens van het IJzeren Huis. De senator.' Jessup haalde zijn schouders op. 'Salina beschouwde hen als een risico. Ze neemt het altijd voor jullie op.'

'Heb jij George Nichols in het meer gegooid? En Chase Johnson?'

'Om Abigail te beschermen tegen wat Salina had gedaan.'

'Waarom liet je Ronnie Saints in het botenhuis achter?'

'Van Ronnie wist ik niets,' zei Jessup. 'Ik wist niet dat ze afgesproken hadden. En ik wist niet dat ze hem had vermoord tot Caravel Gautreaux je hem in het meer zag gooien.'

'Caravel?' Dat was nieuws.

'Ik vermoed dat ze in het donker rondsluipt, op zoek naar haar dochter. Ze is te slim om bij het grote huis in de buurt te komen, de honden en zo, maar ze zag het lichaam van een afstand en belde de politie. Waarschijnlijk zag ze een kans Abigail een loer te draaien, dacht ze dat ze na twintig jaar eindelijk haar haat kon botvieren.'

'Wat is dat toch tussen die twee?'

'Jaloezie, rancune.' Jessup haalde zijn schouders op. 'Wie zal het weten?'

Michael zette Caravel Gautreaux uit zijn hoofd en dacht na over alle dingen die hij had gehoord. Hij had een zus die hij nooit zou kunnen erkennen en een lang geleden gestorven broertje dat hij nooit zou leren kennen. En hij had een moeder die hij met genoegen zou vermoorden. 'Hoe ontdekte je het van Salina Slaughter?'

'Hoe bedoel je?'

'Je spoorde Arabella Jax op en hoorde dit alles.'

'Ja.'

'Hoe ontdekte je Salina Slaughter?'

'Eh...'

'Ik stel een simpele vraag.'

'O, shit.' Jessup liep weg en schudde zijn hoofd. Een paar meter verder bleef hij staan. Hij stopte zijn handen in zijn zakken en keek naar de lucht.

'Jessup?'

'Ze treitert me. Dat vindt ze leuk.'

'Dat begrijp ik niet.'

'Salina komt 's nachts naar me toe. Ik had al twee keer met haar geslapen voor ik wist dat zij het was. Ik dacht dat het Abigail was. Ik zei haar dat ik van haar hield. Ik dacht... nou ja, je weet wel.'

'Maar het was Salina?'

Jessup zuchtte, diep ongelukkig. 'Vanaf dat moment is mijn leven een hel geweest.'

52

De kloof was gehuld in een koude mist toen Michael de Rover het steile en modderige pad op stuurde dat naar de beek leidde waar ze zijn broertje verdronken hadden. De opkomende zon verschool zich nog achter de bergkam toen hij arriveerde; de ochtend was stil en grijs. De auto had geen nummerborden, niets waaraan hij geïdentificeerd kon worden. Een paar honden keken op, maar ze leken net zo vermoeid en ongeïnteresseerd als de rest van de omgeving.

Michael voelde aan het pistool dat naast hem lag. Hij had in de loop der jaren veel mensen gedood, maar nooit uit woede of haat.

Dat ging nu veranderen.

Hij had geprobeerd om gewoon door te leven na zijn gesprek met Falls, te slapen, maar iedere keer dat hij zijn ogen sloot, zag hij een dood broertje en een gebroken Julian, zag hij Abigail als kind in dat koude en vieze horrorhuis. Hij zag ze zoals ze hadden kunnen zijn, en dan zoals ze nu waren, en het was als een muur van dichte mist, alsof hij een hand kon uitstrekken en een storm van geruïneerde levens aanraakte. De omvang van haar verdorvenheid verbaasde hem, zelfs nu nog. Tijdens zijn hele leven, dat was bepaald door geweld en door de code van gewelddadige personen, had Michael nog nooit zo'n verdorven geest gezien als die van zijn moeder. Haar egoïsme kende geen beperkingen, geen grenzen. Zij liet één kind een ander kind doden en lachte erom.

En nu kreeg het kreng de rekening gepresenteerd.

Hij ging dieper de kloof in, vond Arabella Jax in bed en zette het pistool tegen haar voorhoofd. Ze werd wakker met een heldere en hatelijke blik. Geen verwarring. Geen twijfel over het vuurwapen dat op haar gezicht gericht was. 'Ik heb niet tegen je gelogen,' zei ze.

'Weet je wie ik ben?'

Haar ogen rolden naar links, maar Michael had het geweer al weggehaald. De kamer rook naar schimmel, naar haar rottende been. Michael voelde woede in zich opkomen terwijl hij naar de vrouw keek die hem op de wereld had gezet en vervolgens in het bos had achtergelaten om te sterven.

'Geef me een sigaret,' zei ze.

Michael duwde de loop hard tegen haar voorhoofd. Nu werd ze bang.

Haar mond ging wijd open, haar vingers grepen zich stevig vast in de lakens.

'Je hebt een baby verdronken in die beek,' zei Michael. 'Ik wil weten waar hij begraven ligt.'

Er kwam een sluwe blik in haar ogen terwijl ze nadacht. 'Waarom wil je dat weten?'

Er gingen twee seconden voorbij. 'Dat was mijn broer.'

Ze verwerkte dat even en nam hem van het hoofd tot de voeten op. 'Moet ik nou gaan huilen, of zo?'

'Bereid je er maar op voor dat je gaat sterven.' Michael spande de haan, maar ze reageerde niet.

'Ik had gehoord dat iemand jullie had gevonden. Dat stond in de krant.'

'Je had ons ook gewoon kunnen laten verdrinken.'

Ze lachte bitter. 'Misschien bestaat de hel niet, maar ik neem het risico niet. Dat is Abigails taak.' Ze ging rechtop in bed zitten, alsof ze hem uitdaagde om de trekker over te halen. 'Ik denk dat je haar kent, anders was je hier niet.'

Michael deed een stap naar achteren. 'Opstaan.'

'Geef me een sigaret.'

Michael trok haar uit bed. Ze viel met een klap op de grond en richtte zich trillend en boos op. Misschien was er nog ergens angst, maar Michael zag het niet. Hij rukte een kamerjas van de stoel en gooide die naar haar toe. 'Aantrekken.'

'Je eigen moeder schiet je niet neer.'

'Aantrekken.'

'Behalve die klootzak van een Jessup Falls heb ik nog nooit een man leren kennen die in staat was om zelfs maar een grapefruit te persen, laat staan een trekker over te halen. Als jij dat soort man was, lag ik hier al te bloeden. Zou ik...'

Dat deed Michael: haar laten bloeden. Hij zwaaide met het pistool en sloeg haar zo hard dat ze op het bed viel. Een rode streep sijpelde langs haar wang – en daarna werkte ze mee. Ze trok de kamerjas aan en een paar donzige slippers die ooit roze waren geweest. Ze pakte een wandelstok van de stoelleuning en strompelde langzaam, geschokt en voorzichtig naar buiten. De zon was opgekomen en de leegte kleurde geel, terwijl ze samen over een smal pad langs de hut het bos in liepen. Ze keek twee keer om en zei toen: 'Je gaat me vermoorden.'

'Misschien breek ik je benen en laat ik je hier creperen.'

'Dar geloof ik niks van.'
'Je weet maar nooit.'
Ze liepen vijf minuten. De begroeiing werd steeds dichter. Ze struikelde een keer, maar viel niet 'Waar is die andere?'
'Welke andere?'
'Waar is je broer?'
'Doorlopen.'
Ze kwamen bij een plek waar een beuk stond, oud, grijs en trots. In de bast had iemand lang geleden een kruis gekerfd boven de initialen RJ. Het snijwerk was met de boom meegegroeid en had zich verspreid, ruw, nauwelijks leesbaar, boven een stuk gladde grond.
'Daar.' Ze zwaaide met haar hand. 'Tevreden?' De markeringen waren diep in de boom gekerfd en toen Michael ze aanraakte, wist hij dat Abigail ze had aangebracht. Hij probeerde haar zich voor te stellen als tienjarige, graatmager, zwoegend op de lijnen van het kruis, om ze zo recht en waarheidsgetrouw weer te geven. 'Hoe heette hij?'
'Voor honderd dollar zal ik het je zeggen.'
'Zeg het me nu of ik schiet een kogel door je kop.'
Ze tuitte haar lippen en zei: 'Robert.'
'Robert.' Hij raakte nogmaals de markeringen aan en keek naar zijn moeder.
'Hoe zag hij eruit?'
'Als problemen met een verdomd grote P.' Ze zwaaide met haar hand. 'Net als al jullie jongens.'
Michael voelde de woede opnieuw oplaaien. 'Je had opgesloten moeten worden. Je had de doodstraf moeten krijgen.'
'En als er rechtvaardigheid in de wereld was, dan was ik rijk geweest of was ík degene die dat pistool vasthield. Maar zo heeft God de wereld niet geschapen. En nu...' Ze sloeg met haar wandelstok op de boom. 'Je hebt gezien waarvoor je kwam. Je hebt gezegd wat je wilde zeggen. Geef een oude vrouw een paar dollar of loop door en donder op.'
'Had jij het over rechtvaardigheid?'
'Je hebt gehoord wat ik zei.'
Michael voelde het pistool in zijn hand en het voelde als de hand van God, als een universum dat zich terugtrok om de betekenis van poëzie te openbaren, de betekenis van het waarom van alles. Deze vrouw had een moordenaar van hem gemaakt, zodat hij haar op een goede dag zou kunnen omleggen. Het was een vicieuze cirkel, zó volmaakt dat de voorzienigheid te ruiken was. Het pistool kwam omhoog. Het voelde licht

aan in zijn hand. De berglucht smaakte koel in zijn keel. Hij kon haar nu neerschieten en een einde maken aan wat er nog over was van zijn familie. Abigail zou vrij zijn, Roberts dood gewroken. Rechtvaardigheid voor de jongens die hij en Julian ooit waren.

'Doe het,' zei ze.

Hij staarde in haar ogen en zag niets.

'Doe het dan, godverdomme!'

Maar op het moment dat de trekker onder zijn vinger knarste, moest Michael denken aan Otto Kaitlin, die hem had geleerd om betere dingen met zijn leven te doen dan dit. Hij dacht aan Elena en aan de man die zij wilde die hij was, aan zijn eigen kind en aan de vader die het verdiende. Hij dacht aan zijn eigen toekomst.

Het pistool zakte weer.

'Ik wist het wel. Slappeling.' Ze spuugde op de grond. 'Slappe lul! Klootzak!'

Michael keek naar het verwoeste been en de koude ogen, de gebarsten lippen en de bitterheid. 'Ik hoop dat je nog lang moet leven,' zei hij, en liep weg.

Na vijftig meter riep ze hem na: 'Heeft Abigail je verteld hoe je echt heet?'

Michael keek om en was even uit het lood geslagen. Het gezicht van zijn moeder was vol wrok. Het was de ultieme vraag voor iedere wees: wie zijn mijn ouders? Hoe heet ik?

'Ze heeft je Roberts naam niet genoemd, dus neem ik aan dat ze die van jou ook voor je heeft verzwegen. Ze heeft het je niet verteld hè? Egoïstisch kreng.'

'We zijn klaar hier.' Michael liep verder. Zij verhief haar stem.

'Hoe ze je ook hebben genoemd in dat weeshuis, het is niet de naam waaraan God je zal herkennen! Die naam komt van mij!'

De bladeren sloegen in zijn gezicht. De grond was glad en vochtig.

'Een moeder drukt haar stempel op het kind wanneer zij hem een naam geeft!'

Michael draaide zich om. 'Ik wil niets van jou.'

'En je vaders naam dan? Wil je die?' Michael hief het pistool op en richtte het op de zachte plek onder haar kin. 'We weten al dat je daar het lef niet voor hebt.'

Michael haalde de trekker twee keer over. De kogels scheerden zo vlak en snel langs beide kanten van haar hoofd dat haar haar opwaaide.

Ze verstijfde, mond open, doodstil. Michael zei: 'De volgende gaat in je rechteroog.' Weifelend zette ze een stap naar achteren en Michael volgde haar, omringd door het diepgroene bos. 'Niemand zal je missen. Het zal niemand iets kunnen schelen.'

Arabella stond als versteend, met een smeulende sigaret tussen twee vingers. Achter haar gaapte een afgrond van honderddertig meter diep met wit schuimend water op de bodem. 'Wil je weten hoe je echt heet of niet?'

'Nee.'

'Dan ben je niets.'

'Daar denk ik anders over.'

'Dan héb je niets.'

'Ik heb tachtig miljoen dollar,' zei Michael. 'Ik heb een broer en een zus. Een eigen gezin.' Hij ontgrendelde de haan en stopte het pistool achter zijn riem. 'En wat heb jíj?'

53

Twee dagen later verlieten de laatste journalisten Chatham County. De politie was klaar met Abigail en Julian. De FBI was al vertrokken en het nieuws besteedde minder aandacht aan het geheel toen de lichamen waren begraven en het onderzoek werd verlegd naar het noorden. De late morgenzon scheen schuin door Julians raam naar binnen. Hij stond voor een grote spiegel en was net klaar met het strikken van een zijden stropdas. Hij droeg een donker pak.

Hij maakte zich ongerust.

'Mag ik binnenkomen?'

Abigail stond in de deuropening met een glimlach op haar gezicht.

'Natuurlijk.'

Ze liep de kamer door, ging naast hem staan en keek in de spiegel. 'Zo serieus,' zei ze.

'Niet doen.'

'Zo mager.'

'Alsjeblieft.'

'Het spijt me.' Ze ging voor hem staan, trok zijn stropdas recht en ging met haar vingers langs zijn revers. 'Je hebt gelijk. Het komt omdat alles de laatste tijd al zo serieus is geweest en wij nu het tegengestelde zouden moeten zijn. Jij bent veilig. Jij bent gezond.'

'Ik voel me niet gezond'

Hij was bleek en verschrikkelijk mager. Het pak was keurig geperst maar slobberde om zijn lichaam.

'Alles komt goed, schat.'

'Ik weet 't niet.' Julian zweeg terwijl hij met grote en bedroefde ogen zijn spiegelbeeld bestudeerde. 'Ik voel me... gespleten.'

'Je bedoelt toch niet...?'

Zij dacht aan zijn schizofrenie. Julian schudde zijn hoofd. 'Niet dat, nee. Het is alsof...'

'Wat?'

Ze keek op, bezorgd om hem, bang voor een wereld die, voor haar, zo fragiel leek onder zijn voeten. Het was altijd al zo geweest: zachte woorden en bezorgde blikken, de overtuiging dat hij langzaam maar zeker zou oplossen als krantenpapier in een lege zee. Hij schudde zijn hoofd, onwillig om erover te praten. 'Ik denk dat ik gewoon zenuwachtig ben.'

'Jouw naam is bekend in veertig landen,' zei Abigail. 'Je hebt meer dan een miljoen boeken verkocht. Ik heb je zien spreken voor duizenden...'

'Dit is anders.'

'Waarom?'

De urgentie gaf gewicht aan haar vraag. Het bleef stil en Julian voelde een connectie tussen hen, een band die puur en sterk was en donker, zonder dat alles was uitgesproken.

'Het is gewoon zo.'

Dat was een antwoord van een kind, en dat wist hij. Maar hoe kon hij uitleggen dat dit niet over kennis ging, of over kracht, of over de man die hij was geworden? Om het even wat hij had bereikt, hij zou altijd de jongen van het IJzeren Huis blijven. Hij zou zich altijd opgejaagd en blootgesteld voelen, een halve stap te dicht bij duistere hoeken. Hij kon deze gevoelens voor een tijdje begraven, maar ze kwamen toch altijd weer boven. En dat was het probleem. Hoe geweldig de aanwezigheid van Michael ook was, hij deed Julian aan geheimen en schaduwen denken, aan wortels in losse aarde en aan het onvergeeflijke dat hij had gedaan. Hij was alles wat zijn moeder zei, maar hij had wél een jongen in de hals gestoken en zijn broer ervoor laten opdraaien.

'Ik denk dat de man die ik ben geworden hem niet interesseert.'

Abigail glimlachte en hield haar handen tegen zijn borst.

'Je bent een kunstenaar en buitengewoon aardig. Je bent een geweldige zoon. Een prachtige man.'

'Weet hij dat ik medicijnen slik? Dat ik, je weet wel...'

'Hij weet het.' Ze knikte en legde haar vingers weer op zijn stropdas. 'En hij begrijpt het.'

Julian pakte haar handen en voelde de woorden uit zijn binnenste opborrelen. 'En als hij nu de pest aan me heeft?'

Hij hield haar handen nog steviger vast, maar zij lachte de vraag weg. 'Hij is je broer en hij houdt van je. Hij is familie.'

Julian knikte, hoewel hij zo zijn twijfels had. 'Je zult wel gelijk hebben.'

'Ik wéét dat ik gelijk heb.'

Hij deed een stap opzij, keek in de spiegel en zag een paar ogen die te naakt waren voor de buitenwereld. Michael zou er dwars doorheen kijken. 'Ziet dit pak er goed uit? Ik zou marineblauw kunnen dragen, met een streepje.' Ze bestudeerde hem aandachtig en hij vroeg: 'Wat denk je?'

'Ik denk dat je je niet zo moet uitsloven. Dat pak. Die dure schoenen.' Ze pakte zijn gezicht en kuste hem op zijn voorhoofd. 'Hij is je broer, Julian. Wees jezelf en maak je niet zoveel zorgen.'

'Ik zal het proberen,' zei hij.

'Doe me een plezier en lach eens.' Ze wachtte op de lach en veegde een denkbeeldig vlekje van zijn wang. 'Ik zie je over tien minuten buiten.' Ze verliet de kamer en Julian keek naar zijn vervagende lach. In de spiegel was hij lang, dun en perfect gekleed, maar dat was niet wat hij zag. Hij zag de jongen die een mes in Hennesseys keel stak en zijn broer daarvoor liet opdraaien. Hij zag dezelfde jongen die Michael zou zien, de zwakkeling en de mislukking – het kind dat hij was. Hij slikte, trok het pak uit en hing het terug in de kast. Zijn armen waren dun, zijn borst vel over been. Hij voelde zich schuldig vanwege alle prachtige dingen in zijn kamer, vanwege de moeder en het geld en alle andere zaken die Michael was kwijtgeraakt toen hij het mes pakte en in de sneeuw verdween. Hij voelde zich schuldig vanwege het leven dat hij leidde. Hij ging op het bed zitten en sloeg zijn armen om zich heen, terwijl alle zekerheden als los zand uit elkaar vielen. 'Maak me als Michael,' zei hij. 'Maak me sterk.'

Maar in de spiegel was hij bleek, zwak en nietig.

'Alstublieft, zorg dat hij niet de pest aan me krijgt...'

Hij wachtte op een echo in zijn gedachten, maar vond alleen stilte.

'Alstublieft, God...'

Hij trok zijn jeans aan en hees zichzelf in een shirt. 'Alstublieft, zorg dat hij niet de pest aan me krijgt.'

Jessup bracht hen naar een klein park ongeveer zestig kilometer van het landgoed. Het was volgens hem een goede plek voor privacy, ver weg van nieuwsgierige blikken. 'Alles goed achterin?'

'Alles prima,' antwoordde Abigail.

Maar Julians mond was droog en zijn handen jeukten. 'Zijn we niet te laat?'

'We zijn precies op tijd.' Jessup reed het park in en volgde een smalle laan naar een schaduwrijke plek met banken, tafels en uitzicht over een meer. Julian zag een geparkeerde auto. Een man stond bij de motorkap.

'Is dat hem?'

'Dat is hem,' zei Abigail.

Ze reden naar Michael, die al naar hen toe kwam lopen. Julian pakte de hand van zijn moeder. 'Ga je met mij mee?'

'Dit is tussen jou en Michael.'

Julian staarde uit het raam. 'Hij ziet er streng uit.'

Ze glimlachte en zei: 'Zo ziet hij er altijd uit.'

Julian aarzelde; de moed zonk hem in de schoenen. 'Ik ben bang,' zei hij.

'Hoeft niet.'

'Maar wat als...?' De woorden stierven weg, maar in zichzelf hoorde hij de aanvulling van die zin.

Wat als hij de pest aan me heeft?

Wat als hij in mijn ziel kijkt en vertrekt?

'Heb vertrouwen.' Ze kneep zachtjes in zijn hand. 'Wees sterk.'

Julian ademde diep in, opende het portier en stapte uit de auto alsof hij op een andere planeet was beland. De kleuren waren te helder, de zon was als een handpalm op zijn wang. Michael zag er groot en breed uit en Julian bestudeerde de lijnen op zijn gezicht terwijl ze naar elkaar toe liepen. Hij zocht naar een reden om te hopen, naar iets wat het gigantische zware gevoel op zijn borst zou wegnemen. Toen ze vijf meter van elkaar verwijderd waren, zei Michael: 'Hallo, Julian.'

Er opende zich een vacuüm in Julians hoofd waarin iedere heldere gedachte die hij had weg werd gezogen. Michael zag er hetzelfde uit, maar anders. Zijn wangen waren bedekt met lichte stoppels en zijn ogen stonden zo helder. Hij had grote handen die één keer nerveus bewogen terwijl Julian naar de juiste woorden zocht, maar die niet vond.

'Ik...'

Zijn stem klonk als een gefluister, maar Michael knikte, waarbij de heldere lijnen van zijn wenkbrauwen zakten en zijn glasheldere ogen een zachte glans kregen. Toen hij zei: 'Het is oké', zag Julian voor zich hoe hij hem zou schetsen: een breedgeschouderde man, één hand omhoog, hoofd een beetje schuin naar beneden.

Michael kwam dichterbij.

'Het spijt me,' zei Julian.

Michael legde zijn hand achter in Julians nek. Hij schudde zijn hoofd, maar lachte. 'Wat spijt je?'

'Het spijt me zo verschrikkelijk...'

Toen sloeg Michael zijn armen om Julian heen. Die voelde de warmte en de kracht – zijn broer! – en er viel geen boosheid te bekennen. Zijn wang voelde ruig aan, een beetje warm en vochtig. 'Het is oké, zei Michael.

Hij huilde.

'Wíj zijn oké'

Ze zagen elkaar weer, de volgende dag en de dag daarna. Ze zaten in de zon en praatten. Het was een vreemde gewaarwording voor beiden. Zoveel jaren waren verstreken, zoveel dingen waren veranderd. Maar ze waren broers, dus vonden ze hun weg. Ze praatten en groeiden naar elkaar toe, en de tijd dat ze gescheiden waren geweest, scheen steeds minder belangrijk te worden. Michael vertelde Julian niet alles over zijn leven – geen woord over het moorden, nog niet – maar hij was vrij open over Elena en de baby en sprak enthousiast over de dingen die er echt toe deden.

'Heb je nog steeds niets van haar gehoord?'

'Nog niet, nee.'

Er zat een pijn daar, diep en rauw. 'Ik denk dat ik ook verliefd ben,' zei Julian.

Michael keek naar de overkant van het park, waar Abigail aan een picknicktafel zat met Victorine Gautreaux. Zij probeerden het ook, maar dat het moeilijk ging was hun aan te zien. Er was nog steeds een kloof, maar soms lachten ze.

'Vertel me over haar,' zei Michael.

Ze zaten op een bank in hetzelfde park. De schaduw zorgde voor verkoeling en aan de andere kant van het grasveld speelden kinderen. Julian keek naar een jongetje dat tegen een bal trapte en zei toen: 'Ze lijkt in heel veel opzichten op ons.'

'Door haar rotleven?'

Julian lachte ongemakkelijk. 'Ja.'

Michael stootte hem aan met zijn schouder en lachte. 'Arme meid.'

'Meen je dat echt?'

Omdat Julian zo bezorgd keek, schudde Michael zijn hoofd. 'Ze is mooi en sterk. Ze weet wat ze wil.'

'Ik zou wel met haar willen trouwen, denk ik.'

Michael keek naar de jonge vrouw en zag koude blauwe ogen en het masker waarachter zij zorgvuldig haar angsten verborg. Hij dacht aan Abigails jeugd en aan wat hij van haar wist. 'Dat moet je doen,' zei hij.

'Werkelijk?'

Hij knikte beslist. 'En ik zou er niet al te lang mee wachten.'

Die gesprekken in het park vormden het mooiste deel van Michaels dagen. Na afloop keerde hij terug naar zijn hotel en staarde hij urenlang naar zijn zwijgende telefoon. Abigail had hem twee keer gevraagd om in het huis te komen wonen, maar hij had dat afgeslagen onder het mom dat hij privacy nodig had. Maar dat was slechts één kant van het verhaal. Hij had tijd nodig voor zichzelf, tijd om over zijn huwelijk na te denken en te rouwen.

Jessup had één keer gebeld om een afspraak te maken. 'Abigail weet hier niets van,' zei hij. 'Dit is mijn initiatief.'

'Waar?' vroeg Michael.

Ze zagen elkaar op een parkeerplaats halverwege het landgoed en Chapel Hill. Jessup kwam met de landrover en Michael kwam naast hem zitten. 'Hoe is het met Julian?' vroeg hij.

'Beter, denk ik. Je hebt hem gezien.'

'Hij houdt zich groot.'

'Je zou hem met Victorine moeten zien. Ze is streng, eigenwijs en weet heel veel niet – maar ze is slim, doortastend en ongelooflijk getalenteerd. Ze is goed voor hem. Het is prachtig om te zien hoe die twee bij elkaar passen.'

Michael knikte omdat hij er ook zo over dacht. De één was sterk, de ander minder. Beiden waren ze beschadigd, beiden waren ze kunstenaars. 'Hoe gaat het tussen jou en Abigail?'

'Er is een muur tussen ons,' antwoordde Jessup.

'Breek die af.'

'Ik weet het niet...'

'Breek hem af,' zei Michael. 'Wacht daar niet mee, doe het gewoon. Praat met haar. Vertel het haar.'

'Dat is niet de reden dat ik je heb gebeld.'

'Dat dacht ik al.'

'Abigail heeft mij gevraagd om een deel van de administratie van de senator door te nemen. Documenten en dossiers waar zij de moed niet voor heeft. Ik heb een paar dingen gevonden die jou wel zullen interesseren.'

'Zoals?'

'De senator had een autopsierapport over het meisje dat jaren geleden is verdronken.'

'Christina?'

'Ja, Christina Carpenter. Hij bewaarde het rapport in zijn privékluis. Ze had, naar het blijkt, de dag voor ze stierf een abortus. De politie hield het stil, maar de senator wist ervan.'

'En zei niets tegen Abigail.'

'Daar had hij blijkbaar zijn redenen voor.'

Michael dacht erover na: een tiener sterft de dag na een abortus. Er zat veel emotioneels in dat eenvoudige scenario, en ook een hoop spanning. 'Was Julian de vader?'

'Het bloedtype kwam niet overeen. Ik weet het niet. Misschien heeft ze zichzelf wel met opzet verdronken. Ze had strenggelovige ouders, en dan een ongewenste zwangerschap... Misschien heeft Julian geprobeerd haar te redden en is hij daar niet in geslaagd.'

'Het zou de huidresten onder zijn nagels verklaren en waarom hij nat was...'

'En waarom hij zich niets kon herinneren. Het moet een traumatische ervaring zijn geweest.'

'Misschien was de senator de vader.'

'Dat zou verklaren waarom hij het autopsierapport achterhield. Misschien heeft de senator haar vermoord.'

Michael peinsde over een andere mogelijkheid. 'Misschien was het Salina.'

'Daar moet je geen grapjes over maken.'

Beide mannen dachten na.

'Er was nog meer waarover je wilde praten. Wat?'

'Dit blijft strikt tussen ons, oké?'

'Goed.'

Jessup keek vluchtig opzij, lippen op elkaar geperst.

'Wat?' vroeg Michael.

'Ach, verdomme.' Jessup greep naar de zijkant van zijn stoel en haalde een dun dossier tevoorschijn. 'Dit lag ook in de kluis van de senator.'

Hij gaf het dossier aan Michael, die het opensloeg. 'Dit zijn medische rapporten.'

'Van Abigail.'

Michael bladerde door de pagina's en Jessup zei: 'Ik vond dat je moest weten hoe graag ze jullie jongens weer thuis wilde hebben.'

Michael begreep die opmerking eerst niet. Toen zag hij het: 'Ze is gesteriliseerd.'

'Kort na haar huwelijk. Ze heeft het de senator nooit verteld.'

'Maar hij kwam er toch achter,' zei Michael.

'Hij had het dossier, dus ja. Ik denk dat hij erachter is gekomen net voordat ze in aparte kamers gingen slapen. Of hij haar ermee heeft geconfronteerd, weet ik niet.'

'Ze heeft mij verteld dat ze niet zwanger kon worden.'

'Dat is wat ze iedereen heeft verteld. Dat is hoe ze hem heeft overgehaald tot adoptie.'

Michael sloot het dossier en gaf het terug aan Jessup.

'Ze wilde dat jullie jongens weer naar huis kwamen, Michael. Ze wilde dat jullie veilig en gezond waren en met liefde omringd werden.'

Bij de volgende samenkomst waren ze met z'n drieën – Michael, Julian en Abigail – en het was vreemd hoe die schaduwrijke hoek en het gras aanvoelden als hun eigen plekje op de wereld. Ze zaten aan dezelfde tafel, onder dezelfde boom en zagen kinderen die hun bekend voorkwamen. De woorden werden sneller gevonden en de antwoorden waren minder cryptisch. Maar toch was er een licht onbehagen, en Michael vroeg zich af of hij de enige was die dit voelde. Hij wierp een blik op Abigail, die er ontspannen uitzag, maar zich zichtbaar niet helemaal op haar gemak voelde. Hij wilde haar zeggen dat hij de waarheid kende, wilde haar vergeving schenken voor de manier waarop zij de jongens had achtergelaten en haar bedanken voor alles wat ze had gedaan. Misschien zou dat haar wat meer ruimte geven, een weg naar meer duidelijkheid. Maar Abigail was een goede moeder voor Julian, en Julian was een goede zoon. Michael zag respect, liefde en voldoening. Om met de waarheid te komen zou niemand helpen, dus liet hij die waarheid voor wat ze was. Hij genoot van dit moment in de zon en liet Arabella Jax waar ze thuishoorde: nooit genoemd, door niemand geliefd, langzaam wegrottend in de kleine hut waar ze alle drie ooit als kind hadden gewoond.

Ze maakten een korte wandeling langs de oever en Michael voelde dat het steeds beter ging met zijn been. Na een tijdje keerden ze terug naar de tafel en dronken ze witte wijn uit plastic bekers, hoewel een bord bij de ingang aangaf dat dit tegen de regels was. Julian zat zich zorgen te maken en was benauwd voor de politie, wat Abigail aan het lachen maakte en Michael deed glimlachen. Toen de fles bijna leeg was, keek Michael in Abigails ogen en zei: 'Ik heb gehoord over het testament van de senator.' Ze probeerde hem te onderbreken, maar Michael stak zijn hand op. 'Ik heb geld genoeg. Dat is voor jou.'

Ze pakte zijn hand en glimlachte. 'Dat is lief van je, maar het is niet nodig.'

'Maar in het document stond dat je alleen recht had op je sieraden en persoonlijke bezittingen...'

Abigail lachte en het was een puur genot om die lach te horen. 'O, Michael. Alleen al mijn juwelen zijn getaxeerd op twaalf miljoen dollar en de kunst die hij mij heeft gegeven is het dubbele waard. Het huis in Charlotte staat op mijn naam, en het huis in Aspen ook.' Ze schudde haar hoofd. 'Randall was niet zo slecht als de kranten ons willen doen geloven. We waren ooit verliefd op elkaar en dat was wat voor ons beiden telde. Hij verwende mij en belegde in mijn naam. Dat doet me trouwens aan iets denken. Jongens, ik heb iets voor jullie.'

Ze zocht in de wijnmand en haalde twee sierlijk ingepakte doosjes tevoorschijn. Ze gaf het ene aan Michael en het andere aan Julian. 'Maak maar open.'

Michael trok aan het lint en scheurde het papier los. In het doosje lag een aansteker van goud en platina. Op de zijkant stond zijn naam gegraveerd. Julian kreeg net zo'n aansteker, met zíjn naam erop. 'Ik begrijp het niet.'

'Het is een aandenken,' zei Abigail. 'Een herinnering.'

'Aan wat?'

'Aan een nieuw begin.'

Michael keek naar Julian en zij lachte, omdat niemand het begreep.

'Randall heeft mij nog een ander cadeau gegeven,' zei ze. Toen het weeshuis werd gesloten, heeft hij het voor me gekocht – de gebouwen, de grond. Alles.'

'Waarom?' vroeg Michael.

'Voor een deel omdat ik Andrew Flint in de buurt wilde houden. Maar vooral omdat ik het wilde hebben voor het geval deze dag ooit komen zou.'

'Ik begrijp het nog steeds niet.'

Ze wees naar de aansteker in Michaels handen. 'Draai hem eens om.'

Hij deed wat werd gevraagd. De andere kant was ook gegraveerd.

IJzeren Huis

'Steek het in brand.' Ze reikte over de tafel en pakte hun handen vast. 'Laat het tot op de grond afbranden en laat het dan los.'

54

Toen ze bij het IJzeren Huis aankwamen, was Andrew Flint vertrokken. Het hek stond wijd open, het oude huis was leeg. Toen Michael Julian over Billy Walker vertelde, merkte hij dat zijn broer opvallend stil was. Hij stond bij de slordig gerepareerde deur en keek omhoog naar de hoekkamer op de tweede verdieping waarin zij hadden gewoond. 'Flint had al je boeken,' zei Michael. 'Ik geloof dat hij ze aan Billy voorlas.'

'Daar heb ik ze niet voor geschreven.'

'Dat weet ik.'

'Ik heb ze geschreven om kinderen te leren over kwaad, niet voor kwaadwillende kinderen.'

'Ik geloof niet dat Billy nog zo is.'

Een licht briesje streek over het gras, en Julian sloot zijn ogen terwijl de schemering over de vallei kroop. Het was heel stil waar zij stonden: alleen maar wind en het langzaam afspelen van een herinnering. 'Ze zijn echt dood.'

Hij bedoelde Ronnie Saints, George Nichols en Chase Johnson. Michael trok een hoge struik onkruid uit de grond. 'Dood en verdwenen.'

Julian deed zijn ogen open en ze vingen een glimp op van de rode zon. 'Weet jij hoe ze zijn gestorven, Michael?'

Julian dacht aan het botenhuis, aan de brokstukken van herinneringen die nog in zijn hoofd zaten. Hij zag Abigail Ronnie Saints vermoorden.

Maar was het echt of was het een waanidee? Dat wilde hij heel graag weten. Michael dacht minder dan een halve seconde na, haalde toen zijn schouders op en zei: 'Ik geloof niet dat het iets uitmaakt.'

En dat geloofde hij. Omdat het nog steeds Michaels taak was om zijn broer te beschermen. Omdat Jessup gelijk had.

We kunnen allemaal met twijfels leven.

Het is het weten dat ons kapotmaakt.

'Ik vind het heel erg dat ik Hennessey heb vermoord.'

Michael sloeg zijn arm om Julians nek en zei: 'Zet dat rotjong toch uit je hoofd. Het was een eikel.'

'Ja?'

Michael drukte hem stevig tegen zich aan en zei: 'Julian, broertje, ik denk dat het tijd wordt om een heel groot vuur te bouwen.'

Ze liepen naar de voordeur. Michael gebruikte de sleutel die Abigail hem had gegeven. 'Wil je eerst nog iets zien? Onze kamer? Iets anders?'

'Waarom?'

Dat vond Michael leuk, omdat het een verdomd goed antwoord was. Omdat het paste bij de man die Julian moest zijn. Ze gingen naar de kelderverdieping, zodat het gebouw van onderaf zou afbranden. Ze stapelden dozen en kapot meubilair en bundels vergaan textiel op elkaar. Ze zetten er alles bij wat ze maar konden vinden, tot de berg zo hoog was dat ze dingen moesten gooien om die erbovenop te krijgen. 'Dat bedoelde ik nou,' zei Michael.

De brandstapel was meer dan twee meter hoog en zo'n drie meter breed aan de onderkant. Julian was buiten adem. Hij deed een stap achteruit, staarde er lange tijd naar en vroeg toen: 'Weet je nog wat die ouwe Dredge mij vertelde?'

'Zonlicht en zilveren treden?' vroeg Michael.

'Deuren naar betere plekken.'

'Ik weet het nog.'

Julian worstelde nog even met de gedachte en vroeg toen: 'Denk je dat die bestaan?'

'Deuren naar betere plekken?' Michael deed zijn hand open en liet de aansteker zien. 'Ik denk dat wij er nu een gaan maken. Heb jij je aansteker?'

Julian haalde hem uit zijn zak, met een bange, blije grijns op zijn gezicht. Het ding voelde warm aan in zijn hand. 'We gaan dit echt doen.'

'Wil jij eerst?' vroeg Michael.

'Samen.'

Michael bukte zich; Julian stond naast hem. 'Zou het nou niet grappig zijn als ze vergeten had om er aanstekervloeistof in te doen?'

Julian lachte, en ze staken het vuur aan dat het IJzeren Huis zou vernietigen. Vlammen likten aan de opgestapelde dozen, en ze liepen naar de deur toen het vuur het plafond bereikte. Ze stonden een volle minuut te kijken, terwijl Julian de aansteker tussen zijn vingers draaide en hem toen in zijn zak liet glijden. 'Voel je iets?' vroeg Michael.

'Ik voel me warm.'

'Probeer je nu leuk te doen?'

'Warm, in iedere zin van het woord.'

Ze keken tot het te heet werd om te blijven, gingen toen naar boven en naar buiten, reden naar het hoge, metalen hek en stapten uit de auto om te zien hoe de gele vingers over de kelderramen streken. 'Bijna,' zei Michael, en Julian raakte het plekje boven zijn hart aan.

'Mam had mee moeten gaan.'

Maar Michael schudde zijn hoofd. 'Dit is voor ons.'

'Ben je gelukkig?' Julian knikte naar het IJzeren Huis.

'Sst.' Michael zei het zacht. 'Laten we gewoon kijken.'

En dus keken ze, terwijl de nacht viel en koele lucht van de bergwand daalde. Michael legde een arm om de schouders van zijn broer en samen stonden ze daar, in stilte, terwijl het glas versplinterde door de hitte, de rook naar buiten dreef en het IJzeren Huis brandde.

55

De volgende dagen waren bitterzoet voor Michael. Julians tred werd lichter en Abigail zag met steeds meer plezier hoe deze man, die het zo lang zo moeilijk had gehad, nu langzaam maar elegant een beter leven in stapte. Hij zou nooit een sterk mens worden, maar het vernietigen van het IJzeren Huis had hem een zelfvertrouwen gegeven dat ze nooit eerder had gezien. Michael en zij spraken erover bij een drankje op het terras.

'Misschien was het de dood van die jongens,' zei Michael.

'Of Victorine Gautreaux.'

Michael keek naar een boot die over het water bewoog. Hij was ver weg, maar hij dacht dat hij Victorine zag lachen. 'Ze is goed voor hem, toch?'

Abigail knikte, maar haar ogen stonden bezorgd. 'Ik wacht nog steeds of ik dingen in haar herken van haar moeder,' zei ze. Michael begreep het. Familie was een grote kracht – die kon je vormen, sterker maken of breken – en het was die kracht die Michaels dagen zo onverwacht moeilijk te verdragen maakte. Abigail en Julian deelden een band die door de jaren heen was opgebouwd, en daar zat zoveel geschiedenis achter, zoveel begrip dat Michael zich daarbuiten voelde staan. Zij waren moeder en zoon, in goede en kwade dagen, en het was moeilijk om naar een intimiteit te kijken die hij nooit zou delen, moeilijk om de waarheid te weten en in het geheim zoveel liefde te voelen.

Ze was zijn zus, maar alleen fysiek.

Ze waren broers, maar stonden zo ver van elkaar af.

Iedereen deed zijn best, natuurlijk, maar Michael merkte, toen twee dagen geleidelijk aan vijf werden, dat hij vaak aan Otto Kaitlin dacht. Otto en hij: net als Abigail en Julian waren ze over een brug gelopen die was gebouwd op een jarenlang vertrouwen, en op tijd, en op wederzijdse opoffering. En zulke bruggen waren sterk; ze voelden goed onder je voeten. Dus ook al was Michael altijd welkom, ook al werkten Abigail en Julian er dag en nacht aan om hem dat duidelijk te maken, hij hield altijd zijn telefoon in zijn zak. Hij wachtte op een telefoontje van Elena en droomde 's nachts van zijn eigen gezin, van een vrouw en een kind, van de droom waarmee dit allemaal was begonnen. Tot de dag kwam dat hij niet meer stil kon blijven zitten.

'Waar ga je heen?' vroeg Abigail.

'Ik weet het niet precies.'

'Zien we je weer terug?' Julians stem brak toen hij het zei, en elke gram van zijn nieuwe zelfvertrouwen smolt weg toen hij zijn best deed om niet te gaan smeken. 'We beginnen nog maar net... We...' Hij keek van Abigail naar Michael. 'Kom op, nou. Je kunt niet zomaar weggaan.'

'Het wordt geen herhaling van vroeger. We zien elkaar weer. Heel snel al, voor je het weet.'

'Beloof je dat?'

'Ja.'

In Julians gezicht kwam weer het jongetje opzetten van toen, met al zijn angst en al zijn noden. 'Zweer je dat?'

Michael gaf hem een stevige knuffel. 'Ik zweer het.'

Ze namen afscheid in het huis, onder elkaar, waarna Jessup Michael naar het vliegveld in Raleigh reed. Ze spraken weinig, maar dat gaf niet.

'Waar moet ik je afzetten?' vroeg Jessup.

'American Airlines.'
'Abigail zei dat je niet wist waar je heen ging.'
'Dat weet ik ook niet.'
'Oké.' Jessup volgde de borden naar American Airlines, reed naar de kant en stopte. Door de grote glazen wanden zagen ze een massa gewone mensen de gewone dingen doen.
'Alsjeblieft,' zei hij, maar Michael maakte nog geen aanstalten om uit te stappen.
'Het wordt misschien wel wat tussen Victorine en Julian,' zei hij.
'Ja, misschien wel.'
'De senator is dood. Ik vertrek.'
'Wat wil je daarmee zeggen?'
Michael draaide zich om in zijn stoel. 'Ze komt dan wel alleen te zitten.'
'Bedoel je Abigail?'
'Je weet heel goed wat ik bedoel.'
'Ze denkt dan waarschijnlijk dat het me om haar geld is te doen.' Hij schudde droevig zijn hoofd. 'We zijn nu al vijfentwintig jaar...'
'Ze heeft je nodig.'
Jessups kaken spanden zich. 'Ik zal altijd voor haar zorgen.'
'Dat is niet hetzelfde, en dat weet je.' Michael opende zijn deur. 'Je moet haar vertellen wat je voelt.'
'En jij zou een man zijn eigen zaakjes moeten laten regelen.'
Michael staarde lang genoeg om Jessup een keer te zien slikken, stapte toen uit, bukte zich en keek de auto in om het gezicht van de oudere man te bestuderen. Hij zag sterke lijnen die getrokken waren door opoffering en zorgen; hij zag gemis en behoefte en een diepgewortelde, blijvende angst. Hij zocht woorden van aanmoediging, maar uiteindelijk zei hij niets. Want Jessup had gelijk: een man moest zijn eigen zaakjes regelen, vooral wanneer het zaken van het hart betrof. Hij zou de kracht vinden of niet; hij zou alleen leven of haar hand nemen.
'Bedankt voor de lift,' zei Michael.
'Graag gedaan.'
Michael sloot de deur en klopte op het dak. Hij ging naar binnen – zonder bagage of ticket – en keerde zich toen om voor hij in de menigte zou worden meegevoerd. Hij zag Jessup door het glas. Bleek en stil, voor zich uit starend in het oneindige. Michael keek een paar minuten, waarna de man een keer knikte en de auto rustig wegreed.
Het kostte Michael een minuut of tien voor hij de man vond die hij

zocht. Dezelfde kleren, dezelfde hoed. 'Ken je me nog?' vroeg Michael.

'Hé, duizenddollarman!'

Het gezicht van de kruier lichte op, zijn tanden waren groot en wit. Michael haalde een dik pak geld uit zijn zak. 'Wil je er nog eens vijf verdienen?'

'Duizend?'

'Duizend,' zei Michael, en begon de biljetten af te tellen.

56

Vijf maanden later

Michael zat in een druk café in het centrum van Barcelona. Zijn tafel stond bij het raam, en hij keek vaak op om de mensen voorbij te zien komen. Een knap meisje bracht hem nog een koffie en glimlachte toen hij nieuwe woorden in het Catalaans uitprobeerde, maar de verkeerde koos. Ze verbeterde hem, lachte hem toen gul toe. Ze lachte nog toen ze al naar een ander tafeltje liep.

Michael maakte een aantekening in de marge van een dik, versleten boek. Dit was zijn stamcafé, waar iedereen wist hoe hij heette, maar meer ook niet. Hij was een stille Amerikaan, die in zichzelf gekeerd was en leuke fooien gaf. Hij woonde in een smal kasseienstraatje om de hoek, in een appartement met een rode deur. Hij was altijd beleefd, maar sommige serveersters vonden hem droevig, en maakten zich zorgen over de oorzaak. Meer dan een had geprobeerd om hem mee naar huis te nemen aan het einde van een lange nacht, maar hij gaf altijd hetzelfde antwoord.

Estic esperant a algú.

Ik wacht op iemand.

En zo zag Michael het: als wachten. Hij hield zichzelf elke dag hetzelfde voor.

Ze belt wel.

En toch waren vijf maanden voorbijgegaan. De kruier kon Michael alleen vertellen dat ze naar Madrid was gevlogen; verder had hij geen idee. Dat lijkt niet veel voor vijfduizend dollar, maar Michael vond het een koopje. Dus was hij naar Madrid gevlogen en van daaruit naar Barcelona, het kloppende hart van Catalonië. Hij verwachtte niet haar daar te vinden – de stad had miljoenen inwoners – maar dat was niet erg. Hij wilde alleen maar dichtbij zijn.

In de buurt.

Dus had hij een appartement gevonden aan een smal, bochtig straatje. Hij at lokaal voedsel en leerde Catalaans omdat dat de taal was die Elena's vader sprak, en omdat zijn kind ooit die taal zou spreken. Het verraste Michael hoe leuk hij het vond om het te leren. Hoeveel hij van het leven in een vreemd land genoot. Hoeveel hij van *het leven* genoot. 's Nachts begon hij pas te twijfelen, en de uren voor zonsopgang waren vaak gevuld met zorgen en spijt. Maar de zon kwam altijd op, en elke dag begon met dezelfde gedachte.

Ze belt wel.

Michael nam een slok van zijn koffie en raakte het raam aan met een vinger. Het was koud buiten, winter. Hij nam een laatste slok en betaalde de rekening. Toen hij naar buiten stapte, dacht hij aan al die dorpen hoog in de Pyreneeën en vroeg hij zich af welk dorp het hare was.

Hij liep de hoek om, zijn straat in, en boog zijn hoofd toen de koude wind hem trof. De wind blies over keien en door luiken, zo fel dat Michael zijn telefoon niet hoorde overgaan tot hij de deur door ging en binnen was. Eén tel lang was hij in de war, maar alleen die tel. Hij trok zijn jas open en zocht naar de telefoon. Hij ging een derde keer over voordat hij hem vond. Hij pakte hem maar herkende het nummer niet. 'Hallo, hallo?'

Hij hoorde ruis en achtergrondgeluiden. Stemmen. Metaal op metaal. 'Michael?'

'Elena. Liefste.'

Er klonk ruis en haar stem viel weg. 'O god. Het spijt me zo...'

'Elena, wat zeg je? Ik kan je nauwelijks verstaan.'

'De baby komt.'

Ze viel weg. 'Elena!'

'... weet niet wat ik moet zeggen. Ik dacht dat er nog tijd was, maar de baby komt te vroeg. Het spijt me zo, Michael. Het spijt me zo. Ik wilde dat je erbij zou zijn. Ik wilde bellen. O god...'

Een harde kreet. Stemmen in het Catalaans. Geluiden door een intercom. 'Waar ben je? Zeg me waar je bent.'

Het duurde lang en Michael herkende ziekenhuisgeluiden. Ze lag op een brancard, dacht hij. Ernstige stemmen, die van artsen moesten zijn.

'Welk ziekenhuis? Welk dorp?'

'Aah...'

'Lieverd. Welk ziekenhuis?'

Ze zei het hem tussen hevige zuchten door – een ziekenhuis, een dorp. Eén ogenblik viel de ruis weg en hoorde hij haar perfect. 'Het komt. Het komt.'

Toen pakte iemand de telefoon weg en werd het gesprek verbroken.

Michael probeerde terug te bellen, maar de telefoon stond uit. Hij staarde geruime tijd naar de muur, voor het eerst in zijn leven compleet verstijfd. Ze had gebeld; de baby kwam eraan. Zijn gedachten zaten op slot. Toen viel de verlamming weg. Hij stormde door het appartement tot hij een kaart en zijn sleutels vond. 'Wat moet ik nog meer hebben? Denk na! Denk na!'

Maar hij had alles. Portemonnee. Sleutels. Kaart.

Hij perste zich in het autootje in de kleine garage; zijn handen trilden toen hij de kaart opensloeg en de weg vond die hem naar Elena zou brengen. Hij startte de auto, reed de drukke, ijzige straten op en worstelde zich naar de grote wegen toe die snel en recht naar het noorden leidden. Hij gaf gas tot het autootje sidderde.

De baby komt, dacht hij.

De baby komt.

Maar dat klopte niet helemaal. De bevalling duurde drieënhalf uur.

Hij haalde het, met nog acht minuten te gaan.

Dankwoord

Op een gegeven ogenblik stond ik tijdens het schrijven van dit boek op het punt het bijltje erbij neer te gooien. Dat gebeurt wel eens vaker, dat ontmoedigende gevoel van twijfel dat maar niet wil wijken. Niets liep zoals ik had gehoopt; de tekst vloog me soms naar de keel. Ik had het misschien ook wel gedaan – dat bijltje erbij neergooien, iets anders gaan doen – ware het niet dat mijn redacteur Pete Wolverton en mijn uitgever Matthew Shear, die het eerste grote stuk van het manuscript hadden gelezen, onderkenden wat het in zich had en me overreedden om op de ingeslagen weg voort te gaan. Hun vertrouwen hielp me door een paar lange maanden heen en ik wil vooral hen daarvoor bedanken. Matthew, Pete... dit boek had zonder jullie nooit het licht gezien. Dank dat jullie in me geloofden en me op het juiste spoor hebben gehouden.

Ook wil ik de andere leden van mijn redactieteam bedanken, Anne Bensson en Katie Gilligan. Jullie heldere oordeel maakte het boek beter, elke keer dat jullie ernaar keken. Zeer bedankt daarvoor! En nog eens bedankt, Pete. Jij maakt elke trip naar het zuiden de moeite waard.

Voor het vuur dat onder het IJzeren Huis werd aangejaagd verdienen mijn uitgevers enorme waardering. Sally Richardson, Matthew Shear, Tom Dunne... Ik weet dat jullie heel wat boeken onder handen hebben, maar voelde toch hoe jullie het mijne nooit uit het oog verloren. Een roman maakt maar weinig kans als jullie er niet volledig achter staan, en ik dank jullie voor het vertrouwen dat jullie in me hebben getoond.

Voor de marketing van het boek heeft Matt Baldacci zoals altijd fantastisch werk gedaan, evenals zijn team: Nancy Trypuc, Kim Ludlam en Laura Clark. Mijn publiciteitsagenten Stephen Lee en Dori Weintraub zijn sensationeel. Allebei veel dank voor wat jullie hebben gedaan, ik vind het geweldig. Dank ook aan Kenneth J. Silver, de productieman, Cathy Turiano, de productiechef, en John Bennett, die het binnenwerk ontwierp. Jullie hebben een prachtig boek gemaakt, en ik hou van prachtige boeken! Ook wil ik mijn bureauredacteur bedanken, Steven A. Roman, die alles doet om te voorkomen dat ik mezelf voor gek zet. Uiteraard zijn eventuele fouten in het boek van mij, niet van hem. Ook moet ik de vele mensen bedanken die zich zo hebben ingespannen om het juiste omslag voor mijn boek te maken. Een lastige klus, elke keer weer. Zoals gewoonlijk ook een speciale loftuiting voor de hardwerkende verkoopafdeling van St Martin's Press en Griffin Books. Mickey Choate verdient mijn dank, net zoals Esther Newberg. Jullie zijn allebei geweldig fantastische tussenpersonen.

Ook moet ik mijn grote vriend Neal Sansovich bedanken, wiens oprechte instelling en onblusbare optimisme me uit allerlei diepe dalen hebben getild, toen de dagen nog langer leken dan ze waren. Je vriendschap betekent heel veel voor me, Neal. Bedankt voor de waardevolle gesprekken en de grond onder mijn voeten.

Buitenlandse uitgevers over de hele wereld hebben erg hun best gedaan om dit boek tot een succes te maken, maar mijn team in het Verenigd Koninkrijk verdient extra lof. Dus speciale dank voor Roland Philipps, Kate Parkin en Tim Hely Hutchinson, evenals voor alle anderen bij John Murray Publishers, die alles deden wat ze konden om mij het gevoel te geven dat ik bij de familie Murray hoor.

En zo kom ik dan eindelijk bij de belangrijkste mensen van allemaal. Alleen het gezin van een schrijver aan het werk weet wat een bijzondere klus het is om samen te leven met een romanschrijver. Het is een tijdrovend proces; we laten ons nog wel eens afleiden en werken op vreemde uren. Dat is niet altijd even aangenaam, en niemand verdient een diepere buiging van waardering dan mijn vrouw Katie en mijn meiden, Saylor en Sophie. Ik zou niets zijn zonder jullie.